MEISTRI'R CANRIFOEDD

MEISTRI'R CANRIFOEDD

Ysgrifau ar Hanes Llenyddiaeth Gymraeg

gan

SAUNDERS LEWIS

wedi'u dethol a'u golygu gan

R. GERAINT GRUFFYDD

CAERDYDD
GWASG PRIFYSGOL CYMRU
1973

Argraffiad cyntaf 1973
Adargraffwyd 1982

ISBN 0 7083 0834 1

Adargraffwyd gan y Cambrian News (Aberystwyth) Cyf.

CYNNWYS

RHAGAIR

DYMUNAF, yn gyntaf peth, ddiolch i Mr. Saunders Lewis am ei hynawsedd yn caniatáu imi gyhoeddi'r casgliad hwn o'i ysgrifau, a hefyd am fynnu fy mod yn dilyn fy llwybr fy hun wrth eu dewis (er iddo ateb yn barod bob ymholiad o'r eiddof). Yn gam neu'n gymwys, fe benderfynais beidio â chynnwys adolygiadau fel y cyfryw yn y gyfrol, ac eithrio'r ddau a welir mewn Atodiad ar y diwedd : cynhwysais y rheini am fod ynddynt gyfraniadau cadarnhaol mewn dau faes nad ymdriniodd Mr. Lewis fawr â hwynt yn unman arall, sef y canu rhydd cynnar a mydryddiaeth Pantycelyn.

Y mae dull Mr. Lewis o drin orgraff ei ddyfyniadau yn amrywio o ysgrif i ysgrif. Yn aml yr amcan yw rhoi syniad cyffredinol am orgraff y gwaith y dyfynnir ohono, yn hytrach nag atgynhyrchu pob manylyn. Gydag ychydig iawn o eithriadau, fe adawyd y dyfyniadau fel yr oeddynt yn yr ysgrifau gwreiddiol, ond bod cambrintiadau a allai effeithio ar y synnwyr wedi eu cywiro. Heblaw ailysgrifennu rhan o bennod XXVIII ar gyfer y gyfrol, fe ychwanegodd Mr. Lewis frawddeg ar ddiwedd pennod VIII. Dileodd hefyd rai brawddegau y barnodd eu bod bellach yn ddiangen, a newidiodd ambell air yma a thraw.

Y mae'n dda gennyf gael y cyfle hwn i ddiolch i amryw gyfeillion a rwyddhaodd fy llwybr wrth baratoi'r gyfrol : i olygyddion y cylchgronau yr ymddangosodd yr ysgrifau gwreiddiol ynddynt am eu caniatâd parod i'w hailgyhoeddi ; i'r Athro J. E. Caerwyn Williams am ei gyngor doeth ar lu o bwyntiau ; i'r Athrawon W. H. Davies a Glanville Price a Mrs. Margaret Parry am arweiniad ynglŷn â manylion dyrys ; i Mr. D. Tecwyn Lloyd am roi imi gopi o'i lyfryddiaeth odidog o weithiau Mr. Lewis ; i Dr. Gwyn Thomas am roi cyfle imi i weld ysgrif y Prifathro Pennar Davies (yn *Presenting Saunders Lewis*) cyn iddi ymddangos ; i Mrs. Mary Jones am ei gwaith gwiw yn teipio llawer o'r cynnwys ; i'm gwraig a Mr. D. J. Bowen am ddarllen y broflen derfynol a Mr. Dafydd Ifans am lunio'r Mynegai ; ac yn olaf i Dr. R. Brinley Jones, a fu o'r cychwyn yn gwarchod y gyfrol gyda gofal ac ymroddiad ymhell y tu hwnt i ofynion ei swydd.

Llyfrau a monograffau Mr. Saunders Lewis ar hanes llenyddiaeth Gymraeg

A School of Welsh Augustans (Wrecsam, 1924)

Williams Pantycelyn (Llundain, 1927)

Ceiriog (Aberystwyth, 1929)

Ieuan Glan Geirionydd (Caerdydd, 1931)

Braslun o Hanes Llenyddiaeth Gymraeg hyd 1535 (Caerdydd, 1932)

Daniel Owen (Aberystwyth, 1936)

Straeon Glasynys (Aberystwyth, 1943)

Ysgrifau Dydd Mercher (Aberystwyth, 1945)

Gramadegau'r Penceirddiaid (Caerdydd, 1967)

RHAGYMADRODD

Bwriad y gyfrol hon yw rhoi yn nwylo'r darllenydd gasgliad o ysgrifau pwysicaf Mr. Saunders Lewis ar hanes llenyddiaeth Gymraeg. Dylid eu darllen ochr yn ochr â'r llyfrau a'r monograffau a gyhoeddodd Mr. Lewis yn yr un maes, y ceir rhestr ohonynt ar y tudalen gyferbyn. Pwysig hefyd yw ei ychydig ysgrifau Saesneg ar y pwnc, a gesglir ynghyd yn y gyfrol *Presenting Saunders Lewis*, sydd ar fin ymddangos.[1] O ystyried yr ysgrifeniadau hyn ynghyd, fe welir fod Mr. Lewis ynddynt wedi ymdrin â bron bob awdur o bwys yn holl hanes llenyddiaeth Gymraeg.

Y mae'r diweddar Athro Griffith John Williams a'r Prifathro Pennar Davies eisoes wedi traethu'n helaeth ac yn olau ar gyfraniad Mr. Lewis fel ysgolhaig a beirniad,[2] ac afraid yw i mi geisio troedio'r un llwybrau â hwy yma. Deubeth yn unig y carwn eu pwysleisio ynglŷn â'r ysgrifau sy'n dilyn.

Yn gyntaf, y maent yn ffrwyth cyfuniad cwbl eithriadol o ddysg a gweledigaeth. Nid oes raid imi oedi'n hir uwchben y ddysg a amlygir ynddynt. Y tu ôl i bob un ohonynt y mae dyddiau ac wythnosau, onid misoedd, o ddarllen manwl a chariadus ar y testunau Cymraeg yr ymdrinnir â hwynt, darllen sy'n esiampl inni i gyd. Y tu ôl i hynny wedyn y mae oes o ymdrwytho cyson ym mhrif glasuron Ewrop mewn o leiaf bedair iaith : Lladin, Ffrangeg, Eidaleg a Saesneg. Gwir nad ymwrthododd Mr. Lewis erioed â help llafurwyr cynharach ym mhob un o'r meysydd hyn, ac y mae'n amlwg iddo elwa llawer ar waith ysgolheigion Cymraeg y ganrif hon, ar ddysg ei athrawon yn Lerpwl, ac ar arweiniad cewri Ewropeaidd megis Étienne Gilson a Francesco de Sanctis. (Fe fyddaf yn meddwl fod de Sanctis, yn enwedig, wedi bod yn ysbrydiaeth iddo mewn llawer ffordd.) Ond nod angen ei fethod, yn ddiamau, yw mynd yn uniongyrchol at yr awduron gwreiddiol, byw yn hir yn eu cwmni, a gweld yr hyn a welo ar eu tudalennau. Daw hyn â mi at ail elfen y cyfuniad a grybwyllais ar y dechrau,

[1]Dan olygiaeth yr Athro Alun Jones a Dr. Gwyn Thomas (Gwasg Prifysgol Cymru).

[2]Yn *Saunders Lewis: ei feddwl a'i waith* gol. Pennar Davies (Gwasg Gee, 1950) ac yn *Presenting Saunders Lewis.*

sef gweledigaeth neu ganfyddiad—peth prinnach o lawer na dysg, er nad yw'n annibynnol ar ddysg ychwaith. Y mae'r gynneddf hon o eiddo Mr. Lewis yn gweithredu ar fwy nag un lefel. Hi sy'n ei alluogi dro ar ôl tro i ganfod mawredd ac arbenigrwydd mewn awdur unigol y tueddid i fynd heibio iddo'n ddibris ddigon o'r blaen. Ar lefel fwy cyffredinol, hi sy'n peri ei fod yn gweld holl hanes llenyddiaeth Gymraeg o Daliesin hyd heddiw yn undod crwn, gweld ein holl lenyddiaeth yn ymrithio o'i flaen yn un corff cyfan. Corff yw hwn sy'n tynnu ei fodolaeth a'i faeth o ddwy brif ffynhonnell : y traddodiad Cristnogol cyffredin a barhaodd yn ddi-dor o adeg Dewi hyd ein dyddiau ni (er i Brotestaniaeth gyfyngu peth arno), a holl lif llenyddiaeth Ewrop o Fyrsil hyd Baudelaire a wedi hynny. Dro ar ôl tro yn yr ysgrifau hyn fe geir Mr. Lewis yn pwysleisio'r elfennau Cristnogol, onid Catholig, yng ngwaith yr awduron y mae'n ymdrin â hwynt ; dro ar ôl tro fe'i ceir yn cysylltu ei awdur â rhyw berthynas pell iddo ' ar ddôl Eidal ddilediaith,' neu ym Mharis yr ail ganrif ar bymtheg (dyweder), neu yn yr Almaen, neu yn Sbaen, neu yn Lloegr. Y weledigaeth hon o lenyddiaeth Cymru fel rhan fechan, ond unigryw ac amhrisiadwy, o lenyddiaeth Ewrop Gristnogol yw prif gyfraniad Mr. Lewis hyd yma i astudiaethau llenyddol Cymreig, ac y mae'n gyfraniad na chafwyd ei bwysicach.

Yr ail beth yr hoffwn ei bwysleisio ynglŷn â'r ysgrifau hyn yw eu bod nid yn unig yn ysgrifau am lenyddiaeth ond hefyd yn ysgrifau sy'n llenyddiaeth ynddynt eu hunain. Mewn traethiad cynnar a haeddiannol enwog yn y *Llenor* ar ' Safonau beirniadaeth lenyddol ' fe faentumiodd Mr. Lewis yn groyw mai ' gwaith beirniad llenyddol yw cyfansoddi llenyddiaeth.' Yr unig wahaniaeth rhwng beirniad a bardd neu lenor, meddai, yw mai ' cyfansoddi llenyddiaeth am lenyddiaeth [ac nid am fywyd] a wna efô, rhoi helyntion ei brofiad yng nghyfandiroedd celfyddyd.' Dyna'r nod yr anelodd ef ei hun ato drwy gydol ei yrfa fel beirniad, a llwyddo i'w gyrraedd yn amlach o lawer na pheidio. Oherwydd eu cynllunio a'u sgrifennu mor gelfydd, y mae ei lyfrau beirniadol yn aml yn rhoi'r un boddhad â nofel, a'i ysgrifau beirniadol yr un boddhad â stori fer. Ni allai fod yn amgen, mewn gwirionedd, gan fod ymdeimlad Mr. Lewis â cheinder yn rhywbeth dwfn iawn yn ei natur. Fe welir hyn nid yn unig yn ei ddramâu a'i gerddi, ond hefyd yn ei ymateb dwys i gerddoriaeth ac arlunio a phensaernïaeth ymateb sy'n cyfoethogi'n aml ei ymwneud â llenyddiaeth, gyda llaw. Y mae'n wir y gall y fath synnwyr ffurf cryf arwain hanesydd neu feirniad llenyddol ar gyfeiliorn weithiau, onis ffrwynir, ond y mae'r elw a ddwg yn llawer mwy na'r perygl. Y synnwyr ffurf hwn, yn anad unpeth, a fydd yn sicrhau y bydd gwaith Mr. Lewis ar hanes llenyddiaeth Gymraeg yn cael ei ddarllen â budd a mwynhad ymhen cenedlaethau eto, fel y darllenir heddiw waith rhai o'i ffefrynnau yntau, megis Sainte-Beuve a Bremond a de Sanctis.

Nid wyf yn meddwl am funud y dymunai Mr. Lewis inni ddarllen yr ysgrifau hyn yn anfeirniadol. Y mae'n rhydd inni deimlo ei fod yn rhoi gormod o glod i ambell awdur, neu yn camddehongli ambell fudiad, neu yn cyfiawnhau ambell fflach o weledіad â'r dadleuon anghywir. Ond crintachrwydd ysbryd yn unig a barai fod hynny yn ein rhwystro rhag cydnabod y gamp eithriadol a gyflawnir ar y tudalennau a ganlyn, ac yng ngweithiau eraill Mr. Lewis yn yr un maes. Pan ystyriwn nad yw'r gamp hon ond un agwedd ar weithgarwch cyfan Mr. Lewis, pan ystyriwn y dramâu a'r cerddi ysblennydd a'r yrfa wleidyddol dyngedfennol, ni allwn ond gwyleiddio ym mhresenoldeb y fath ddisgleirdeb. Braint arbennig iawn i mi yw cael bod ynglŷn â'r gyfrol hon.

Calanmai, 1972. R.G.G.

BYRFODDAU

GMWL : T. Lewis, *A glossary of medieval Welsh Law* (Manceinion, 1913)
GP : *Gramadegau'r penceirddiaid*, gol. G. J. Williams ac E. J. Jones (Caerdydd, 1934)
H : *Llawysgrif Hendregadredd*, gol. J. Morris-Jones a T. H. Parry-Williams (Caerdydd, 1933)
HGC : *The history of Gruffydd ap Cynan*, gol. A. Jones (Manceinion, 1910)
IGE : *Cywyddau Iolo Goch ac eraill*,[1] gol. H. Lewis, T. Roberts ac I. Williams (Bangor, 1925)
M : W. J. Gruffydd, *Math vab Mathonwy* (Caerdydd, 1928)
P 57 : *Peniarth MS*, 57, gol. E. Stanton Roberts (Caerdydd, 1921)
PKM : *Pedeir keinc y Mabinogi*, gol. I. Williams (Caerdydd, 1930)
RB : *The Text of The Bruts from the Red Book of Hergest*, gol. J. Rhŷs a J. Gwenogvryn Evans (Rhydychen, 1890)
RDW : T. Richards, *Religious Developments in Wales* (1654-1662) (Llundain, 1923)
RM : *The Text of the Mabinogion and other Welsh tales from the Red Book of Hergest*, gol. J. Rhŷs a J. Gwenogvryn Evans (Rhydychen, 1887)
RP : *The Poetry in the Red Book of Hergest*, gol. J. Gwenogvryn Evans (Llanbedrog, 1911)
YCM : *Ystorya de Carolo Magno*,[1] gol. S. J. Williams (Caerdydd, 1930)

MEISTRI'R CANRIFOEDD

PENNOD I

PWYLL PEN ANNWFN

AM ddyddiad Pedair Cainc y Mabinogi derbyniasom yn gyffredin er 1930 farn y diweddar Syr Ifor Williams :

> Y ddamcanïaeth sy'n ateb i'r ffeithiau hysbys i mi, felly, yw ddarfod i ŵr o Ddyfed uno hen chwedlau Gwent, Dyfed a Gwynedd oddeutu 1060, pan oedd y tair gwlad yn un . . . . .

Am y gwahaniaeth rhwng y Pedair Cainc a'r Tair Rhamant dywedodd Ifor Williams ymhellach :

> Bu *Peredur*, *Arglwyddes y Ffynnon*, a *Geraint* am dro ym Mharis, a daethant yn ôl i Gymru wedi diosg peth o'u gwisg Gymreig, a gwisgo dillad Ffrengig yn eu lle ! Brethyn cartref sydd am y Pedair Cainc (PKM, li).

Nid wyf mor siŵr. Brethyn cartref go od a welaf i am y stori a geir ar ddalennau 1-8 o argraffiad Ifor Williams, ac at hynny y dymunwn alw sylw.

Yr ymddiddan rhwng Pwyll ac Arawn yn y coed ar dudalen 2 sy'n codi amheuon gyntaf :

> 'A unben,' heb ef, 'mi a wnn pwy wytti, ac ny chyuarchaf i well it.'
> 'Ie,' heb ef, 'ac atuyd y mae arnat o anryded ual nas dylyei.'
> 'Dioer,' heb ef, 'nyt teilygdawt uy anryded a'm etteil am hynny.'
> 'A unben,' heb ynteu, 'beth amgen ? '
> 'Y rof i a Duw,' hep ynteu, 'dy anwybot dy hun a'th ansyberwyt.'

Ceir yn *Ystorya Gereint vab Erbin* ymddiddan rhwng Geraint a'r corr sydd hefyd yn rhagdybio graddau anrhydedd a theilyngdod :

> Dyuot a oruc Gereint at y corr. Heb ef, 'pwy y marchawc ? '
> 'Nys dywedaf iti,' heb y corr.
> 'Mi a'y gouynnaf y'r marchawc e hun', heb ynteu.
> 'Na ouynhy, myn uyg kred,' heb y corr. 'Nid uyt un anrydet di ac y dylyhych ymdidan a'm arglwydd i'.

Mae naws yr ymddiddanion hyn a'u termau technegol ffiwdal yn awgrymu fod peth o foes y gymdeithas farchogaidd eisoes ar y dialog rhwng Pwyll ac Arawn, er bod rhan o'u siarad, fel y dangosodd Loth ac Ifor Williams, yn pwyso hefyd ar y Cyfreithiau Cymreig. Y mae dau bwynt bychan arall sy'n cyffroi cywreinrwydd. Mae'r ddwy stori, *Pwyll* a *Geraint*, yn agor gyda hanes am hela. Mewn gwisg o frethyn *llwyt tei* yr aeth Arawn i hela, ac y mae gan Ifor Williams nodyn mai brethyn addas i arglwydd yn ei lys ydoedd. Fe ddywedir yn gyffelyb am Gereint—

> A pheis a swrcot o bali ymdanaw, a dwy eskid issel o gordwal am y draed, a llen o borfor glas ar warthaf hynny, ac aual eur wrth pob cwrr idi . . .

Wedi'r cytundeb y mae Pwyll yn cyrchu llys Arawn ; ac yn y llys—

> ef a welei hundyeu ac yneuadeu ac ysteuyll, a'r ardurn teccaf a welsei neb o adeiladeu . . .

Trown at stori *Geraint*, ac yr wyf yn dyfynnu'n awr o *Chwedlau Cymraeg Canol* yr Athro Jarman :

> ef a welei ar dalym o'r dref henllys atueiledic ac yndi neuad drydoll . . . A gwedy dyuot ohonaw parth a'r llys ny welei hayach, namyn loft a welei a font o uayn marmor yn dyuot o'r loft y waeret . . . .

Yn *Geraint* wele gastell gyda thref a'i thai, ac y mae llys yr arglwydd gorchfygedig allan yn y wlad,—darlun digon nodweddiadol o Forgannwg y ddeuddegfed ganrif. Ond y mae dylanwad penseiri o Ffrainc ar y llys truenus, gan fod iddo lofft a grisiau o farmor, ac yn ddiweddarach daw gweision i'r llofft er mwyn

Kyweiryaw y *tei oll.*

Nid oes sôn am farmor na charreg arall yn llys Arawn, ond yno hefyd y mae'r enwau oll yn lluosog, hundyau, neuaddau, ystefyll, adeiladau. Mae gan Dr. Peate yn *The Welsh House* drafodaeth werthfawr ar hyn. Yn *Peredur* a *Iarlles y Ffynnon*, nid oes fawr o wahaniaeth rhwng llys a chaer a chastell, ond dyfynna Timothy Lewis (GMWL, 209) o un llawysgrif :

> Henwau tau: Palas—Pab ; llys—Emerodr neu frenin ; kastell—Tywysog neu arglwydd ; Neuadd—marchog neu esgwier.

Yn stori *Geraint* castell a thref Caerdydd a dreisir gan Edern fab Nudd, a *llys* sy gan Nywl iarll dalm o'r dref. Tybed a oes yma, yn hanes Edern a'i gorr a'r sarhad ar Wenhwyfar a'i morwyn a'r twrneimeint a'i anfon yntau wedyn i Gaer Llion at Arthur, gyfeiriad at yr hanes enwog am Ifor Bach o Senghennydd a'i ymosodiad ar gastell Caerdydd yn 1158 ? Mae'r disgrifiad yn *Geraint* o'r dref a'r castell a'r llys yn eithriadol fanwl a phendant. Goruchafiaeth y llys ar y castell oedd hwnnw hefyd, ac y mae'r iawn a fynnodd ac a gafodd Ifor Bach yn hynod debyg i'r iawn a gafodd Nywl yn y stori. Byddai'r cyfryw gyfeiriad yn gyson â damcaniaeth Mrs. Goetinck ynghylch amcan y tair rhamant.

Ac yn awr at foes y llys: ' Wrth fel y gwelych y gwasanaeth ydd adnabyddi foes y llys.' Y disgrifiad safonol, cyflawn a llwyr o foesau llys Arthuraidd yn y tair rhamant yw hwnnw sydd yn stori Cynon yn *Iarlles y Ffynnon* (*Chwedlau Cymraeg Canol*, 50-1). Yn *Geraint* fe gawn ddau ddarlun o'r moesau yn llys Nywl, y cyntaf pan nad oes yno neb i weini ond Enid, a'r ail ar ôl y twrneiment a gweision yr iarll ifanc yno :

> A ffan doethont y'r lofft yd oed gweisson ysteuyll y iarll ieuanc a'e gwasanaeth guedy dyuot y'r llys, ac yn kyweiraw y tei oll ac yn y diwallu o wellt a than, ac ar oet byrr yd oed y barawt yr enneint. Ac yd ayth Gereint idaw a golchi y benn a wnaythpwyt. Ac ar hynny y doeth y iarll ieuanc ar y deugeinfed o uarchogyon urdawl . . . ac yna y doeth ef o'r enneint ac yd erchis y iarll itaw uyned y'r neuad y uwyta . . . Ac yna y doyth pawb y'r neuad onadunt. Ac ymolchi a orugant a myned y eisted ac y uwyta. Sef ual yd eistydassant, o'r neill tu y Ereint yd eistedawd y iarll ieuanc, ac odyna Ynywl iarll. O'r tu arall y Ereint yd oed y uorwyn a'e mam, a guedy hynny pawb ual y raculaynei y anrydet.

Mae'r cwbl yn ffurfiol seremonïol a phob blaenoriaeth yn ôl anrhydedd, hynny yw statws cymdeithasol ffiwdal. Ceir nifer o ddisgrifiadau tebyg drwy gydol y tair rhamant ac enwir llys Arthur yn safon.

Trown gan hynny at y darn cyfatebol yn *Pwyll* :

> Ac y'r neuad y gyrchwys y diarchenu. Ef a doeth makwyueit a gueisson ieueinc y diarchenu, a phaub ual y delynt kyuarch guell a wneynt idaw. Deu farchawc a doeth i waret i wisc hela y amdanaw, ac y wiscaw eurwisc o bali amdanaw.

> A'r neuad a gyweirwyt. Llyma y guelei ef teulu ac yniueroed, a'r niuer hardaf a chyweiraf o'r a welsei neb yn dyuot y mywn, a'r urenhines y gyt ac wynt, yn deccaf gwreic o'r a welsei neb, ac eurwisc amdani o bali llathreit. Ac ar hynny e ymolchi yd aethant, a chyrchu y bordeu a orugant, ac eisted a wnaethant ual hynn—y urenhines o'r neill parth idaw ef, a'r iarll, debygei ef, o'r parth arall . . . O'r a welsei o holl lyssoed y dayar, llyna y llys diwallaf o uwyt a llynn ac eur lestri a theyrn dlysseu.

Math o fformwla ddisgrifiadol ystrydebol yn y rhamantau yw'r frawddeg olaf. Y mae'r holl seremoni a'r drefn wasanaeth a'r drefn anrhydedd yn ôl y patrwm Arthuraidd. Ond yn sicr y cymal syfrdan yn y paragraff yw'r geiriau, *a'r iarll*, *debygei ef*, *o'r parth arall*. Ni chofiaf i fod sôn am *iarll* ond yma yn y Pedair Cainc, ac y mae'r sangiad, *debygei ef*, yn eglur ddangos fod y cyfarwydd ei hunan yn gwybod ei fod yn mentro'n rhyfygus. Bellach y mae stori Pwyll Pen Annwfn wedi ei throsglwyddo'n eofn derfynol i fyd y gymdeithas Arthuraidd ramantus, i fyd Geraint fab Erbin.

Ac felly'n syth at y twrneimeint. Mr. R. M. Jones (*Llên Cymru*, 1957, t. 212) oedd y cyntaf hyd y gwn i i ddweud yn blaen mai dyna yw'r frwydr rhwng Pwyll a Hafgan. Llywyddir ar y twrneimeint gan *farchog* ; ceir ganddo araith gyfreithiol fer ac yna aiff y ddau ymhonnwr i'w lleoedd :

> Ac ar y gossot kyntaf, y gwr a oed yn lle Arawn a ossodes ar Hafgan ym perued bogel y daryan yny hyllt yn deu hanner, ac yny dyrr yr arueu oll, ac yny uyd Hafgan hyt y ureich a'e palydr dros bedrein y uarch y'r llawr, ac angheuawl dyrnawt yndaw ynteu.

Dangosodd Loth (*Les mabinogion*, i, 88) mai Ffrangeg yw tarddiad y disgrifiad hwn, ond yn sicr iawn *Geraint* a'i dysgodd i awdur *Pwyll*. Fe'i ceir mewn termau union debyg o leiaf deirgwaith yn y rhamant (RM 777, 790, 797), ond bodloner ar y disgrifiad o'r twrneimeint yng Nghaerdydd rhwng Geraint ac Edern :

> Ac o bell y urthaw gordinaw y uarch a oruc Gereint a'y gyrchu ef, gan y rybudyaw, a gossot arnaw dyrnod tostlym creulondrud yghedernit y daryan yny holltes y daryan ac yny dyrr yr arueu yghyueir y gossot, ac yny dyrr y gegleu ac yny uyd ynteu, ef a'y gyfrwy, dros bedrein y uarch y'r llawr.

Y mae canlyniad y twrneimeint eto'n gyffelyb yn y ddwy stori :

> Ie, heb y Gereint, a uo yma o'r a dylyo uod yn wr y Ynywl, gwrhaed itaw o'r lle.

Felly hefyd Pwyll :

> Vy ngwyrda innheu, heb y gwr a oed yn lle Arawn, kymerwch ych kyuarwyd, a gwybyddwch pwy a dylyo bot yn wyr ymi.

O ganlyniad i fuddugoliaeth Geraint y mae Nywl iarll yn cynnig ei ferch *y'th vedyant*, ond etyb y marchog :

> Ny uynhaf i, heb ynteu, namyn bot y uorwyn ual y may yny del y lys Arthur. Ac Arthur a Gwenhwyuar a uynhaf eu bot yn rodyeit ar y uorwyn.

Y mae sifalri a diweirdeb Pwyll a'i reolaeth ar brofedigaeth ei gorff yr un ffunud :

> ' Meuyl im,' heb hi, ' yr blwydyn y neithwyr o'r pan elem yn nyblyc yn dillat guely, na digrifwch nac ymdidan nac ymchwelut ohonot dy wyneb attaf i, yn chwaethach a uei uwy na hynny o'r bu y rom ni.'

Ar fyr, y mae holl stori Pwyll Pen Annwfn yn pwyso'n eglur drwm ar y bennod gyntaf o ramant *Geraint fab Erbin* ac wedi ei llunio arni.

[*Llên Cymru*, ix (1966-7), 230-3].

PENNOD II

BRANWEN

YSTYRIWN frawddeg gyntaf Ail Gainc y Mabinogi :

> Bendigeiduran uab Llyr a oed urenhin coronawc ar yr ynys hon ac ardyrchawc o goron Lundein.

Daliodd John Rhys gyntaf ac wedyn W. J. Gruffydd (*Cym. Trans.* 1912-3) mai dylanwad *Historia* Sieffre o Fynwy a gyfrif am eirfa a chystrawen y frawddeg hon. Hynny'n ddiau sy'n iawn. Derbyn dedfryd Ifor Williams mai 'oddeutu 1060' y rhoddwyd ffurf derfynol i'r Mabinogi a rwystrodd i rai o 1930 hyd yn awr gydnabod dylanwad Sieffre. Ond y mae patrymau'r frawddeg yn yr *Historia* yn fynych. Dywedir yno mewn sôn am Gaswallon :

> Yn Llundein y dylyei wneuthur iawn. Kanys y llys honno oed hynaf a phenaf yn ynys Vrydein yr y dechrau (RB 88)

ac eto am Uthr Bendragon :

> odyna yd aeth hyd yn Llundein, kanys yno y mynnei wisgaw coron y deyrnas (176)

ac ebr Arthur am ei hynafiaid eu bod :

> yn vrenhined arderchawc o goron ynys prydein (206)

ac eto fyth :

> gwedy bot Custenhin yn arderchawc o goron y teyrnas (233).

Ymhellach ymlaen yn chwedl *Branwen*, pan ddychwel y seithwyr o Iwerddon, cawn hyn :

> — A oes gennwch chwi chwedlau ? heb y Manawydan.
> — Nac oes, heb wynt, onyt goresgyn o Gaswallawn uab Beli Ynys y Kedyrn, ay uot yn urenhin coronawc yn Llundein.

Dyma eto ieithwedd ddiamheuol Sieffre, ie a dilynwyr Sieffre. Fe'i clywir yng *Nghyfranc Lludd a Llefelys* :

> A gwedy marw Beli a dygwydaw teyrnas ynys Prydein yn llaw Lludd y uab . . . ef a atnewydwys muroed Llundein . . .

Yn wir y mae dechrau *Lludd a Llefelys* yn drawiadol debyg i gychwyn hanes Branwen. Hawdd y gellid credu mai'r un awdur fu wrthi :

> Ac yn y lle paratoi llongeu ac eu llanw o varchogyon arvawc a chychwyn parth a Ffreinc. Ac yn y lle gwedy eu disgynnu, anuon kenadeu a orugant y uenegi y wyrda Freinc ystyr y neges y doethoed oe cheissaw. Ac o gyt gyghor gwyrda Freinc ae thywyssogyon y rodent y uorwyn y Leuelys a choron y deyrnas y gyt a hi.

Nid dyna'r unig debygrwydd. Dywedir yn y *Gyfranc* :

> Trydyd cynweissat uu hwnnw a torres y gallon (o) anniuiged,

ac yn *Branwen* :

> Y seith hynny a drigwys yn seith kynweissat . . . a hwnnw uu y trydyd dyn a torres y gallon o aniuyget.

Gellid dangos pwyntiau eraill o gysylltiad rhwng y *Gyfranc* a *Branwen* a llyfr Sieffre.

Y mae'r frawddeg agoriadol yn *Branwen* yn hanfodol i'r stori. Nid ychwanegiad copïwr mohoni. Yn Llundain y mae'r stori'n cychwyn, yno wedyn y mae Caswallon yn goronog, ac yno y mae'r stori'n darfod. Er hynny, *non sequitur* go od yw'r ail frawddeg: ' A frynhawngueith yd oed yn Hardlech yn Ardudwy yn llys idaw.' Ac o hynny ymlaen hyd at gladdu Branwen ar lan afon Alaw ym Môn, nid oes sôn am Lundain. Nid Llundain Sieffre yw cartref y ferch Branwen o gwbl, ond Aberffraw ym Môn, prif lys Gwynedd a Chymru. Camp yr awdur fu clymu ynghyd ddau draddodiad, sef traddodiad Cymruaidd Aberffraw a thraddodiad Sieffreaidd coron Llundain.

Fe dâl inni ddarllen Sieffre a'r *Pedair Cainc* gyda'i gilydd. Ystyrier, er enghraifft, esboniad W. J. Gruffudd ar y modd y daeth Iwerddon yn rhan fawr o stori *Branwen.* Fe'i ceir yn erthygl yr Athro Jarman yn *Llên Cymru* (IV, 133) :

> Yn fuan iawn cymysgwyd y stori am fordaith Brân â hanes ymosodiad Pryderi ar Annwfn. Rhwyddhawyd hynny'n fawr gan y ffaith fod y ddwy chwedl yn adrodd am fordeithiau i ynysoedd y ' duwiau.' Wrth gymysgu'r mordeithiau cymysgwyd personau'r ddwy chwedl a chymerodd Brân le Pryderi fel arweinydd ymgyrch dros y môr, nid o Iwerddon, ond o Gymru. Un enw ar yr ynys ledrith yr hwyliodd Brân iddi yn y ffurf

> wreiddiol ar ei hanes oedd 'Ynys y Cedyrn,' sef 'Ynys y Cewri,' eithr wedi lleoli Brân, a oedd yntau'n gawr yn ôl traddodiad, yng Nghymru neu Brydain, deallwyd yr enw hwn fel enw ar Ynys Prydain. Yna cymerodd Iwerddon le'r ynys yr hwyliwyd iddi, a chan fod atgof yn aros am natur filwrol yr ymgyrch a arweiniodd Pryderi yn erbyn Annwfn yn y stori wreiddiol, ymffurfiodd yr hanes yn awr yn stori am ymosodiad o eiddo Brân ar Iwerddon . . . .
>
> Dwg hynny ni'n ôl at y digwyddiad cysefin a sylfaenol yn yr ail gainc, sef ymosodiad Pryderi ar Annwfn. Diweddodd hwnnw mewn brwydr fawr ac ni ddychwelodd namyn saith yn fyw o'r cyrch. Eithr gyda hwy fe ddygent yr ysbail y cychwynasant allan i'w sicrhau, y Pair Dadeni. Ym Mabinogi *Branwen* fel y datblygodd i'w ffurf derfynol nid oedd unrhyw ddiben i'r pair eithr yr oedd wedi glynu wrth y stori trwy'r holl gyfnewidiadau a fu ynddi o gyfnod i gyfnod.

Y mae Mr. Proinsias Mac Cana yn ei lyfr gwerthfawr yntau, *Branwen, Daughter of Llŷr*, yn chwilio am y pair dadeni yn yr hen chwedlau Gwyddeleg, a'r peth tebycaf a ddargenfydd yw ffos a'i llond o laeth iachaol.

Ond yn wir y mae holl ddefnydd chwedlonol *Branwen*,— a chadarnhad o bwys i ddamcaniaeth sylfaenol ac ysblennydd Gruffydd, — ar gael gan Sieffre yn hanes Uthr Bendragon a Myrddin. Rhaid dyfynnu pennod go faith o'r *Historia* i ddangos y datblygiad (RB, 166) :

> Ac ar hynny y dywawt Myrdin . . . . Anfon di yn ôl Côr y Keirw yr hwn yssydd ymynyd Kilara yn Iwerdon . . . . Rinwedawl kymyskedic ynt y mein, ac o amryuaelyon uedeginyaetheu iachwyol ynt, ac o eithafoed yr Affric y duc y kewri wynt, ac y gossodassant yn Iwerddon hyt tra ytoedynt yny phresswylaw . . . . Enneint a wneynt ympedryfal ymein pan wrthrymei eu clefytyeu wynt a golchi y mein a dodi hwnnw y mywn yr eneint, a hwnnw a' iachaei wynt o'r clefydeu a vei arnunt. Ac y gyt a hynny kymysscu sud a ffrwyth y llysseuoed a hynny a iachaei gwelieu y rai brathedic. . . . A phan glywssant y Brytanyeit hynny, barnedic vu gantunt enuynn yn ôl y mein. A brwytraw ar Gwydyl o cheissynt ludyas y mein. Ac or diwed ethol pymtheg mil o wyr aruawc yr neges honno oe heilenwi, ac Uthur Pendragon yn tywyssawc arnadunt . . .

Dengys yr hanesyn hwn sut y trosglwyddwyd yr enw Ynys y Cedyrn o Iwerddon i Brydain. Ceir yma hefyd ddarn go fawr o stori am gyrch byddin i Iwerddon a brwydro yno yn erbyn Gillamwri, — bu un o'r enw Gillamuire (Gwas Mair) yn frenin ar deyrnas yn Leinster tua 1100, — ac yn drydydd y mae'r ennaint ym mhedryfal y meini a iachâi weliïau y rhai brathedig yn rhagflaenydd amlwg i'r Pair Dadeni.

Bu darllen mawr ar *Historia* Sieffre drwy holl flynyddoedd ail hanner y ddeuddegfed ganrif. Diau fod y cyfieithiad Cymraeg cyntaf yn gynnar yn y cyfnod hwnnw. Y mae ei ôl ar holl chwedlau Cymraeg y cyfnod, ar *Freuddwyd Rhonabwy* a *Breuddwyd Macsen* a *Lludd a Llefelys* a'r *Tair Rhamant*. Nid yw'n llai eglur ar stori *Branwen* ac y mae rhannau o stori *Math* yn perthyn i'r unrhyw gylch o chwedlau ac yn dwyn nodau cyffelyb. Teg yn wir yw ymffrost yr *Historia* am yr holl storïau hyn :

> A cheissaw a wnaei bawp kyffelybu a discyblu y wrth lys Arthur ac y wrth y varchogyon ae deulu. Kanyt oed dim gan un dylyedawc yn y teyrnasoedd pell y wrthunt ony ellynt ymgyffelybu a marchogyon Arthur oc eu gwiscoed ac oc eu harveu ac oc eu marchogaeth.

A ellir dyfod yn nes at ddyddiad penodol i *Branwen* ? Awst y cyntaf, 1166, — dyddiad a gofir hyd heddiw yn Iwerddon, — mordwyodd Diarmait mac Murchadha, brenin Leinster, o Lwch Garmon i Fryste gyda'i ferch Efa. O Lwch Garmon hefyd yr hwyliodd llynges Matholwch yn y chwedl, ' tair llong ar ddeg yn dyfod o Ddeau Iwerddon.' Aeth Diarmait hyd yn Ffrainc ar ôl Harri'r Ail a gwrogi iddo a chyda'i gennad daeth i Ddyfed a chynnig ei ferch enwog brydferth (*pulcherrima*, yn ôl Gerallt Gymro) ac etifeddiaeth ei deyrnas yn Leinster gyda hi i Ricart iarll Tristig fab Gilbert Fwa Cadarn er mwyn ' ymrwymaw Ynys y Kedeirn ac Iwerddon y gyt, val y bydynt gadarnach.' Casglodd fyddin o farchogion Penfro a saethyddion Cymreig, ' blodau ieuenctid Cymru ' medd un cronigl, a dychwelyd i geisio adennill ei deyrnas yn Iwerddon. O hynny hyd oni hwyliodd Harri'r Ail o Lwch Garmon yn ôl i Benfro, 17 Ebrill, 1172, bu'r gyfathrach rhwng Deheudir Cymru ac Iwerddon yn arbennig glòs a phrysur. Pennaf awdurdod ar gyflwr a hanes Iwerddon yn y blynyddoedd hynny yw Gerallt Gymro. Geilw ef oresgyniad Iwerddon yn ail oresgyniad. Y goresgyniad cyntaf oedd cyrch y brenin Arthur (RB 194–5) a chynsail i hawl Harri'r Ail ar Iwerddon oedd fod brenin

Iwerddon wedi gwrogi i Arthur yng Nghaer Llion (*Expug. Hiber.*, II, 7). Wele enghraifft gynnar o ddylanwad politicaidd eang *Historia* Sieffre ac o drawsfeddiannu Arthur gan wleidyddion Lloegr. Ond diddorol cofio hefyd mai i erchi pair Diwrnach Wyddel yr aeth Arthur a'i fyddin i Iwerddon yn stori *Kulhwch ac Olwen* a dychwelyd ' a'r pair yn llawn o swllt Iwerddon ganthynt.'

Stori am gyrch tebyg gan frenin coronog Ynys Prydain a geir yn *Branwen.* Y mae dau beth sy'n hawlio sylw pan ddarllenir y stori a hanes y cyfnod ynghyd. Yn gyntaf, fod nifer o ddigwyddiadau yn y stori yn debyg i ddigwyddiadau y ceir eu hanes gan groniglwyr cyrch Harri II i Iwerddon. Yn ail, fod yn y stori dermau ac ymadroddion sy'n perthyn i iaith bywyd politicaidd y cyfnod. Pe na buasai ond un neu ddau ddigwyddiad go debyg, gellid amau mai cyd-ddigwydd damweiniol a ganfuwyd. Ond y mae rhagor na hynny. Y pwnc sydd i'w benderfynu yw a oes yn stori *Branwen* gyfeiriadau at ddigwyddiadau cyfoes y byddai darllenwyr y stori neu rai'n gwrando arni yn eu cofio'n dda ac yn gwybod eu goglais ganddynt ?

Amcan politicaidd oedd i briodas Branwen, yn union megis i briodas Efa ferch Diarmait, ac yn wir i unrhyw ferch i arglwydd mawr yn y ddeuddegfed ganrif. Wedi penderfynu yn Iwerddon ar ddial y sarhad ar Fatholwch a gyrru'r frenhines yn gaethferch :

> — Ie, Arglwydd, heb y wyr wrth Uatholwch, par weithon wahard y llongau a'r yscraffeu a'r corygeu, ual nad el neb y Gymry ; ac a del yma o Gymry, carchara wynt ac na at trachefyn, rac gwybot hyn.

Ceir amryw enghreifftiau o weithredu tebyg. Yr enwocaf yw gwaith Harri II pan groesodd o Ffrainc i Loegr, 3 Awst, 1171, ar gychwyn ar ei daith i Iwerddon, a gosod gwylwyr yn holl borthladdoedd Normandi i atal neb oll o glerigwyr yr eglwys na phererinion o Rufain rhag croesi i Loegr ar ôl lladd Thomas Becket yng Nghaer Gaint.

Yn y stori, llythyr Branwen a gludwyd gan yr aderyn drudwen a gynhyrfodd Fendigeidfran :

> a dechreu o'r lle hwnnw peri anuon kennadeu y dygyuoryaw yr ynys hon y gyt. Ac yna y peris ef dyuot llwyr wys pedeir degwlat a seithugeint hyt attaw . . .

Mae'r eirfa'n dechnegol, ac yn fanwl bendant, ac amhosibl derbyn yr awgrym (PKM 191) fod yma gymysgu rhwng gwlad a chwmwd. Fe wyddai awdur *Branwen* yn dda ddigon ystyr y term cyfreithiol *gwlad*. Fe ddywed Brut y Tywysogion (RB 327):

> Ygkyfrwg hynny ofynhav a wnaeth y brenhin yr ebostolawl yskymyndawt ac adaw gwladoed Freinc ymchoelut y Loegyr a dywedut y mynnei uynet y darestwg Iwerdon. Ac wrth hynny *ymgynullaw a oruc attaw holl dywyssogyon Lloegyr a Chymry.*

Ceir hanes paratoadau Harri gan Boussard (*Le Gouvernement d'Henri II*), a chan G. H. Orpen, *Ireland Under the Normans* (I, Cap. VII, 250) :

> In July he held a council of the barons at Argentan and obtained their approval of his Irish expedition. . . . .Then he made preparation for the assembling of a fleet of transports at Milford Haven and for a *muster of the chivalry of England.*

Trefnodd hefyd i adael ei fab hynaf, Harri, yn bennaf cynweisiad ar ei deyrnas yn Lloegr a Normandi, megis eto yn y stori :

> Ac yna kymryt kynghor [yn union megis Harri II], sef kynghor a gahat, kyrchu Iwerdon, ac adaw seithwyr y dywyssogyon yma, a Chradawc uab Bran y benhaf.

Sylwer ar y gair *yma*. Y mae safbwynt awdur stori Branwen megis safbwynt Gerallt Gymro yn bendant ar ochr y brenin ac wyrion Nest ferch Rhys ap Tewdwr, ac yn erbyn y Gwyddyl. Go brin fod Mr. Mac Cana yn ei lyfr yn gweld hynny ; y mae ef yn rhoi i awdur *Branwen* wybodaeth a chydymdeimlad *file* Gwyddelig. O na bai'n iawn !

Ar gychwyn *Branwen* ac ar ei diwedd y mae môr Iwerddon fel yr adwaenom ni ef. Ond yn awr a Bendigeidfran ar groesi y mae'n newid ei wedd :

> Nyt oed uawr y weilgi. . . . .Nyt oed namyn dwy auon, Lli ac Archan y gelwit. A gwedy hynny yd amlawys y weilgi, pan oreskynwys y weilgi y tyrnassoed.

Pam hyn ? a pham y pryd hwn ? Dywed y *Brut* a dywed Gerallt Gymro wrthym am y tywydd enbyd a gadwodd y brenin yn hir yn Nyfed, ond dywed Gerallt hefyd am yr olwg ryfedd a gafwyd ar y môr y dyddiau hynny. Fe ddigwydd fod gennym gyfieithiad yr Athro Thomas Jones o'r paragraff hwn :

> Oherwydd grym anarferol tymestl dinoethwyd traethau tywodog Deheudir Cymru o'u tywod hyd at y ddaear, ac ymddangosodd wyneb y tir ar ôl ei orchuddio am ganrifoedd maith yn ôl ; ac yn y môr ei hun foncyffion coed wedi eu llwyr ysgythru, ac ergydion y bwyeill fel pes gwnelsid ddoe, a chan fod y ddaear hithau yn dywyll iawn, yr oedd pren y boncyffion yn debyg iawn i eboni ; gyda'r canlyniad, trwy gyfnewidiadau rhyfedd natur, fod ffordd llongau gynt yn ddiffordd i longau, ac yn ymddangos nid yn draeth yn awr, ond yn llannerch a gwympwyd er amser y dilyw . . . . ac a draflyncwyd yn raddol gan angerdd y môr yn ennill o hyd, ac yn llifo'n helaethach dros y tir. (*Hanes y Daith*, 101.)

Tybed nad y ffenomen anghyffredin yma a awgrymodd i awdur *Branwen* beri i Fendigeidfran gerdded i Iwerddon ? Bid a fo, mae'r môr yn normal eto pan ddaw'r llynges i olwg Iwerddon. Ebr y meichiaid :

> — Coet rywelsom ar y weilgi yn y lle ny welsom eiryoet un prenn.
> — Beth yw y coet a welat ar y môr ?
> — Gwernenni llongeu a hwylbrenni.

Dyry Orpen inni ddisgrifiad o lynges Harri'r Ail :

> His army consisted of five hundred knights and their esquires, and a large body of archers, about 4,000 in all. A fleet of 400 ships was required to transport the men with their horses, arms and provisions . . . . Engineering tools were also brought over in large quantities, axes, spades, shovels, pickaxes, planks, nails, and a few *castella lignea* or ready made wooden towers.

Gwernenni llongau a hwylbrenni yn wir ddiau fel coed ar y weilgi. Ceir disgrifiad tebyg ym *Math* : ' Ni chawn weled lliw y weilgi gan bob llong ar dor ei gilydd '. Yn wyneb hyn oll ni chafodd y brenin ddim gwrthwynebiad, ond brenhinoedd taleithiol Iwerddon yn dyfod ato i wrogi iddo, ac ychydig yn y gogledd, megis yr uchel frenin, yn cilio rhagddo dros afon Llinon. Enw Gerallt ar yr afon yw Sinnenus, a dywed ef fod Rothericus, yr uchel frenin, wedi gwrhau i Harri yn Athluain ar lan Llinon, yr unig fan yr oedd pont o bwys dros yr afon.

Iaith gwleidyddiaeth y ddeuddegfed ganrif a glywir yn neges Matholwch at Fendigeidfran wedi i'r goresgynwyr groesi'r afon. Fel yna'n union y disgwyliem glywed Ricart Iarll yn ceisio dyhuddo'r brenin Harri yn Waterford :

> Y mae Matholwch yn rodi brenhiniaeth Iwerdon y Wern uab Matholwch, dy nei ditheu, uab dy chwaer, ac yn y ystynnu y'th wyd di, . . . ac yn y lle y mynnych ditheu, ay yma ay yn Ynys y Kedyrn, gossymdeitha Uatholwch.

Ond rhaid i Fatholwch wrth gyngor gwell :

> Gwna ty, heb wy, o'y anryded ef, y ganho ef a gwyr Ynys y Kedyrn yn y neillparth y'r ty, a thitheu a'th lu yn y parth arall. A doro dy urenhinaeth yn y ewyllus, a gwra idaw.

Yn union yr iaith yr hoffai Harri'r Ail ei chlywed. Cyrhaedd-odd ef Ddulyn yr unfed ar ddeg o fis Tachwedd, 1171, ac arhosodd yno hyd at Ŵyl Fair, 2 Chwefror, 1172. Gwnaethid trefniadau eithriadol i'w dderbyn ac yr oedd popeth yn barod erbyn iddo gyrraedd. Dyma'r hanes a ddyry Edmund Curtis, *History of Mediaeval Ireland*, 66 :

> Surrounded by his new vassals, Henry wintered on the Thingmote of Dublin, where the Irish kings had built for him ' a royal palace made with admirable skill, after the fashion of the land ', — a temporary house, namely, of timber uprights with withy-rods plastered with lustrous clay . . .

a dywed Orpen (op. cit. I, 267) :

> It was a wonderful structure of wattle-work, erected at his request in the native style by the kings and great men who had submitted to him . . . .Here, surrounded by his vassals, English and Irish, he kept Christmas . . . Gerald tells us that many Irish princes came to visit the king's court and marvelled . . . .

A phan ddywed y Mabinogi am y rhyfel a fu yn y tŷ fel na ddihangodd o wŷr Ynys y Cedyrn ond saith, er na phrofodd Harri ei hunan ryfel o bwys yn Iwerddon, ni ellir anghofio cofnod *Brut y Tywysogion* sy'n dweud am golledion y brenin drwy newyn :

> Y ulwydyn racwyneb y bu diruawr uarwolyaeth ar y llu a oed y gyt ar brenhin yn Iwerdon. (RB 330)

Mae'r *Brut* a Gerallt yn dystion fod y cysylltiad rhwng Cymru ac Iwerddon yn y blynyddoedd 1167-1175 yn arbennig fywiog a chlòs. Ni fedraf i gredu mai siawns a damwain sy'n cyfrif am y tebygrwydd a ddangoswyd rhwng y digwyddiadau hanes y bûm yn eu holrhain a'r helbulon a adroddir yn *Branwen*. Onid tynnu pethau cyfoes i mewn i fywiogi chwedl yw tuedd anorfod cyfarwydd a nofelydd ? Dywed W. J. Gruffydd yn *Rhiannon*, t. 3 :

> The author of the Mabinogi has been unusually successful in dissociating himself from the modern world of his own generation . . . . It is significant that in the whole of the Four Branches there are extremely few references to contemporary conditions or customs.

I minnau ar y llaw arall y mae'r Pedair Cainc yn orlawn o gyfeiriadau at ddigwyddiadau hanes ac at gyflwr politicaidd a chymdeithasol Cymru a Lloegr ac Iwerddon yn saithdegau'r ddeuddegfed ganrif. Rhaid imi ddyddio *Branwen* ar ôl dychweliad Harri'r Ail o Iwerddon yn Ebrill 1172. Bûm wedyn yn chwilio am gyfeiriadau at y chwedl gan y Gogynfeirdd cyfoes. Mi dybiaf mai wedi 1191 y canodd Cynddelw i'r Arglwydd Rhys, ac yn yr awdl honno Mallolwch yw'r enw ar frenin Iwerddon, yr un ag a geir yn Peniarth 6. Ond y mae Prydydd y Moch yn canu i Ddafydd ab Owain Gwynedd yn gynnar yn 1175 ac yn dweud amdano :

> Ef uawr llyw mawrllit Mallolwch ;
> Chwi uawr wyr, i uawr wr gwystlwch (H. 259)

ac yn ddiweddarach yn yr awdl ceir sôn am wŷr Prydain yn peri iawn i Ddafydd ' o vro echeifyeint uchelgruc ' — hawdd y gallai hynny gyfeirio at Harlech — ' hyd Wynnfryn Llundein, lle clodluc '. Cyfeiriadau eglur sicr at stori Branwen yw'r rhain. Os felly rhaid rhoi 1172-1174 yn adeg cyfansoddi Ail Gainc y Mabinogi, a thybio ei darllen hi i gynulleidfa mewn ffreutur ar ŵyl, megis y darllenodd Gerallt ei Ddisgrifiad o Iwerddon i gynulleidfa yn Rhydychen.

Yr unig ddadl o bwys mawr yn erbyn y dyddiad a gynigir yma yw honno gan Ifor Williams ar ddiffyg yr *y* brosthetig yn *stlys* a *stryw* yng nghopi Peniarth 6 o *Branwen*. Ond dangosodd yntau fod eithriadau. Nid yw'n sicr chwaith fod yr iaith yn newid yn gyson unfodd unpryd ym mhob rhan o Gymru. Ystyrier, er enghraifft, yn yr awdl uchod gan Brydydd y Moch yn 1175 y toddaid hwn :

> Teyrnged heb rif hebryngwch oe lys,
> Ywch lessaf os gwnewch.

II

Os cywir y ddadl a gyflwynais i hyd yma, yna fe wyddom eisoes gryn dipyn am awdur terfynol Ail Gainc y Mabinogi. Yr oedd ganddo gasgliad helaeth a chymhleth o hen hen chwedlau yn ddefnyddiau i'w stori, a rhai o Iwerddon. Yr wyf yn peidio â dweud iddo fod gyda byddin yr Iarll Ricart neu fyddin Harri'r Ail yn Iwerddon, ond dangosodd Ifor Williams nad o lyfr ond trwy glywed Gwyddel yn ynganu'r gair y cafodd ef yr enw Llinon. Mynnodd yntau roi bywyd yn hen chwedloniaeth y cyfarwyddiaid drwy alw sylw ei gynulleidfa o hyd ac o hyd at ddigwyddiadau cynhyrfus boliticaidd yr oedd pobl Dyfed a Cheredigion yn dystion ohonynt o wythnos i wythnos, gyda phob llong a ddôi o Iwerddon.

Yr oedd pobl ei gynulleidfa wedi gweld Harri'r Ail yn gweddïo'n aflonydd yn Nhyddewi, ac wedyn yn carlamu drwy'r glaw a'r baw i Benfro. Yr oeddynt wedi gweld meibion ac wyrion Nest — Helen Cymru — yn gwylio'r dymestl yn dinoethi llawr y môr a hwythau'n aros am lanw ; wedi edrych ar y Wyddeles enwog alltud, Efa ferch Diarmait, yn ystyried yr iarll a oedd i 'gysgu genti' yn Waterford. I wrandawyr a chanddynt atgofion mor fyw a diweddar, rhaid bod stori Branwen yn llwythog o ystyr. Y mae'r storïwr hwn yn grefftwr o athrylith.

Ym mharagraff olaf y stori fe ddyry inni restr o rai o'r cyfarwyddiadau a oedd o'i flaen ar femrwn neu — o bosib — yn ei gof. Ychydig cyn hynny fe rannodd ei holl ddeunydd yn ddau sypyn :

> Ac o achos y pedwarugeint mlyned hynny y gelwit Ysbydawt Urdaul Benn. Ysbydawt Vranwen a Matholwch oed yr hon yd aethpwyt y Iwerdon . . .
>
> A hynny a dyweit y kyuarwydyd hwnn eu kyfranc wy. Y gwyr a gychwynwys o Iwerddon yw hwnnw.

Dyna fo: dwy brif chwedl, Chwedl Branwen a Chwedl yr Urddol Ben neu'r Gwŷr a gychwynnwys o Iwerddon ; ac at hynny atodiad byr Gwyddelig. Ond fe asiwyd y cwbl yn undod. Yr Urddol Ben yn ardderchog o goron Lundain sydd yn y frawddeg agoriadol. Y Pen sydd amlycaf pan â llynges Bendigeidfran drosodd i Iwerddon. A'r Pen piau trefnu'r dychweliad hyd at ei gladdu yn y Gwynfryn yn Llundain.

Daw hanes Branwen y tu mewn i hanes y Pen megis mewn ffrâm, ac er iddi farw ar ganol y chwedl gyfan, eto pan agorir y drws ar Aber Henfelen tua'r terfyn ceir atgof am ei geiriau olaf hithau ar lan Alaw, ' Da a dwy ynys a diffeithwyt o'm achaws i ', yn y sôn am ' y gyniuer collet a gollysynt eiryoet a'r gyniuer câr a chedymdeith ', a dyna glymu'r cwbl ynghyd. Rhaid darllen *Branwen* yn aml ac yn araf. Y mae'r atseiniau yn gyfrodedd drwy'r cwbl, o'r dechrau i'r diwedd, fel mewn darn o fiwsig.

Neu ystyrier stori'r Pair. Yr oedd stori y tu mewn i stori yn ddyfais lenyddol hynafol a chlasurol. Mewn ymddiddan wrth y wledd rhwng Bendigeidfran a Matholwch y dywedir stori'r Pair, y naill yn dweud rhan ohoni a'r llall yn ei chloi. A dyna'i gadael hi hyd at y frwydr yn Iwerddon. Yno try'r Pair yn ddial ar wŷr Ynys y Cedyrn am y sarhad ar Fatholwch, ac y mae rhodd fawrfrydig Bendigeidfran yn troi'n ddinistr i'w bobl. Efnisien fu achos rhoi'r Pair i'r Gwyddyl ; y mae ef wedi ei gysylltu â'r Pair o'r cychwyn. Ef felly yw achos lladd ei gydwladwyr. Gwêl yntau hynny ar yr awr olaf a thrwy hollti ei galon a'r Pair y mae'n achub seithwyr o'i bobl. Mae'r cysylltu mor gywrain, mor seicolegol dreiddgar a phriodol, ni ellir llai na rhyfeddu ato. Nid hynny'n unig. O Iwerddon y daethai'r Pair. Gwrthododd y Gwyddyl ef. Rhoir ef yn ôl iddynt a bu agos iddo ennill y dydd iddynt. Efnisien fu achos y rhoi ; ef sy'n dinistrio'r rhodd. Mae'r stori y tu mewn i stori yn datblygu'n peripeteia i'r ddrama oll.

Trown at gymeriadau'r stori. Y mae Mr. Mac Cana yn ei lyfr diddorol braidd yn llym arnynt. Problem anferth, ym mhob ystyr, yw Bendigeidfran. Deheuig yw awdur y stori yn ei ddisgrifio'n gawr goruwchnaturiol yn unig ar y môr ac ar yr afon. Yn y gweddill o'r stori, cyn torri ei ben, brenin naturiol fel Matholwch ei hun yw ef, ond yn unig fod yn well ganddo babell na thŷ. Mae'n dweud hanes Llasar Llaes Gyfnewid a'i wraig fel gŵr normal yn ymgodymu â gwestai dipyn yn od. Dynol hefyd. Dynol a hoffus wrth ymddiheuro am na fedr ef gosbi ei hanner brawd, ' nid hawdd gennyf na'i ladd na'i ddifetha '. Dynol a hoffusach fyth pan gynhaliodd ef Franwen rhwng ei darian a'i ysgwydd ar ôl rhwystro iddi neidio i'r tân i achub ei mab. Pan ddaw cenhadon Matholwch ato wedi iddo groesi Llinon a chynnig rhoi brenhiniaeth Iwerddon i'w nai ac

' yn y lle y mynnych ditheu, ay yma ay yn Ynys y Kedyrn, gossymdeitha Matholwch ', brenin tebyg iawn ei ateb i Harri'r Ail yw yntau. Y mae'r Urddol Ben, wrth gwrs, yn gymeriad ar ei ben ei hun. Bydd darllen Gerallt Gymro a'i ddisgrifiadau o Iwerddon a Chymru yn help i ni i werthfawrogi sut y gellid yn y ddeuddegfed ganrif gyfuno sylwi craff ar ddynion a chydnabod gwyrthiau beunyddiol yn rhwydd a heb straen.

Yr oedd traddodiadau a hen chwedloniaeth am Fendigeidfran. Ni wn i a oedd dim tebyg ynglŷn ag Efnisien. Da y dengys Mr. Mac Cana mai cyfarwyddyd yr oedd yn rhaid ei gynnwys oedd stori'r ddeucannwr yn y ' boliau ' a laddwyd gan y gŵr annhangnefeddus yn *hors d'oeuvre* cyn y wledd. Ond cymeriad mewn trasiedi yw Efnisien. Yr oedd ef gyda'r brenin ar y llech pan ddaeth llongau Iwerddon i erchi Branwen. Bu cyngor. Penderfynwyd rhoddi'r forwyn i Fatholwch. Bu symud mawr ar dir a môr, megis ar gyfer arwisgiad, tuag Aberffraw. Nid oedd ef yn y cyngor. Nid aeth gyda'r teulu. Y sôn nesaf amdano yw iddo daro ar siawns ar stablau meirch y Gwyddyl yn Nhalybolion. Gŵr unig, a'i unigrwydd yn hunllef. Amdano ef yn unig yn y *Pedair Cainc* y dywedir, a hynny ddwywaith, ' heb ynteu yn y fedwl . . . dywot yn y fedwl '. Gŵr yn siarad wrtho'i hunan. Y mae'n greulon wrth y meirch, wrth y Gwyddyl yn y crwyn, wrth y gwas bach Gwern. Ond yr oedd tywysogion Cymru'r ddeuddegfed ganrif, lu ohonynt, lawn cyn greuloned, brodyr yn crogi brodyr, yn tynnu llygaid eu neiod bychain. Nid yn hynny y mae Efnisien ar ei ben ei hun. Ei unigedd cynddeiriog sy'n eithriadol, Ismael y *Pedair Cainc*. Hynny sy'n ei godi'n gymeriad trasiedi, un sy'n marw yng nghanol ei elynion, yn un ohonynt, wedi ei daflu i'r pair, gan ddryllio'r pair a'i galon galed, chwerw edifeiriol, yr un pryd. Craffer ar a ddywedodd ef pan glywodd am roi Branwen i gysgu gyda Matholwch :

> Ay yuelly y gwnaethant wy am uorwyn kystal a honno, ac yn chwaer i minheu, y rodi heb uyghanyat i ?

Tybed nad oes yma fwy nag awgrym o gariad llosgach ? Does dim hafal i hynny am fagu unigrwydd sy'n uffern. A sylwer mai Cristnogion pendant yw Branwen ac Efnisien yn awr eu tranc.

Darlun delicet yw Branwen. Mynd i Iwerddon heb air o'i

phen a'i graslonrwydd a'i haelioni yn ennill calonnau pawb, a rhoi etifedd i'r orsedd yr un flwyddyn. Yna dygyfor y wlad am gael dial y sarhad yng Nghymru, sef dial a wnaethant ' gyrru Branwen o un ystafell ag ef [*sc.* y brenin] a'i chymell i bobi yn y llys '. Hynny yw, ei gostwng yn gaethferch, peth cyffredin yn Iwerddon yn y cyfnod, a'i churo beunydd gan y cigydd a sychai'r gwaed ar ei ddwylo ar ei gruddiau hi. Fe wnaethpwyd yn debyg yn Belsen. Tair blynedd o hynny a hithau'n meithrin aderyn drudwen yn gwmni iddi wrth bobi, a'i ddanfon i Gymru. Mor gynnil y dangosir hi'n arglwyddes ddyfeisgar yn ei thrueni, a'i hysbryd heb ei lethu a'i hymennydd ar waith. A phan ddaw holi arni am a welwyd ar y môr, ' cyn ni bwyf arglwyddes ', ebr hi, ond y mae'r balchder llariaidd a'r awdurdod yn ei hatebion yn troi'r gegin yn llys barn Iwerddon. Pan ddaw adeg heddychu rhwng y ddwy blaid, ' trwy gyngor Branwen fu hynny oll, a rhag llygru'r wlad oedd ganthi hithau hynny '. Nid merthyr di-liw mo hon, er mor gynnil y portread, ond brenhines sy'n wladweinydd, sy'n trefnu etifeddiaeth i'w mab. Pan ddaw'r cyfarfod i estyn y frenhiniaeth iddo, gyda'r gorchfygwyr, rhwng ei dau frawd, y cymer hi ei sedd, gan wynebu ei phriod a'i wyrda. Yn y diwedd mae'r pwyslais i gyd ar y wraig a'r fam, — ' hi a gynsynwys uwrw neit yn y tan ' er achub ei phlentyn ; ac wedyn :

> Oy a Uab Duw, heb hi, guae ui o'm ganedigaeth. Da a dwy ynys a ddiffeithwyt o'm achaws i. A dodi ucheneit uawr, a thorri y chalon ar hynny.

Y mae ei hunigrwydd hi megis paentiad diptych yn sefyll gyferbyn ag unigrwydd Efnisien.

A ddangosais i fod *Branwen* i mi yn glasur sy'n gampwaith byw ?

[*Ysgrifau Beirniadol* gol. J. E. Caerwyn Williams, V (Dinbych, 1970), 30-43].

PENNOD III

MANAWYDAN FAB LLŶR

DYMA linell gyntaf y Drydedd Gainc o'r Mabinogi yn y Llyfr Gwyn :

> Gwedy daruot yr seithwyr a dywedyssam ni uchot . . .

Ceir y cymal olaf yna unwaith yn *Branwen* am y ' gwr anagneuedus a dywedassam uchot ' a cheir yn *Brut y Tywysogion* (RB 276) ' wynteu a dywedassam ni vry.' Er mwyn deall *uchot* rhaid ei droi'n ôl i'w Ladin gwreiddiol, a dyna frawddeg Cesar *uti supra demonstravimus* a chofio mai ar sgroliau y sgrifennai'r Rhufeiniaid, a dyfod *supra* neu *uchot* felly i olygu gynnau. Gan hynny nid cyfarwydd, ond llenor eglwysig sy'n cofio'i Ladin ac yn sgrifennu ar femrwn mewn llyfr, piau'r geiriau.

Y mae'n cofio'i Efengyl hefyd, oblegid fe bair i Fanawydan ocheneidio, ' Nyt oes neb heb le idaw heno namyn mi' sy'n atsain go eglur o: ' Gan fab y dyn nid oes lle y rhoddo ei ben i lawr.' Nid rhyfedd felly fod hierarchiaeth yr eglwys mor ddiogel ganddo wrth iddo drefnu fod ysgolhaig ' yn dyfod o Loegr o ganu,' ac wedyn offeiriad ac wedyn rwter esgob yn dilyn ei gilydd yn argyfwng y stori.

Ceir cyfeiriadau yn y chwedl at y ddwy gainc flaenorol. I awdur *Manawydan* nid ydynt yn hanfodol ac ni chais ef gysondeb. Yr oedd Brân yn *Branwen* yn gawr goruwchnaturiol na fu erioed dŷ a allai ei gynnwys, ond dywed Manawydan yn awr amdano: ' goathrist yw genhyf i gwelet neb yn lle Bendigeiduran uy mrawt, ac ny allaf uot yn llawen yn un ty ac ef.' Sydyn a llwyr hefyd y daeth newid ar Ynys y Cedyrn. Diflannodd. Gwlad ar wahân yw Lloegr bellach. Yn *Pwyll* y mae Dyfed ac Annwn yn wledydd cymdogol. Yn *Branwen* cerdded a wna Brân i Iwerddon ac y mae afon Llinon yn rhyfedd ei naws a'i lle. Ond ym *Manawydan* mae'r ddaearyddiaeth yn sad, a Llundain, Kent, Rhydychen, Henffordd, Dyfed, oll yn eu lleoedd fel yn awr. Yr ydym yn yr un wlad ag y cerddodd Gerallt Gymro drwyddi yn 1188 yr un mor heddychlon a thawel. Dywedodd Gerallt am Ddyfed (yng nghyfieithiad yr Athro Thomas Jones) :

> Gwlad gynhyrchiol mewn gwenith, gyda chyflenwad helaeth o bysgod y môr ac o win prŷn . . . O holl diroedd Cymru i gyd, ynteu, Dyfed, a gynnwys saith gantref, yw'r prydferthaf a'r mwyaf dewisol oll.

A dywed awdur *Manawydan* mewn geiriau pryfoclyd debyg :

> Ac wrth rodyaw y wlat ny welsynt eiryoet wlat gyuanhedach no hi, na heldir well, nac amlach y mel na'y physcawt no hi.

Yn wir, y mae Manawydan a Phryderi a'u gwragedd yn cerdded mor ddidrafferth a rhwydd a buan rhwng Dyfed a Henffordd â Gerallt a'i archesgob. Felly hefyd yr ' ysgolhaig ' a ddaeth o Loegr o ganu. Anodd peidio â thybio eu bod oll yn gyfoes, a bod awdur *Manawydan* ac awdur y *Daith drwy Gymru* yn perthyn i'r un fro a'r un alwad a'r un oes.

Mi dybiaf ei bod hi'n bur annhebyg y cerddent felly ac mor ysgafala yn ystod teyrnasiad Gruffydd ap Llywelyn. Mis Hydref 1055 fe losgodd Gruffydd ran helaeth o Henffordd ac ymosodwyd arni eilwaith yn 1067. Go brin fyddai'r croeso yno am dipyn i grefftwyr o Ddyfed. Darlunia stori Manawydan ysbaid o hir gadoediad rhwng Cymru a Lloegr. Yr ydym yn awyrgylch a hindda blynyddoedd yr heddwch eang rhwng yr Arglwydd Rhys a'r brenin Harri'r Ail.

I mi y darn creadigol mwyaf meistraidd yn y chwedl hon yw'r tudalen a hanner sy'n rhoi hanes cynnig Rhiannon yn wraig i Fanawydan ac wedyn eu caru hwynt a'u huno. Y mae naws y darn yn eithriadol, gyda chanmoliaeth gynnil gwrtais Pryderi wrth sôn am ei fam a'r meiosis swynol swil yn y frawddeg olaf :

> Mi a debygaf na werendeweist eiryoet ar ymdidanwreic well no hi. Er amser y bu hitheu yn y dewred, ny bu wreic delediwach no hi, ac etwa ny bydy anuodlawn y phryt.

Wedyn, cydeistedd o Fanawydan a Rhiannon ac ymddiddan :

> Ac o'r ymdidan tirioni a wnaeth y uryt a'y uedwl wrthi, a hoffi yn y uedwl na welsei eiryoed wreic digonach y theket a'y thelediwet no hi.
>
> — Pryderi, heb ef, mi a uydaf wrth a dywedeisti.
>
> — Pa dywedwydat oed hwnnw ? heb y Riannon.
>
> — Arglwydes, heb ef Pryderi, mi a'th roessum yn wreic y Uanawydan uab Llyr.
>
> — A minheu a uydaf wrth hynny yn llawen, heb y Riannon.
>
> — Llawen yw genhyf inheu, heb y Manawydan, a Duw a

> dalo y'r gwr yssyd yn rodi i minheu y gedymdeithas mor difleis a hynny. Kyn daruot y wled honno y kyscwyt genti.

Dawn nofelydd yn hytrach na dawn cyfarwydd a welaf i yma. Mae'r cwbl mor ddynol addfed. Nid oes dim yn y Tair Rhamant yn addfed yn yr un modd. Y peth nesaf ato, mewn dull comedïol a gwahanol, yw'r cweryl rhwng Luned a'r Iarlles ynghylch Owain sy'n gorffen gyda'r Iarlles yn pesychu,—fel darn o ddrama gan Marivaux yn y ddeuddegfed ganrif. Ond y mae'r caru yma yn *Manawydan* mor anfursennaidd, ac er hynny mor dyner a gwir, y mae'n fy syfrdanu i. A gaf i fentro awgrymu mai'n unig yn awyrgylch dyneiddiaeth ryfeddol hanner olaf y ddeuddegfed ganrif y gellid dim o'r fath ?

Tipyn o ysgytwad i'r neb sy'n darllen y Pedair Cainc o'r bron yw bod Manawydan, ar ôl dwy flynedd o oddef yr hud ar Ddyfed, yn cynnig :

> Kyrchwn Loygyr a *cheisswn grefft* y caffom yn ymborth.

Y mae hyn yn fwy lawer o sioc na bod Tristan yn chwedl Marie de France yn mynd i fyw gyda'r tyddynwyr tlodion :

> O paisanz, o povre gent
> Prenoit la nuit herbergement !

Ni chyll Tristan ei urddas ; ond y mae Manawydan a Phryderi yn newid eu gwlad ac yn newid eu dosbarth mewn cymdeithas. A oes enghreifftiau eraill o hyn ? Y canlyniad yw rhoi inni ddarlun cryno o fywyd crefftwyr yn nhrefi Lloegr, peth tra newydd yn ein llenyddiaeth. Mewn tair crefft y gweithia Manawydan a Phryderi, yn gyfrwyddion ac yn wneuthurwyr tariannau ac yn gryddion. Ar ledr gan hynny y gweithiant, ond hefyd ar fetel i gorfau'r cyfrwyau ac i wynebau'r tariannau ac i waegau'r esgidiau. Yn y 12fed ganrif yr oedd yn arfer gan gryddion wneud gwaith barcer hefyd ; ni fynnai Manawydan mo hynny :

> nit ymyrrwn ar gyweiraw lledyr, namyn ei brynu yn barawt, a gwneuthur yn gueith ohonaw.
>
> Ac yna dechreu prynu y cordwal teccaf a gauas yn y dref, ac amgen ledyr no hwnnw ny phrynei ef, eithyr lledyr gwadneu.

Ystyr *eithr lledr gwadnau* yw ei fod e'n defnyddio'r lledr gorau oll nid yn unig i wadnau esgidiau — yr oedd hynny'n orfodol — ond i uchafedd yr esgidiau a'r hosanau hefyd. Roedd gwneud felly'n anarferol ac yn codi pris esgid gryn dipyn. Amlwg mai gweithio ar gyfer marchogion Henffordd ac i fasnachwyr cefnog y trefi y bu'r ddau grefftwr. Yn awr, mewn *assise des armes* yn 1181 fe ddeddfodd Harri'r Ail fod yn rhaid i bob gŵr o stad marchog a phob gŵr arall rhydd a chanddo eiddo gwerth can punt a rhagor, gadw ceffyl ac arfau, gan gynnwys tarian, yn barod i ryfel (J. Boussard, *Le Gouvernement d'Henri II*, Paris, 1956, t. 538). Bu prysurdeb brwd o'r herwydd, ac fe allai hyn egluro'r mynd mawr ar gyfrwyau a thariannau Manawydan a Phryderi ; yr oedd y ddau estron hyn yn dwyn marchnad crefftwyr Henffordd a'r trefi cyfagos pan oedd hi'n addo orau. Diddorol hefyd mai lliw asur a roddai Manawydan ar ei dariannau ; nid oes sôn am bais arfau. Ni ddaeth hynny'n ffasiwn cyn y trydydd crwsâd. Ond glas neu asur, yn ôl y *Llyfr Arfau*, oedd y lliw boneddicaf, a dyna'r calch lasar a ddefnyddiodd mab Llŷr.

Ceir cip hefyd ar ddull dysgu crefft i brentis mewn gweithdy da :

> A dechreu a wnaeth ymgedymdeithasu a'r eurych goreu yn y dref, a pheri guaegeu y'r eskidyeu, ac euraw y guaegeu, a synnyaw e hun ar hynny yny gwybu.

Nid oes sôn yn y stori fod y crefftwyr yn Henffordd nac yn y trefi eraill wedi eu huno mewn gild, er bod gild cryddion pwysig yn Rhydychen yn gynnar yn y 12fed ganrif. Ni rwystrwyd Manawydan a Phryderi chwaith rhag agor gweithdy a gwerthu cyfrwyau a thariannau ac esgidiau. Mewn llawer tref farchnad yn Lloegr fe waherddid hynny i grwydriaid a dieithriaid, a throm oedd y gosb am weithio heb drwydded. Ond yr oedd Henffordd, fel Llundain, wedi cynefino â gweithwyr yn dyfod yno o Ffrainc, ac nid cyn gweld ' bot eu hennill yn pallu udunt ' y digiodd y crefftwyr lleol. Mae'r cwbl yn ddarlun o ddinas a threfi cefnog, sefydlog, a'u crefftwyr naill ai eisoes mewn gildiau rheolaidd neu ynteu'n arfer cyfarfod i drin eu masnach ac ystyried hawliau a chystadleuaeth gweithwyr teithiol. Gwlad dawel, trefi nad oes neb ynddynt yn cadw reiat, dyna sir Henffordd y chwedl, a dywed W. E. Wightman amdani yn y cyfnod hwn :

> It may have been the dullness of life as a provincial landlord and glorified country squire that drove Gilbert de Lacy into

the Templars. (*The Lacy Family in England and Normandy*, Oxford, 1966.)

Cymeriad diddorol a phwysig yn y stori hon yw Caswallon. Dangosodd W. J. Gruffydd (*Rhiannon*, t. 76) mai *evil magic worker*, *Other-world enemy* yw ef yn yr Ail Gainc. Nid oes awgrym o hynny yn *Manawydan*. Yma brenin Lloegr yw ef, darlun byr, bras, ond cywir o Harri'r Ail. Enillodd Caswallon ei goron drwy drais. Nid oedd hawl Harri yntau heb fod yn dra amheus, ac o'r herwydd fe roddai ef werth a phwys arbennig ar y llw gwrogi iddo, *l'importance qu'il attache à l'hommage* (Boussard, t. 568). Felly'n union Gaswallon ; y mae brys ar Bryderi i hebrwng ei wrogaeth iddo, a phan wna, ' dirfawr lywenyd a uu yn y erbyn yno, a diolwch idaw.' Bwriadasai Pryderi hynny ddwywaith. Y tro cyntaf fe ddywedodd Rhiannon wrtho, ' yg Kent y mae Caswallawn, a thi a elly treulaw y wled honn ay aros a uo nes.' Y mae Rhiannon, a hithau yn Nyfed, yn gwybod fod y brenin yng Nghaint. Y gwir yw fod Ewrop achlân yn gwybod am ymweliad Harri'r Ail â Kent. Gorffennaf 12, 1174, fe aeth ef yno i wneud ei benyd a dioddef ei fflangellu'n noeth gerbron beddrod Sant Thomas Becket, a theithiodd yr enw Saesneg *Kent* i eithafoedd y Gristnogaeth. Dyna'r enw a geir gan Riannon, er mai Caer Gaint sydd ym Mrut y Tywysogion.

Ymhen y rhawg gwybu Pryderi fod y brenin yn Rhydychen. Dyry Boussard (*op. cit.* 521) fanylion am deithiau Harri'r Ail yn 1176-77. Yr oedd ef yn Nottingham y Nadolig, Northampton, lle'r oedd ysgol eglwysig enwog, ganol Ionawr, Marlborough Chwefror 2, Windsor Mawrth 9, Llundain Mawrth 13, Reading Ebrill 17, Caer Gaint Ebrill 21, Windsor eto Mai 8, a diwedd Mai y Cyngor Mawr yn Rhydychen. Trown at Lloyd, *History of Wales*, 553, a cheir hanes y Cyngor Mawr. Daeth yno i ' hebrwng eu gwrogaeth ' bob tywysog ac arglwydd o bob rhan o Gymru, a'r Arglwydd Rhys o Ddeheubarth yn eu harwain, ' a dirfawr lawenydd a fu yn ei erbyn yno.' Nid rhyfedd i awdur y Drydedd Gainc anfon Pryderi yno hefyd. Y mae'r storïwr hwn a'i ddiddordeb yn y byd o'i gwmpas yn union megis ei gyd-glerigwr Gerallt.

Ond yr hyn sy'n synnu darllenydd fwyaf yn ei chwedl, yn enwedig o ddyfod ati'n union ar ôl hanes ystormus a digyfraith ac anwar *Branwen*, yw'r awyrgylch o ddinasyddiaeth fwrdeisiol drefnus a'r parch i gyfraith y Brenin a'r arswyd rhag carchar sy'n hynod ynddi. Hawdd y gallai Manawydan fod yn is-lywydd i Blaid Cymru. Y mae rhywfaint o ysbryd Efnisien yn aros ym Mhryderi ; pan glyw ef am fwriad y cyfrwyddion, ' lladd y tayogeu racco ' yw ei gyngor. Ond ebr Manawydan, ' Clot drwc uydei arnam, ac yn carcharu a wneit.' Yn y Pedair Cainc y mae Henffordd a sir Henffordd yn wlad ddieithrach lawer nag yw nac Annwn nac Iwerddon, sef gwlad o ustusiaid a llysoedd barn a chiwdodwyr dof ac ofn y brenin, ' yn carcharu a wneit.' Neu, dro arall ac yn waeth y dychryn, ' Caswallawn a glywei hynny, a'e wyr, a rewin uydem.'

Caswallon a'i wŷr ? Y cyfnod y mae'r enwau hyn a'r rhybuddion hyn yn gweddu iddo yw'r blynyddoedd ar ôl asèis Northampton, Ionawr 25, 1176. Cadarnhau asèis Clarendon, 1166, a helaethu arno a wnaed yn Northampton. Ceir yr hanes yn llawn gan Boussard (*op. cit.*, 439-44, 502-10). Trwy gydol y flwyddyn 1175 bu'r brenin Harri ei hunan yn teithio drwy sir-oedd Lloegr yn cynnal ei frawdlys, a'i *Iustisiet Assis* yn eistedd gydag ef, yn dysgu ganddo a gweithredu tano. Yna yn North-ampton rhannwyd Lloegr yn chwe thalaith a thri ustus brenhinol i bob talaith. Rhan o dalaith y Gorllewin oedd Henffordd. Bellach, brawdlys y brenin ei hunan oedd llys pob un o'i ustusiaid teithiol ef. Deddfwyd fod pob achos o fwrdrad i'w gadw i frawdlys y brenin i'w brofi gan ei ustus neu ganddo ef ei hunan, ac nid megis cyn 1166 gan arglwydd neu farwn yn ei lys lleol. O'r herwydd fe orchmynnwyd codi carchar ym mhob tref farchnad, dan ofal swyddogion y brenin, er mwyn cadw troseddwyr yn ddiogel hyd oni safent eu praw, ' yn carcharu a wneit.' Ac ni allai unrhyw achos o fwrdrad beidio â chyrraedd clustiau'r brenin a'i wŷr, ac ni ellid dianc rhag y crocbren, ' rewin uydem.' Os myn unrhyw efrydydd hanes ymgynefino ag awyrgylch teyrnasiad Harri'r Ail yn Lloegr ac yn Ffrainc, darllened chwedl Manawydan fab Llŷr.

I gloi, ymddengys i mi ei bod hi'n ddiogel inni ddal mai yn ystod y deng mlynedd 1179-1189, sef blwyddyn marw'r brenin Harri, y sgrifennwyd y drydedd Gainc o'r Mabinogi ac mai dyna'r cyfnod a ddisgrifir. Os yw'r sôn am osgordd yr esgob yn Nyfed yn atgo am daith yr archesgob Baldwin, a'r clod i'r saith gantref yn atsain o'r clod tebyg yn llyfr Gerallt, rhaid dyddio'r chwedl tua 1191. Ond ni fynnwn bwyso ar hynny. Os cyd-ddigwydd yw'r tebygrwydd, o leiaf y mae'r ddau lenor yn gymrodyr o Ddyfed ac yn gyfoeswyr teilwng o'i gilydd, yn deithwyr sylwgar yn Lloegr a Chymru, a rhyw fymryn hyfryd o falais yn hiwmor y ddau : 'Gwnawn grydyaeth. Ni byd o galhon gan grydyon nac ymlad a ni nac ymwarauun.'

[*Y Traethodydd*, cxxiv (1969), 137-42].

PENNOD IV

MATH FAB MATHONWY

Y MAE'R bedwaredd Gainc o'r Mabinogi yn agor yr un modd â'r gyntaf a'r ail, sef megis darn o hen gronigl neu frut neu bennod newydd yn Llyfr y Brenhinoedd yn yr Hen Destament :

> Math uab Mathonwy oed arglwyd ar Wyned, a Pryderi uab Pwyll oed arglwyd ar un cantref ar ugeint yn y Deheu. Sef oed y rei hynny, seith cantref Dyuet, a seith Morgannhwc, a phedwar Kyredigyawn, a thri Ystrat Tywi.

Megis hanesydd hefyd y mae'r awdur yn mynd rhagddo, ' Ac yn yr oes honno . . .' Y mae'n rhagdybio, yn gwybod, fod ei gynulleidfa'n gynefin â straeon am arwyr eu hen chwedloniaeth ac yn gynefin â ffiniau gwledydd Cymru. Mae'r agoriad hwn gan hynny'n deffro diddordeb. Dywedir fod Pryderi yn arglwydd ar Ddyfed a Seisyllwg a Morgannwg ! Ymhellach ymlaen fe roir yr enw Deheubarth ar y deyrnas hon. Ond atolwg, ym mha gyfnod erioed y bu Deheubarth yn Wlad ar ei phen ei hun ac yn cynnwys Morgannwg ? Nid oes sôn am ddim tebyg o gwbl cyn 1172. Mis Mai, 1172, fe benododd Harri'r Ail ei gyfaill, Rhys ap Gruffydd, arglwydd Deheubarth, yn ' Ustus yn holl Deheubarth ' neu'n ' Ustus ar Ddeheubarth Cymru,' ac fe gyhoeddodd fod hynny'n cynnwys Morgannwg gyfan a Gwent. O hynny ymlaen ei enw yn y *Brut* yw'r Arglwydd Rhys. Fe ymddengys gan hynny'n rhesymol dal mai ar ôl Mai 1172 y gallai awdur ddarllen stori i gynulleidfa Gymraeg a chyhoeddi fod Morgannwg ' yn yr oes honno ' yn rhan o Ddeheubarth ac o deyrnas Pryderi. Fe glywai deiliaid yr Arglwydd Rhys — dyweder, yn Eisteddfod Aberteifi, Nadolig 1176 — fod hynny'n agoriad priodol iawn i gyfarwyddyd.

Does dim sôn am Bowys yn y frawddeg agoriadol. Ond ymhen ychydig y mae Gwydion yn addo ' dygyuori Gwyned a Phowys a Deheubarth,' megis petai Powys yn israddol i deyrnas Gwynedd. Mae'n hynod hefyd fod Gwydion, wedi iddo ennill y moch yng Ngheredigion, a chan ofni i Bryderi ei ddilyn a'i ddal, yn troi'n sydyn i Bowys am ddiogelwch ar ei daith adref. Amlwg fod Powys yn wlad gyfeillar iddo neu'n wlad nad rhaid iddo'i hofni. Mae'r stori'n rhoi darlun o ddarostyngiad Powys a'i rhannu'n fân wledydd ar ôl buddugoliaethau Owain Gwynedd a Dafydd ab Owain, ac Owain Cyfeiliog yn gweld yn Harri'r Ail ei unig darian.

Am y brenin Math, dywedir mai yng Nghaer Dathal yn Arfon ' yr oedd ei wastadrwydd.' Y mae'r Athro Thomas Jones yn ei gyfieithiad Saesneg enwog yn dilyn *Geirfa* John Lloyd-Jones (G. 634), gan gysylltu'r frawddeg â brawddeg debyg yn stori Geraint ac Enid (RM, 268) a rhoi i'r enw yr ystyr bodlonrwydd neu dawelwch. Gwell gennyf i ddilyn Ifor Williams a chymryd mai'r ystyr yw preswylfod, neu hyd yn oed brif lys, canolfan yr holl stori hyd oni ddown at brif lys arall a chaer Rufeinig arall, sef Mur Castell.

Ofer gofyn ple'r oedd Caer Dathal. Yr unig gwestiwn y gellir cynnig ateb iddo, fel y dangosodd W. J. Gruffydd (M, 344), yw ple y gosodai awdur y bedwaredd Gainc y gaer. Dyma ateb Gruffydd :

> When Gwydion took his son to get a name, he walked from Caer Dathal along the sea-shore, in the direction of Aber Menai, the western entrance of the Menai Straits, and came to Caer Arianrhod. Caer Arianrhod was therefore between Aber Menai and Caer Dathal, and Caer Dathal was south of Caer Arianrhod, and that is where Tre'r Ceiri stands.

Ond, ysywaeth, nid gwir i'r ddau gerdded ar draed o Gaer Dathal i Gaer Arianrhod. Nid dyna a ddywed y stori. Fe ddywedir iddynt fynd —

> y orymdeith gan lann y weilgi rwng hynny [sef Caer Dathal] ac Aber Menei. Ac yn y lle y guelas delysc a morwyal, hudaw llong a wnaeth . . . Ac ar hynny, kyweiraw hwyl ar y llong a wnaeth, a dyuot y drws porth Caer Aranrot, ef a'r mab yn y llong.

Ni ddywedir pa hyd bynnag y buant ar y ffordd. Ond mae'n eglur ddigon nad aethant ar draed ddim pellach nag Aber Menai nac ymhellach na'r lle y gwelsant ddelysg a morwyal. Wedyn gwneud llong a'i hwylio. Ymddengys gan hynny fod y ddadl dros osod Caer Dathal yn Nhre'r Ceiri ar ben yr Eifl yn methu. Gwrthyd Ifor Williams hefyd y lleoliad hwnnw am ' nad yw Tre'r Ceiri yn ddigon canolog i bwrpas y Gainc hon ' (PKM, 251).

Y mae rheswm arall dros ei wrthod, sef nad yw'n gweddu un dim i strategiaeth Math a Gwydion yn y rhyfel yn erbyn Pryderi.

Pan gyhoedda'r utgyrn yng Nghaer Dathal fod byddin Deheubarth yn nesáu, 'gwiscaw a wnaethant wynteu a cherdet yny uydant ym Pennard yn Aruon.' Yr oedd Pennardd rhwng Clynnog a Llanllyfni. Yno cynhaliwyd cyngor milwrol: 'Sef a gaussant yn eu kynghor, aros yg kedernit Gwyned yn Aruon. Ac ynghymherued y dwy uaynawr yd arhoed, Maynawr Bennard a Maynawr Coet Alun.' Ystyr *aros* yw aros cyrch yr ymosodwyr. Eglur mai trefnu eu byddin i wynebu'r deau a wnaed, ar draws y ffordd Rufeinig o Gaernarfon i Fur Castell. Ni ellir peidio â chofio mai dyma iaith a dyma strategiaeth tywysogion Gwynedd a Phowys dro ar ôl tro pan ymosodid arnynt. Dywedir, er enghraifft, yn y Brut am Owain ap Cadwgawn :

> Kynullaw y holl wyr ae holl da a wnaeth a mudaw hyt ymynyded Eryri. Kanys kadarnaf lle a diogelaf y gael amddiffyn yndaw rac y llu oed hwnnw (RB, 292).

Yn awr, os dyma hefyd amddiffyn Caer Dathal, nid Tre'r Ceiri ar ben yr Eifl mo'r gaer. Mae'n rhaid fod awdur y stori yn gosod Caer Dathal, prif lys Gwynedd, lle y gwyddai ef fod Caer Saint, yr hen Gaernarfon, y brif gaer Rufeinig gynt. Yno'n unig y gallai ef ddychmygu Caer Dathal yr hen chwedlau, a rhoi iddi'r urddas a'r mawredd a roesai'r hen draddodiadau am Fath a Gwydion a Lleu iddi hi.

Yn ôl y stori bu dwy frwydr, neu ddwy ran i un frwydr fawr, a'r gyntaf yng nghymherfedd y ddwy faenawr. Daliodd Gruffydd mai ar y Foryd rhwng Llandwrog a Chaernarfon y bu honno. Pe gwir, capteiniaid go symol fyddai Math a Gwydion. Gadael i'r gelyn dreiddio drwy gadernid Gwynedd fuasai hynny a chyrraedd diogelwch y tu draw i'r bylchau a thir gweddol wastad y gallai'r marchoglu ymledu arno. Dyma a ddywed y stori :

> A Phryderi a'y kyrchwys yno wynt. Ac yno y bu y gyfranc, ac y llas lladua uawr o pop parth, ac y bu reit y wyr y Deheu enkil.

Y casgliad teg yw bod tywysogion Gwynedd wedi trefnu eu saethyddion o wŷr traed ar lethrau coediog y Foel a mynydd

Bwlch Mawr ar yr ochr ddeau ac ar hyd llethrau'r Garnedd Goch a mynydd Craig Goch ar eu chwith, a'r marchogion yn sefyll ar draws y bwlch. Bu raid i fyddin Deheubarth ddyfod drwy'r gulffordd ac nid oedd modd iddynt ymledu i wynebu'r saethyddion. Nid rhyfedd iddynt orfod encilio :

> Sef lle yd enkilyssant, hyt y lle a elwir etwa Nant Call. A hyt yno yd ymlidywyd. Ac yna y bu yr ayrua diuessur y meint.

Wrth gwrs hynny. Oblegid daeth saethyddion Gwynedd i lawr at odreon y llethrau ar y ddwy ochr a dal Pryderi a'i lu yn y cynllwyn yn ardal Pant Glas, a marchogion Math yn awr yn medru rhuthro ar eu hôl ar wastadedd gweddol uchel. Aeth yn draed moch ar fyddin Deheubarth a gwasgaru a ffoi bawb drosto'i hun hyd at Ddolbenmaen. Aildrefnu yno ac anfon at gapteiniaid Gwynedd i ofyn am amodau heddwch. Rhoddwyd iddynt hawl i ddychwelyd i Ddeheubarth wedi i Bryderi roi pedwar ar hugain o feibion gwyrda yn wystlon, a'i fab ei hun, Gwrgi Gwastra, yn bennaf ohonynt.

Hyd yn oed wedyn dilynodd byddin Gwynedd ar eu hôl i'w gwylio hyd at y Traeth Mawr, ac yno ni ellid rheoli'r *pedyt*, sef y gwŷr traed ar y ddwy ochr, rhag ymsaethu. Ac felly daw'r stori at yr ornest derfynol a diwedd y bennod gyntaf o'r bedwaredd Gainc.

Yn awr os yw'r dadansoddiad hwn o'r rhyfel yn y stori yn gywir, y rheswm yw fy mod i'n ei olrhain yng ngoleuni'r hyn a ddywed haneswyr modern a'r hyn a ddywed y Brutiau a Gerallt Gymro a chofiannydd Gruffydd ap Cynan am ryfeloedd y ddeuddegfed ganrif. Dyma a geir yn *Hanes Gruffydd ap Cynan* am gyrch Gwilym Goch yn erbyn Gwynedd yn 1097 :

> Ac urth henne e lluestws, ac y pebyllyws en gentaf em Mur Castell, a rei o'r Kemry en gyuarwydyeit idaw. A phan gigleu Gruffud henne y kynullws enteu llu y holl vrenhinyaeth ac y kerdus ene erbyn ef urth wneithur ragotvaeu idaw en lleoed keuing pan disgynnei o'r menyd . . . A cholli rann vaur o varchogyon ac acueryeit a gueissyon a meirch a llawer o daoed ereill . . . Ac en henne uyth Gruffud, ae lu ganthunt, weithyeu o'r blaen, weithyeu en ol, weithyeu ar deheu, weithyeu ar assw udunt, rac gwneithur onadunt nep ryw gollet ene kyuoeth. (HGC, 140-2.)

Hawdd iawn, a bod arno awydd manylu, y gallasai awdur *Math* gynnwys y paragraff uchod yn ei hanes am fyddin Pryderi.

Pan ymosododd Harri'r Cyntaf ar Wynedd a Phowys yn 1114, dywed yr *Hanes* a Brut y Tywysogion fod byddin Gymreig Deheubarth yn rhan o arfogaeth y brenin. Ni wn i am unrhyw gyrch arall gan Ddeheubarth yn y ddeuddegfed ganrif a dreiddiodd hyd at gadernid Gwynedd. Ym Mur Castell y gosodwyd canolfan y cyrch hwn hefyd, ac oddi yno cerdded tuag Eryri, ond, medd yr *Hanes* :

> A phan gigleu vrenhin Loegyr hynny . . . rhoddi treul didlawd y farchogyon a phedit . . . Ag y felly y doeth y gywoeth Gruffudd a phebyllaw y Mur Kastell. A Gruffudd ynteu, o genefindra a brwydyr, a luestws yn y erbyn ynteu ym breichyeu Eryri eiriawg. (HGC, 150-2.)

Nid oes brinder o enghreifftiau tebyg drwy gydol y ganrif. Y mae'r rhyfel ym *Math* yn dilyn patrwm cynefin.

Gellir mynd ymhellach. Rhyfel ffiwdal a geir yn y stori. Dywedodd Gruffydd (M, 338) am y gair *pedyt*: 'It is curious that this rare word should be used here.' Nid yw'r gair yn brin. Fe'i ceir droeon lawer iawn gan Sieffre a'r *Brut* a'r *Hanes*. Dywedir am ymosodiad Owain ap Gruffydd o Wynedd a'i frawd Cadwaladr ar Geredigion :

> Yn diwed y vlwydyn honno y doethant eilweith y Geredigyawn, a chyt ac wynt amylder lu o detholedigyon ymladwyr, val amgylch whemil o bedyt aduwyn a dwy vil o varchogyon llurugawc. (RB, 309.)

a sylw J. E. Lloyd ar hynny yw :

> The Welsh had now learnt the arts of knighthood from their Norman masters and could put heavy cavalry in the field as well as the old national infantry. (HW, 472.)

Dyna'r math o fyddin a geir yn stori *Math*, gwyrda a 'phedyt,' hynny yw marchogion llurugog a saethyddion ar draed, byddin Normanaidd. Mae'r pwyslais mewn nifer o frawddegau ar farchogion yn 'gwisgo' eu harfau : 'Ar hynny gwiscaw a wnaethant wynteu,' a phan ddaw'r ornest rhwng Pryderi a Gwydion 'E gwyr hynny a neilltuwyt ac a dechreuwyt gwiscaw amdanunt.' Nid rhaid ond darllen tystiolaeth Harri'r Ail yn y *Disgrifiad o Gymru* gan Erallt Gymro, t. 181 yng nghyfieithiad Dr. Thomas Jones, i ddysgu fod hyn eto'n newydd. Ond nid, yn od ddigon, yn hanes y rhyfel ym *Math* y mae *locus classicus*

Cymraeg y gwisgo arfau sifalrïaidd, eithr yn hytrach yn hanes gorchfygu'r ail dynghedfen ar y llanc Lleu Llaw Gyffes :

> Ac ar hynny, yn ol yr arueu yd aeth hi. A llyma hi yn dyuot, a dwy uorwyn gyt a hi, ac arueu deu wr gantunt. Arglwydes, heb ef, gwisc ymdan y gwryanc hwnn. A minheu, ui a'r morynon, a wiscaf ymdanaf inheu . . . .
> — Hynny a wnaf yn llawen. A gwiscaw a wnaeth hi amdanaw ef yn llawen ac yn gwbyl.

Dyma arbennig foes ac arfer y chwedlau Arthuraidd. Ceir enghreifftiau o rianedd yn gwasnaethu felly ar farchogion yn y Tair Rhamant, ond yr enghraifft enwocaf a thebycaf i'r disgrifiad hwn ym *Math* yw'r disgrifiad manwl farddonol o wisgo Otuel gan Belisent yn Rhamant Otuel (YCM, 55).

Ystyrier hanes y gwystlon :

> gwystlaw a wnaeth Pryderi ar y tangeued. Sef a wystlwys, Gwrgi Guastra ar y pedwyryd ar ugeint o ueibyon guyrda . . .

Wedyn, ar ôl yr ornest :

> — Arglwyd, heb y Guydyon wrth Uath, ponyt oed iawn ynni ollwng eu dylyedauc y wyr y Deheu, a wystlyssant in ar tangneued ? Ac ny dylywn y garcharu.
> — Rydhaer ynteu, heb y Math.
> A'r guas hwnnw, a'r gwystlon oed gyt ac ef, a ellyngwyt yn ol guyr y Deheu.

Yr arfer gan frenhinoedd Lloegr oedd cymryd mab neu feibion i dywysogion Cymru ynghyd â meibion gwyrda o'u gwlad a'u cadw yn wystlon mewn carchar. Felly y gwnaeth Harri'r Ail. Cymerodd ddau o feibion Owain Gwynedd yn 1157 gyda meibion bonedd ei lys. Gwnaeth felly gyda Rhys ap Gruffydd yn 1163. Dyna'r pam y mentrais ddweud mai mab i Bryderi yw Gwrgi Gwastra. Ef yw'r *dylyedawc*, a sylwer mai *gwas*, mab ifanc, ydyw. Ni buasai reswm dros ei enwi oni bai mai Pryderi oedd ei dad. Bu Gwri yn enw ar Bryderi ei hunan unwaith.

Ond yr hyn sy'n eithriadol yw haelioni a mawrfrydigrwydd Math a Gwydion tuag at y gwystlon. Ar ôl ei fethiant yn y Berwyn yn 1165 fe ddallodd Harri'r Ail ddau fab Owain Gwynedd, Cadwallon a Chynfrig, a Maredudd, mab yr Arglwydd Rhys, a thynnu llygaid a cheilliau'r holl feibion gwyrda Cymreig a oedd ganddo'n wystlon. Nid oedd hynny'n hynod erchyll. Gwnaeth y gorau o'r tywysogion neu'r brenhinoedd Cymreig yr un modd, ie, hyd yn oed Owain Fawr, arglwydd Gwynedd. Ond y mae un enghraifft nodedig o ryddhau mab tywysog a'i roi'n ôl i'w dad. Pan ddaeth Harri'r Ail i Ddeheudir Cymru yn 1171 ar ei ffordd i Iwerddon fe hawliodd gan Rys ap Gruffydd, Arglwydd Deheubarth, bedwar gwystl ar hugain, yr union nifer a ofynnodd Math gan Bryderi. Bu'r brenin fis cyfan yn Nyfed, a chyn croesi'r môr fe roes yn ôl i'r Arglwydd Rhys ei fab, Hywel Sais, gan sicrhau tangnefedd weddill ei oes ef i dywysog Deheubarth. Mi ddaliaf mai'r esiampl honno a barodd i awdur *Math* briodoli graslonrwydd cyffelyb i dywysogion Gwynedd. Daliodd ar ei gyfle i geisio dysgu gwers o wareidd-deb a thiriondeb i arglwyddi gwaedlyd greulon ei ganrif yng Nghymru. Soniais o'r blaen (TRAETHODYDD, Gorff. 1969) am ddyneidiaeth olau awdur *Manawydan*. Mi dybiaf mai'r un yw awdur y bedwaredd Gainc.

Trown at hanes lladd Pryderi. Ef ei hun sy'n cynnig ornest rhyngddo a Gwydion er dwyn y rhyfel i ben ac arbed colledion trymach i'r ddau lu. Ni wn i am ddigwydd tebyg yn hanes y ddeuddegfed ganrif. Dyry Wiliam Malmesbury hanes am ornest rhwng Godffri, brenin Caersalem, a rhyw Dwrc a'i sialensodd yn ystod y gwarchae ar Antioch. Yn Ffrainc yn yr unfed ganrif ar ddeg yr oedd ornest rhwng dau yn ddull cyfreithiol o benderfynu hawl neu o brofi neu wadu cyhuddiad. Ceir hynny yn nramâu Shakespeare, ond nid oes, hyd y gwn i, enghraifft ohono ar gadw yn na Ffrainc na Lloegr yn y ddeuddegfed ganrif. Yr enw a roddid ar y math hwn o braw oedd *duel judiciaire*. Diau fod elfen o hynny yn yr ornest rhwng Pryderi a Gwydion. ' Ie, heb y Pryderi, nit archaf inheu y neb gouyn uy iawn namyn my hun.' Cyn yr ornest gyfreithiol yr oedd yn ofynnol i'r ddau ornestydd dyngu llw na cheisiasai na'r naill na'r llall help consuriaeth na rheibio na chymorth ysbryd drwg i orfod ar ei wrthnebydd. Mae'n debyg fod awdur *Math* yn cofio hynny ac yntau'n priodoli buddugoliaeth Gwydion i ' angerdd a hud a lledrith.' Gyda Phryderi a gwŷr Deheubarth y mae ei gydymdeimlad ef, er mai saga Gwynedd yw'r bedwaredd Gainc.

Mi dybiaf fod yr awdur yn cofio hefyd am ornest Arthur a Ffrolo ym Mharis yn *Historia* Sieffre o Fynwy. O leiaf y mae geiriau Ffrolo yn awgrymu geiriau Pryderi, a thebyg fu tynged y ddau :

> A gwedy llithraw mis heibaw doluryaw a oruc frollo o welet y bobyl yn aballu rac newyn, a gofyn a oruc y Arthur a vynnei eu dyuot ell teu y ymlad, a'r hwn a orfei onadunt, kymerei gyfoeth y llall heb lad neb o'r deu lu.

Y mae croniclydd *Brut y Tywysogion* yn 1136 yn dathlu goruchafiaeth Gwynedd ar Ffrancwyr y Deau yng Ngheredigion gan gyhoeddi am y Deheuwyr :

> A gwedy colli amgylch teir mil oe gwyr, yn drist aflawen yd ymchoelassant y gwlat. A gwedy hynny yd ymchoelawd Owein a Chatwaladr yw gwlat yn hyfryt lawen gwedy caffel y uuddugolyaeth.

Rhyfedd mor debyg yw'r adroddiad ym *Math* am y ddau lu wedi tranc Pryderi :

> Gwyr y Deheu a gerdassant ac argan truan ganthunt parth ac eu gwlat, ac nit oed ryfed ; eu harglwyd a gollyssynt, a llawer oc eu goreuguyr, ac eu meirch ac eu harueu can mwyaf. Gwyr Gwyned a ymchweles dracheuyn yn llawen orawenus.

Gwelsom eisoes fod nifer o enghreifftiau yn y stori o frawddegu'n debyg i'r *Brutiau.* Gellid cronni rhagor : ' Hyd yno yd ymlidywyd. . Ac yna y bu yr ayrua diuessur y meint . . a guedy hynny cerdet ohonunt yn eu tangneued . . .' Onid gŵr cynefin â gwaith Sieffre a chynefin ag Yniales diweddarach yw'r awdur ? Os un awdur a fu i'r Pedair Cainc, ac at hynny y mae'r dystiolaeth yn tueddu, ai damcaniaethu ormod yw awgrymu mai brodor o wlad Dyfed a oedd yn fynach yn Ystrad Fflur, un wedi teithio yng Nghymru a Lloegr ac efallai yn neau Iwerddon, a sgrifennodd y Mabinogi yn ystod y blynyddoedd 1170—1190 ?

[*Y Traethodydd*, cxxiv (1969), 185-92].

PENNOD V

PWYLL Y PADER O DDULL HU SANT

CEIR y traethawd hwn yn *Llyfr yr Ancr*, 147-151, lle dywedir mai ' Hu Sant o Seint Victor ym Paris ' yw awdur y llith. Ceir gweithiau Hugo de S. Victore mewn tair cyfrol o'r *Patrologiae Cursus Completus* gan Migne. Cyfieithiad yw ' Pwyll y Pader ' o rannau o'r pedair pennod gyntaf yn *De Quinque Septenis seu Septenariis Opusculum* (Migne, clxxv. 405-410). Ar y tudalennau 147-148.9 (tud. 148, llinell 9) o'r llyfr Cymraeg ceir crynhoad, nid cyfieithiad, o gynnwys y ddwy bennod gyntaf a dechrau'r drydedd yn nhraethawd Hu Sant ; ambell frawddeg ac ambell baragraff byr yn unig a droswyd yn fanwl. Ond fe geidw gweddill y darn Cymraeg yn bur agos at Ladin y drydedd bennod a'r bedwaredd o bamffled Hu Sant ; ac yn wir, yn ôl arfer cyfieithiadau'r cyfnod, fe ychwanegir tipyn at y gwreiddiol

Y mae amryw frawddegau o'r cyfieithiad Cymraeg yn dywyll. Gellir egluro rhai a chywiro eraill drwy eu cymharu â'r Lladin :—

(*a*) 147.22. 'Syberwyt adwc duw ygann dyn. Kyghorueint adwc ygyfnessaf ygantaw.' Ll. :—*Superbia enim aufert homini Deum ; invidia aufert ei proximum.*

(*b*) 148.13. ' Yny ymhoelom ni attat ti trwy ufuyllдawt. megys yd ymydawssom ath ti. Trwy syberwyt yny wed honn yrodir dawn. yspryt. ofuyn ydyn.' Y mae'r T yn yr ail ' Trwy ' yn llythyren goch. Darllener :—' megys yd ymydawssom ath ti trwy syberwyt. Yny etc.' Ll. :—*Quatenus ei per humilitatem subjecti simus, qui per superbiam rebelles et contumaces exstitimus. Huic petitioni datur donum spiritus timoris Domini.*

(*c*) 149.3. ' A phy beth bynnac a garho oda, y mae odrugared duw idaw.' Yn lle ' garho ' darllener ' gaho.' Ll. : *Si quid autem boni habuerit ex misericordia Dei procedere.*

(*d*) 150.9. ' yny dangossei ef yn amlwc pryt pann porthir eneit dyn or bara or mein. Sef yw hwnnw. rat. Amelyster. A charyat.' Yn lle ' mein ' darllener ' mywn.' Glos yw'r ail frawddeg, ac nis ceir yn y Lladin. Ll. :—*ut aperte demonstraret quod cum mens illo interius pane reficitur.*

(*e*) 150.19 'yr hwnn yrodir rat ac yspryt bydawl.' Yn lle 'bydawl' darllener 'doethineb' megis yn 150.28. Ll. :—*huic petitioni datur spiritus sapientiae.*

(*f*) 150.20. 'pann gynnullo bryt ehun yn hollawl o vlas ysprydawl velyster.' Ll. :—*dum mens tota ad internum gaudium colligitur.*

Credaf y dengys y gwallau yn (*b*), (*c*), (*d*), (*e*), mai *camgopïo* sydd yma, nid camgyfieithu. Gan hynny, copi yw'r darn hwn yn LL.A. o gyfieithiad a oedd eisoes yn bod yn Gymraeg. Ac y mae hynny'n ddiddorol, canys fe amheuodd rhai golygyddion ai Hu Sant a sgrifennodd *De Quinque Septenis*. Ond ni ddylai fod amheuaeth. Y mae'r profion arddull yn rhy gryf i'w hamau, a dyma gyfieithiad Cymraeg, a sgrifennwyd cyn LL.A., yn ei enwi ef yn awdur. Atega hynny brofion y llawysgrifau Lladin.

Y mae'n bwysig sylwi mai diwinyddiaeth y 12ed ganrif a geir yn LL.A. Nid oes un o'r traethodau diwinyddol ynddo a ddengys effaith y chwyldro a'r dulliau newydd a ddug Albertus Magnus a Thomas o Acwino i mewn i feddwl athronyddol y drydedd ganrif ar ddeg. Yr oedd Hu Sant, neu Hugo o St. Victor, yn un o ddiwinyddion mwyaf y 12ed ganrif ; yn enwog hefyd fel athro, a daeth efrydwyr o bob parth o Ewrop i ddilyn ei ddarlithoedd ym Mharis. Fe wyddys am rai a aeth ato o Loegr ; a dengys 'Pwyll y Pader' a rhannau eraill o LL.A. fod iddo Gymry hefyd yn ddisgyblion. Canys y mae rheswm dros gredu bod effaith ei ddysg ar y 'Kysegrlan Fuchedd' a llithoedd llai yn y llyfr Cymraeg. Disgybl i Awstin, a diwinydd Platonaidd, oedd Hugo, yn gyfrinydd ac yn athronydd. Meddai am ffilosoffi :—*Est autem amor et studium sapientiae.* A'r cyfuniad hwn o angerdd teimlad (*amor sapientiae*) a nerth meddwl (*studium*) yw nodwedd ei gyfriniaeth. Hynny sy'n peri bod 'Pwyll y Pader' yn gymaint iachach traethawd na'r 'Kysegrlan Fuchedd', sydd hefyd yn waith cyfrinydd. Yn y 'Kysegrlan Fuchedd' fe welir gormes y method goddefol a theimladol (*quietism*) sy'n gymaint perygl mewn cyfriniaeth ; a syrth y traethawd mewn rhannau, oherwydd ei ddiffyg mewn egni meddwl, i gnawdolrwydd noeth. Un rhinwedd yn y *De Quinque Septenis* yw ynni deall a thymer uchel ysbrydol y gwaith.

1. Y mae'n efrydiaeth mewn eneideg, yn ddadansoddiad o nwydau dyn. Dangosir ynddo fod pob deisyfiad yn y Pader yn rhwymedi ar gyfer pob un o'r saith bechod marwol. Yn hynny y mae'n enghraifft ddiddorol o ddulliau alegorïaidd meddwl diwinyddol y cyfnod. A gwiw yw sylwi mai'r ddawn a enwir yn arf yn erbyn ' glythni ' yw ' ysbryd deall ' (*spiritus intelligentiae*),—syniad nodweddiadol o feddwl Hugo.

2. Y mae'r llyfryn yn enghraifft hefyd o fethod cyfriniol Hu Sant. Fe ddengys fod yn y Pader ddatblygiad mewnol a arwain trwy'r deisyfiad olaf—' Rydhaa di ni arglwyd ygann y drwc '—i ollyngdod llwyr oddi wrth y byd ac i'r cymundeb hwnnw â'r Dwyfol a oedd yn nod ei athroniaeth :— ' yny gynnullher y medwl ar bryt ar lywenyd ysprydawl mywn ygallonn '.

3. Gan hynny, y mae'r pamffled hwn yn llawn termau technegol ag iddynt ystyr bendant mewn athroniaeth gyfriniol, a dyna ran fawr o ddiddordeb y cyfieithiad Gymraeg. Nodwn rai :—' ysbrydawl velyster ' (*interior dulcedo*) ; ' knawdol velyster ' (*exterior voluptas*) ; ' llygat yr eneit ' (*interiorem oculum*) ; ' doethineb ' (*sapientia*, cmhr. ' dyall '—*intelligentia*), etc.

4. Y mae'n ddiddorol sylwi bod yma hefyd, megis yn yr holl gyfieithiadau o'r Lladin ym mhob iaith yn yr Oesau Canol, duedd gref i droi un gair Lladin, pan fo'n bwysig, yn ddau yn y cyfieithiad. Weithiau y mae'r ddau air yn gyfystyron llwyr, megis ' obrwyhom ac y gobrynhom '—*mereamur*. Ond y mae yma duedd hefyd, a thuedd yw hon a gyfoethogodd yr iaith, i'r ddau air gyfleu agweddau gwahanol ar y gwreiddiol :— ' sathra ac y dielwha '—*subjicit* ; ' cynnhenu na chyffroi ' —*contendere* ; ' yspryt a dyall '—*intelligentia* ; ' y medwl ar bryt '—*mens tota*, etc.

Un anhawster i'r cyfieithydd Cymraeg—ac fe erys peth anhawster yn yr iaith o hyd—yw cyfleu'r syniad am ' fewnol ' ac ' allanol ' ; am *foris* ceir ganddo ' odieithyr ', am *intus*, ' yndi ehun.' Ceir hefyd ' y chwant odieithyr ' (*exterior*) a'r ' didanwch ysprydawl ovywn '. Dyma iaith Morgan Llwyd ar y ffordd.

[*Bulletin of the Board of Celtic Studies*, ii (1923-5), 286-9].

PENNOD VI

SANGIAD, *TROPUS* A CHYWYDD

WRTH adolygu *Medieval Welsh Lyrics* yr Athro Joseph Clancy yn y *Western Mail*, Awst 14, mi roddais yn fyr eglurhad o'r modd technegol y buwyd yn gyffredin—ac, yn fy marn i, ar gam—mewn beirniadaeth Gymraeg yn ei alw yn sangiad. Hyd y gwn i, nid oes neb wedi astudio datblygiad a hanes y dull hwn yn y canu caeth. Dyma a ddywed John Morris-Jones dan yr enw sangiad yn *Cerdd Dafod* :

> Fe dorrir weithiau ar rediad yr ymadrodd i ddodi yn ei ganol rywbeth cysylltiedig ag ef, ond heb fod yn rhan ramadegol ohono. Gelwir y geiriau dodi yn Saesneg ar yr enw Groeg *parenthesis* ; efallai mai'r term Cymraeg mwyaf cyfleus ydyw *sangiad* . . .
>
> Fe geir rhes o linellau weithiau yn yr hen gywyddau a sangiad ym mhob un, yn tywyllu'r synnwyr, a rhwystro rhediad y meddwl . . . ac weithiau ni bydd i'r sangiad nemor berthynas â'r ymadrodd, na phwrpas ond gwneuthur cynghanedd . . . (t. 79-81).

Dyma'r enghraifft a ddyry Clancy yn ei ragymadrodd i ddangos y dull :

O cherais wraig mewn meigoel,
Wrth hyn, y porthmonyn moel,
Gwragennus, esgus osgordd,
Gwraig ryw benaig, Robin Nordd,
Elen chwannog i olud,
Fy anrhaith â'r lediaith lud,
Brenhines, arglwyddes gwlân,
Brethyndai, bro eithindan,
Dyn serchog oedd raid yno,
Gwae fi nad fyfi fai fo !

Y mae'r Dr. Thomas Parry wedi trafod y dull 'sangiadol' hwn ddwywaith, sef yn ei erthygl ar Ddatblygiad y Cywydd (*Trans. Cymmr.*, 1939, t. 224-6) ac yn *Hanes Llenyddiaeth Gymraeg* (t. 111-13). Yn ôl y Prifathro rhan o hanes datblygiad arddull y cywydd ydyw'r dull, peth a dyfodd allan o'r angen am gario brawddeg drwy nifer o gypledau. Datblygiad ar eglurhad

John Morris-Jones yw hyn a dyna'r ddysgeidiaeth gyffredin gan ysgolheigion Cymraeg.

Ond y mae'r dull yn hŷn na'r cywydd. Fe'i ceir yn y drydedd ganrif ar ddeg. Troer at Lawysgrif Hendregadredd. Ceir yno ar d. 192 englyn gan Ddafydd Benfras :

Pob dyn oer dyddyn neut eiddaw agheu
aghyveillwr iddaw.
y veddu daear arnaw
y ved or diwed y daw.

Y mae pwynt ar derfyn y paladr ond confensiwn y llawysgrif yw hynny. Gwir bod modd darllen y paladr yn frawddeg gron, ond mi dybiaf mai'r peth cywir yw darllen yr englyn cyfan yn un frawddeg, a'r prif ymadrodd wedyn yw "pob dyn . . . i fedd o'r diwedd i feddu daear arno y daw."

Enghraifft arall gan Ddafydd Benfras ar gychwyn ei awdl i Lywelyn ab Iorwerth (*Poetry of the Gogynfeirdd*, 105) :

Gŵr a wnaeth llewych o'r gorllewin
Haul a lloer addoer addef iesin
A'm gwnêl radd uchel rwyf cyfychwin
Cyflawn awen awydd Fyrddin
I ganu moliant mal Aneirin gynt
Dydd y cant Ododin . . .

Neu cymerer y pennill yma yn Llawysgrif Hendregadredd o ganu Llywelyn Ddu ap y Pastard ; ceir ynddo nid yn unig y dull 'sangiadol' eithr trychiad hefyd :

Gwelei ae gwelas ketawlblas kat
gwelwon arwydyon rydyon rodyat.
Gruffud cleddyf rud ruhat kyflafan
vychan daryandan ae diryondat.

Wele hefyd englyn o farwnad Dafydd Benfras gan Fleddyn Fardd :

Mor wael myned hael hwyl gyffro galar
Yn rwym gwely manro
Llawr gwerthfawr llan ae gortho
Gadawg gadarn freinyawg fro.

Nid yw'r rhain ond ychydig o blith llawer. Pan ddown at y 14eg ganrif, ac eto tu allan i'r cywydd, y mae'r esiamplau'n tyfu'n llu. Gellid dyfynnu o awdlau ac englynion gan Ruffydd ap Dafydd ap Tudur, gan Ddafydd y Coed, gan Ruffudd ap Maredudd. Prin fod angen, nid rhaid ond troi dail y Myfyrian. Troer at fonograff T. Gwynn Jones, *Rhieingerddi'r Gogynfeirdd*, t. 36, a dangosir y dull mewn paragraff hir o awdl gan Ruffudd ap Dafydd. Ond rhaid imi alw sylw arbennig at awdl, t. 355 o'r Myfyrian, *O Saith Weddi'r Pader*, sef awdl ar Weddi'r Arglwydd. Dyma ddarn i ddangos y modd :

> *Fiat voluntas* addas oddeu
> *Tua* rhag traha trwm feddylieu
> *Sicut in caelo* salw eirieu ai gwna
> *Et in terra* pla plyg eneidieu . . .

Ymddengys i mi y tu hwnt i amau nad oes a wnelo'r dull hwn o ganu ddim oll â sangiad yn yr ystyr o *parenthesis*. Nid ffigur ymadrodd sydd yma o gwbl, nid dim a ddysgid mewn rhetoreg yn ysgolion y Trivium.

Datblygiad mewn cerddoriaeth sydd yma, dull o ganu a darddodd o efelychu ffasiwn boblogaidd ar ganu'r Offeren mewn mynachlog neu eglwys lle'r oedd *schola cantorum*. Yr enw a roddid ar y math hwn o gyfansoddiad yn yr Eglwys yn y cyfnod cynnar, o'r nawfed ganrif hyd at y drydedd ar ddeg, oedd *sequentia*, '*Haec jubilatio quam sequentiam vocant*.' Y mae'r term wrth gwrs gan Ddafydd ap Gwilym :

> Pand englynion ac odlau
> Yw'r hymnau a'r segwensiau.

Datblygodd adran o'r segwensiau yn hymnau cyfain eu hunain, ac felly bu raid cael enw arall ar y segwensiau nad oeddynt o gwbl yn gyfansoddiadau annibynnol, eithr yn chwanegiadau at brif gân y litwrgi, a rhoddwyd ar y rhain yr enw *Tropus*. Ceir astudiaeth o'r cwbl yn y *New Oxford History of Music* (II, 128-174). Ceir gan Raby, *A History of Christian-Latin Poetry* (t. 210-223) drafod dechrau'r *sequentia* a'r *tropus* o safbwynt llenyddol yn unig. Ond y mae'r disgrifiad yn erthygl y *Catholic Encyclopaedia* yn aros yn syml safonol :

> These additions are closely attached to the official liturgical text, but in no way do they change the essential character of it ; they are entwined in it, augmenting, and elucidating it ; they are, as it were, a more or less poetical commentary that is woven into the liturgical text, forming with it a complete unit. Thus

in France and England, instead of the liturgical text " Sanctus, Sanctus, Sanctus, Dominus Deus Sabaoth," the lines sung were

Sanctus, ex quo sunt omnia,
Sanctus, per quem sunt omnia,
Sanctus, in quo sunt omnia,
Dominus Deus Sabaoth.

Astudier yr awdl ar Saith Weddi'r Pader yn y Myfyrian a ddyfynwyd uchod ac fe welir fod y disgrifiad hwn yn y *Catholic Encyclopaedia* yn gweddu iddi'n deg.

Gan Ddafydd ap Gwilym, fel y gellid disgwyl, y ceir enghraifft o *tropus* Cymraeg rheolaidd i emyn Lladin, sef emyn y cymun, *Anima Christi*, yr ail yng nghasgliad Dr. Thomas Parry. Mi geisiais i ddangos dyled helaeth Dafydd i'r *schola cantorum* (*Llên Cymru*, II, 203-4). Y mae'r ysgolheigion diweddar oll yn bur unfryd fod effaith canu eglwysig a chanu eglwyswyr yn eglur ar dwf y traethodl a'r cywyddau yn y bedwaredd ganrif ar ddeg. Rhan o'r unrhyw lif o ddylanwad oedd cymryd egwyddor y *tropus* a throi'r dull yn rhan o arddull awdl a chywydd yn y 13 a'r 14eg ganrif.

Mi gredaf y gellir symud gam ymhellach. Bu mynd anghyffredin ar ganu *tropi* yng ngwasanaeth yr Eglwys yn Lloegr a Ffrainc hyd at y bedwaredd ganrif ar ddeg. Y mae casgliad Winchester (*The Winchester Troper*, Frere) yn enwog. Ond yn Ffrainc a Lloegr (ac felly wrth gwrs yng Nghymru) daeth trai ar y ffasiwn a darfuasai braidd yn llwyr erbyn y bymthegfed ganrif. Bu awdurdodau'r eglwys hefyd yn gwgu ar y ffasiwn.

Ac yn y bymthegfed ganrif y mae'r dull tropaidd yn cilio o'r cywydd a cheir y cywydd sy'n gypledau llyfn a syml. Nid cyd-ddigwydd mo hyn. Pan gofiwn am gysylltiadau agos beirdd megis Dafydd Nanmor a Guto'r Glyn a Gutyn Owain a'u cyfoedion â mynachlogydd ac abadau ac esgobion ac eglwysi pwysig, y mae'n rhaid barnu fod ffasiynau litwrgeiaidd yn llunio llawer ar safonau arddull mewn cywydd ac awdl. Y mae mudiadau Ewropeaidd yn araf yn cyrraedd hyd at Gymru drwy gydol yr Oesoedd Canol, ond yr ydym yn colli'r allwedd i lawer datblygiad Cymreig wrth golli golwg ar ran Cymru a cherdd dafod Gymraeg yng ngwareiddiad a diwylliant Ewrop.

[*Trivium*, i (1966), 1-4].

PENNOD VII

DAFYDD AP GWILYM[1]

Cafodd y *magnum opus* hwn eisoes ei groeso mewn cyfres o adolygiadau a fu'n foliant cyfiawn iddo. A gaf innau chwanegu at y diolch a datgan ar y cychwyn f'edmygedd diball o'r gwaith aeddfed, cynhwysfawr, amlochrog, cynnyrch ugain mlynedd o lafur ysgolhaig a fu hefyd, fel y dengys pob adran ohono, yn llafur cariad. Bellach, mi dybiaf mai'r gwerthfawrogiad gorau o'r cychwyn newydd a roes yr Athro Parry i efrydiau ar Ddafydd ap Gwilym fydd ymuno yn ei ymdrechion ef ac anturio sylwadau ar ei ymdriniaeth ac ar ei destun, i gyffroi diddordeb a symbylu ymchwil.

I. Canon D.G.

Sut y mae gwybod beth sy'n waith Dafydd ap Gwilym ? Dyry'r Athro inni arolwg helaeth a diddorol—mae'r ysgolhaig hwn yn llenor coeth—ar y llawysgrifau a'u hachau. Cynnig ef hefyd saith maen praw arall, ac fe ddywaid wedyn: "Er cymhwyso pob praw y gellir ei ddychmygu, ac er bod weithiau'n rhyfygus o fentrus a phryd arall yn wyliadwrus iawn, ni ddeuir byth bellach i wybod yn gwbl sicr pa awdlau a chywyddau a ysgrifennodd Dafydd ap Gwilym." Dedfryd ddiogel ; camgymeriad fyddai sôn am " argraffiad terfynol." Dyrys anodd yw pennu ar brofion safadwy o unrhyw fath ar ddilysrwydd cywydd. Ystyrier, er enghraifft, brofion cynghanedd. Ceir gan yr Athro grynodeb o nodweddion amlycaf cynganeddu'r bedwaredd ganrif ar ddeg ac yna fe ddywaid : " Eithriadol iawn yw'r gynghanedd Groes o Gyswllt . . . Ni sylwais ar un enghraifft ynghanol y ganrif, ac nid oes dim yng ngwaith dilys Dafydd ap Gwilym." Ac wedyn yn ei nodiadau ar y cywyddau gwrthodedig bydd un enghraifft o Groes o Gyswllt, gyda nodweddion eraill, yn garn i'r gwrthod. Ond y mae modd cael enghreifftiau o'r Groes o Gyswllt yn ei destun ef ei hun, ac na ddyweder mai *n* wreiddgoll sydd yn yr enghraifft

[1] Adolygiad ar lyfr yr Athro Thomas Parry, *Gwaith Dafydd ap Gwilym*, Caerdydd, Gwasg Prifysgol Cymru, 1952.

gyntaf gan fod y gystrawen yn dangos y sylw arbennig a roddwyd i'r gynghanedd :

> Yn ddyn mwyn dda iawn ei moes (56, 46).
> Neu i'r dafarn, ŵr diful (41, 22).
> Ar ei ruthr air o athrod (52, 17).
> Nid adwaeniad odineb (57, 21).
> Ni fynnai 'nyn fi na neb (57, 22).
> O lwyn i lwyn, ail Enid (120, 14).
> Och fwy nog ' och fi ' nac ' ef ' (100, 20).

Nid hwyrach mai cynghanedd Sain a fwriadwyd yn y ddwy linell olaf megis yn yr enghreifftiau a ganlyn :

> Och ! ni bu och na bai is (18, 26).
> Euog drymlleuog drem llewyrn (21, 77).
> Oed mewn irgoed, mwyn argoel (50, 37).
> Ym o gerdd rym agwrdd ddrud (151, 12),

ac eraill tebyg. Eithr prin y gellir gwadu ' cywreinrwydd ' i'r cyfryw gynganeddion nac ychwaith i rai fel hyn :

> Eurdyrch a chynnyrch annwyl (73, 5).
> Llwyn aur mâl, llinynnau'r mawl (73, 14).
> Banadl ysgub, bun dlosgain (73, 16).
> Yn gangog frigerog aur (73, 20).

Ond y mae cywydd 73 wedi ei gynganeddu'n gywrain drwyddo. Da y dywedodd Morris-Jones mai'r gynghanedd Groes Rywiog a fernid orau yn y bymthegfed ganrif. A cheir gan Ddafydd ddigon o'r dull cyfoethog :

> Pall rodfaeth, pwyll iradfyr,
> Pefr nith haul, pa fron ni thyr ? (16, 35-6)

heblaw enghreifftiau sy'n cysylltu :

> Cyfliw â mwg cwfl y maes (68, 26).

Hawdd hefyd ddal ar gynganeddion megis :

> Ac ergyd hefyd difai (37, 29).
> Trabalch oedd o chaid rhybudd (74, 19),

sy mor gywrain â'r enghreifftiau a ddyfynnir fel rhai nodweddiadol o'r bymthegfed ganrif ar d. xcv ; a hyd yn oed parthed cynghanedd Sain rhaid gofalu. Dywaid yr Athro, " A siarad yn gyffredinol gellir dweud, os yw cyfartaledd y cynganeddion

Sain mewn cywydd arbennig yn is na 25 y cant, yna nid i'r bedwaredd ganrif ar ddeg y mae'n perthyn." Purion ; mae'r prawf yn bur sad ac yn werthfawr. Ond ceir eithriadau. Er enghraifft, 18 y cant sydd yng nghywydd y Cloc (66) ac ugain y cant yn " A gerddodd neb er gordderch " (83), sy'n waith Dafydd os yw dim. Oni ddylai hyn beri gofal ?

Troer at y prawf arddull. Gwyddys fod beirdd y bymthegfed ganrif yn cyfansoddi'n gypledol ac yn fynych yn gwneud epigram o'r cwpled, ac nid rhyfygus i'r Athro ddal : " os yw cywydd yn mynd rhagddo o'i ddechrau i'w ddiwedd fesul cwpled . . . .gellir bod yn bur sicr mai i gyfnod diweddarach na DG y mae'n perthyn. Os eir ymhellach, a bod yn y cywydd gypledi twt a chofiadwy, gellir teimlo'n sicrach byth yn ei gylch." Ac yna dyfynnir cypledi (t. xciii). " A siarad yn gyffredinol," diau. Ond a ellir cwbl ddibynnu ar hyn fel maen praw ? Hawdd llenwi tudalen â chypledi o'r testun presennol megis :

> Ni myn cariad ei wadu
> Na'i ddangos i lios lu.
> Ni thry o ardal calon,
> Ni thrig eithr ym mrig fy mron (104).

Ac am gywyddau cypledol " heb gymhlethdod y frawddeg rethregol," ystyrier y cywyddau unodl 23 a 24, neu'r cywyddau cymeriad megis 102 a 95, neu gywydd 40 ar ôl y paragraff byr agoriadol. Byddai'n hawdd gwysio cynifer ychwaneg. Dywaid y nodiad sy'n gwrthod *Dal neithiwr, delwi wneuthum*, fod " yr arddull ar y cyfan yn gypledol." Trigain llinell sydd i'r cywydd a cheir torymadroddi helaeth yn yr 16 agoriadol ; wedyn daw dyfalu, ac anfynych y ceir torymadroddi mewn dyfaliad. Ymddengys cywydd yr Ehedydd (114) i mi yn ddigon mwy cypledol ei rediad. Ar y gorau, negyddol yw'r prawf : od oes torymadroddi helaeth mewn cywydd, annebyg ond ar dro ei gyfansoddi ar ôl oes Rhys Goch Eryri ; ond ni ellir cyfrif na cheir cywyddau cypledol eu dull gan Ddafydd. Wrth gwrs, ni ddefnyddia'r Athro Parry mo'r prawf fyth ar ei ben ei hun, ond tybiaf fod ei ddatganiad yn mynd braidd ymhellach nag y gwaranta'r dystiolaeth.

Trafodir dau gywydd a'u gwrthod ar sail tystiolaeth fewnol. Cywydd y Sêr, *Rho Duw 'y mun*, yw un. Mentraf innau hawlio hwn i Ddafydd. Derbynier mai *bardd gwiwlym* ac nid *mab*

Gwilym yw'r gwreiddiol, ond y mae chwarae ar air yn fynych gan Ddafydd. Gwir fod ganddo gywydd arall i'r sêr, ond ceir enghreifftiau eraill o ddau gywydd ganddo ar yr un testun. Carodd a chanodd Dafydd yn helaeth ym Môn ; anfon Dwynwen yn llatai yw un o'r digrifaf o'i gywyddau, ac, yn ôl llawysgrifau da, " fy ngwlad " yw Môn iddo yn y cywydd sy'n anfon ei was yno (8) :

Dywed *i'm gwlad* na'm gadwyd.

" Cystal wyf i'th wlad â thi " ebr ef wrth Ruffydd Gryg. Mae'r cyfeiriad at *Gyfranc Lludd a Llefelys* yn rheswm dros honni awduriaeth Dafydd, canys hynod aml yw ei gyfeiriadau ef at chwedl a rhamant a brut. Gwrthyd Mr. Parry yr englynion yn H i'r " Groc o Gaer " am eu priodoli i " Dafydd *Llwyd* fab Gwilym Gam." Ond heblaw'r llinell gan Ruffudd Gryg :

Dafydd llwyd a'th broffwydawdd,

ceir gan y bardd ei alw ei hun yn *Lwytu ŵr* (128, 44) a *gwas llwyd* (126, 16) a *gŵr llwyd hen* (63, 38), a byddai hynny'n ddigon ond odid i'r copïwr.

Beth am gerddi Ifor Hael ? Argreffir hwynt yma, ond barn yr Athro yw mai " Dafydd Morgannwg," nid Dafydd ap Gwilym, piau hwynt. Yn awr, golygydd *Llên Cymru* oedd y cyntaf i godi'r broblem ac i ddangos ei phwysigrwydd, ac efallai y ceir ganddo ddychwelyd ati rywdro. Rhoddaf innau fy marn bresennol yn fyr. Ni chredaf am y pedair llinell a ddyfynnodd Mr. D. J. Bowen (*Llên Cymru II*, 59) o gywydd gan Huw Arwystl y gellir darllen enw " Dafydd Morgannwg " ynddynt, eithr mai sangiad yw'r llinell " Morgannwg nis margeiniai " sy'n cyfeirio at y llinellau hyn yng nghywydd 8 yn nhestun Mr. Parry :

Ac nid af, berffeithiaf bôr,
Os eirch ef, o serch Ifor,
Nac undydd i drefydd drwg,
Nac unnos o Forgannwg.

Os felly, nid oes hyd yn hyn ond enigma cyfeiriad John Davies yn ei restr *Authorum Britannicorum* at " Dafydd Morgannwg, bardd Ifor hael 1400." Sylwer fod Davies yn rhoi " Dafydd ap Gwilym 1400 " hefyd. Ymddengys i mi nad yw'n sicr fod Davies yn bwrw fod dau ohonynt ; gellir esboniad arall. Yn y cyfamser, gyda thestun Mr. Parry yn garn i ymchwil, fe ddylid cyn hir fedru dwyn ystadegau geirfaol a phrofion arddull i drafod y broblem. Er enghraifft, onid nodweddiadol o Ddafydd ap Gwilym yw cyfeirio at fywyd tref a disgrifio arferion trefi :

Pell yw i'm bryd ddirprwyaw
Llatai drud i'w llety draw,
Na rhoi gwerth i wrach serth swydd
Orllwyd daer er llateirwydd ;
Na dwyn o'm blaen danllestri,
Na thyrs cwyr, pan fo hwyr hi . . . . . .(67)

Ac onid egluro mai serch at Ifor, nid serch at "finrhasgl ferch" trefydd drwg y Sais, a'i ceidw ym Morgannwg y mae bardd cywydd Basaleg (8) ? Prin yn y bedwaredd ganrif ar ddeg yw canmol tafarnwriaeth fel rhinwedd ar arglwydd na chymharu ei dŷ i defyrn gwin. Ceir hynny gan Ddafydd, " tefyrn ymhob plas " (a gweler yr Eirfa). Fe'i ceir hefyd yn y cywydd (10) i Ifor Hael :

Tyrnau grym, tëyrn y Gred,
Tydi Ifor, tad yfed,
Enw tefyrn, ynad hoywfoes,
Wyneb y rhwydd-deb a'u rhoes.

Ymddengys i mi mai diogelach ar hyn o bryd yw dal mai Dafydd ap Gwilym yw'r Dafydd a gysylltir yn gynganeddol ag Ifor. A gaf i chwanegu gair o rybudd ? Hwyrach y bydd perygl i efrydwyr dybio fod y gyfrol a'r testun newydd hwn yn bwrw'n angof neu'n dileu gwerth testunau blaenorol, fel na bydd, er enghraifft, *Barddoniaeth Dafydd ab Gwilym*, 1789, mwyach ond crair i gasglwyr hen lyfrau. Camgymeriad fyddai tybio felly. Erys BDG a DGG yn anhepgor i bob ymchwil ac y mae'r hyn y gellir ei alw yn " apocrypha " DG yn bwysig odiaeth hyd yn oed i iawn-brisio llafur yr Athro Parry ei hunan.

II. Ei Gyfnod a'i Fywyd

Syr Ifor Williams a wnaeth fwyaf i gasglu ynghyd y cyfeiriadau hanesiol prin a geir yng ngwaith Dafydd a rhoi dyddiadau iddynt. Ni cheisiaf i drafod ond tri phwynt. Priodol wrth gwrs y barna'r Athro Parry mai yn ystod y gwarchae ar Calais " neu'n fuan ar ei ôl " y cyfansoddwyd cywydd y Cynghorfynt

(140). Ond ymddengys i mi y gellir pennu'r amser yn fanylach a hynny ar garn y pedair llinell olaf :

Bei delai'r môr angorwaisg
Drwy din Edwart Frenin fraisg,
Bardd i fun loywhardd lawhir
Byw ydyw ef, a bid wir.

Dywaid Mr. H. R. Loyn wrthyf i Edward, yn ôl Froissart a Ramsay, osod ei fyddin yn y fath sefyllfa ag na allai byddin Ffrainc na dyfod yn agos ati na chyrraedd y dref chwaith. Gosododd ef ei lynges hefyd i sefyll ar hyd ymyl glan y môr (" y môr angorwaisg " o'r herwydd). Yn ôl moes sifalri, gwahoddodd brenin Ffrainc ef i symud i fan y gallai'r ddwy fyddin ymladd yn deg gyfartal ; ond poerodd Edward ar y gwahoddiad, ni fynnai syflyd, ac nid oedd obaith am ei syflyd oni ddeuai'r " môr drwy ei din." Daliodd y gwarchae sylw cyffredinol drwy Ewrop, a rhedai hanesion yn ddi-baid. Dyna'n siŵr gyfnod y cywydd hwn sy'n agor gyda chyfeiriad arbennig ddiddorol at *Frut y Brenhinoedd.* Gorffennwyd ef pan oedd sefyllfa trefwyr Calais yn troi'n fater gweddi ddiobaith (ll. 45-48), sef rhwng Gorffennaf a Medi 1347.

Nid oes gan yr Athro Parry nodiad ar y llinellau hyn yng nghywydd 54 :

Mwy yw 'ngofal, dial dyn,
No gofal gŵr mewn gefyn
Yng nghlwyd o faen, anghlyd fur,
A laddai'r Pab o'i loywddur.

Rhaid bod yma gyfeiriad at (1) garcharor enwog yng ngharchar llys y Pab yn Avignon (2) a gedwid mewn caethiwed dreng ac yn fawr ei bryder a'i ansicrwydd, (3) ar gyhuddiad o geisio rhoi diwedd ar y Pab. Yn 1350, ar ôl ei yrfa fawr gynhyrfus yn Rhufain, ffoes yr enwog Cola di Rienzi at yr Ymherodr i'r Almaen. Cadwodd yr Ymherodr ef mewn carchar caeth ddwy flynedd ac yna, Awst 1352, ei draddodi i'r Pab Clement VI yn Avignon. Rhoddwyd ef ar ei brawf am deyrnfradwriaeth gerbron tri Chardinal a'i ddedfrydu i farwolaeth. Cadwyd ef mewn carchar megis a ddisgrifir gan Ddafydd a gohirio ei ddienyddiad, a bu farw Clement ddifiau Rhagfyr 6, 1352. Rhoes ei olynydd bardwn i'r Tribwn enwog a'i anfon yn ôl i'r Eidal. Gellir dyddio cywydd Dafydd rhwng Awst a Rhagfyr 1352.

Mae hynny'n gorfodi ystyried *Cywydd y Ferch a'r Prelad*, Llst 6, 85 a BDG 154. Gwrthyd yr Athro ef: "Naill ai y mae'r copi'n llwgr neu y mae'r cywydd yn waith rhywun sy'n llawer llai o grefftwr na DG." Ys gwir fod y copi'n dra llwgr, ond y mae'r cywydd yn arbennig bwysig. Ceir ymdriniaeth werthfawr ag ef gan Syr Ifor Williams (DGG², xlii) ond dywedir ar y terfyn: "Clement VI oedd y Gwrth-Bab yn 1378," a dilynir hynny'n anhygoel gan Chotzen (*Recherches*, 22). Cyfnod pabaeth Clement VI yw 1342-1352. Ni all fod amau mai yn ystod ei deyrnasiad ef y cyfansoddwyd y cywydd direidus hwn; mae'r disgrifiad o'r "hen Glement" yn gweddu i'r dim, canys Clement VI oedd y mwyaf afradlon ac ysblennydd rwysgfawr o holl babau Avignon—

> Rhwydd y gwasgaryd dy rent,
> . . . . Brelad afradlawn . . . .

ac y mae'r anlladrwydd cyfrwys a briodolir iddo yn y cywydd yn gyson â'r sïon a ledaenwyd am Glement VI, chwedl Mollat (*Les Papes d'Avignon*): "Sa fin n'est donc point due à une maladie honteuse, suite d'une vie dissolue que Villani, Matthias de Neuenburg et le moine de Melsa l'accusent gratuitement d'avoir menée." Mi dybiaf i mai dieithrwch mater y cywydd hwn a gyfrif am y prinder copïau ac am lygredd y testun, ond i Ddafydd y priodolir ef, mae'r cyfnod yn gweddu, a'r amgylchiadau'r un modd, a beiddgarwch hy'r cyfeiriadau.

Syr Ifor Williams a awgrymodd gyntaf fod Dafydd ei hunan "yn dal rhyw gysylltiad â'r eglwys" a dyfynnu:

> Cyd bwyf dalm, er salm, o'r Sul
> Yn y glwysgor, ddyn glasgul,

a sylwi ar ei sôn am ei gorun. Hoffodd Chotzen yr awgrym: "Mae'n dra thebyg iddo gael cennad i osod ei lais pêr at wasanaeth yr addoliad, ac felly ennill hawl i'w gyfrif yn glerc" (*Recherches*, 228). Yr oedd traddodiad Benedictaidd yn Llanbadarn Fawr a naturiol tybio fod yno ysgol gân, *schola cantorum*. Craffer ar ddisgrifiad Dafydd o'r ehedydd:

> Cantor o gapel Celi,
> Coel fydd teg, celfydd wyt ti,
> Cyfan fraint, aml gywraint gân . . . .

Termau technegol sy'n disgrifio union orchwyl a champ y cantor yng nghanu'r offeren a'r *opus Dei* yw'r rhain. A'r cantor hwn a eilw ef " fy mrawd awdurdawd." Derbynnid plant yn saith oed i'r ysgol gân ac yr oedd yn rheol rhoi corun iddynt ; golygai hynny eu derbyn i'r urdd isaf o glerigwyr. Yn yr eglwysi cefnog a'r mynachlogydd cedwid ysgol y cantor ar wahân i'r ysgol ramadeg. Gwrandawer eto ar Ddafydd : " Ni bûm nofis . . . ni wisgais gwfl nac abid . . . ni ddysgais ar wiw ledr air o Ladin . . . Nid lled fy nghorun . . ." Y mae termau technegol cerddoriaeth yn britho'i waith a'r *locus classicus* yw'r cywydd i'r gainc a gyfansoddasai (142). Yno, yn y paragraff olaf, dywaid ef mai'r un ceinciau oedd i'r canu eglwysig, " cerdd ogoniant," ag i gerdd dant, a dyna daflu golau ar ei ateb ef i'r Brawd Llwyd :

Pand englynion ac odlau
Yw'r hymnau a'r segwensiau ?

A chymharer llinellau 1-4 o Gyngor y Brawd Llwyd (136), " englyn ac awdl Grist." Ymddengys yn ddiogel dal mai mewn *schola cantorum* y cafodd ef ei addysg gerddorol a dyfod yn llythrennol yn un o'r " glêr." Esbonia hyn amryw o'i dermau. Er enghraifft, ni all *salm Balchnoe* (115) gyfeirio at chwarae miragl yn eglwys gadeiriol Bangor. Darn a genid yn yr addoliad, o Lyfr y Salmau neu arall, yw salm gan amlaf ganddo. Gallai *salm Balchnoe* olygu pennod LIV o Lyfr Esay neu ynteu, ac yn fwy tebygol, fod yn enw ar dôn y cenid y salmau arni ar ddiwrnod cyffredin :

> The *Commemoratio brevis de Tonis et Psalmis modulandis*, a 10th century tonary, is of special importance since it records a series of melodies by means of daseia signs. The melodies are there set to the syllables *Noa-noe-ane Noe-agi* (the system is frequently referred to as the *Noeane system*). [Gustave Reese, *Music in the Middle Ages*, 172-3.]

Neu ystyrier y gair ' hoced.' Tyr y cyffylog yn arw ac uchel ar ymddiddan y bardd a'r ferch :

Aruthr ei chwedl hocedlaes.

Hocquet yw hyn yn Ffrangeg a *hocket* yn Saesneg, " a truncation made over the tenor," llais uwch yn torri ar y motet, ac yn y Saesneg fe roes fod hefyd i'r gair *hiccough*, sy'n disgrifio'r ymyrraeth i'r dim ! Dyfynna Reese ddisgrifiad Saesneg Ailred yn y 12 ganrif o'r modd :

Sometimes thou mayst see a man with an open mouth, not to sing, but as it were to breathe out his last gasp . . . . .

Felly y daeth y gair yn gyfystyr â " ffuant," ac yn yr ystyr o hoced, mi gredaf, y mae deall y llinell yng nghywydd 142 :

Solffeais o'm salw ffuaint
Salm rwydd . . . . .

Cainc yn arddull cerdd eglwysig ei gyfnod oedd symlen Dafydd. Sylwer mai ar gynllun trop neu segwens y mae ei englynion ef ar weddi'r cymundeb (2).

Bu Dafydd yn bencerdd ar y tair cerdd :

Cerddais a'r *holl* benceirddiaeth
Cyfnod gŵyl . . . . .

a gellir casglu oddi wrth y gyfrol hon dystiolaeth fod cyfundrefn y gwŷr wrth gerdd, fel yr oedd yn y bymthegfed ganrif ac yn Eisteddfod Caerfyrddin (G. J. Williams : *Llenor V*, 94), yn ffynnu yn oes Dafydd. Ebr Gruffudd Gryg yn ei " farwnad " iddo :

Fardd penceirddradd, lifnadd lafn . . .
Cadair y gerdd, cadr ei gof . . .

a phan wrandawodd Dafydd ar delynores yn Nyfed, haerodd ei bod hithau'n haeddu tlws pencerdd :

Da dlyy, wen gymhenbwyll,
Delyn ariant, tant y twyll. (84, 47, 8).

Mae'n draddodiad mai gan Lywelyn ap Gwilym yn Nyfed y dysgodd Dafydd ei gerdd dafod : " Llyfr dwned Dyfed . . . difai y'm dysgud," ond pa le y graddiodd ef ? Ofer chwilio am sicrwydd, ond awgrymaf fod ganddo ryw gysylltiad arbennig â Môn. Dywedais fod sail i'r dyb mai " i'm gwlad," gwlad Fôn, y danfonodd ef ei was o Fasaleg. A pham ? Pur hynod yw ei awdl foliant ef i Hywel ap Goronwy, Deon Bangor. Nid awdl i noddwr cyffredin mohoni, ond awdl i fardd o awdurdod a phwys sy hefyd yn awdurdod ar gerdd dant a datganu côr. Hyd yn oed o ran ffurf yn unig haedda'r awdl hon astudiaeth gyflawn gan ei bod yn rhagflaenu holl gywreinrwydd ffurf awdlau gorffenedig Dafydd Nanmor, a'i chymeriadau'n cydio pob pennill wrth ei gilydd yn grwn, *tour de force* o awdl. Ynddi gelwir y Deon yn " Naf Môn " er i Mr. Parry ddangos nad o

Benmynydd yr hanoedd. Ac ystyrier y pennill hwn a atalnodaf i'n wahanol i'r Athro :

> Nid byr fawl gwrawl a gyrraidd—ym Môn
> Y beirdd fy Neon barddonïaidd.

Hynny yw, deallaf mai " fy Neon barddonïaidd " yw goddrych y frawddeg, ei gerdd foliant gŵr ef sy'n gyfoethog Gymraeg, a disgrifiad o Fôn yw " Môn y beirdd," megis " fy ngwlad " yng nghywydd Basaleg. Yn awr, troer at Ruffudd Gryg sy'n ymryson â Dafydd :

> Am radd y mae'n ymroddi
> Ymryson ym Môn â mi.
> Mae saith o gydymdeithion
> I mi'n Aberffraw ym Môn,
> Aml ym roddion profadwy,
> Am un i Ddafydd, a mwy . . . .
> Fy ngherdd yn erbyn fy nghas
> A rof, am na bûm ryfas . . .

Tybed na ellir synhwyro fod traddodiad Aberffraw eto'n parhau yn hanner cyntaf y bedwaredd ganrif ar ddeg, ac mai yno, nid hwyrach, dan arweiniad Deon Bangor, " Naf Môn," y cydnabuwyd Dafydd unwaith yn bencerdd pan oedd " newydd ei gywydd gynt " ?

Teithiodd dan glera drwy Gymru achlân, fel y dengys yr Athro (t. xl), ond ni ddyfynna ef gwpled Rhisiart Morgannwg a geir yn *Traddodiad Llenyddol Morgannwg* (t. 50) :

> Dafydd aeth â cherdd dafawd
> O dŷ Ifor wyn i dŷ'i frawd.

Tybia'r golygydd hefyd mai amwys yw'r cyfeiriadau at Gaerlleon Gawr y Saeson yng nghywyddau'r Cwt Gwyddau a'r Pwll Mawn (126, 127) ; i mi ymddengys y cyfeiriadau'n sicr, a dylid chwanegu'r englynion i'r Grog o Gaer yn H. Yn groes i'r holl lawysgrifau rhoes y golygydd " hwnt *i*'r Mars " yn y cywydd sy'n anfon llatai i leiandy Llanllugan, ond ni ddylai :

> Hwnt o'r Mars dwg hynt er Mai ;

dyna'n siŵr y darlleniad cywir, canys awgryma holl gellwair y cywydd mai yn ffreutur Ystrad Marchell y canwyd ef. Onid anfonodd Edward III i Cîteaux i gwyno fod mynaich Ystrad

Marchell wedi ymroi i drythyllwch, ac onid yno, gyda'r cof am yr Abad Enog a lleiandy Llan-san-ffraid, y chwerddid lawenaf uwchben direidi cywydd Dafydd ?

Ple y mae lleoli Cywydd y Cloc (66) ? Derbyn yr Athro'r darlleniad :

> I'r dref wiw ger Rhiw Rheon
> Ar gwr y graig, a'r gaer gron,

a dywaid fod " rhai llsgrau yn rhoi " gaer liw leon " a Llst 6, llsgr go hen, yn rhoi "lliw lleon". Ond "gaer lliw llion" sydd yn Llst 6, sef Caerllion-ar-Wysg (dyna a ddylai fod hefyd yn 66, 22), ac fe weddai hynny i " wlad Eigr " (66, 44) drwy'r cysylltiad ag Arthur. Ystyrier y cywydd. Megis droeon gan Ddafydd, chwedl ryddiaith a roes gychwyn, a *Breuddwyd Maxen* fu'r swmbwl y tro hwn. Yno hefyd mewn gwlad ddieithr y gwelwyd merch y breuddwyd, ac y mae digon o lawysgrifau yn caniatáu darllen ll. 42 o gywydd Dafydd :

> Ymhlith Deifr ym mhleth dwyfron.

Ni ellid dweud fod Caerllion " ymhlith Deifr," er bod cysylltiad Caerllion â *Breuddwyd Maxen* i'w gofio. Pa le y ceid clociau yn Lloegr yn y bedwaredd ganrif ar ddeg ? Yn eglwysi cadeiriol Sant Pawl, Llundain, er 1286, Caer-gaint er 1292, Exeter 1317, Norwich 1323 ; ac yn abaty Glastonbury 1335, ac am hwnnw y dywaid F. G. Britten, " the earliest clock worthy of our modern definition." Ni feiddiaf awgrymu mai yno y bu Dafydd, er bod " gwlad Eigr . . . ymhlith Deifr . . . mewn mynachglos" oll yn gweddu, a phererindodau o Gaerdydd yn gyson. Ni chredaf fod mynachlogydd Caerllion nac Aberhonddu yn ddigon cefnog i gael cloc yn oes Dafydd, gan eu prinned a'u druted. Ymddengys i mi felly fod yn rhaid syrthio'n ôl ar y llawysgrifau a ddyry Gaerlleon, ac mai yn abaty St. Werburgh—onid yn Glastonbury,—y cysgodd Dafydd. Ar derfyn y cywydd anfonir y breuddwyd, megis cenhadon Maxen, yn llatai at y ferch :

> Gofyn i'r dyn dan aur do
> A ddaw hun iddi heno
> I roi golwg, aur galon,
> Nith yr haul, unwaith ar hon.

Ond, *pace* Pen 49 a'r golygydd, nonsens yw'r ail linell. Yn Llst 6 y darlleniad gwreiddiol, cyn ei ddiwygio, oedd :

> i hun addaw heno,

ac ar bwys hynny awgrymaf ddarllen

> Ei hun a ddaw hi heno,

a dyna droi'r genadwri yn iawn ac yn gyson â neges llateion Maxen : " a dyfod gyda ni i'th wneuthur yn ymerodres yn Rhufain."

Gwych a chadarn a chwyldroadol yw profion Mr. Parry fod Morfudd a Dyddgu'n gig a gwaed. Cyfyd hynny gwestiwn ynghylch cynulleidfa Dafydd, ac ni wnaf ond bras gyffwrdd ag ef. Da y dangosodd Chotzen fod y bardd weithiau'n cyfarch ei wrandawyr, gwŷr crefydd cred, gwyrda, heirdd feirdd, arglwyddi. Daliaf innau mai cyfarch Dafydd, deyrn, tad y ferch a folir, sydd yn 44, megis y cyferchir tad Dyddgu wrth ei moli hi yn 45. Cân ef hefyd am Forfudd a Dyddgu mewn mannau nad ydynt :

> Ni chân yng ngŵydd arglwyddi
> O wawd hyd dyddbrawd i ti
> Ganfed ran, ne geirw ban bais,
> O ganon cerdd a genais (54).

Hoff gan ferched Gwynedd yn eu gwleddau wrando ar ei " gywydd o faswedd," a phan gân ef am un ohonynt :

> Ni feiddiaf, anhy feddwl,
> (Gwae'r bardd a fai gywir bŵl)
> Deune'r haf, dwyn y rhiain
> I drais, unlliw blodau'r drain,
> Ei chenedl feilch, gweilch Gwynedd,
> Gorau i'n gwlad, gwerin gwledd,
> A'm lladdai am ei lluddias
> Briodi'r gŵr, brwydr o gas, (86)

eglur mai yn neithior briodas y ferch y datganodd ef y llinellau. Mae hynny oll yn hysbys a diogel. Ond ymhle y datganodd ef gywydd megis 81 y dywedir ynddo mai anadl ei gŵr sy wedi llychwino wyneb ei gariad ? Neu 55, y garwaf ei anghwrteisi (o safbwynt heddiw) o'i holl gywyddau ? Neu " Aha ! gwraig y Bwa Bach ! " a llu o rai tebyg ? Gwyddys fod Llywelyn Goch a Dafydd yn galw eu cywyddau gordderch yn " geuwawd o gywydd " a " chywydd gau," ac yn cydnabod mai " celwydd " oedd y canu, sef celwydd golau, stori wneud a ddeellid ac a dderbynnid felly. Enw arall arno oedd " testuniaw " a chan Ddafydd (35, 19-42) y ceir y trafod helaethaf ar amodau testunio rhwng mab a merch. Dywaid y Gramadeg (GP 6, 37) fod "testuniaw.. a gordderchgerdd o gywyddau teuluaidd drwy eiriau amwys" yn perthyn i deuluwriaeth, a "theuluwas" yw enw Gruffudd Gryg ddwywaith yn ei farwnadau ar Ddafydd. Awgrymaf mai rhan o'r geuwawd oedd testuniaw, ac mai ar aelwyd Eiddig y canwyd cywyddau Eiddig ac ar aelwyd y Bwa Bach y datganwyd hyd yn oed y brasaf o'r cywyddau i'w wraig briod ef : yr oedd moesau a chonfensiwn yr oesoedd hynny'n wahanol i rai heddiw, ac ebr Rutebeuf a ganodd bethau tebyg :

J'ai fet rimes et s'ai chantê
Sor les uns por aus autres plere.

Deuwn, felly, at yr ymryson rhwng Dafydd a Gruffudd Gryg. Mae dwy elfen yn yr ymryson, sef (1) dadl farddol o bwys mawr ; (2) " testuniaw " beirdd ; ac fe gymysgir y ddwy elfen hefyd. Er enghraifft, yn ateb i ddwy gymhariaeth Dafydd o'i gerdd ofydd ef â thelyn a memrwn, dyry Gruffudd ddwy gymhariaeth, yr hobi-hors ac organ Bangor, dwy gymhariaeth newydd ac effeithiol. Ond dywaid Dafydd wedyn mai eu lladrata oddi ar Dudur ap Cyfnerth a wnaeth Gruffudd, a cheir gan yr Athro nodyn ar Dudur : " Rhyw fardd a ganodd i Ddafydd, mae'n amlwg, gan ei gymharu i'r ceffyl pren ac i'r organ, ond nid oes dim o'i waith ar gael." A gaf i awgrymu na fu erioed y fath gerdd gan y fath fardd ac mai dyna ddireidi Dafydd? Troer at y ddadl farddol. Calon ymosodiad Gruffudd yw :

Mawr o gelwydd, brydydd brad,
A draethodd Dafydd druthiad (147, 33,-4).

Truthiwr, prydydd sy'n bradychu ei benceirddiaeth drwy ganu celwydd yw Dafydd. Amddiffyn traddodiad Aberffraw yn erbyn " Cerdd Ofydd " y mae Gruffudd, a hynny mewn termau tebyg i'r Brawd Llwyd :

Nid oes o'ch cerdd chwi, y glêr,
Ond truth a lleisiau ofer.

Clywir yn y cwpled hefyd atsain o driawd cerdd y Gramadeg :

" Tri pheth a waherddir i gerddor : cam farnu ar gerddwriaeth a dywedyd celwydd yn ei ddysg, a dryganian."

Y mae testunau'r copïau o gywydd cyntaf Dafydd yn ddyrys ac anodd. Yn Llyfr Ficer Woking ac yn Crd 47 daw llinellau 19, 20, o argraffiad Mr. Parry ar ôl ll. 10. Felly, mi dybiaf i, y maent orau. Heblaw hynny dengys atalnodi'r Athro a'r nodiad ar l. 6 ei fod yn deall y llinellau'n llwyr wahanol i'r modd y deallaf i hwynt. Gan hynny, rhoddaf yma linellau 5-12 fel y barnaf i y dylid eu hatalnodi :

Nid llai urddas, heb ras rydd,
Na gwawd geuwawd o gywydd.
Cywair ddelw, cywir ddolef,
Cywydd gwiw Ofydd, gwae ef,
Un a'i cas, arall a'i cant,
Enw gwrthgas, un a'i gwrthgant,—
Hwn a'i teifl, hyn neud diflas,
Hen faw ci, oni fo cas.

Ni newidiais ddim ar destun yr Athro ond yn y llinell olaf lle y rhoddais destun Llyfr Ficer Woking. Dehonglaf : Nid llai urddas geuwawd o gywydd nag urddas cerdd foliant y penceirddiaid. Gwae ef, gywydd Ofydd, ei boen,—bydd un yn ei gasâu wedi i arall ei ganu, ac un (sef Gruffudd) yn ei elyniaeth wedi canu yn ei erbyn a'i daflu i sarhad. Ond bydd cywydd Ofydd fel hen delyn a ddirmygir gan y penceirddiaid ond a gaiff groeso gan rianedd yn eu gwleddau a chan druthiwr i ddiddanu cwmni ffraeth y dafarn, neu fel hen femrwn o ysgol gân a fwrid i'r dom ond a godir a'i olchi oni bydd eto'n lân, ac fe fydd bri eto ar ganu'i bennill. Ac yna try Dafydd yntau at y triawd cerdd a'r gwahardd " cam farnu ar gerddwriaeth " a'r frawddeg yn y Gramadeg, " Nid bai ar englyn cael o arall englyn a fo gwell nag ef, namyn o bydd yr englyn heb un o'r beiau cyfreithiol uchod arno, ac enaid ac ystyr a dychymyg ynddo, barner ef yn dda " :

Bustl a chas y barnasam
Beio cerdd lle ni bo cam.

Dyna'r frwydr rhwng Dafydd a'r traddodiad llenyddol a drafodais i yn fy *Mraslun* ac yn fyrrach yn ddiweddar yn Saesneg yn *Blackfriars* (March, 1953). Nis dilynaf yn awr. Digon yw dangos fod yr ymryson rhwng Dafydd a Gruffudd

Gryg yn ddogfen fawr yn hanes datblygiad cerdd dafod yn y bedwaredd ganrif ar ddeg.

Ni soniais am destun ac atalnodi'r Athro Parry yn gyffredinol. Amhosibl bodloni pawb mewn casgliad mor helaeth, ac y mae degau o gypledi lle y dewiswn i atalnodi gwahanol a thestun gwahanol. Bûm yn darllen a myfyrio'n feunyddiol, ac am oriau bob dydd, yn y gyfrol hon ers pedwar mis. Ni fedraf ddweud maint fy niolch i'r Athro am y wledd o ysgolheictod ac am agor inni ddôr palas mor ysblennydd o farddoniaeth.

[*Llên Cymru*, ii (1952-3), 199-208].

PENNOD VIII

Y CYWYDDWYR CYNTAF

NI ellir pennu dyddiad i unrhyw gywydd nac awdl o waith Dafydd ap Gwilym cyn 1340. Dangosodd Ifor Williams (*Cym. Tr.*, 1913-14, t. 203) i un Hugh Tyrel, 'un o ysgwieriaid Edward III gael amryw faenorau o dir fforffed Roger Mortimer yn 1334 a 1337' a dywed Dafydd wrthym am gusan Luned :

Teiroch im os caiff Turel,

ond a bwrw mai dyma'r ysgwier—a bu Ifor Williams yn ochelgar rhag honni hynny—nid yw 1337 ar y gorau ond *terminus a quo* ; ni ellir pwyso dim ar y dyddiad. Mae'r sôn am Robin Nordd (GDG 98), fel y dangosodd Dr. Parry, yn ein dwyn i ddeugeiniau'r ganrif, ac o hynny ymlaen ceir amryw gyfeiriadau cyfoes. Nid oes dim i ddangos fod Dafydd yn canu cyn 1340, ac ni chredaf i fod hynny'n debygol, er bod Mr. D. J. Bowen yn dadlau'n fedrus i'r gwrthwyneb (*Llên Cymru*, 8, t. 11).

Craff y deil Mr. Bowen fod yn wiw dyddio Gruffudd Gryg yn gynharach nag y gwneir, a hynny yn erbyn barn Dr. Parry a ddeil : 'Y mae'n eglur fod Dafydd, Madog Benfras a Iorwerth ab y Cyriog yn perthyn i do ychydig yn hŷn na Gruffudd Gryg a Iolo Goch' (GDG, lix). Dyna'r farn gyffredin yn ddiau, er na fynnai Dr. Parry na neb ohonom fod yn bendant. Mi geisiaf yn awr gynnig ystyriaethau sy'n tueddu'n wahanol. Eu cynnig yr wyf, nid eu haeru na'u dal yn bendant.

Ystyrier Iolo Goch. Buwyd yn dadlau'n hyderus fod y ffaith nad enwir Dafydd ap Gwilym yng nghywydd y Cwest ar Forgan ap Dafydd gan Ruffudd Llwyd yn awgrym go ddiogel fod Dafydd wedi marw cyn 1387. Ond nid enwir Iolo Goch ychwaith yn y cywydd hwnnw er gosod Llywelyn Goch yno yn un o'r deuddeg. Ar dystiolaeth Iolo Morganwg yn unig y priodolir cywydd yn 1397, *Ieuan apostol glân glwys*, i Iolo Goch. Ni thybiaf fod modd pwyso ar hynny nac ar y cywydd *Hawdd-amor hil Awr*. Ond os ef piau'r cywydd i Rosier Mortimer (IGE, XVIII), 'fe ganwyd y cywydd hwn rhwng 1395 a 1398' meddai Dr. Lewis yn 1925. Erbyn hyn gellir rhoi Awst, 1394, yn ddyddiad go sicr i'r cywydd, ac yn wir yr oedd Iolo Goch yn hen, hen ŵr erbyn hynny. Yn neugeiniau'r ganrif y ceir yr awdlau a'r cywyddau cyntaf ganddo yr ydys yn sicr amdanynt, hynny yw yr un adeg ag y ceir pethau sicr cyntaf Dafydd ap Gwilym. Rhoes Dr. Lewis 'tua 1320' yn adeg geni Iolo; 'tua 1320' a roir hefyd i Ddafydd. Awgrymaf 'cyn 1320' i Iolo.

Canodd Iolo gywydd marwnad i Ddafydd. Nid oes air o sôn am Iolo gan Ddafydd yn unlle nac am Lywelyn Goch, er canu ohonynt i'r unrhyw noddwyr. Buwyd yn tybio fod Iolo megis Dafydd wedi ymryson mewn cywyddau gyda Gruffudd Gryg, ac awgrymodd Ashton (t. 404) fod cyfeiriad at hynny yn llinell Dafydd *mold y ci, fab Mald y Cwd.* Ond dadleuodd Dr. Parry (GDG, 554) yn argoeddiadol na bu erioed ymryson rhwng Iolo Goch a Gruffudd Gryg, ac y mae'n rhaid gwrthod felly'r erthygl ar Ruffudd yn y *Bywgraffiadur Cymreig.* Y mae marwnad Iolo i Ddafydd ap Gwilym yn broblem. Dywed, ar ôl Madog Benfras, mai *Hebog merched Deheubarth* oedd ef ac yn enwog am ei gywyddau. A dyna'r cwbl. Dim gair am ei gysylltiad â Môn; dim awgrym o adnabyddiaeth bersonol; dim ond ystrydebau'r marwnadau beirdd. A hynny'n fyr iawn ac ar ffurf ymddiddan rhwng y bardd a'r cywydd. Rhaid amau a fu erioed gyfathrach rhyngddynt a'i gilydd. A allai dim fod yn oerach na:

Hoyw o ddyn ped fai hwy'i ddydd?

Gwahanol i ryfeddu yw cywydd marwnad Iolo i Lywelyn Goch. Y mae yma atgofion, gwybodaeth, cyfeillgarwch a hoffustra, deall a chydymdeimlo ac ymhyfrydu balch ym mhoblogrwydd ac enwogrwydd ei gyfaill, gwerthfawrogi hael ac adnabyddiaeth bersonol ddofn, a chyda hynny, ac o ran oherwydd hynny, gampwaith o gywydd.[1]

[1]A gaf i bwyso am newid yn nhestun yr *Oxford Book of Welsh Verse*, t. 86, ac am ddarllen:

Gweddïo Pedr, gwedd eorth,
Y bûm, canaf gerdd am borth,
Am ddwyn Llywelyn, dyn da,
Urddolfeistr Nef *o'r* ddalfa
Ym mysg, pobl hyddysg eu hynt,
Proffwydi nef, praff ydynt.

Purdan yw'r Ddalfa, ac er gwaethaf tystiolaeth y llawysgrifau o blaid 'i'r ddalfa,' mae'n amhosibl gweddïo am ddwyn neb i'r ddalfa, ond y mae gweddi, yn ôl addysg yr eglwys, yn abl i ryddhau enaid 'o'r ddalfa' i fysg proffwydi nef.

Yr oedd Llywelyn yn hen ŵr yn marw. Mae'n bwysig cofio fod trigain yn oed mawr iawn i ŵr yn y bedwaredd ganrif ar ddeg. Cydnabod ffaith oedd bod gŵr hanner cant oed yn ei alw ei hun yn henwr. Yr oedd ' oed yr addewid ' yn rhyfeddod. Nid oedd Iolo Goch fawr iau na Llywelyn ; yr oeddynt, ebr ef, megis Amlyn ac Amig. Ac wrth ddweud hynny fe gofiodd amdanynt ill dau yn cychwyn :

Nid oedd neb, cyfundeb cu,
Yng Ngwynedd yn ynganu.
Dieithr a wnaem ein deuoedd,
Mi ac ef ; ail Amig oedd,
Amlyn wyf ; nid aml iawn neb
O rai hen ar ei hwyneb.

Mae gan Iolo Morganwg yn ôl Ashton (t. 381) nodyn ar ymyl dalen ei gopi ef o'r llinellau hyn :

> Dalier sulw, neb ond Iolo Goch a Llywelyn Amheurig Hen yn canu'r amser hwnnw yng Ngwynedd.

Nodyn craff a phwysig, onid e ? Sut amser oedd yr ' amser hwnnw ' ? A gaf i ladrata paragraff tra gwerthfawr o ddarlith Dr. Thomas Parry i'r *British Academy* ar *The Welsh Metrical Treatise Attributed to Einion Offeiriad* :

> The first quarter of the fourteenth century produced no great poets . . . The two best poets of the age, Casnodyn and Gruffudd ap Dafydd ap Tudur, do not appear to have been prolific writers, and of the works of the others only two or three poems occur in each case. This is significant. Equally noteworthy is the scarcity of the usual eulogistic poetry, which seems to have been supplanted by sophisticated poems to women and poems on religious subjects. The poetry of the period is in clear contrast, as regards both bulk and subject matter, to that of the previous century and a half, which rang with such noble names . . . The next group of great names belongs to the middle years and the second half of the fourteenth century, such men as Dafydd ap Gwilym, Gruffudd ap Maredudd, Llywelyn Goch and Iolo Goch. In the closing years of the thirteenth century and the opening years of the fourteenth interest in bardism was at an ebb.

Dyna'r esboniad ar linellau dwys atgofus Iolo Goch. Erbyn claddu Llywelyn prin fod neb yno i gofio'r blynyddoedd cynnar a'r antur fawr, *Nid aml iawn neb o rai hen ar ei hwyneb*. Y mae peth o hanes y chwyldro a fu ym mhrydyddiaeth y cyfnod yn y cywydd marwnad mawr hwn.

Yn y bennod ar y mesurau yn y Gramadeg yn P. 20 y mae englyn nodweddiadol gan Lywelyn Goch i Leucu Llwyd.[2] Da y dangosodd Dr. Geraint Gruffydd (*Ysgrifau Beirniadol* i, t. 129) ' fod unwaith gorff o ganu gan Lywelyn Goch i Leucu Llwyd '. At y corff hwnnw o ganuau iddi, nid at y cywydd marwnad yn unig, y cyfeiria'r bardd yn ei gywydd enwog i'w neiaint ac yn ei awdl gyffes yn y Llyfr Coch. Canodd gywyddau dyfalu iddi a chyfresi o englynion ac efallai awdlau. A pheth o hynny, tyst o'r Gramadeg, yn y cyfnod 1330-1340. Nid Lleucu oedd yr unig ferch y canodd Llywelyn iddi. Yn P. 57 rhoir y cywydd *Y verch lygat ruddell vein . . . . hil Addaf hael o Lawdden* iddo. Merch o wlad Dafydd ap Gwilym oedd honno a roes i'r bardd ' ddau gur Ofydd '.

Cymeriad hynod oedd Llywelyn Goch, uchelwr annibynnol diofn, beiddgar ac ynddo ysbryd arloeswr a balchder bonedd. Mae'n wiw troi am funud at ei awdl i'r ddau frawd, Rhydderch a Llywelyn, o'r un ardal â'r ferch lygad rhuddell, y canodd nifer o feirdd cyfoes iddynt. Awdl ar ei phen ei hun yn hollol yw awdl Llywelyn Goch (RP 1308-9). Mae'n cychwyn yn syn a newydd :

Henynt o le ni hunir,
Heol y Glyn, hail y glêr.

Eglurir wedyn pam na hunir yno :

Brenhinedd y serch, byr iawn hunynt.

Mae'r prydydd yn hy arnynt, er bod y ddau oddi cartref ar y pryd y cân ef ac yn y rhyfel,—yn 1377 yw awgrym Ifor Williams (op. cit., 105)—am eu bod hwy'n ddau gyfaill iddo :

Dau gyfeillt teg a gefais . . .
Diwasaidd yngherdd y'm dewisynt,
Dewisaw gwiwddyn dwys y gwyddynt.

A phraw o'i gerdd ddiwasaidd yw ei foliant i'r hynaf o'r ddau frawd, yr enwog Rydderch :

Rhydderch *gwrferch* hygarfoes

[2]Yr oedd Lleucu arall y canwyd iddi yn y cyfnod, gwraig Morgan ap Dafydd ap Llywelyn, tyst o awdl Madog Dwygraig (RB 1272) ; ond nid rhieingerdd.

ac eto :

Rhuthr milwrieiddfraisg mawrwaisg morwynt,
Rhydderch wrth hirferch ddigynghorfynt,

ac wedyn :

Gwŷr drythyll eu byd, gwir a draethynt . . .
Awen yn llawen iawn y llywynt . . .
Deallu barddlyfr da a ellynt.

Tystiodd Dafydd ap Gwilym a Gruffudd Llwyd i harddwch pryd a chorff y Rhydderch hwn, ond y mae awdl Llywelyn ar ei phen ei hun yn llwyr. Ac y mae balchder dihitio yn ogystal a dihewyd yn ei gyffes amhreifat :

Gwneuthum y gywir wir waradwydd . . . .
Gwneuthum odineb nag adnebydd . . .
(RP 1301)

a'i gyfaddef hefyd i bechodau'r clerwr :

Gwneuthum ddadl cynnelw gyda'r celwydd . . .
Gwneuthum ddifrod nef a gwŷr crefydd . . .
Gwneuthum lateiaeth, barn feddwgaeth fydd . . .
Gwneuthum ar draethawd geuwawd gywydd
Lleucu yn eilFair lliw caen elfydd. (Ibid.)

Diddorol sylwi fel y gall ef symud o gynghanedd astrus i'r gynghanedd fwyaf llac. Mae ganddo ddarlun arall ohono'i hun yn hoyw ac ifanc, ond i'r ferch lygad rhuddell, nid i Dduw, y cyffesa :

Nid wyf wladaidd nac eiddil
Na gŵr mân yn y gŵyr mil,
Nac anferth o brifnerth bryd
Nac anfonheddig ynfyd,
Na chas,—anodd ei cheisiaw,—
Na thlawd,—hwde bunt i'th law ! (Pen. 57, 7)

Gŵr i dorri llwybr newydd, gŵr meistrolgar a nwyfus, mor ddiwasaidd ei gymeriad â'i gerdd, oedd Llywelyn Goch. Yn ei waith ef y mae naws ac awyrgylch llysoedd yr uchelwriaeth newydd sy'n dyfod i'w llawn dwf yn gartrefi serch a milwriaeth a dysg a rhyfyg a barddas a thrais, i'w clywed yn eofn.

Un o gywyddau ei henaint yw'r cywydd i'r eira ac i'w neiaint. Mae'n gywydd mawr sy'n haeddu astudiaeth mor fanwl ag a roes Dr. Geraint Gruffydd i Farwnad Lleucu, yn enwedig gan fod Dr. Parry wedi taflu *Ni chysgaf, nid af o dŷ* allan o ganon Dafydd ap Gwilym. Mae'r disgrifiad o swydd y prydydd yn enwog : darllen Cyfraith a Brut y Brutaniaid (yn ôl cyfarwyddyd y Gramadeg yn P. 20), dychanu clêr y dom, canu'r 'mawl mau' i'w neiaint, a thebygu Lleucu Llwyd i 'hardd flodeuros gardd gain, I hael Fair neu i haul firain.' Y mae Iolo Goch yng nghywydd marwnad Ithel Ddu yn rhestru gorchwylion prydydd yn debyg, ac felly hefyd Ruffudd Gryg yn ei bedwerydd cywydd ymryson gyda Dafydd ap Gwilym (GDG, 153, ll. 1-22). Yn wir, hyd yn oed ym Mhrydlyfr y Gramadeg nid oes erbyn 1340 ddim ond y ddefod o barchu'r trioedd yn rhwystro toddi prydyddiaeth a theuluwriaeth yn un.

Trown gan hynny at Ramadeg P. 20 ac ystyriwn y frawddeg enwog : 'Tair cainc eraill a berthynant ar brydyddiaeth, nid amgen englynion, ac odlau, a chywyddau cerddwraidd, anodd eu caniad a'u dychymyg.' Wrth gwrs y golygydd, yr Athro G. J. Williams, piau'r atalnodi. Ond y mae'r atalnodi yn ddigon teg. Nid oes ansoddair gyda'r englynion na'r odlau ; nid rhaid eu cyfiawnhau hwynt. Mae'n rhaid cyfiawnhau cynnwys gyda hwynt y cywyddau ; rhaid iddynt fod yn 'gerddwraidd,' hynny yw yn anodd eu caniad a'u dychymyg. Yn wir y mae nodyn ar un o'r englynion sy'n haeddu ei gysylltu â hyn. Dywedir am yr englyn cyrch : 'A'r modd hwnnw ar englyn ni pherthyn ar brydydd ei ganu, namyn ar deuluwr diwladaidd, rhag ei hawsed a'i fyrred.'

Pan roddir esiamplau o'r cywyddau y mae un peth yn taro ar unwaith. Nid oes awgrym o anhawster cerddwraidd nac yn y cywydd deuair fyrion nac yn yr awdl gywydd. Rhown destun P. 20 a'r Llyfr Coch ynghyd ac fe gawn ddarn go dda o'r awdl gywydd gwreiddiol :

Hirwen, na fydd drahaus
Na rhy esgeulus eiriau,
Na watwar am dy serchawl
A'th ganmawl ar gywyddau ;
O gwrthodi, liw ewyn,
Was difelyn gudynnau
Yn ddiwladaidd, da ei lên,
A'i awen yn ei lyfrau,—
Cael it filain aradrgaeth
Yn waethwaeth ei gyneddfau.

Mae'r pennill yn honni'n bendant mai mesur rhieingerdd yw'r

cywyddau, mai ysgolhaig neu eglwyswr da ei lên, hynny yw un abl i ddarllen ar goedd Ladin yr offeren, yw'r bardd sy'n 'dadlau â merch o isel radd yn null y *pastourelle*' (I.W., op. cit., 174). Sylwer nad oes dim arlliw cerddwreiddio ar y llinellau. Dyna'r pam na ddatblygwyd nemor ddim ar yr awdl gywydd hyd at ganol y bymthegfed ganrif. Fe'i gadawyd gyda'r englyn cyrch.

Gwahanol iawn yw gwedd y cywydd deuair hirion, ie, a'r cywydd llosgyrnog hefyd. Darn o gywydd anfon march yn llatai neu o gywydd gofyn march sydd yma. Dangosodd Gwynn Jones yn ei glasur bychan *Rhieingerddi'r Gogynfeirdd* hir dras y math hwn o ganu ar fesurau awdl, a cheir enghraifft gyfoes gan Ruffudd ap Maredudd (RP 1328). Dyma'r cywydd yn y Gramadeg a thestun P. 20 yw'r unig destun da :

Breichfyrf, archgrwnn, byrr y vlew,
Llyfn, llygatrwth, pedreindew,
Kyflwyd, kofleit, kyrch amkaff,
Kyflym, kefnvyrr, karn geugraff,
Kyflawn o galon a chic,
Kyfliw blodeu'r banadlvric.

Gellir dilyn hanes yr eirfa yng *Ngeirfa* J. Lloyd-Jones, ond y peth sy'n union debyg yw gwaith Iolo Goch :

A hebrwng eddestr blwng blawr,
Cain addfwyn teg cynyddfawr,
Carn geugraff mewn rhaff yn rhwym,
Buanrhudd, ffyrf ei benrhwym . . .
Ffroenfoll olwyngarn ffrwynfawr . . . (IGE, t. 59)

Iolo hefyd piau'r :

Kostawc kynghauawc huuen amkaff . . . (RP 1291)

Yn wir mae'n anodd peidio â barnu mai darn coll o waith cynnar Iolo Goch yw'r cywydd deuair hirion yn P. 20.

Gellir olrhain beth a ddigwyddodd. Cerddi serch y glêr ofer a'r disgyblion offeiriadol Cymreig oedd y cywyddau yn nechrau'r bedwaredd ganrif ar ddeg, ac y mae awdl gywydd y Gramadeg yn enghraifft o'r canu ar ei orau coeth. Bu'r prydyddion am genhedlaeth dywyll yn ymgymysgu â'r glêr ac yn dysgu eu mesurau. Ond er mwyn cadw eu hurddas ymroes y prydyddion i gerddwreiddio'r cywyddau a'u troi'n anodd eu caniad a'u dychymyg, hynny yw yn henaidd eu geirfa, yn gyfrwys eu cynghanedd ac yn ddyrys eu dyfalu. Bu'r dyfalu yn rhan fawr o'r proses. Yn y Gramadeg yn P.20 ceir yr awdl gywydd yn ei ffurf wreiddiol heb ei datblygu, a'r cywydd deuair hirion wedi ei godi i status prydyddiaeth cystal bob dim â mesurau'r awdl. Felly disodlodd y cywydd hwn y cyfresi englynion a fuasai gynt yn brif gyfrwng rhieingerddi'r prydyddion. Cam bychan wedyn oedd rheoleiddio aceniad yr odl a chodi'r mesur yr un pryd yn fesur moliant yr uchelwyr.

> Dieithr a wnaem ein deuoedd,
> Mi ac ef ; ail Amig oedd,
> Amlyn wyf ; nid aml iawn neb
> O rai hen ar ei hwyneb.

Tybed nad dyna gyfraniad Llywelyn Amheurig Hen a Iolo Goch ? Ai dyna'r ' cyfundeb cu ' a fu rhyngddynt rhwng 1330 a 1340 mewn cywyddau i Leucu Llwyd a chywyddau gofyn ? Wedyn daeth Dafydd ap Gwilym gyda'i destunau newydd, fel y dangosodd Mrs. Bromwich (*Cym. Trans.*, 1964, tt. 19-21), a chyda'i athrylith fawr i arwain y mesur newydd i holl feysydd barddoniaeth ac i bob talaith yng Nghymru. Ac oni ddylid pwyso'r ffaith mai un cywydd a hwnnw'n gywydd serch a geir yn Llyfr Coch Hergest ac mai enw Iolo Goch sydd wrth hwnnw ?

[*Llên Cymru*, viii (1964-5), 191-6].

PENNOD IX

KYWYDD BARNAD ITHEL AP ROTBERT

Y MAE mawredd, gwir fawredd ysblennydd, yn llawer o ganu Iolo Goch. Nid bardd telynegol fel Dafydd ap Gwilym mohono, eithr bardd arwrol. Cywyddau hir yw ei gywyddau meistraidd o, cywyddau ac iddynt rwysg ac ymenyddwaith a chynllunio. Un o'r campweithiau hynny yw cywydd marwnad Ithel ap Robert.

Dangosodd yr Athro Henry Lewis yn *Iolo Goch ac Eraill*, 1925, fod un copi o'r cywydd hwn, y copi sydd yn llawysgrif Peniarth 72, 85-94, yn wahanol i'r holl gopïau eraill. Mae'n cynnwys lliaws o gypledau nas ceir gan y lleill ac y mae trefn y cypledau mewn rhannau yn dra gwahanol.

Y mae'r holl gopïau sydd gennym o waith Iolo Goch tu allan i Lyfr Coch Hergest yn perthyn i'r unfed ganrif ar bymtheg neu wedyn. Copïau o gopïau o gopïau ydynt. Hawdd codi enghreifftiau o gamgopïo. Ond y mae hefyd ddigon o gypledau nad camgopïo sy'n eu hesbonio eithr camglywed a chamddeall a chamgofio. Darnau wedi eu cadw ar gof datgeiniad, a'r iaith wedi newid yn ystod y canrifoedd, a'r datgeiniad, heb ddeall ystyr y gwreiddiol wrth ei glywed a'i gipio i'w gof, yn rhoi'r peth tebycaf iddo a oedd yn ddealladwy iddo ef yn ei le. A chopïwyr llawysgrifau wedyn yn dilyn hynny. Yn wir, y mae sefydlu testun sicr a safonol i gywydd gan Iolo Goch yn amhosibl. Dyna'r gwahaniaeth dirfawr rhwng testunau beirdd Cymraeg a beirdd Saesneg y ganrif. Y mae testun safonol i Chaucer. Ceir testun *Pearl* a *Sir Gawain and the Green Knight* mewn llawysgrif sy'r un oed â Llyfr Coch Hergest. Ni all fod testun sicr i neb o gywyddwyr y bedwaredd ganrif ar ddeg. Yr ydym mewn byd gwahanol.

Pam felly y mae testun P. 72 o'r cywydd marwnad hwn yn arbennig ? Dywedodd Gwenogfryn Evans mai Siôn Tudur a sgrifennodd rannau helaeth o'r llyfr, ond nid y rhan y ceir ynddi'r cywydd hwn. Gofynnais i'r Llyfrgellydd Cenedlaethol am ei farn ar sgrifenwyr y casgliad ac atebodd Mr. E. D. Jones gyda'i awdurdod di-sigl a'i garedigrwydd arferol :

> Mae'n amlwg oddi wrth nodyn wedi ei rwymo i mewn mai W. W. E. Wynne yw tad y syniad mai gwaith llaw Siôn Tudur yw rhannau o'r llawysgrif. Nid oes fawr o sail i'r dybiaeth, gan fod y llaw hon yn dra gwahanol i law Siôn Tudur mewn llythyr gyda'i lofnod. O degwch â Wynne, 'I suspect that' yw ei air . . . I'ch pwrpas chwi y llaw sy'n cyfri yw'r un a sgrifennodd yr adran 49-122, ac nid oes gysgod o amheuaeth am hon, ac y mae'r cywydd i Ithel ap Rotpert yn ei chanol—llaw John Jones, Gellilyfdy yw hi . . .

Gellilyfdy ym mhlwyf Ysgeifiog ; a dywed y *Bywgraffiadur* am John Jones :

> Gofalodd y copïydd nodedig hwn y câi pob 'Annwyl Ddarllenydd' wybod o ba dras yr oedd . . . 'Siôn ap Wiliam ap Siôn ap Wiliam ap Siôn ap Dafydd ab Ithel Vychan ap Kynrig ap Rotpert ap Ierwerth ap Rhyrid . . . yr hwn a elwir yn ôl y Seisnigawl arfer John Jones' . . .

Brawd i Ithel y cywydd marwnad oedd Kynrig ap Rotpert. Copi'r teulu gan hynny yw copi P. 72 o'r 'Kywydd Barnad Ithel ap Rotpert . . . o Goed y Mynydd yr hwn a fu farw o'r kryd.' Yr oedd Iolo Goch yntau'n un o'r tylwyth ; canodd nid yn unig i Ithel ond hefyd i'w 'gâr,' Rhys ap Rotpert, mab i nith iddo. Dyna ond odid pam y mae'r copi yn P. 72 yn llawnach na'r copïau eraill ac yn fwy cymen ei drefn na hwynt. Dyna'r pam y ceir ar ei derfyn nodyn sy'n rhan o draddodiad y teulu :

> Pen aed ag Ithel ap Rotpert yw gladdu i fynachlog Dinas Basi : pen oedd y blaenied, yn y llyn hir, roedd yr olied, ynghoed y mynydd, gyn gimint oedd y gennilleidfa, o wyr meirch, a gwyr traed, yn i gynhebrwng, heb law menych, tair mynachlog, pregethwyr, a a gwyr llen, y ddwy Escobaeth. Yr Ithael uchod oedd frawd i Kynrick ap Rotpert o goed y mynydd hyna y Bithels.

Mae'r nodyn yn rhyw fath o allwedd ac yn help i dreiddio i ysbryd rhan ganol y cywydd sy'n disgrifio'r cynhebrwng enfawr a'r angladd.

Ceir paragraffau gwerthfawr am yrfa Ithel ap Rotpert gan Dr. Henry Lewis yn IGE : etholasid ef gan y canonwyr yn esgob ar ddwy esgobaeth y Gogledd ond eraill a benodwyd bob tro. Cafodd yntau iawn siriol am ei siomi a'i benodi'n archddiagon yn y ddwy esgobaeth a chael incwm rheithoriaeth

Llanynys yn ddiofalaeth at hynny. Yr oedd yn uchelwr, yn ŵr eglwysig o uchel radd, yn gyfoethog, wedi crafangu swyddi a golud, a'i deulu yn fawrion yn Ysgeifiog. Ni welai Iolo fai yn y byd arno am hynny. Nid dyna'r math o offeiriad y buasai awdur *Piers Plowman* yn dweud yn dda amdano (gweler *Passus III*). Gellid cyferbyniad diddorol rhwng agwedd Iolo Goch a Langland tuag at fawrion byd ac eglwys, tuag at bolisi Edward III a Rhisiart II, tuag at y rhyfel yn Ffrainc a thuag at fuchedd offeiriaid. Piwritan o Gatholig oedd Langland a moesolwr llym. Ni wyddai Iolo Goch ystyr llymder moesol ; yr oedd bod brawd bregethwr yn taranu yn ei bulpud yn erbyn anfoesoldeb clerigwyr yn *faux pas* anhygoel yn ei olwg :

> Ag enaid, breladiaid bro,
> Wynedd a Phowys yno !

Y mae tystiolaeth go ddiogel fod Iolo megis William Langland yn glerigwr mewn urddau isel. Achos i gnofeydd cydwybod oedd hynny i Langland ; i Iolo cyfle i gael y gorau llawen o ddau fyd.

Yr oedd yn gâr i Ithel ap Robert ac yn gyfaill cu ganddo er eu dyddiau ysgol ynghyd :

> Cydwersog, cof diweirsalm,
> Fûm ag ef, yn dolef dalm,
> Gyda'r un athro, clo clod,
> A'n henfeistr, gwŷs ein hanfod
> O'r un llwyth o Ronwy Llwyd . . .

Felly y tu cefn i'r cywydd marwnad i Ithel y mae hen hen gyfeillgarwch, perthynas gwaed, cyd-atgofion mebyd, blynyddoedd maith wedyn o groeso a charedigrwydd a chydchwerthin, heneiddio aeddfed gyda'i gilydd wedi hir fyw cynhyrfus a bras, a hynny er gwaethaf llawer siom a storm a dychryn, ac yna'r terfyn sydyn mewn tywydd mawr a'r gair esgymun *pla* yn gyrru arswyd drwy fêr hen esgyrn y prydydd a holl dŷ'r archddiagon. Yn goron ar y cwbl, eira'n chwipio fore'r angladd a llond gwlad o gynhebrwng. Nid rhyfedd i'r hen glerwr ymgynhyrfu drwyddo a throi'r cyfan yn ddeunydd i un o gampweithiau'r ganrif.

Dau bwynt pellach cyn dyfod at y cywydd. Dywedais na ellir testun safonol i'w ganu. Gan hynny anodd trafod nodweddion ei gynghanedd. Gallai er hynny fod yn astudiaeth dechnegol werthfawr, er bod yn amhendant. Mi gredaf ei fod yn fynych yn caniatâu wyth sillaf i linell cywydd ac yn fynych chwe sillaf ; dibynnai hynny ar yr acenion. Ei glust, nid ei fysedd, a reolai.

Testun P. 72 a geir isod, testun amherffaith. Lle y mae testun IGE neu un o'r llawysgrifau eraill yn amlwg yn hŷn neu'n debycach o fod yn iawn, dilynais hwnnw, ond gan roddi testun P. 72 mewn llythrennau eidalaidd yn y nodiadau godre bob tro. Mentrais ddiwygio'r testun weithiau gan roi'r rheswm am y cynnig yn y nodiadau. Pennaf amcan y nodiadau yw helpu darllenwyr sy'n hoffi barddoniaeth ac nad ydynt yn efrydwyr y Gymraeg mewn coleg i fwynhau un o gerddi mawr y bedwaredd ganrif ar ddeg. Ceir trafod a chais i ddehongli wedyn. Myfi piau'r atalnodi.

I

Eres y torres terra
2 Yr awr hon planhigion pla,
Ac eres y mag orofn
4 Arni, bellen ddefni ddofn ;
Mae achreth oergreth ergryd
6 Yr acses, crynwres y cryd.
Tymestl a ddoeth, neud Diwmawrth,
8 Dydd mawr rhwng diwedd Mawrth
Ac Ebrill, di-ynnill dyn,
10 Difiau bu dechrau dychryn :—
Rhwng y dydd newydd a'r nos,

Llinell

1-16. Rhoddaf aralleiriad rhyddiaith o'r paragraff agoriadol yn y dehongliad sy'n dilyn.

7. *nid duwmawrth. Nid* sydd yn yr holl lawysgrifau, ond gweledd Ashton ei fod yn chwithig a diystyr. Dydd Mawrth oedd y cyntaf o Ebrill 1382 ; ystyr neud yw *yn wir*, ac y mae llinellau 7, 8 a 9 wedyn yn eglur. Dyna'r diwrnod y dechreuodd Ithel glafychu a hynny yn ystod tymestl. Dydd Iau, amlwg ei fod yn marw.

11. Rhwng dydd a nos yw'r hen ddull o ddweud trwy'r dydd a'r nos. Felly nos Iau, Ebrill 3, 1382, y bu ef farw.

12 Bychan a ŵyr ba achos,
Mawr o wth ! Marw Ithael
14 Ap Rotpert, fab pert, fab hael
A roddes inni ruddaur
16 Llydan ac arian ac aur.
Maen rhinweddawl, gemawl gaid.
18 Mererid glân, mawr, euraid,
Glain gwerthfawr engylfawr Engl,
20 Glain da teg, gloyn Duw Tegengl,
Câr ei wlad, gwledychiad gwledd,
22 Croes naid ac enaid Gwynedd ;
Brawd i angel bryd iangaidd,
24 Bob drwg a da, bawb a draidd.
Neb arno ef ni barnai
26 Am na bu fyw e fu'r bai ;
Gŵr uthr, gorau oedd Ithael
28 O'r meibion llên, gŵr hen hael,
Ni bu eto i'r bytwn

12. Y mae cyferbyniad rhwng *bychan* yn 11 a *mawr* yn 12. Bychan a ŵyr neb ba beth a achosodd fawr wth ei farwolaeth sydyn. Ai'r pla ? Nid rhyfedd y dychryn. Gallai'r cryd fod yn un o arwyddion y pla.

17. *ganiawl a gaid.* Hawdd camddarllen *ni* yn lle *m* mewn llawysgrif. Ceir *gemawl* gan Ddafydd ap Gwilym hefyd.

19. Ystyr *Engl* yma yw, nid Saeson yn gyffredinol, ond pobl Teg-engl. Eingl a Thegeingl a geir fynychaf. *Englefield* yn S. ond ceir *Engl* yn P. 57, 123, hefyd, a'r testun yno yw'r testun hynaf a feddwn o'r cywydd.

23. Megis gŵr ifanc hardd, *bryd iangaidd*, y peintid angel bob amser ar furiau eglwys.

26. Mae'n fwy na thebyg fod cynghanedd y llinell hon yn gwbl foddhaol yn ei chyfnod.

28. Gŵr hen yn hael ! Clod eithriadol, yn enwedig i ŵr llên, eglwyswr.

29. Disgwylid *bydd* ac nid *bu*, ond ceir yr un llinell yn P. 57. Efallai mai'r ystyr yw : gan i Ithel farw ni bu ei ail (*eto*) am haelioni yn hanes y byd hwn.

30 Gŵr mor hael, gan marw hwn.
Gwae hwynt glêr mewn gwynt a glaw
32 A'r ddaear wedir' dduaw ;
Ni bu ar honno, gyd y bo byr,
34 Dymestl nac un ardymyr
Hyd heddiw, anwiw enwir,
36 Gyfryw hyn,—gwae fy iôr hir !

II

Anfon engylion yng ngŵyl
38 I'w gyrchu, fwya gorchwyl,
Mae Duw gwyn,—amodig oedd—
40 O foliant mawr i filioedd
Mal y gwnaeth, amlwg oedd ef,
42 Duw, da oedd, wedi dioddef,
Pan ddarfu, ddirfawr euwag,
44 Ysbeilio Uffern wern wag,
A chrynu,—Och o'r annwyd !—
46 O'r ddaear lydan lân lwyd.
Yna'r anfones Iesu

30. Am y gynghanedd cymharer ll. 13. Y mae 13 yr un fath yn P. 57 ac yn yr holl lawysgrifau yn ôl IGE.

32. Wedir' — wedi ry. Gweler D. Simon Evans, *Gramadeg Cymraeg Canol*, t. 112.

35. Ceir gan Gruffudd Gryg, *anwiw o feddwl enwir*. Ond y mae'r *Geiriadur*, 1223, yn dysgu mai un o ystyron *enwir* yw creulon, a dyna sy'n gweddu yma.

37-8. Yn rhyfedd iawn, yn y copi hwn yn unig y ceir y cwpled yma ! Ac eto, heb y cwpled yma nid oes fodd cael ystyr i'r paragraff o gwbl.

40. *filoedd.* Ond y mae'n debyg mai *milioedd* a ddywedai Iolo Goch fel yn P. 57. Felly hefyd IGE.

41-2. Mae'n sicr fod *amlwg oedd ef* yn llygriad, ond fe'i ceir yn yr holl gopïau oddieithr copi Syr Thomas Williams, P. 77, sy'n rhoi *ban aeth i nef.* Mi garwn fabwysiadu hynny, ac mi gredaf mai dyna a ddylid, ond rhoi testun P. 72 yw fy ngwaith i hyd y gellir.

46. Gweler S. Matthew xxvii, 51.

48 I nôl ei fab, annwyl fu,
A llu o engylion y llyn,
50 Iôn eurbarch, yn ei erbyn
I'w ddwyn heb grocs, difocsach
52 Adref hyd y nef yn iach.
Llyna dermaint da'i armerth
54 A wnaeth Duw iddo o'i nerth.

III

Yr awron nid llai'r owri
56 A ddoeth i gyd cyn pryd pri
I hebrwng corff teilwng teg
58 Yr abostol heb osteg.
Fo ddoeth i gyd o ddoethion
60 Y sawl yn yr ynys hon.
Hyn a wnaeth yr hin yn oer,
62 Cael adlaw o'r caledloer,
Y ddaear ddu'n dyrru dwst,
64 Yn crynu faint fu'r crynwst,
Mam pob cnwd brwd brigowgffrwyth,
66 Mantell oer rhag maint fu'r llwyth.
Ban gychwynnwyd, breuddwyd brau,
68 I'r eglwys lân aroglau
O Goed y Mynydd ag ef

49. y llyn = fel hyn.

50. erbyn = croesawu.

51. crocs = ymrafael. I'w ddwyn yn dawel (difocsach) heb i'r angylion colledig geisio ei gipio.

53. Dyna'r gladdedigaeth dda ei threfniad a wnaeth Duw iddo.

53. *iddo nerth.*

55. Gowri = llefain, a hynny'n cynrychioli'r dyrfa a oedd yn llefain.

56. Pri=prim, yr awr gyntaf, sef chwech ar gloch.

62. adlaw=odlaw, eira.

63. dyrru dwst=lluchio lluwch eira.

65-6. Y ddaear ei hunan, mam pob cnwd brwd, yn awr yn crynu yn yr angladd gan faint y fantell oer arni.

70 A'i dylwyth oll yn dolef,
A'r engylion, deon da,
72 Rhag twrf y rhi catwrfa
Oedd yn gwneuthur murmur mawr
74 Rhwng wybr a'r arllwybr orllawr,
A gwŷr mwy yn gware â meirch,
76 Sathr tew yn sathru tyweirch,
A sôn am gerddorion gwrdd
78 A lleygion a llu agwrdd,
A chlywed, tristed fu'r trwst,
80 Clych,—och loywder !—glêr a chrydwst
A threbl mynaich a thrabludd
82 A brodyr pregethwyr prudd
Yn lleisio salm, llais hoywlwys,
84 A latenia yn dda ddwys.
Gwae ddwyfil gwedi'i ddyfod
86 O fewn yr eglwys glwys glod
A goleuo, gwae lawer,

72. *Rag twrf yn roi katwrfa.* Catwrfa=tyrfa enfawr.

73. *mymur mawr.*

74. *rhwng wybyr ar llwybr orllawr.*
Mae'r ddau gwpled, 71-74 yn anodd a'r testun yn llwgr. Eglwyswyr, bobl dduwiol, yw'r engylion, deon da. Y maent hwythau gyda thylwyth Ithel yn murmur gweddïau dibaid ar flaen y gweiddi a wnâi'r dyrfa enfawr ar y ffordd drwy'r awyr agored. Ni fedraf egluro *orllawr.* Gellir cynnig rhagor nag un cyfnewidiad ar y cwpled. Gobeithiaf fod y newid a fentrais ar 72 a 74 yn gymedrol resymol. Mae'r cwbl, fel y caf ddangos eto, yn ddarn o retoreg sy'n gynhyrfus fawreddog.

75. Uchelwyr a marchogion ar geffylau yw'r gwŷr mwy.

79-80. Clywir clych yr eglwys wrth i'r cynhebrwng gyrraedd. Y mae eu sŵn yn loywder sy'n crynu (crydwst) yn yr awyr.
Nid beirdd yw'r *glêr* yma ond crefyddwyr y cwfaint, megis hefyd yn 107.

81. Trebl mynaich = siant Gregoraidd. Trabludd = sŵn cynhyrfus.

82. Dominiciaid.

84. Latenia = Litani. *A latenia yn ddwys* sydd yn y gwreiddiol.

88 Tri mwy na serlwy o sêr,
Torsiau hoyw ffloyw fflamgwyr
90 Fal llugyrn tân llewyrn llwyr.
Mwy na dim oedd mewn y deml
92 O'r gwyrda beilch gwiw ardeml,
Rhai'n gwasgu bysedd, gwedd gwael
94 Mawr ofid, fal marw afael,
Rhai'n tynnu top o boparth
96 Gwallt pen megis gwellt parth ;
Rhianedd, cymyrredd cu,
98 Rhai'n llwygo, rhai'n llewygu
A'r rheidusion, dynion dig,
100 Yn udo yn enwedig ;
Llawer ysgweier is gil
102 Yn gweiddi fyth, gwae eiddil ;
Llawer deigr ar rudd gwreignith,
104 Llawer nai oer, llawer nith,
Llawer affaith ofer feithfyw
106 ' Och fi na fyddai iach fyw ! '
Aml gwaedd groch, can cloch clêr
108 A diasbad hyd osber ;
Ynghylch y corff mewn porffor

88. serlwy. Apeliais at Mr. R. J. Thomas a chael fy anfon at Lewis Glyn Cothi (E. D. Jones) 158, 31-2 ac at Guto'r Glyn, 128 a 126 a Ieuan Deulwyn, 13. Mae'r berthynas i *serloyw* yn amlwg, a'r ystyr yw disgleirdeb noson eglur serog ; nid canhwyllau'n unig ond torsiau wedi eu cynnal ar ffyn uwchben y corff a'r amdo porffor megis lampau, a rhai'n taflu gwreichion fel llewyrn, sêr hedegog. Dan y torsiau yr arogldarthid y corff.

92. Tyrfa yw ardeml.

97. Ceir paragraff cyfoethog yn y *Geiriadur*, 775 ar cymyrredd a chynnig bri, parch, anrhydedd, urddas yn ystyron.

99. Dynion dig = dynion dan boen gofid enbyd. Gweler enghreifftiau'r Geiriadur.

100. Anaml y bydd nerth barddonol yn y cyfuniad *yn enwedig*, ond yma y mae dwyster grymus.

105. Llawer dyhead ofer am iddo fyw'n faith.

110 Yn canu, cyfanheddu côr,
Arhodion saint yn rhydeg
112 A wnâi'r cwfaint termaint teg.
Siglo a wnâi'r groes eglwys
114 Gan y dadwrdd a'r dwrdd dwys
Mal llong eang wrth angor,
116 Crin, fydd yn crynu ar fôr.

IV

Gwae di, Iolo, gwae'i deulu !
118 O'r pyllau y daeth i'r pwll du,
Bwrw mân raean neu ro
120 Ar ei warthaf fu'r ortho,
A llawer gawr fawr fwriad,
122 Pawb o'i gylch fal pe bai gad.
Hysbys ymhob llys a llan
124 Dorri'r ddaear yn deirran,—
Drwg y gweddai dra gweiddi
126 Am ŵr fal ef, nef i ni.
Gwedi cael, hael henuriad,
128 Oes deg gan Dduw ac ystad,
Gwell tewi na gweiddi garw,

111. *Arhodion saint, yn rhedeg*. Mae *rhedeg* yn amlwg yn gamgopïo. Dyry Geirfa J. Lloyd-Jones am *arod* cyfoethog, gwych, ac mi gredaf mai lluosog yr ansoddair sydd yma a'r ystyr yw : abadau a phrioriaid yn eu gwisgoedd arbennig i offeren *requiem* fawr. Ond gweler hefyd y Geiriadur dan *arawd*, lluosog arodion, = gweddi.

112. Cymeraf *cwfaint termaint* yn enw cyfansodd i olygu : yr angladd yn y cwfaint.

117. Teulu = gorymdeithwyr y cynhebrwng a'r angladd.

118. Pyllau = gwisgoedd offeiriadol ysblennydd, ac y mae llinellau 119, 120 yn helaethiad ar y gwrthgyferbyniad. Ei ortho bellach yw, nid ei offerenwisg, ond graean a gro a deflir ar ei amdo.

121. *Ac o lawer*.

123, 4. Hysbys i bawb nad oes ond a fu, y sydd, ac a fydd ; ni ellir ei ochel.

130 Y murgoll tost, am eurgarw.
Llyma oedd dda iddo ef
132 Addoli i Grist heb ddolef,
Rhoi gorffwysfa,—dda ddaroedd,
134 I'w enaid ef, oen Duw oedd,
Gydag Eli, sengi sant,
136 Ac Enog mewn gogoniant.
Ni ddeuant, y ddeusant ddwys,
138 Brodyr ŷn' o Baradwys
Oni ddêl hoedl ddeau law
140 Dyddbrawd ein diweddbraw.
Yno y gwelwn ein gwaladr,
142 . . . .

130. Gweler IGE am yr amrywiadau. Ystyr *y murgoll tost*, yw : y gŵr a fu megis mur inni a'i golled yn dost.

132. *Yddoli Krist.* Ond *addoli i Grist* a geir gan Ashton o gopi'r B.14967, a dengys Lloyd-Jones mai hynny sy'n normal yng nghanrif Iolo Goch.

133. Dda ddaroedd = bu ei farwolaeth yn dduwiol gyda'r cymun olaf. Gan hynny, addoli i Grist gan erfyn am orffwysfa i'w enaid a weddai, gydag Eli, a oedd yntau'n offeiriad, ac Enog 'y seithfed o Adda a broffwydodd, Wele y mae'r Arglwydd yn dyfod gyda myrddiwn o'i saint' (Judas, 14). A dyna arwain i'r diweddglo.

135. *sengni.*

139. *Oni ddel hoedyl, oi law.* Y mae tri gair cyntaf y llinell yn sicr ac fe'u ceir mewn llawysgrifau eraill ac yn Ashton. Wedyn daw'r gwall a'r golled. O dderbyn fy awgrym i yr ystyr wedyn yw : Ni ddeuant o Baradwys oni ddêl amser eu sefyll ar law ddeau'r Barnwr ym mhraw olaf y Dydd Brawd.

142. *Gwae a gwynt, gadarbynt gadr.* Nonsens, wrth gwrs. Rhaid mai oddi wrth ddatgeiniad yn canu neu'n adrodd y cymerwyd yr holl baragraff terfynol yma, a'r copïwr ar goll yn 142. Gellir bwrw amcan mai *cadarnbynt cadr* a ddylai fod yn yr ail gymal, ac efallai fod *gwelynt* yn y cymal cyntaf, ond yr unig beth diogel yw peidio â chynnig trwsio'r llinell.

Am dreigliadau 137 a 145 gweler IGE neu *Gramadeg Cymraeg Canol*, D. Simon Evans.

Ni ddaw i ben mynydd maith
144 Olifer borffor berffaith
Iôn archiagon degach
146 Nag fydd Ithel uchel ach.

Yn y testun uchod dilynwyd trefniad Dr. Henry Lewis yn IGE sy'n rhannu'r cywydd yn bedwar paragraff. Rhifais innau hwynt am y tro er mwyn hwyluso trafod. Gellid rhoi teitlau i'r rhannau fel yma :

I. Achlysur y cywydd ; marw Ithel ap Rotbert.
II. Cynhebrwng a ' thermaint ' ei enaid.
III. Cynhebrwng a thermaint ei gorff.
IV. Diweddglo ac ystyriaeth.

Rhannaf yr adran gyntaf hithau yn ddwy ran, sef hanes marw Ithel ac yna werthfawrogiad ohono. Mae'r cypledau cyntaf yn enwog anodd. Tybiaf y bydd dehongliad rhyddiaith yn help i rai darllenwyr. Ond cofier yn ofalus : nid dyma'r unig ddehongli posibl. Y mae prydyddiaeth y gogynfeirdd a'r cywyddwyr cynnar yn caniatáu ac yn wir yn cynnwys amrywiaeth ystyron. Gyda hynny o rybudd dyma fentro ar ddifetha barddoniaeth ddofn llinellau 1-16 :

> Rhyfedd y modd y drylliodd planhigion pla y ddaear, a rhyfedd erchyll fel y mae ofn yn magu ar bellen y ddaear sy'n suddo dan ymlediad y pla. Cryndod twymyn, oer grynu enbydus y corff dan haint a gwres y cryd sydd yma. Torrodd tymestl arnom ddydd Mawrth a thywydd brawychus y dydd cyntaf hwn o Ebrill er drwg a cholled i ddynion. Dydd Iau cawsom ein hysgwyd gan ddychryn a thyfodd yn angerddol trwy'r dydd a'r nos, heb fod neb yn deall achos y clefyd. Ond deallodd pawb rym yr ergyd,—bu farw Ithel ap Rotbert, y gŵr hardd hael a arferai roi ei anrhegion aur ac arian mor ehelaeth.

Sylwer fy mod i'n cymryd tymestl yn llythrennol, mae'r cwbl yn digwydd yn rhyferthwy dechrau Ebrill, ac felly hefyd yr angladd.

Yr oedd pla yn air o arswyd yn y bedwaredd ganrif ar ddeg, yn air y mae'n rhaid i ni gyffroi'n dychymyg i gydymdeimlo i'r byw â'i effaith. Lladdodd y pla du ei filiynau drwy Ewrop achlân yn 1348. Ymledodd wedyn drwy Loegr a Chymru yn

1361, yn 1362, yn 1369 ac eto fyth yn 1379-80. Erbyn hyn ofnai pawb unrhyw salwch sydyn, yn arbennig cryd a gwres a chrynu. Yr oedd panig pan welid hynny. Storm a rhyferthwy oddi allan a'r archddiagon yn ei dŷ yn rhynnu a chwysu ac ymhen deuddydd yn tynnu ei draed ato. Yr oedd yr holl dymor yn ddychryn ; wythnos wedyn bu farw esgob Llanelwy yr un mor sydyn, a mis wedi hynny bu daeargryn hollol eithriadol ym Mhrydain. *Eres y torres terra yr awr hon planhigion pla* ! *Mae achreth oergreth ergryd* . . . Nid oes rhaid tyllu am ystyr pob un gair ond gadael i ofnadwyaeth y sŵn weithio ar y glust a'r galon. Yr oedd Iolo wedi byw drwy holl ymweliadau'r pla ac wedi gweld degau'n duo a darfod dano, a dyma'n awr ei gyfaill pennaf yn mynd. Mae arswyd y bedwaredd ganrif ar ddeg a'r llygod mawr dinistriol yn y paragraff agoriadol hwn.

Buasai Coed y Mynydd yn ail gartref iddo. Gwyddai holl benceirddiaid y bymthegfed ganrif hynny. Troes yntau'n awr i ganu clod cymeriad ei gyfaill a'i gâr a'i noddwr. Gwna hynny yn ôl ei arfer drwy ddyfalu, ei gyffelybu i bethau heirdd a gwerthfawr, i faen rhinweddol neu em, i faen mererid neu berl, gloyn Duw Tegeingl, croes naid Gwynedd, sef crair y credid ei fod yn ddarn o'r wir Groes ac a fuasai'n rhan o drysor Tywysog Cymru hyd at union ganrif yn ôl. Wedyn y cymariaethau sy'n dangos ei gymeriad, câr ei wlad, llywydd gwledd, brawd i angel, y gorau o'r gwŷr llên ac yn ben ar y cwbl gŵr hen hael. A daw'r hen glerwr yn ôl at ei urdd ef ei hunan, gwae hwynt glêr, a'r ddaear wedi ei llwyr dduo gan storm a chan alar. Gwae fy iôr hir ! Nid erys ond hiraeth.

I Iolo, ymwahaniad enaid a chorff yw marw. Yn y ddwy adran nesaf disgrifir dwy daith, taith enaid Ithel ap Robert i'r nefoedd a thaith ei gorff i'r bedd yn Ninas Basing. Yn yr holl lawysgrifau oddieithr P. 72, ac yn argraffiad Ashton ac IGE y mae dwy linell gyntaf yr ail adran ar goll, ac ni wn i sut y gellir deall dim ar y paragraff heb y cwpled hwn. Mae hi'n ddydd gŵyl yn y nefoedd, *yng ngŵyl*, gan fod enaid arall yn dyfod adref i ogoniant, ac felly dehonglaf :

> Anfon angylion i'w gyrchu mae'r Duw bendigedig fel y gwnaeth pan aeth Duw Iesu i nef wedi'r Dioddef, pan ysbeiliwyd Uffern (o'r meirw duwiol a oedd yn aros dyfodiad Crist atynt cyn esgyn i ogoniant) a phan grynodd y ddaear ar farwol-

aeth Crist. Felly yr anfones Iesu i nôl ei annwyl fab Ithel, a llu o angylion i'w hebrwng, iôn eurbarch, adref gyda gorfoledd.

Yr oedd hyn yn rhan o ddysgeidiaeth draddodiadol yr eglwys. Ceir trafodaeth oleuedig gan E. G. Selway, *The First Epistle of St. Peter*, 354-357 ar y traddodiad, a dyfynnu Dante a Piers Plowman, a dangos fod esgyniad Crist i'r nefoedd yn batrwm i esgyniad ei holl saint. Y mae disgrifiad Iolo o esgyniad Ithel yn gwbl uniongred. Ceir disgrifiad tebyg mewn rhyddiaith Gymraeg, a hynny yn *Llyfr y Resolusion* :

> Dyweid i mi pa fath ddiwrnod, dybygidi, fydd hwnnw, pan fo dy enaid di yn myned allan o garchar,[1] ac yn cael ei gyrchu a'i ddwyn i babell nef, ac yn cael ei dderbyn yno gyda minteioedd a byddinoedd anrhydeddus y lle hwnnw ; gyda'r holl ysbrydion gwynfydedig hynny y mae sôn amdanynt yn yr Scrythur lân, sef yw y rhai hynny, tywysogaethau a galluoedd, a nerthoedd, ac arglwyddiaethau, a thronau, ac Angylion, ac archangylion, a Cherubiaid a Seraphiaid, a hefyd gyda sanctaidd Apostolion a disgyblion Christ, a'r padrieirch a'r prophwydi, a'r merthyron, a'r gwirioniaid, a chonffesoriaid, a holl Sainct Duw ; y rhai a orfoleddant i gyd oll wrth dy goroni di a'th ogoneddu . . .

Dyna'r *termaint* a ddarparodd Duw i Ithel. Rhoi yn y terra (llinell gyntaf y cywydd) ac agor y pridd i gladdu yw ystyr termaint. Agor y nefoedd i'w dderbyn yw'r termaint i'w enaid, ' a wnaeth Duw iddo o'i nerth.'

Ar unwaith wedyn daw'r darlun cyferbyniol, yr angladd a'r cynhebrwng a wnaeth dynion i'w gorff ef ym mhridd mynachlog Dinas Basing. Mae'n drueni nad oes odid ddim yn aros o baentiadau ffresgo'r Oesoedd Canol ar furiau eglwysi Cymru. Mae'n weddol sicr fod paentiadau cyferbyniol fel hyn yn gynefin i Iolo. Dyma adran feithaf a champusaf y cywydd ac y mae dwy ran iddi hithau. Y cynhebrwng o Goed y Mynydd i Ddinas Basing yw'r gyntaf, llinellau 55-84, a'r angladd yn eglwys y fynachlog (85-11) yw'r ail. Gorfoledd oedd naws y cynhebrwng nefol. Galar sydd ar y ddaear.

Yn yr adran hon y mae darn o fywyd Cymru'r bedwaredd ganrif ar ddeg wedi ei ddal mewn pictiwr. Mae'r tywydd yn llwyr Gymreig, eirlaw'n chwipio a'r dyrfa enfawr o bob rhan o

[1]Cymharer Iolo Goch, Marwnad Llywelyn Goch : ' Am ddwyn Llywelyn o'r ddalfa.'

Ogledd Cymru wedi casglu o flaen Coed y Mynydd. 'Does neb yn ffrwyno'i deimlad. Y mae Cymry'r Oesoedd Canol, a holl bobloedd Ewrop o ran hynny, megis Groegiaid Homer yn gweiddi a llefain ac udo'u trallod ar ben eu lleisiau'n ddigwilydd. Mae'r elor a'r tylwyth yn codi o'r tŷ a dilynir hwynt gan lu du'r clerigwyr o'r ddwy esgobaeth yn cydganu'r gweddïau a'r saith salm, wedyn gan dyrfa enfawr gymysg o wŷr a merched ar draed a gwyrda ar feirch a beirdd a chroesaniaid a ffidleriaid rhibidirês oll yn oernadu megis mewn *caointeachán* Gwyddelig. Dywed y nodyn ar derfyn y cywydd wrthym fod rhan o'r orymdaith eto yn y cwm wrth ymyl y tŷ pan oedd y blaeniaid yn mynd drwy borth yr eglwys. Wrth iddynt nesu at y fynachlog mae'r gloch fawr yn cnulio a chlywir su tonnau lleisiau mynaich Dinas Basing a Maenan a Dominiciaid Rhuddlan a Chaer gyda Charmeliaid Henllan a Deon Rhuthun oll yn siantio salmau a litanïau, ac yn sŵn y deufor gyfarfod yma y mae'r cynhebrwng anferth yn ymwasgu i mewn i'r eglwys.

Y mae, wrth gwrs, ddisgrifiad Cymreig enwog arall o gynhebrwng, sef hwnnw yn chwedl Owain a Luned (RM 174-5), ac y mae Iolo Goch yn ddiau yn benthyg oddi wrtho yn y cywydd marwnad hwn. Dwy fil, medd ef, oedd yng nghynhebrwng yr archddiagon ac yn ceisio ymwthio i'r eglwys. Llawr gwag oedd i'r eglwys hyd at y côr a'r allor, a safai'r gynulleidfa wedi ei gwasgu'n dynn at ei gilydd. Y canhwyllau a'r torsiau uchel ar byst o gwmpas yr elor yn y côr ac ar yr allor sy'n goleuo'r gwyll. Mae'r prydydd yn craffu ar y galarwyr ac yn dweud amdanynt, yn gwrando ar y griddfan a'r llewygu a'r gweiddi sy'n cydredeg â chanu'r offeren fawr. Mae'r sŵn megis bedlam, ac ynghanol y cwbl mae'r abad a'i gyd-aberthwyr yn mynd drwy eu gwasanaeth. Dyna'r termaint daearol, ac y mae'r cynnwrf yn cyffroi'r bardd i weld y groes eglwys, disgrifiad hollol gywir wrth gwrs, yn arch Noa ansicr ar fôr tymhestlog bywyd, mewn enbydrwydd arswydus :

Siglo a wnâi'r groes eglwys
Gan y dadwrdd a'r dwrdd dwys
Mal llong eang wrth angor,
Crin, fydd yn crynu ar fôr.

Dyna un o binaclau holl farddoniaeth y Gymraeg.

Mae'r bedwaredd adran, terfyn y cywydd, yn rhagorol odiaeth. Yn sydyn, yng nghanol y cynnwrf a'r trabludd, mae'r bardd yn ei gael ei hun ar ei ben ei hun, ar wahân i'r cyfan o'i gwmpas, wyneb yn wyneb â thynged pob dyn. Mae'n edrych ar gorff tawel ei gyfaill a'i noddwr, canolbwynt yr holl drybestod :

O'r pyllau y daeth i'r pwll du.

Y mae brawddeg yn y *Theatr Du Mond* a ddaliodd sylw a myfyrdod Pascal. Dyma fo yng Nghymraeg Rhosier Smith :

A dyfod angau i wneuthur pen or tragedigaeth waedlyd yma . . .

Mae'r ymdeimlad yma, y peth a eilw'r Ffrancwyr a'r Saeson ar eu hôl yn *sensibility*, yn dra annisgwyl a modern yn Iolo Goch. Mae'n myfyrio ar y gweiddi yn yr eglwys, ar yr udo a'r cwyno, ac yn ystyried, wedi cael oes deg ac ystad—

Drwg y gweddai dra gweiddi . . .
Gwell tewi na gweiddi garw
Am ŵr fal ef . . .

Nid oes ond un ateb gan Iolo i'r dragedigaeth waedlyd yma, y gobaith Cristnogol :

Addoli i Grist heb ddolef

a gweddïo dros yr enaid. Ac yn nhawelwch y gobaith Cristnogol y mae'r cywydd cynhyrfus a mawreddog yn diweddu.

[*Ysgrifau Beirniadol* gol. J. E. Caerwyn Williams, III (Dinbych, 1967), 11-27].

PENNOD X

DAFYDD NANMOR[1]

YR ydys ers cryn amser bellach yn astudio hen farddoniaeth y Cymry, ac yn arbennig waith y cywyddwyr o Ddafydd ap Gwilym hyd at Siôn Phylip. Cafodd yr astudio hwnnw effeithiau llesol ar Gymraeg ein canrif. Bu'n help i sefydlu safonau'r iaith, i buro cystrawen, ac i adfer urddas ein llên ; a mawr yw'r diolch am hyn oll. Ond er a wnaethpwyd hyd yma gan olygwyr ac ysgolheigion, ac er cymaint a elwodd Cymreigwyr diweddar ar eu llafur, cyfyng yn wir yw dylanwad yr hen farddoniaeth ar lên heddiw. Dysgwyd llawer ganddi ynghylch cyfrinion iaith ac egwyddorion cerdd dafod ; bu'n eglur ei hôl ar ffigurau a geirfa ein beirdd a'n rhyddieithwyr. Ond dyna'r cwbl. Ychydig a dybiodd fod gan yr hen brydyddion amgyffred am fywyd na ffilosoffi y byddai'n wiw i ninnau eu hystyried. Dywedir mai seiri campus oeddynt ar syniadau traddodiadol. Oblegid bod ganddynt draddodiad, a hwnnw'n amlwg yn eu gwaith, gwedir eu hawl i weledigaeth. Ni cheisiodd neb eto esbonio'r Esthetig Cymreig, y peth sylfaenol yn hanes ein llenyddiaeth. Ac felly, benthycir gennym ffurfiau ac arddull yr hen feirdd, ond mynd at lenorion Lloegr am athroniaeth a dysg am fywyd. Cymerth ein hawduron y syniad sydd yn llinell enwog André Chenier yn batrwm i'w holl lafur :

> Sur des pensers nouveaux, faisons des vers antiques,

—" Gwnawn hen benillion ar syniadau newydd,"—a syniadau Seisnig yw'r rhai newydd gan amlaf. Y peth " d'waethaf oll " yn Lloegr sy'n denu sgrifenwyr ifainc Cymru o hyd ; Osbert Sitwell yr awr hon, un arall yfory. Dyna anffawd llenyddiaeth a ddiwreiddiwyd.

Y mae amryw resymau dros yr esgeuluso hwn ar hen lenyddiaeth Cymru. Un rheswm yw'r dull y buwyd yn dysgu Cymraeg yn y colegau,—astudio geirfa a gramadeg y cywyddau a thybio y sgrifennai Ddafydd ap Gwilym yn unig fel y caffai

[1]*The Poetical Works of Dafydd Nanmor. Edited by the late Thomas Roberts. M.A., Revised by Ifor Williams, M.A.* University of Wales Press Board. 1923.
Cyfeirir at y llyfr hwn yn fyr dan y llythrennau D.N.

efrydwyr yr ugeinfed ganrif enghreifftiau cywrain o ddulliau priod i'w drysu mewn arholiadau. Y tu allan i'r colegau, ychydig gasgliadau o waith yr henfeirdd oedd ar gael, a'r rheini y tu hwnt i bwrs llenor. At hynny, os prynir, nid yw hyd yn oed y symlaf o'r cywyddwyr yn gwbl hawdd eu darllen. Diau bod hyn yn wir dramgwydd, ac er bod llyfrau beirniadol megis y rheini a sgrifennodd Mr. W. J. Gruffydd a Mr. Gwynn Jones yn gymorth sylweddol i'r anghyfarwydd ac i'r cyfarwydd, eto nid heb ymaros a dygnu y deuir yn raddol i werthfawrogi'r awdlau a chywyddau. Ac y mae tramgwydd arall ar gyfyl hyn, a hwnnw yw dieithrwch bywyd ac awyrgylch yr hen farddoniaeth. Heb hir amynedd, ac ewyllys daer, ni ellir deall na'r bywyd hwnnw na'i lên. Rhaid cyfaddef bod yn haws i Gymro cyffredin heddiw gydymdeimlo â hen farddoniaeth Saesneg nag â hen gerdd Gymraeg. Oblegid ni bu erioed draddodiad llenyddol Seisnig, ac fe ymddengys na all neb Cymro o'n hoes ni ddygymod o lwyrfryd calon â barddoniaeth draddodiadol. Catholig hefyd i'r gwraidd, ac i'r ddaear oddi tanodd, oedd holl hen fywyd a diwylliant Cymru, a dyna fur uchel iawn rhyngom a hwy. At hynny, ffurf aristocrataidd a fu erioed ar gymdeithas yng Nghymru Gymreig, ond fe gred y Cymry heddiw mai gormes ar werin a thlawd yw pendefigaeth, a'r ychydig uchelwyr yn byw yn fras, a dyna braw digonol mor anodd a fyddai i'r cyfryw gredinwyr ddeall ein hen wareiddiad. A heb ddwfn werthfawrogi'r pethau hyn, sef traddodiad mewn meddwl a chelfyddyd, Cristnogaeth Gatholig, a chymdeithas aristocrataidd, a phethau eraill hefyd, ni ellir caru llenyddiaeth Gymraeg y cyfnodau Cymreig yn ddigon llwyr i fyw arni a'i derbyn yn dref-tad ac yn faeth i'r ysbryd. A dyna sy'n esbonio bychaned yw rhan llenyddiaeth Gymraeg yn natblygiad meddwl Cymru heddiw.

Y mae'n colled ni'n fawr o'r herwydd. Ymhob cylch, mewn crefydd, mewn gwleidyddiaeth, mewn economeg, mewn athroniaeth, gellir dangos diffyg unrhyw feddwl Cymreig i'n harwain ar lwybr a fyddai'n naturiol i'n cenedl, ac felly'n lles iddi. A hyd yn oed mewn beirniadaeth lenyddol y mae rhagfarnau'r oes yn fwgwd ar ein llygaid fel na welom wahaniaeth rhwng pethau sy'n wir bob un ond yn eithaf gwahanol i'w gilydd. Er enghraifft, credir yn gyffredin mai digon o oleuni ar Gyfnod y Cywydd yw dywedyd i Ddafydd ap Gwilym ar ei gychwyn ddwyn mesur newydd a thestun a meddwl newydd i'n llên, ac i'r gweddill beirdd am ddwy ganrif ei ddilyn, weithiau'n hapus, weithiau'n slafaidd, ac mai tra dynwaredol oedd traean eu canu. Felly, pan ddelom i astudio gwaith bardd a meddyliwr mor anghyffredin â Dafydd Nanmor, cawn fod ei olygydd, y diweddar Mr. Thomas Roberts, yn tynnu llinyn mesur drosto'n hylaw a phendant :

> It was not until the period under consideration that the literary creed of Dafydd ap Gwilym, the religion of nature and love, " crefydd y gwŷdd a'r gog," obtained its true devotees, and the " cult," if one may call it so, of Dafydd ap Gwilym, as the first apostle of that creed, was instituted . . . Little need be said here as to the nature and style of Dafydd Nanmor's poetry. In his love poems, in which he excels, he is an imitator of Dafydd ap Gwilym, and these abound in striking figures expressed in a striking form. He has also composed a number of eulogies, etc., etc.

Mynd ati wedyn yn wir ddifrifol i setlo'r cwestiwn, pa bryd y bu'r bardd farw. Dyna ddull o feirniadaeth Gymraeg sy'n gynefin o hyd, a thybed nad yw'n bryd cael rhywbeth amgenach ?

. . . . . .

Ond fe rydd casgliad gwerthfawr Mr. Roberts gyfle inni i astudio Dafydd Nanmor yn llwyrach nag a wnaethpwyd gynt. Yn ôl y dyfyniad uchod, ei ganeuon serch yw ei gampweithiau, ac yn y rheini y mae'n dynwared arddull a meddwl Dafydd ap Gwilym ; addolai yntau ei feistr, a derbyniai ei syniad am " grefydd y gwŷdd a'r gog."

Y mae'r holl osodiadau hyn yn amheus.

O'r deunaw ar hugain awdl a chywydd a briodolir yn ddiogel i Ddafydd Nanmor, pump yn unig sydd o gywyddau serch.[2] Perthyn pedwar o'r rheini i gyfnod cyntaf ei ganu.[3] Gwaith ymarfer ydynt, gwaith prentis, a gellir cydnabod yn

[2]Y mae rhif XXXII yn D.N. yn dangos nad Nanmor a'i cant. Nid yw, cywyddau " Marwnad Bun " na " Gwallt Llio " yn gywyddau serch. Os rhaid dosbarthu'r cywydd, cywydd moliant yw " Gwallt Llio," ond mai moli am *un* peth sydd ynddo, megis eto yn y cywydd cyntaf i Rys o'r Tywyn.

[3]Sef D.N. XXVI, XXVII, XXVIII, a XXXIII. Gweler Rhagair T.R. td. xix. Am y cywydd olaf, un copi ohono a gafwyd. Os D.N. a'i cant rhaid ei ganu cyn ffurfio ei arddull.

rhwydd eu bod hefyd yn ymarfer yn null ap Gwilym. Y mae mewn un ohonynt gyfeiriad at y bardd hwnnw, a llaw anaddfed llanc sydd yn y pedwar. Fel y gellid disgwyl gan brentis, ceir ganddo fenthyg ffurf cywyddau ap Gwilym, ond heb ddim o'i ysbryd. Bardd awyr agored oedd y Dafydd cyntaf, bardd llwyn a gwaun a pherthi. Ni cheir ganddo ddisgrifio tŷ oddieithr tŷ tafarn, lle i fwrw noson ac nid lle i drigo. Hoffai fywyd rhydd a chrwydro a chlera. Anfonai'r adar a'r pysg yn llateion at ei gariadau. Yr oedd yn gynefin â niwl y nos ac â'r sêr, a bu allan pan wibiai fellt a rhuo taran. Dyna ei fyd ; a disgwyliem gan un y dywedir iddo ei efelychu yn ei waith gorau, ysbryd ac awyrgylch cyffelyb.

Nis ceir. Un llatai a ddanfonwyd gan Ddafydd Nanmor, sef paun, aderyn y lawnt o flaen plas :

> Teg wyd, baun llwyd, *ar ben llys*.

Yr oedd cadw oed mewn llwyn yn gryn wrhydri ganddo :

> Mi awn, a'r gwynt i'm hwyneb,
> I ben allt lle ni bai neb,
> Er mwyn cyfarfod â merch,

ond gwell fyddai ganddo ddanfon o'i ystafell,

> Lwyth eryr o lythyrau.

Canys crwydro oedd y boen fwyaf iddo. Gorfu arno unwaith ymadael â'i fro oblegid barn llys, a chwynai'n ddybryd " ddarfod im rodio gwledydd." Dro arall, pan ddigiodd ei noddwr yn y De wrtho, ac yntau'n ofni y byddai'n rhaid ailddechrau teithio, yr oedd gystal ganddo farw :

> Af ar herw i Goed Berwyn
> Lle nid aeth na llew na dyn,
> I ganlyn ar dywyn dydd
> Gorwylltion geirw i elltydd ;
> Mewn môr y mynnwn fy mod
> Ni welai neb ei waelod . . .
> Neu fy mod o fewn fy medd
> Dan garreg dew yn gorwedd.

Onid oes arswyd rhag unigedd a chrwydro yn y llinellau campus ? a sylwer ar gynghanedd ystwyth-gywrain y bumed llinell. Mewn bardd o gymeriad hwn, rhyfedd fyddai gael sôn am " grefydd y gwŷdd a'r gog," ac nis ceir, na rhith awgrym ohoni. Ni cheir ganddo chwaith yn ei holl weithiau un disgrifiad manwl na gweddol fanwl o natur, na llwyn na dôl na bryn. Ceir ganddo gyfeiriadau ddigon at bethau'r awyr agored, y pethau cyffredin a wêl pob dyn a gerddo o gylch ei dŷ neu mewn parc ; a dengys ei gymariaethau ei fod yn sylwedydd craff ar bopeth o'i gwmpas. Er enghraifft, wrth iddo ddisgrifio haelioni Rhys ap Llywelyn a'i gyflymder i gyfrannu ei gyfoeth, rhydd mewn un llinell ddarlun gwymp :

> Hwy trig eira'r wig ar wregys cangen
> Na mwnai, aur hen, yn amner Rhys.

Ond fe gymer ei gymariaethau'n llawn mor aml, onid yn amlach, o dŷ neu eglwys neu gelfyddyd dyn neu wasanaeth yr offeren. Gwelir, o astudio'r ffigurau yng nghywydd " Gwallt Llio "[4] mor ychydig a gymerwyd oddi wrth natur. Yn wir, nid oedd ei ddyled i Ddafydd ap Gwilym ond dyled ei oes, sef defnyddio'r cywydd, mesur y bu gan ap Gwilym brif ran yn ei ddyfeisio. A dyna'r cwbl.

Bid sicr, fe geir gan Ddafydd Nanmor ddisgrifio manwl, a hynny a ddengys egluraf ei annhebyced i'r Dafydd cyntaf, canys y mae pob darlun llawn a geir ganddo yn olygfa dan do, mewn tŷ neu eglwys, y neuadd yn y Tywyn ar awr ginio, neu'r tu mewn i fynachlog Ystrad Fflur, neu eglwys Bedrog Sant,

> A'i deml, fal teml Sain Tomos,
> A'i gôr, a'i glych, a'i gŵyr glas.

Bardd cronglwyd oedd, a pherchentyaeth,—gair a hoffai ef yn fawr,—a " bardd teulu " mewn ystyr ddyfnach nag a roddwyd erioed i'r term. Ni theithiodd un cerddor lai nag ef. Casâi daith glera. Canodd ddeg o ganeuon i dylwyth y Tywyn, a thrigai'r uchelwyr eraill y cant iddynt oll yn agos i'w gilydd yn yr un wlad. Carai lysoedd. Carai ferched ucheldras a chanddynt " ddewis barabl isel," y praw terfynol mewn merch o ddygiad i fyny bonheddig. Carai rianedd sidangar " mewn moled main a melyn," a chynefin â moethau :

> Ac na fynned Gwen fanwallt
> Gribau gwŷdd i gribo'i gwallt,
> Dycer i Wen er deg grod
> Gribau esgyrn geirw bysgod.

[4]Gwelir Nodiad A ar y diwedd.

Hoffai yntau hefyd foethusrwydd ac ystafelloedd heirdd a dodrefn lliwiedig a chain :

A gwely oedd danaf, amgeledd dynion,
Fai'n abl i ddug, o fanblu ddigon ;
A llun wybr o waith yn llennau brithion
Ar ucha 'ngwely fal archangylion.

Mwynhâi fwydydd amheuthun a choginiaeth gampus :

Mae cost llu yno, mae cistiau llawnion
O doreth gwenith yn dorthau gwynion,
A seigiau lawer drwy lysau glewion,
Ac adar o dir a physgod o'r don.

A da oedd ganddo flas clared, y boneddicaf o'r gwinoedd :

Ni bu glerwyr yno heb glared,
Ni buom nifer na baem yn yfed ;
Ni bu drai osai neu ddowsed, na chêl,
Ni bu nos uchel ar neb un syched.

Yn arbennig carai wledd, y bwrdd llawn a'r cwmni diddan :

Llety a gefais gerllaw teg afon
Llawn o ddaioni a llawen ddynion,

a'r gweision yn mynd a dyfod rhwng y gwesteion gan newid seigiau a llenwi cwpanau :

Pobydd a cherfydd a chog
A droes iddo'n dri swyddog,
A'i fwtler yw'r pedwerydd,
Mwya'i dasg hyd y mae dydd.

Beth yw ystyr hyn oll, ei glod i foethusrwydd, i fursendod iarllesaidd a gwâr, i berchentyaeth a cheinder ystafelloedd a mwynderau sidan a gwleddoedd amryflas a llawenydd cwmnïaeth ? Rhan yw'r cwbl o'i gariad angerddol at wareiddiad sefydlog. Canys ni ellir bod y pethau hyn ond lle y bo treftadaeth a thraddodiad a hen bendefigaeth ;—y bywyd Cymreig gynt. A bardd y bywyd hwnnw, bardd y gwareiddiad Cymreig, yw Dafydd Nanmor.

A chan ei fod yn artist fe garai'n ddwfn yr elfennau synhwyrus a sacramentaidd mewn bywyd. Yr oedd gwledd yn gymundeb iddo :

Ei fwrdd tâl a ddyfalwyd
I allor fawr lle rhôi fwyd . . .

Adnabydded gyffredin
Be ddôi Basg, a'r byd heb win,
O bibau Rhys i bob rhai
Y caem win a'n cymunai ;

a thrachefn :

A Duw'n ei roddi y da'n aur rhuddion,
Yntau'n eu rhoddi yn y tai'n rhoddion.

Gwelai mewn cronglwyd neuadd symbol o gydfod dynion â'i gilydd, ac o'r dyhead hwnnw am berthynas a chymdeithas sy'n sylfaen pob cwmni a threfn ar fywyd, ac yn troi perchentyaeth yn offeiriadaeth :

Agored yw'r tŷ i gardoteion,
Ysbyty'i wlad a roes bwyd tylodion ;
Y mae is ei do mwy o westeion
Na dau o rif bobl yn hendref Bablon . . .
Ei ben doeth a gâr bendith y gwirion
A rodded yno ar dda a dynion,
A theg yw iddo fendith y gweddwon.

Yn wir, yr oedd " Tŷ " i Ddafydd Nanmor yn air cyfrin, yn un o dermau mawr gwareiddiad, yn arwydd o feistrolaeth dyn ar ei dynged, a'i ymryddhau oddi wrth ansicrwydd ac unigedd bywyd barbaraidd. Mewn tŷ gellid " cadw " pethau, a'r gallu hwn i gadw yw hanfod gwareiddiad. Yr oedd pob perchen tŷ yn geidwad, yn angor ac amddiffynnydd bywyd trefnus :

Ceidw ei dai fel nas ceidw dau,
Ceidwad yw'n cadw y Deau ;

a chymaint oedd swyn y gair " Tŷ " i'r bardd fel yr hoffai ei adrodd a'i ailadrodd mewn pennill ar ôl pennill :

Goreu perchen, â'r wên wiw,
Tŷ o Adda hyd heddiw ;
Megis sbytyau Ieuan
Yw ei *dai* o fwyd i wan ;
I'r *tai* yng nghwr y Tywyn
Ef a ddaw sy fyw o ddyn . . .
Ef a borthai i'w *dai* da
Wledd Rys luoedd yr Asia.

Ac fel y gellid disgwyl, disgrifiad o adeilad yw'r gân ddisgrifiadol lawnaf a sgrifennodd, sef disgrifiad o fynachlog Ystrad Fflur :

Gwisgwyd oll, gwisg hyd allawr,
Gweau plwm am gyplau mawr ;[5]
Un dydd ni rifwn o'i dôr
Ei deri oll hyd yr allor ;
Ergyd saeth o dderwgoed serth
Yw ei chrib uwch yr Aberth ;
Mae derw y rhôm a dwyrain
Rif myrdd ar fwaeu main . . .
Clochdy mawr, calchaidd, mawrwyn,
Cort o'r gwaith caer y Tŵr Gwyn . . .

A'r anrhydedd pennaf ac olaf a allai'r bardd ei ddychmygu i benaethiaid gwlad oedd eu claddu dan do " y Tŷ ar lan Tywi las " :

Pe bai'n fil, pawb yn ei fedd,
Feirw yn hon o frenhinedd,
Y mae rhwng ei muriau hi
Erw i gladdu arglwyddi.

Ac i geidwaid tai y canai Dafydd Nanmor, ond yn enwedig i un tylwyth ; canys ni ellir deall ystyr perchentyaeth heb ymroddi'n llwyr i un tŷ neilltuol ac ymglymu wrtho. Cysegrwyd y deg awdl a chywydd cyntaf yng nghasgliad Mr. Roberts i deulu'r Tywyn, a dylid edrych arnynt nid fel deg cân ar wahân, ond yn un corff o farddoniaeth, un myfyrdod hir ar swydd a ffawd teulu arbennig o bendefigion. Ac nid am allanolion tŷ yn unig y canodd y bardd. Yn wir, nid ei allu disgrifio a enillodd iddo edmygedd ei gyfoeswyr. Iddynt hwy bardd athronyddol oedd ef yn bennaf, a phan fu farw galarai Hywel Rheinallt oblegid

Darfod y *myfyrdod mawr.*

Yn Nhywyn canodd y bardd am ffyniant Rhys a chanodd ei farwnad. Bu'n dyst o lywodraeth ei fab a gwelodd ei gladdu yntau. Gwyliodd hefyd dwf yr ŵyr o fabolaeth i gyfrifoldeb. Ac wrth iddo fyfyrio ar hynt y cenedlaethau hyn, a gweld yr aelwyd yn mynd o ddwylo un i'r llall ond yn cadw drwy'r troeon ei harferion a'i thraddodiadau, daeth iddo argyhoeddiad

[5]Cyplau a thrawstiau'r to yn cydio yn ei gilydd mewn adeilad Gothig.

dwfn o fawredd yr egwyddor a dreiddiai drwy'r holl gyfnewid. Gwelai'r Tŷ fel gwely afon—

> Yn afon ei hynafiaeth—

a dŵr newydd yn llifo o hyd rhwng ei glannau, dŵr cyflym, nwyfus, ifanc, ond y gwely'n suddo'n ddyfnach ddyfnach, yn dofi hoen bywiog y berw dyfroedd, a chludo'r cwbl i'r un cyfeiriad, ar hyd yr hen lwybr, a'i harneisio i ddyletswydd a chyfrifoldeb. A deallodd mai dyma hanfod gwareiddiad pendefigaidd, ac mai hwn yw campwaith bywyd y ddynoliaeth, sef sefydlu'r egwyddor fawr o geidwadaeth a bonedd, a chymundeb y cenedlaethau, a'r Tŷ yr arwydd urddasol o'r sagrafen ddi-dor. Ac y mae'r gair " bonedd " mor aml yn ei ganeuon ag yw'r gair " tŷ," a rhydd bwys a chadernid i'w linellau :

> Mawr y gwedd bonedd, medd pawb, ynod.

Ac fel y myfyriai ar y ddeuair hyn, fe ddeallai fwyfwy agosed eu perthynas. Canys metaffor a gymerwyd oddi wrth dwf pren yw sylwedd y gair " bonedd," a phren derw oedd y prif ddeunydd ym mhlasau Cymreig y bymthegfed ganrif. A'r ffigur hwn o dwf y dderwen oedd yr hoffaf o bob un gan Ddafydd Nanmor. Llanwai'r dderwen ef â gorfoledd. Gwelai yn ei phraffter cymesur, lled ei brigau a'i chadernid oesol, sumbol mawreddog o fywyd yn ffynnu. Codi a thyfu fel derwen, dyna oedd nod y bywyd uchaf :

> Oes hir ar ei dir fel derwen—a rois
>   I Rys heb ei orffen,
>   Oni rifer pob seren,
>   Neu flawd pridd, neu flodau pren.

Gwelai'r tŷ hefyd megis perllan gysgodol y megid ynddi'r coed ifainc :

> Adail Rhys a dâl aur rhudd,
> A mawr adail Meredudd ;
> Owain, Gruffudd, ac Einion,
> A Gwilym Hen oedd glaim hon ;
> Einion, Gwilym, a'i onnen,
> Greiriau tir Gwrwared Hen . . . .
> Yn y tir hwn ar lan traeth
> Y mae gorau magwriaeth
> Milgi, gosog, hebogwr,

March, ac ych, a merch, a gŵr . . . . .
Eithin yw gwerin a gwŷr,
A dreingoed, ond yr ungwyr,
A'r rhain,—ceirw a arwain cyrn,—
Ydyw'r coedydd derw cedyrn.

A thro ar ôl tro yn ei waith daw'r syniad hwn am fonedd yn fagwrfa :

Y wialen o'r henwydd,—
Derwen fawr o dëyrn fydd,

ac eto :

Er myned o'r lle medir
Â'r ŷd hen oddi ar y tir,
Ef a geir, heb dyfu gwaeth,
O'r egin ei rywiogaeth.

Ond y mae un gwaith arbennig, yr olaf o ganeuon teulu'r Tywyn, y cywydd i Rys ap Rhydderch ap Rhys, sy'n cynnwys ffrwyth addfetaf hir fyfyrdod Dafydd Nanmor ar athroniaeth pendefigaeth. Y mae hwn yn un o ganeuon mawr y bymthegfed ganrif, ac felly'n un o gampweithiau pennaf yr iaith Gymraeg. Ynddo ceir holl ffilosoffi'r bardd mewn cypledau tawel, pwysfawr, ac ambell air, megis y gair cyntaf yn y bedwaredd linell, ac ynddo ddyfnder môr o feddwl. Ni allaf godi'r cwbl yma, ond rhoddaf yr hanner cyntaf, ac fe gais pawb a garo farddoniaeth y gweddill :

Rys, wyd flodeuyn rhos haf,
Wŷr Rys, nid o'r rhyw isaf.
O fonedd y'th sylfaenwyd,
Aberth holl Ddeheubarth wyd ;
Tref tad a chartref wyt ynn,
Troed deau tir y Tywyn.
Tyfu'r wyd fal twf yr onn
O fagad pendefigion ;
Ni thyf, mal gwenith hafaidd,
Brig ar ŷd lle ni bo'r gwraidd ;
A dyfo o bendefig
A dyf o'i wraidd hyd ei frig.
Da yw'r haf, pan rodio'r hydd,
I'r gwenith ac i'r gwinwydd,—
Da i ŵr o ryw ei daid
Ei wneuthur o benaethiaid.
Ni bu le, hyd na bai lân,

O lyfr Efengyl Iefan,—
Llai a roed, yn y lle'r oedd,
O frychau i'th lyfr achoedd.
Yr hydd a gynnydd ei gyrn,—
Y gwaed da a fag tëyrn ;
Bonedd, mal etifedd maeth,
A fag y bendefigaeth.
Dwyffrwd ynghanol dyffryn
A wna llif o fewn y llyn,—
Ystad o'r tad it' a aeth,
A bonedd a'th wna'n bennaeth.

Y mae ambell waith celfyddyd yn symbol o wareiddiad cyfan, ac fe erys, wedi y diflanno'r oes a'i cynhyrchodd, yn ddarlun o orau dysg a dyhead yr oes honno. Felly yn y cywydd hwn fe welir beth oedd delfryd yr hen bendefigaeth Gymreig a'i syniad am fraint a chyfrifoldeb bonedd. Y mae yng ngwaith Dafydd Nanmor, megis y mae yng ngweithiau holl brif feirdd y byd, gysondeb meddwl a mawredd moesol.

Ac fe rydd ei gysondeb a'i foesoldeb gadernid i'w arddull. Sylwodd Mr. W. J. Gruffydd ar ei hoffter o'r " hyperbole," a haelioni disglair ei ffansi, ac yn sicr y mae hynny'n elfen amlwg yn ei ganu :

Ni welais i liw bliant,
Na bron ôd, na berw nant,
Na llen galch, na lliain gwyn,
Loywach na bun liw ewyn.

Ond nid llai amlwg yw ei gymesuredd clasurol, ei allu i ffrwyno'i ddychymyg, rhywbeth meddiannol a channaid yn ei arddull. Fe'i gwelir yn llinellau cyntaf " Marwnad Bun " :

Blin yw hyder o weryd,
Hudol byr yw hoedl y byd.
Caru dyn ifanc irwen,
A marw a wnaeth morwyn wen.
Dan weryd mae dyn wirion,
Anap oedd roi wyneb hon ;
O daearwyd ei deurudd
Mae'n llai'r gwrid mewn llawer grudd.

Nid oes dim gormodiaith yn y cypledau ; y maent mor dawel â llinellau Fyrsil. Felly hefyd yng nghywydd " Gwallt Llio," er mor doreithiog yw'r cymariaethau, y maent oll yn gynnil a chymesur. Nid Dafydd Nanmor a sgrifennodd :

> Llio eurwallt lliw arian,
> Llewych mellt ar y lluwch mân.[6]

Cwbl annhebyg i weddusrwydd ffigurau'r bardd yw coeg orhoffedd yr ail linell. Fel yma y dywedodd ef :

> Llio eurwallt lliw arian,
> Llewychu mae fal lluwch mân.

Cafwyd eisoes enghreifftiau o arddull ei gywyddau a'i awdlau i uchelwyr, canys fy mwriad yn yr ysgrif hon oedd peri i'r bardd egluro'i feddwl ei hun ; ond dyma esiampl o'i acen gref mewn marwnad :

> Mab Rhys aeth o'i lys i lawr yr Erwig,
> Mewn gro a cherrig mae'n garcharawr ;
> Ban aeth gwroliaeth ar elawr o'r llys,
> Bu bobl ei ynys heb eu blaenawr.

Bod pobl " heb eu blaenawr " oedd y drychineb fwyaf a allai Ddafydd Nanmor ei ddychmygu. Daw ei weithiau inni heddiw yn neges gyfamserol, canys ni cheir eto geinder gwareiddiad yng Nghymru oni rodder i weledigaeth Gymreig y bardd hwn ei lle yn ein bywýd.

NODIAD A. Gellir rhannu'r cymariaethau yng nghywydd " Gwallt Llio " yn dri dosbarth :

1. *Natur* : Lluwch mân, maen yn Llŷn, plisg cneuen, fflam, llwyn banadl, crwybr, afal oraets (= ffrwyth drud a dieithr yn y 15fed ganrif, S. *orange*), briallu, mellt, paun.

2. *Ffenestri a darluniau eglwysi a gwasanaeth offeren* : Afal Anna, Mair o Fynyw, Gwar Non, Mihangel gwalltfelyn, gwinwydd melynion (?), llinyn padreuau, cwyr aberth, mwg euraid.

3. *Aur ac arian ac addurniadau*: Cawgiau marchogion, efydd, dellt aur, tidau a thaselau, sidan, caets (= clwyd fechan y dygid hebog arni i hela), noblau aur, mantell, morforynion, clog melyn. Sylwer i mi roi'r paun, fflam, afal oraets, yn y dosbarth cyntaf, ond efallai mai yn y trydydd y dylent fod, a byddai hynny'n lleihau'n fawr nifer y cymariaethau o natur.

[6] *Vide* Nodiad B ar y diwedd.

NODIAD B. Sut y daeth y llinell, " Llewych mellt ar y lluwch mân," i fod ? Yn " Gorchestion Beirdd Cymru " (1773) y cafwyd hi gyntaf. Ai Rhys Jones a'i gwnaeth, neu rhyw gopïwr o'i flaen ? Fel hyn y gwnaethpwyd : yn llinell 26 o'r cywydd canodd D.N.: " Ai mellt nef am wallt 'y nyn ? " Gwelodd y copïwr diweddar y caniatâi'r gynghanedd roi'r gair hwn, " mellt " yn lle " mae " yn y llinell " Llewychu mae fal lluwch mân," ac yna hawdd oedd gorffen y newid, a throi " fal " yn " ar y ": " Llewych *mellt ar y* lluwch mân."

[*Y Llenor*, iv (1925), 135-48].

PENNOD XI

PWY A DDRING Y LADINGFFORDD?

CYHOEDDODD Gwasg y Brifysgol yn 1921 gopi o lawysgrif Peniarth 57, sef casgliad o gywyddau gan Ddafydd ap Gwilym ac eraill o feirdd y bedwaredd ganrif ar ddeg a'r ganrif wedyn. Ysgrifennwyd y llawysgrif beth ohoni cyn 1500 a pheth ohoni'n ddiweddarach. Ymhlith y cywyddau y mae un sy'n canu clod abad ar y fynachlog enwog gynt yn Ninas Basing gerllaw Treffynnon. Mae'n gywydd o wyth a thrigain llinell. Y mae chwech a deugain ohonynt yn weddol hawdd eu dilyn a'u deall. Ond y mae'r ddwy ar hugain olaf wedi eu rhwygo ar eu hanner heb ond gair neu ddau air ym mhob llinell yn aros. Er hynny mae dau draean y cywydd yn sefyll ac y mae'n ddiddorol.

Mae'n ddienw. Mi gredaf mai cywydd o fawl i Tomas ap Dafydd Pennant, abad enwog ar Ddinas Basing, ydyw, a'i ganu felly ychydig cyn 1475. Dywed erthygl yn yr *Archaeologia Cambrensis* (I, 110) fod Gutyn Owain a Thudur Aled a Thomas ap Rhys ab Hywel wedi canu i'r abad hwn, a bod cerddi'r ddau olaf i'w gweld yn llawysgrifau Sebright. Dychrynodd hyn fi'n arw, oblegid ni chlywais i erioed am gywyddau Thomas ap Rhys ab Hywel. Y mae rhyw hanner dwsin o lawysgrifau Sebright yn Llyfrgell Dinas Caerdydd a brysiais yno a threulio dau fore yn chwilio am gampweithiau Thomas ap Rhys. Nis cefais. Ni fedraf fynd i Aberystwyth i chwilio am y gwalch. Aed i'w golli. Beth bynnag, os bu'r fath brydydd, ni chredaf mai prydydd a ganodd y cywydd yr wyf i'n awr yn ei drafod. Cyflwynaf y cywydd i ddarllenwyr Y GENHINEN heb nodiadau i amddiffyn y testun. Gall efrydwyr fynd at Peniarth 57. Ceisiaf wedyn ddweud ychydig am grefft ac am gynnwys y cywydd ac egluro unrhyw linellau a eill fod yn anodd i ddarllenwyr heddiw. Fy marn i yw fod yma wir farddoniaeth.

Pwy a ddring y Ladingffordd ?
2 Ni ddring mab na phab ei ffordd
I frig croyw, gloyw o'i glefyd
4 Ond Tomas,—bas ydyw'r byd.
Codaist ddinas cwmpasnen,
6 Côr newydd ffyrfwydd a phen.

Aethai'i 'deilad bob adain
8 I'r llawr, y deri mawr a'r main ;
Er bod arni abadau,
10 Rhag gwynt ni cheisynt ei chau ;
Gedynt ei mur heb godi
12 A'i choed, oni ddaethoch chwi.
Da fu Iesu, dwf oesir,
14 Dy roi yn hon i dario'n hir.
Gwnaut i Ddinas gwisg nawtew
16 Basing fal yr huling rhew,—
Codi wrth fesur mur mawrdrwm,
18 Cyplau gyda'r pleidiau plwm,
Coed ar y mur cadr mawrwaith,
20 Canwn be gwelwn y gwaith.
Mae i'r deml mur diemwnt,
22 Mae'r pen mwy na'i hangen hwnt ;
Cerfio drwy dŵl bob cwlwm,
24 Coed un pleth â'r caead plwm,
To i achadw'r cwfaint,
26 Tomas, yw'r tau yma i saint ;
Costies pob man drychanmorc
28 O'i mewn, a gwaith mwy nag Iorc.
Da fu'r seiri a'i gwnïawdd
30 I gweirio tŷ ag aur tawdd ;
Dy seiri draw'n moldaw mur,
32 Dy lysoedd llawn dail asur,
Tra harddwych rhag troi hyrddwynt,
34 Tre yw â gwaith Troia gynt ;
Clych pêr ar bob offeren,
36 Cerfio gwŷdd newydd i'w nen,
Côr a sens, tân cwyr i saint,
38 Cafell p'radwysle cwfaint.
Byrddau Dinas urddasgar
40 Basin goruwch min y môr,
Llenwir dinas urddasfawr,
42 Lluniaeth myrdd, llyna waith mawr.
Tair gwledd o hir ryfeddu
44 Trwy ganmawl anfeidrawl fu,—
Mae beunydd wledd heb enni
46 Mal ffair mwy na'r tair i ti . . .

Byr nodiadau i helpu deall gyntaf ; cyfeiria'r ffigurau at rif y llinell.

1. Lladingffordd yw ffordd dyrchafiad yn yr eglwys, gan mai

Lladin oedd iaith yr eglwys. Ceir Lladin a Llading yn fynych, megis y ceir yn y cywydd hwn Basin a Basing.

2. Mab—plentyn ; pab—unrhyw offeiriad, nid Pab Rhufain.

8. Deri—gwaith coed ; main—cerrig yr adeilad.

15-16. Yr ystyr yw: Gwnaut i Ddinas Basing wisg dew a chlyd fel yr huling rhew.

18. Plaid—mur ; Cyplau—coed nadd wedi eu clymu'n fwa.

23. Tŵl—cŷn ; o'r S. *Tool.*

23. Cwlwm—y maen ar ben colofn mewn eglwys neu adeilad Gothig lle y bydd dau fwa carreg yn gorffwys ac ymglymu yn ei gilydd. Yma y byddid amlaf yn cerfio dail. Gweler clasur bychan Pevsner, *The Leaves of Southwell* (King Penguin Books).

26. Saint—enw cyffredin ar fynaich, nid term o weniaith.

28. Yr oedd cymharu eglwys â minster York yn hen arfer mewn cywydd ac awdl. Iorc oedd y safon.

37. sens—arogldarth. Tân cwyr—canhwyllau ar yr allor.

Dylwn chwanegu fod llinellau 3 a 15 yn Peniarth 57 yn ddyrys, ond gobeithiaf fod fy nghynnig i yn agos i'w le.

Ond, yn awr, ond ! Beth, tybed, yw barn hen ddisgyblion Meuryn ar y cynganeddion ? Y gynghanedd lusg yn 23 :

Cerfio drwy dŵl bob cwlwm

ac eto yn 25 :

To i achadw'r cwfaint ?

Yn wir mae'n anodd credu y ceid llinellau fel hyn gan unrhyw brydydd proffesiynol ar ôl 1451, er bod Iolo Goch yn y bedwaredd ganrif ar ddeg, mi led-gredaf i, fwy nag unwaith yn trin *marw* yn ddeusill. Mae cynghanedd y cywydd hwn yn nes at arfer Iolo Goch nag at gelfyddyd Gutyn Owain, er bod arwyddion efelychu Gutyn ar y cywydd. Hen-ffasiwn yw'r cynganeddion, hen-ffasiwn hefyd y cymeriadau sy'n clymu pob cwpled yn uned. Henaidd ond odid yw'r mynych arfer â chytseiniaid coll yn y cynganeddu, *m* ac *n* ac *r*. Anodd peidio â sylwi mor syml yw'r holl gypledau.

Dyna sy'n cyffroi holi a stilio. Pwy ond prydydd a ganai gywydd o fawl ar destun mor bencerddïaidd tua'r flwyddyn 1465 ? Testun pencerdd yn ddiau, testun Tudur Aled a Gutyn Owain a Guto'r Glyn o'u blaen hwy, un o themâu mawr y bymthegfed ganrif mewn prydyddiaeth, sef clod pensaernïaeth Gymreig. Heddiw adfeilion truenus yw holl fynachlogydd Cymru gynt, ond mewn awdl a chywydd y mae'r mawredd a fu i'r adeiladau hyn i'w glywed yn ysblander moliant. Dyna hefyd fater y cywydd hwn.

Am ei waith mawr yn atgyweirio'r adeiladau y clodforir yr Abad Siôn, a thua diwedd y cywydd, yn y rhan fratiog na cheisiais ei hailgynhyrchu, mynegir, yn ôl y ddefod, y gobaith am weld ei godi'n esgob. Ond gwahanol iawn fu tynged yr abad. Cyn hir wedi canu'r cywydd fe adawodd Siôn ap Dafydd Pennant ei fynachlog, cymerodd iddo'i hun wraig ifanc flodeuog, priododd yn broffidiol hapus, ac ymhen y rhawg gosododd un o'i feibion hoyw yn abad yn Ninas Basing yn ei dro.

Un o'r nodweddion siriol ar yr eglwys gatholig yng Nghymru yn y cyfnod cyn-brotestannaidd oedd na chymerodd hi erioed o ddifri y rheol na châi offeiriad briodi neu fyw'n ogoneddus ddibriod gyda'i ordderch. Ond yr oedd braidd yn anarferol i *abad* briodi. Bu abadau yn lladron pen ffordd ac yn fwrdrwyr megis abadau yng Nghaer ; bu abadau'n bathu arian drwg megis yn Ystrad Fflur. Nid oedd dim y tu hwnt i gyrraedd abad yn y bymthegfed ganrif wrth iddo ddringo'r Ladingffordd oddieithr priodi i mewn i deulu mawr a sefydlu yntau'i hunan deulu cefnog a phwysig, a chadw ei afael mor dyner â charreg fedd ar ei hen fynachlog. Dyna gamp ryfeddol yr abad Siôn.

Beth a ddywed y cywydd hwn amdano ? Mab oedd ef pan aeth yn fynach, hynny yw plentyn, ac oblegid clefyd, gwendid afiechyd neu, nid yw'n amhosib, glafr, yr aeth i Ddinas Basing ac nid yn rhyfelwr yn un o bleidiau'r Rhos. Dyna oedd yr eglwys i deulu o uchelwyr cefnog, cyfle gyrfa i lanc na ellid ei briodi'n llewyrchus. Nid rhyfedd felly iddo gael ei ethol yn abad, swydd a oedd nesaf at esgob, cyn ei fod yn ugain oed. Canys sicr iddo ddwyn arian neu'n hytrach diroedd sylweddol yn waddol gydag ef i'r fynachlog. Gwellodd ei iechyd yn y swydd yn fendigedig a dangosodd egni syfrdanol yn atgyweirio'r eglwys a'r holl dai o'i chwmpas a'u harddu a'u haddurno. Nid rhyfedd i deulu cefnog a phwysig y Penrhyn graffu arno a chynnig bargen ac iddo yntau lamu o'i wisg offeiriadol i noethni priodfab a throi'n lleygwr sydyn a chymryd meddiant o'i ystad.

Aeth popeth o'r gorau. Magodd y wraig ifanc anesgobol lond tŷ o blant. Cofiodd y tad am Ddinas Basing a'r cywyddau a'r awdlau a ganwyd iddo yno. Gosododd un o'i feibion yn fynach yn ei le a gweld ei godi yntau'n abad ' er mwyn yr hen amser gynt ' ; a hwnnw fu abad olaf Dinas Basing. Wedi chwalu'r fynachlog a chael ohono yntau bensiwn reit deidi gan y duwiol Harri'r Wythfed, cofiodd yr Abad Niclas am esiampl glodwiw ei dad, ac yn ei dro, yn ôl yr hir draddodiad Cymreig, cymerodd yntau wraig.

Mae'r stori'n un i lawenychu calon Voltaire. Nid yw'n menu dim ar euraid farddoniaeth y cywydd yn Peniarth 57. Cywydd yn pwyso ar draddodiad a chonfensiwn, yn canu yn ôl y patrwm, sydd yma. Ond y mae'r patrwm yn fywiol a rhiniol, ac y mae darn o hanes Cymru yn y canu. Pwy oedd y bardd, canys bardd ydyw ? Dywedais nad tebyg ei fod yn brydydd wrth grefft. Yn llinellau 51-52 fe ddywed :

Dof i'th glosydd . . .
O Faenan deg . . .

Ym Maenan yr oedd abaty Aberconwy. Mae'n wir fod prydyddion yn symud o fynachlog i fynachlog i ganu i'r abadau ac yn dweud hynny ar gân. Ond temtir fi i awgrymu mai mynach Sistersaidd o Faenan sydd yma'n ymweld â'r chwaer-fynachlog yn Ninas Basing ac yn cyfansoddi cywydd i'w ganu er diogelu ei groeso. Mae'n ŵr o ddiwylliant mawr ac wedi dysgu'r cynganeddion a holl arferion cerdd dafod o lyfr yn hytrach na chan athro. Dyna'r pam y mae ei grefft yn hen-ffasiwn ac efallai'n ansicr. Ond fe ŵyr ef hefyd am ganu meistri mawr ei gyfnod ac nid yw ei ymadroddi yn annheilwng ohonynt. Canodd gywydd cofiadwy.

[*Y Genhinen*, xvii (1966-7), 114-17].

PENNOD XII

TUDUR ALED

I

Y MAE gwaith barddonol Tudur Aled gennym ers ugain mlynedd bellach yn nwy gyfrol Dr. T. Gwynn Jones. Ymdriniodd Dr. Jones yn nhrydedd bennod ei ragymadrodd â nodweddion arddull Tudur. Ceisiaf beidio ag ailadrodd y pethau a geir yno.

Syniad John Morris-Jones am Dudur oedd mai ef fu rheolwr terfynol y cynganeddion a safon cerdd dafod. Dangosodd Mr. G. J. Williams (*Gramadegau'r Penceirddiaid*, lxxv) nad gwir mo'r haeriad cyntaf. Erys peth gwir yn yr ail. Crefftwr meistraidd yw Tudur Aled. Efallai mai'r syniad mai hynny'n unig ydoedd ef sy'n egluro pam nad oes fawr o astudio arno'n awr. Gwir na thorrodd ef dir newydd i farddoniaeth. Ni cheir ganddo na mesurau newydd na thestun newydd na dull newydd o drafod deunydd cerdd.

Ymroddodd yn llwyr i orchwylion traddodiadol ei alwedigaeth. Y Gymdeithas Gymreig yw ei destun. Cywydd ac awdl yw ei offer. Cymerai ei ddyletswyddau o ddifrif. Nid dyn ffraeth mohono. Ni ddoniwyd ef â digrifwch mawr Guto'r Glyn. Ceir donioldeb yn ei ddisgrifiad o'r Tarw Du, ond prin yw sbonc yn ei gywyddau serch. Weithiau, pan fo'n ddigrif, rhaid amau ai o fwriad y bu, megis yn ei glod i Abad Dinas Basin :

Weithiau'n bwrw aliwns, weithiau'n brelad.

Eithr ni châi pen teulu farw yng nghyffiniau Dinbych heb i Dudur ganu ei farwnad—weithiau ar frys (tud. 380). Yr oedd y ffrâm, yr achau, y defodau, y ffigurau a'r troeon ymadrodd ar flaenau ei fysedd. Ni bu saer ar gerdd well. Y mae naws cyfnod gogoniant crefftwyr Cymreig ar ei holl waith. Clodforodd yntau lawer ar eu gorchestion hwy mewn coed a haearn a dur a bric a charreg a gwydr. Cyfnod o adeiladu bywiog ac uchelgeisiol oedd ei oes ef.

Dengys cywyddau gofyn Tudur Aled wedd bwysig ar ei

feddwl. Aed ato droeon i gael ganddo ofyn march a bwcled a gwalch a tharw. Ebr Dr. Gwynn Jones, " edwyn bob pwynt ar farch ac eidion, carw a gwalch hefyd." Y dull arferol o ddisgrifio'r gwrthrych sy gan Dudur, sef ei ddyfalu, hynny yw ei debygu i bethau eraill. Cyfle i gyffelybiaethau a throsiadau'n llawn ffansi oedd dyfaliadau llawer o'r beirdd. Nid felly ddyfalu Tudur. Mae'r peth a ddisgrifir yn aros yn ei feddwl, ei holl bwyntiau, a bydd ei gyffelybiaethau yn cyfleu'r gwrthrych yn gyfan. Astudier y disgrifiad o'r bwcled (tud. 450), neu, rhag bod ambell ddarllenydd heb gopi o'r *Gwaith*, cymerer y disgrifiad o'r gwalch (tud. 446) :

Lliw'r gwlith a'r ller ar ei glog,
Llun draig o feillion dragiog . . .
Ebillion ceimion yn cau
Edn y bwn dan ei binnau ;
(o'r S. *bill*) A'i fil gŵyr, afael gywrain,
A gawn ar fodd genwair fain ;
Asgell llong, os gollyngwn,
Angori y bydd yng ngwar bwn ; . . .
Ei big ef, o bai gufydd,
Hyd y carn hwyad a'i cudd ;
Ei balf a hyllt ar bluf hon,
A'i grymanau geirw, meinion ;
Pob ewin fal pib yn fain,
Pob bys fal enfys flaenfain . . .

A oes angen dangos rhagoriaethau ? Ystyrier mor briodol y cwpled :

Asgell llong, os gollyngwn,
Angori y bydd yng ngwar bwn.

Y mae lledu adenydd y gwalch, wrth ei ollwng yn ei sŵn a'i rym, yn dwyn codi hwyl llong i'r cof, ac yna daw'r ail linell i gwblhau'r gymhariaeth. A "gollwng" yw'r gair iawn. Dyna ymroddi i'r gwrthrych, i'w lun a'i osgo a'i symud. Mae'r cyfryw briodoldeb ymadrodd—priodi gair a pheth fel y byddont un—yn gynneddf gyffredin ar waith Tudur Aled.

Magwyd ef dan do o feistri ar lyfnder llinell a pherseinedd. Mawr oedd ei barch iddynt, i'w ewythr Dafydd ab Edmwnd ac i Ddafydd Nanmor ac i Ieuan Deulwyn. Dysgodd ganddynt yn helaeth a llunio englyn yn null Dafydd Nanmor :

Croeso tra fynno trwy faenol—Prydain,
Paradwys daearol,
A chnydau ŷd a chan dôl
A dŵr Conwy drwy'u canol.

Ceir llawer atsain gyffelyb mewn awdl a chywydd. Ond o'i flaenoriaid hŷn nag ef, Guto'r Glyn, " y gorau ar gywydd mab," a fu'n batrwm ganddo. Dangosaf eto ei ddyled i athrawiaeth Guto'r Glyn. Cyfeiria Tudur ato'n uniongyrchol deirgwaith. Efallai mai cyfeiriadau anuniongyrchol a ddengys orau fel yr oedd cywyddau Guto yn cynhyrfu meddwl y bardd iau wrth iddo gyfansoddi. Er enghraifft, dywedasai Guto am yr iarlles weddw, Ann o Raglan :

Merch weddw yn ymorchuddiaw
Mewn du drud o'r maendy draw.

Cofiodd Tudur hynny wrth ganu i Fargred weddw o Gloddaith:

Mae tŷ ar drum y tir draw,
Merch weddw heb ymorchuddiaw.

Ebr Guto am Ddafydd Llwyd :

Afal da o flodeuyn
A gwŷdd ir a fagai ddyn.

Cymerodd Tudur y llinell gyntaf i'w gywydd i Arglwydd Dwdlai (tud. 240) ac fe gymerth y syniad eto yn ei farwnad i Domas Conwy (tud. 362, 51, 52). Tro arall dywedodd Guto am ddau briod :

Addfwynaf cwpl o ddynion
Yw'r Llwyd hael a'r lleuad hon,

ac yna Dudur :

Ple'dd awn at gwpl o ddynion
Uwch eu hap na chwi a hon. (tud. 192.)

Gwn fod llu mawr o ystrydebau cynghanedd yn gyffredin i'r holl gywyddwyr fel mai ofer wrth eu trafod yw sôn am fenthyg gan neb arbennig ; ond credaf fod yr enghreifftiau hyn yn wahanol, a gellid eraill tebyg.

Dengys yr enghraifft olaf hefyd un o'r dyfeisiau mewn arddull a ddysgodd Tudur gan Uto, sef dwyn geiriau sathredig ac ymadroddion llafar gwlad i mewn i iaith draddodiadol cerdd dafod. Cyfnod y canu llyfn a syml oedd hi. Ond nid yr un yw symledd Guto a symledd Dafydd Nanmor ; y mae blas siarad ar gywyddau cyfain gan Uto, a'r gynghanedd megis gwrthbwyntiad iddo a'r mesur yn rheoli'r cwbl yn gerdd. Prin y ceir hynny gan Dudur Aled, ond dysgodd ef ganddo dynnu ymadroddion sgwrs i mewn i awdl a chywydd :

> Gad Non hwn a hon, hyn a henwir—byth,
>   Gobeithio nas dygir . . .

ac yn fynych mewn cywyddau :

> Hwde foliant hyd f'elawr . . .
> Beuno Sant ar binsi oedd . . .
> A'th law 'nhop a'th alw'n hapus . . . .
> Ni roi di bin er da byd . . .

A mynych y try'r idiom lafar hon yn epigram lwythog o nerth ac ystyr :

> Llawer dyn rhag lleihau'r da,
> *Nes ar unwaith, nis rhanna.*

Un wedd yw hyn ar yr egni cyhyrog, tyn, sydd ar frawddegau ac ar iaith Tudur Aled, egni sy'n debyg i hwnnw a fu ers blynyddoedd bellach yn synnu a swyno beirdd Saesneg yng ngwaith Gerard Manley Hopkins. Dengys Tudur yr egni hwn mewn enwau :

> Mêr asgwrn mawr o esgob :

mewn ffigurau a llinellau o eiriau unsillaf :

> A'th laif onn mawr a'th lafn mellt . . . .
> Dâr a rhisg dur ar ei hyd . . .
> Adwy'r fenn a wnaud ar feilch . . .

ac wele dreiddio i holl gysylltiadau ffigur a thynnu allan rin y Gymraeg :

> O'r had, nid o'r ehedion,
> O dywys ieirll y dôi Siôn . . .

Sylwer ar yr un egni mewn berfau a berfenwau :

> Lle rhydd im yw'r tyddyn tau,
> Llawn beirdd, *llieinio* byrddau . . .
>
> Mynych iawn, y maen' i'ch ôl,
> It *wreichioni* trwy'i chanol . . .

Aruthr yw'r bwrdd wrth roi'r bwyd
Hyd yr ymyl a *drumiwyd* . . .

Arf a *olcher* ar feilchion . . .

Dawnsio llawr fel danas llwyd . . . .

Yn awdl farwnad Thomas Salbri y cyfleir dwyster effeithiolaf drwy ailadrodd berfenw :

Rhoi elusennau'n rheiol, Sioned,
Rhoi gynau gwynion rhag ein gwanned,
Rhoi cyn y ddwyawr rhai cyn ddued,
Rhoi cwyr a menyg, *rhoi cri a myned* . . .

Y frawddeg enwol hefyd, weithiau'n rhes o linellau ganddo :

Aml grawn amlwg ar wenith,
Amlach o'r bedeirach dau
Wŷr ac aur ar eu gwarrau.
Chwi'n nhuedd Gwynedd i gyd,
Chwi yw darn o'i chadernyd,
Chwi'n haelaf dan ffurfafen . . .
Gwrych llew pan fo garwa'ch llid,
Llew garbron Lloegr a'i brenin . . . (tud. 95.)

Ceir wmbredd o baragraffau tebyg. Ymroes yn helaeth ac odiaeth i'r dull Cymraeg o hepgor cysyllteiriau a pheri i ferfau a chyfosodiad brawddegau gyflawni gwaith y *canys* a'r *os* a'r *pe* a'r *pan* :

Ewch, yr adar, i'ch rhydyd,
Ewythr i'r beirdd aeth o'r byd . . .

Tyn y saeth at einioes hydd,
Ef âi'r ywen yn friwydd . . . .

Na phâr d'ofn, offeiriad wyd . . .

Doed doethion, 'dywed tithau,
Tawen' i gyd, hŷn ac iau . . .

Cyflymder grymus, crynoder meddwl ar aden gwalch, dyna'r argraff a ddyry ei ddull, megis eto yn ei sôn am ffynnon Gwenfrewi :

Gwyliwch gant, goleuwch gŵyr,
Gwelais yno gael synnwyr . . .
Byddair, help a ddyry hon,
Mud a rydd ymadroddion . .

Gall nyddu cystrawen drwy'i ddwylo megis yng nghlo ei awdl i Syr Rhys :

Neu pe am dwysog, na wypom d'eisiau.

A gall chwarae fel consuriwr â'r iaith a dyfeisio geiriau :

Di-welais dy well o delai stad,
Di-weniaith hyd hyn, di-wnaeth y Tad,
Di-wneir a di-geir a di-gad—o'n iaith
A di-fyth obaith dy fath abad.

Câi bleser mewn campau cynganeddol :

Constantinobl cyn Awst in' tanoch,

ac y mae ei awdlau ef gyda phinaglau penceirddiaeth. Miwsig organ yw eu miwsig. Yn ei ddull arglwyddaidd, teyrnaidd o drin iaith a chystrawen ymddengys Tudur i mi'n fynych megis Michael Angelo cerdd dafod. " Berwi o ddysg " yw disgrifiad ei gyfaill, Lewis Môn, ohono. Ceir ganddo rym, dwyster, angerdd ysgubol :

Nid oeres seithwres y sêr
Ond o gŵyn un dyw Gwener.

A chly dynerwch mewn cwpled megis yn yr enwog :

Y gŵr marw, e gâr morwyn
Ddaear dy fedd er dy fwyn,

neu yn ei sôn am ei fro ei hunan :

Trum gwin y tir y'm ganed,
Eto i'r drum y troed a red.

Chwanegir at ddwyster y cwpled hwn gan farwnad Lewis Môn a'i adroddiad am farw Tudur :

Dymuno bod man y bu,
Dôl Gynwal, da le i ganu.

Ar ei ôl ef, ebr Owain ap Gruffydd, pwy yn brydydd ; nid oes ond " pawb â'i garol." Darfu awr anterth cerdd dafod.

II

" Gŵr Syr Rhys," ebr Siôn Ceri amdano. Union gyfnod Syr Rhys ap Thomas yw ei gyfnod ef, a bu'r bardd a'r noddwr farw yr un flwyddyn. Bu'n fardd i Syr Rhys a bu'n fardd i'r gymdeithas uchelwrol Gymreig drwy gyfnod Syr Rhys. Os deuwn ni ato o gwmni'r beirdd hŷn nag ef, ni byddwn yn hir cyn cael bod yr awyrgylch wedi newid ; yna fe ddeallwn fod y newid yn chwyldro. Canys yr ydym yng nghanol byd o wleidyddion a swyddogion gweinyddol coron a chyfraith Loegr. Yr ydym mewn byd politicaidd :

> Nesáu oedran a sadrwydd,
> Ni bu ry sad neb ar swydd. (tud. 104.)

Bid sicr, yr oedd y newid wedi dechrau ac wedi cerdded cryn ffordd yn amser Rhyfeloedd y Rhos ac yn ystod teyrnasiad Edward Bedwerydd. Y mae tystiolaeth y beirdd yn eglur ar hynny. Barddoniaeth y Mars politicaidd yw cerdd dafod Gymraeg i raddau go helaeth cyn dydd Tudur Aled. Ceir digon o sôn am "swyddog" a "chwrtiwr" gan Uto'r Glyn, ac ef a ddolefodd :

> Ac eraill gynt a gerais
> A bryn swydd a breiniau Sais.

Pan ddeuwn at Dudur Aled a Syr Rhys y mae'r chwyldro eisoes wedi digwydd. Bron na ddywedem iddo ddigwydd ar laniad Harri Tudur ar ddaear Cymru :

> I'th euro daeth Harri i dir,
> Ti a eurwyd cyn teirawr, (tud. 78.)

medd Tudur wrth Syr Rhys. A dyna newid yn derfynol ganolbwynt bywyd :

> Gwell i'n tir, gall anturiaw,
> Gâr yn llys nag aur yn llaw . . . .
> Aeth y wlad oll i'th law di
> I'th fyw, tir wythfed Harri . . . (t. 249.)

Dyna Gymru Tudur Aled, " tir wythfed Harri." Erys wrth gwrs y cas at Saeson fel " aliwns," ond ar y llys yn Llundain y sefydlir llygaid noddwyr Tudur Aled ac edrychant yn ddiragfarn tuag at Loegr am ddyrchafiad.

> Os un arall sy'n Nuram,
> I chwi gwedd, oni chei gam. (t. 202.)

Cymdeithas ddwyieithog eisoes yw'r gymdeithas uchelwrol Gymreig.

Po fwyaf y creffir ar ei waith, egluraf y gwelir bod cyfnewid dwfn hefyd ar naws y gymdeithas. Yr oedd y gymdeithas Gymreig a ddisgrifiai Lewis Glyn Cothi a Guto'r Glyn yn fynych yn hoffus. Ceir digon o anwyldeb gyda'r gwylltineb. Prinnach yw hynny yn nhystiolaeth Tudur Aled. Dynion a gyrfa wedi agor iddynt yw ei noddwyr ef, a'u hamcan ar ddyrchafiad ac ar swyddi ac ar gyfoeth. Swydd a chodi mewn swydd yw nod bywyd ganddynt, ac elwa ar brynu tir. " Anturwyr " yw gair Tudur am nifer ohonynt, ac nid gair o sen mohono ganddo. Daeth iddynt o'r diwedd yn helaeth "freiniau Sais" a gweinyddu cyfraith Loegr yng Nghymru, yn ustusiaid a siryfion. Disgrifiodd Syr John Pollock (*The Popish Plot*) ddulliau ustusiaid gwlad yn Lloegr yn yr ail ganrif ar bymtheg a dangosodd nad gweinyddu cyfiawnder gymaint ag amddiffyn y goron oedd eu swydd hyd yn oed y pryd hynny. Barner beth oedd gweinyddiaeth yr ustusiaid a'r siryddion newydd yn "nhir Harri" dan Rhys ap Thomas a Wiliam Gruffydd, a rhyfeloedd y Rhos ond newydd beidio. Casglodd Dr. Gwynn Jones lawer o dystiolaeth Tudur Aled ynghyd yn ei Ragymadrodd (lv–lxiv) fel nad rhaid imi fynd ar ei ôl. Fy mhwynt i yw bod arwyddion lawer iawn yng nghywyddau Tudur o gymdeithas Gymreig wedi colli ei hen angorau, wedi newid ei holl safbwynt, wedi cael agor iddi fyd newydd dan goron Llundain, ac mai bardd y gymdeithas hon a'r argyfwng hwn ar hanes Cymru yw Tudur Aled.

Swydd cerdd dafod, fel y daeth hi i ddwylo Tudur, oedd ymlawenhau ym mywyd ac yn llwyddiant y gymdeithas lwythol, uchelwrol Gymreig. Ceisiasai Einion Offeiriad ei gwneud yn rhywbeth amgen, yn batrwm ac yn ddrych o gymdeithas ddelfrydol. Erbyn canol y bymthegfed ganrif yr hyn a arhosai o ddelfryd Einion oedd cydblethu cynghorion â'r moliant, fel y gwnâi Dafydd Nanmor a Dafydd ab Edmwnd yn fynych. Y mae paragraff o gywydd Guto'r Glyn i Siôn Bwrch, arglwydd Mawddwy, yn enghraifft o ganu delfryd i swyddog o farnwr dan frenin Lloegr :

> Ni chair ustus na Christiawn
> Fry i nef ond a farn iawn.
> Mae ustus ym Mhowystir
> Mal sant ar ymyl y sir,
> Syr Siôn Bwrch, Idwal Iwrch lin,

Swyddawg breiniawg i'r brenin,
Cynheiliad, fal y tad hen,
Cyfraith tu acw i Hafren.
Dibech yw ei gydwybod,
Dal barn fal y dyly bod,
Nid rhwysg oer, nid treisio gwan
Nid dirwywaw dyn truan,
Helpu cywir a gwirion,
Holi ffals a'i hely â ffon.

Cafodd y llinellau hyn effaith o bwys ar ganu Tudur Aled, ond nid llawer o ddal drych o berffeithrwydd gerbron ei noddwyr sydd yng nghywyddau Tudur. Gellir cymharu â chwpledau Guto gynghorion Tudur i Roser Salbri ar y fainc (tud. 104). Perthynai ef ei hunan i'r gymdeithas a welai'n awr gyfle i ymddyrchafu yng ngwasanaeth y goron ac i ennill ffafr a chyfoeth. Ef oedd ei phencerdd hi hefyd, etifedd cerdd ei diddanwch ar uchel wyliau'r flwyddyn. Ni thybiodd Tudur fod hynny ar ddarfod. Yr oedd eto ddigon o'r hen fywyd Cymreig yn ffynnu a'r ffydd Gatholig yn pennu gwyliau ac amserau. Ymddangosai'r traddodiad yn ei oes ef yn ddigon cadarn. Yr oedd o hyd ddigon o uchelwyr heb swyddi yn cadw yr hen arferion. Canodd Tudur iddynt hwythau. Naturiol iddo ganmol eu hannibyniaeth. Dywed Dr. Gwynn Jones, " y mae'n ddigon eglur mai ar du'r hen bendefigaeth Gymreig, fwy hynaws, yr oedd Tudur " a dyfynna gyfeiriadau'r bardd at y boneddigion di-swydd :

Gwell yw bod a gallu byw
Na dwyn swydd dyn sy heddyw.

Ond nid Anatiomaros o gwbl mo Dudur Aled. Y mae Dr. Jones yn orgaredig yn ei liwio â'i ddelfrydau ef ei hun. Canodd Tudur ddengwaith rhagor i'r swyddogion nag i'r di-swydd. Ebr ef :

Byw'r ŷm ar y neb a ran,
Boed hir y bo it arian,

a throes farwnad Gruffudd ap Rhys yn gywydd o glod i'r aer am brynu tiroedd a thyfu'n farwn reial :

A chywaethog foch chwithau
Yn fyw'n hir yn ei fwynhau,

ac felly ugeinwaith. Bardd y swyddogion a'r ustusiaid newydd yw ef bennaf. Gyda hwynt y bwriodd ef ei goelbren. Llawenychodd yn eu llwyddiant :

> Cydchwarddwn cyd â'ch urddas,

a derbyniodd yn helaeth hyd yn oed eu safonau. Yn ei gywyddau ef y ceir y portread o'r uchelwyr Cymreig yng nghyfnod Rhys ap Thomas, o'u delfrydau a'u huchelgais a'u hegnïon. Dyna ran fawr o'i bwysigrwydd ef : y mae cyfnod o argyfwng yn hanes y gymdeithas Gymreig yn byw yn ei waith ef.

Ni olyga hynny na cheir ganddo hefyd yn aml ddarlunio cymeriadau o'r hen ddull. Campwaith o'r math hwnnw yw ei foliant i Fargred ferch Gruffudd ap Rhys (t. 166). Erys hefyd elfennau traddodiadol yn ei holl foliant ef. I ni heddiw y mae undonedd yn y disgrifiadau diflin o wrhydri milwrol a chwpledau fel :

> Eithr anos yw d'aros di
> Nag aros naw o gewri.

Ni flinai cyfoeswyr Tudur ar y moesgyfarchion hyn na'r sôn am Arthur a Hector. Ond craffwn yn awr ar rai o'r portreadau o swyddogion ac anturwyr newydd y cyfnod Tuduraidd cynnar. Disgrifiodd Tudur Aled hwynt yn fywiog a datguddiodd ysbryd yr oes wrth eu canmol. Edrycher ar dri ohonynt.

Anturiwr ifanc oedd Morys ab Ieuan ap Hywel o Aber Tanad. Canodd Tudur dri chywydd iddo a chanodd ei farwnad. Gŵr newydd ddyfod i'w stad yw Morys yn y cywydd cyntaf a bu raid iddo frwydro am ei hawliau. Fe fedrai. Y mae'n odidog hael :

> Gŵyl Gedwyn, gweilgi ydoedd,

a byrlymu o nwyf ieuenctid :

> Ar dripheth, cymyrreth mawr,
> March, y chwardd, merch a cherddawr,

ond gwyllt arswydus ydyw, a rheibus a dialgar :

> Od â'n ei lid wayw'n ei law
> I ddiawl ŵydd a ddeil iddaw . . .
> E fyn ei dyn, heb fan du,
> Efô aned i'w fynnu

a buan y gyr ef ei gymdogion benben ag ef i gyfreithio a siarsio:

Pob prif swydd, pob pryfai sêl,
Pob achwyn, pawb heb ochel,
I'th filio, treulio nid rhad,
I'th fygwth, weithiau fagad,

a ffraeo a gweiddi a churo bwrdd wrth ei herio :

Ni roud edau er dadwrdd
Na gair balch neu guro bwrdd.

Barbariad peryglus a dibris ond hoffus :

Mwy nag eraill mae'n gariad,

a chais Tudur ddysgu iddo gallio gan daeru y dylai rheswm reoli nwydau ei natur afresymol, un enghraifft o'r foeseg glasurol Gatholig yng nghanu Tudur :

Nid wyd wyllt fel naid y don,
Gwylltineb a gyll dynion ;
Os d'anian a gais d'ennyn
Mae'ch pwyll yn ymachub hyn,

a dyry gynghorion iddo :

Ni adai Dduw, nid oedd iawn,
Roi gwroliaeth ar greulawn ;
O gwŷl gŵr gael y gorau,
Oed i'r gŵr hwn drugarhau . . .
Er rhyw wenwyn rhy annewr,
Ymaros, di, Morys dewr . . .
Meddylia am ddialwyr,
Na bu ry gall neb o'r gwŷr . . .

cynghorion ofer, fel y dengys y cywydd marwnad. Try Tudur ar ei derfyn i eiriol dros enaid Morys, ac ni wn i fod dim mwy pryderus ddwys na'i weddi :

Dy ras, Gedwyn, dros gadarn,
Dy weddi fawr, dydd y farn ;
Doewan, er lladd dano'r llu,
Dwg ei enaid i'w gannu ;
E wna'r Iesu yn risial
A roed o inc ar ei dâl ;
Mihangel, pan êl i'w naid,
Bes rhoen' i bwyso'r enaid,

Ni allo dim, o'r naill du,
Dal pwys gyda help Iesu ;
Mae ar bwys Mair a'i basiwn
Maddau holl gamweddau hwn ;
Mam ei Thad, mamaeth ydych,
Mair, saf gyda Morys wych,
Pâr â bys pur ei bwyso,
Poed, ar bwys paderau, y bo. (t. 323)

O ble y cafodd Tudur Aled y cwpled :

E wna'r Iesu yn risial
A roed o inc ar ei dâl ?

Priodol y geilw Dr. Gwynn Jones sylw at y tebygrwydd i linellau Dante yng ngherdd y *Purdan*, ix., 112 :

A blaen ei gledd yn 'sgrifio, dyna'r Porthor
Saith waith yn torri P ar lech fy nhalcen ;
" 'Rôl myned trwodd, golch hwynt," oedd ei gyngor (cyf. D. Rees).

Onid o Dante y cafodd Tudur y syniad ? Ni wn i am ffynhonnell arall bosibl.[1] Mae'r pwnc yn bwysig. Awgrymaf mai'r tebyg yw iddo glywed gan un o'i noddwyr yn y Mars neu gan un fel y Meistr Robert ap Rhys o Ddôl Gynwal am stori cerdd Dante, un, efallai, o'r arwyddion o'r lledu ar orwelion llenyddol Cymru sy'n cychwyn gyda Thudur Aled. Yr oedd y cwrtwyr Cymreig newydd yn dechrau dwyn syniadau'r Dadeni Dysg i glustiau'r beirdd Cymraeg. Yng nghywyddau Tudur Aled fe geir pylgain y Dadeni Dysg yn ein barddoniaeth ni. Pan ddeuwn at y cywyddau i Robert ap Rhys fe drawn ar derm nodweddiadol o'r Dadeni :

A'i nyth mewn iaith uwmana, (t. 203)

sef " iaith Dyneiddiaeth." Wele'r gair wedi cyrraedd, mewn cywydd i " offisial " o offeiriad gradd dan y Cardinal Wolsey, a sylwer mai cynhaniad Saesneg sydd i'r gair. Y mae'r geiriau allweddol hyn yn odiaeth bwysig yng ngwaith Tudur Aled, a rhy hawdd yw myned heibio iddynt heb ganfod na'u bod yno na'u harwyddocâd. Er enghraifft, wrth ddisgrifio swyddog arall :

[1] Eithr gweler nodyn pellach Mr. Lewis yn *Llên Cymru*, iv (1956-7), 177. Gol.

Dwyn bradwyr, dyn brau ydoedd,
At y prins, a'u topio'r oedd.

Y Prins! a gelwir Thomas Salbri mewn awdl yn "llew'r Prins." Ie, gair Machiavelli, a ddechreuodd ar ei yrfa Duduraidd Saesneg yn oes Tudur Aled. Am hwnnw y dywedodd yr hen hanesydd Saesneg, Green:

> All sense of loyalty to England, to its freedom, to its institutions, had utterly passed away. The one duty which the statesman owned was a duty to his 'Prince.'

Mutatis mutandis, rhoddwch *Gymru* yn lle *England* ym mrawddeg Green, a dyna i chwi egwyddor lywodraethol noddwyr ac uchelwyr Tudur Aled. A dyna ond odid yr allwedd i'r chwyldro yng Nghymru yng nghyfnod y Tuduriaid. Y mae'n gynharach nag y tybiodd rhai.

Canodd Tudur dri chywydd i'r Meistr Robert a marwnad i'w dad. Darlunnir inni glerigwyr o offisial nodweddiadol o osgordd Wolsey, un nad oedd yr Eglwys ond cyfle i'w uchelgais mawr, gŵr dysgedig o gwrtiwr yn efelychu rhwysg Wolsey ei hunan wrth gadw tŷ:

Aur a welais ar wyliau,
Ordain praff, a'r da'n parhau,

a dysg ef wrth y bwrdd i Dudur egwyddorion politicaidd Machiavelli:

Rhag i gariad eich gadaw
Ef a wna lles ofn y llaw,

a brolia Tudur ef:

Eich dysg, i chwi diosgen',
A wnaeth balch i noethi'i ben,
Arswyd oedd a roist iddaw
Ac a'i plyg a'i gap i'w law,

ac i blesio Robert lleinw Tudur ei gywyddau iddo â thermau Saesneg llys a chyfraith a'r Ddysg newydd:

Teodrws wyt, wedi'r saith,
Ti yw'r cwfr i'r tair cyfraith,
Decretal at rwndwal trwm,
Decrîs i decâu'r rheswm;
Oedd yn y secst un tecst tynn,
Air a thafod wrth ofyn? (t. 207)

Dyma'r byd newydd yr ymdaflodd Tudur i ganu ei glod, y byd a oedd wedi agor i'r uchelwyr Cymreig dan arweiniad Rhys ap Thomas. Yr oedd hwyl enbyd ar eu byw. Yr oedd ganddynt hawl ar " y Prins yng Ngwinsor," Onid oedd ef o'u gwaed ? Hyderent yn hoyw ar ei addewidion. Ac yr oedd eu bywyd newydd yn cydgerdded â'r egnïon newydd a oedd yn cyniwair drwy Ewrop oll. Ymroesant i'r holl ffasiynau a'r diwygiadau, i'r amaethu newydd, i'r ymgyfoethi mawr, i'r anturio tramor a'r rhyfeloedd, i'r " ennill gradd yn Lloegr," i'r celfyddydau a'r moethau newydd mewn cartrefi, ac i'r Ddysg newydd yr oedd sôn amdani'n lledaenu. Diau mai'r cywydd a ddyry inni'r darlun mwyaf deniadol o'r cwrtiwr Cymreig newydd hwn, a'i aml swyddi a'i aml ddiddordebau, ' amateur ' y Dadeni a'i ysfa am bob rhagoriaeth—

Ym mhob rhagor mae pregeth,—

yw'r cywydd i Wiliam ap Siôn Edwart, Cwnstabl y Waun. Nis dyfynnaf (tud. 253) canys y mae'n faith ac y mae'r cwbl ynddo'n anhepgor. Dyma un o gywyddau pwysicaf y bardd. Llafuriodd arno i roddi ynddo holl angerdd a nwyf a heulwen ei gyfnod, i'w wneud yn ddrych o ddiwylliant y gŵr llys Cymreig newydd. Dengys y cywydd hwn a'r cywydd i dref Croesoswallt fel yr oedd y Mars yn arwain bywyd Cymru yn awr. Beth pe gosodasid Cyngor y Goror yng Nghroesoswallt ? Hi oedd tref Gymreig y Mars, prifddinas y cywyddwyr.

III.

Pe na buasai ond hynny, sef bod ei waith yn ddrych i gyfnod o chwyldro yn hanes Cymru ac yn oriel o ddarluniau o arweinwyr ei oes, buasai barddoniaeth Tudur Aled yn anhraethol werthfawr. Ond y ffaith yw bod ychwaneg na hynny ynddi, a bod y peth pennaf eto ar ôl : y mae barddoniaeth Tudur yn ddrych hefyd i argyfwng moesol ac ysbrydol ei genedl a'i gyfnod. Yn ei gywyddau ef fe ganfyddir trychineb a thrasiedi yn hanes Cymru. Wynebodd yntau hynny.

Gwyddys ei fod yn cofnodi achau yn ei gywyddau yn fwy cyson na nemor neb. Gellid tybio mai troi i astudio'i lyfrau achau oedd ei gam cyntaf bob tro y deuai galw arno am gywydd. Tybed nad ydyw yntau'n cyfaddef hynny ? Wrth ganu marwnad Siôn Wyn o Ystrad Alun fe ddywed :

Och fi weled ach Faelawr,
Aeth hanner llwyth hon i'r llawr.

Gall y darllenydd heddiw gael y peth yn feichus. Ond rhaid deall etifeddiaeth a thraddodiad y beirdd a safbwynt Tudur ei hunan. Yr oedd pob tŷ iddo ef yn gwlwm pedeirach, a'r ymddolennu hwnnw oedd ei Gymru ef. Yr oedd " merch—ym mraich " yn gynghanedd na syrffedai ef arni. Weithiau'n syml :

Merch rasol ym mraich Roser,

droeon eraill gyda thro cwrtais :

Merch hir ym mreichiau eryr . . .
Merch Ruffudd ym mraich Raffael . . .

Ond yn sydyn fe dry'r cwrteisi yn fflach o weledigaeth fawr wrth iddo ddilyn ach gwraig briod Robert Salbri Hen :

Merch Rys ym mreichiau'r oesoedd !

Y mae llinell fel yna'n codi darllenydd heddiw ar ei draed gan ddatguddio iddo ddyfnder etifeddiaeth Tudur Aled. Cafodd gan genedlaethau o feirdd o'i flaen ef y geiriau *gwaed* a *rhyw* i olygu teulu ac undod teulu. Os mynnwn ni heddiw geisio deall mor gwbl gymdeithasol oedd y meddwl Catholig Cymreig myfyriwn dro ar linell fel hon :

Crist a wna . . . .
Croesi gwaed Cors y Gedol.
(*croesi—bendithio ag arwydd y groes*)

Nid fel am unigolyn y meddylia ef am neb o gwbl. Y ffigurau sy fynychaf ganddo yw tebygu pen teulu i bren a'i blant yn ganghennau (yr un ffigur ag yn Efengyl S. Ioan) a thebygu teulu i lwyn o goed yn cyd-dyfu mewn parc. Yr oedd y rheini'n hen ystrydebau ond yr oeddynt yn llawn grym ac ystyr i Dudur. Y peth hanfodol i'w feddwl ef oedd y gwir unrhywiaeth a roddai perthynas gwaed i geraint. Clwyfwyd Tudur Llwyd o Iâl mewn ysgarmes wrth " ddial ceraint " a bu farw o'r brath. Canodd Tudur Aled farwnad angerddol iddo (t. 317), a phrin y cyfeddyf nad duwiol oedd y dial :

Dy ras, Duw, dros y dial,
Dyro nef i dëyrn Iâl.

Nage, nid oddi wrth rai fel Tudur o Iâl y gwelai Tudur Aled berygl i Gymru. Yr oedd hen hawliau'r genedl a'r gwely yn ddiogel gyda hwynt. Yr hyn a'i dychrynai ef oedd gweld gwasanaeth y Prins a'r ymelino am swyddi a chyfoeth yn bygwth adwyo'r hen undod teuluol Cymreig. Yr oedd rhyw-beth newydd yn codi ei ben, unigoliaeth cyfnod y Dadeni Dysg. Cyn terfyn y ganrif bydd Thomas Prys o Blas Iolyn yn cynghori ei fab :

Ni all swyddog, fradog frest,
Fadyn wên, fod yn onest ;
Na chred i'th frawd llwyrgnawd, llog,
Os yw heddiw yn swyddog.

" Na chred i'th frawd " ! Pan welodd Tudur Aled hyn yn codi ymhlith brodyr, yn bygwth diwreiddio'r llwyn a rhewi'r gwaed, fe adnabu argyfwng ysbrydol ei oes. Yr oedd swyddi'r Prins a'r cystadlu a'r cyfreithio newydd yn tanseilio sylfaen hanesyddol y gymdeithas Gymreig a'r cwbl oll a roddai ystyr a rheswm i'w alwedigaeth yntau. Gwelodd ef y perygl yn codi ym Môn ymhlith meibion Owain ap Meurig (t. 366). Gwelodd ef yn nes adref rhwng Roser Salbri a'i geraint, ac yntau'n ymbil :

Bwrw tŷ sy haws, Brutus had,
O gyd-alw, nag adeilad ;
Galw gyngor, golwg angel,
E gyd-ddwg y gwaed a ddêl ;
Brodyr a chefndyr i'ch ôl
A'ch gwaed, rhyw iwch gadw rheol ;
Cadwynbyst yn cadw Dinbych,
Coed o'r un gŵr cadarn, gwych. (t. 105)

Daliodd Tudur ei hunan mai ei gywydd cymod i Humphre ap Hywel a'i gyd-geraint oedd y pennaf o'i gywyddau. Yn hwnnw fe wyneba ef yn llawn holl drasiedi cyfnod Rhys ap Thomas. Buasai Hywel ap Siencyn farw ychydig cynt a chanodd Tudur :

Llwyn oedd im mewn lle neu ddau
Lle dringodd lleidr o angau,
Fforestwr a choedwr chwyrn
A gur coed a gwŷr cedyrn.

Ond lleidr gwaeth nag angau sy'n bygwth yn awr :

Dy ryw'n gryf fel derw'n y gwraidd,
A'r llwyn derw oll yn diwraidd . . .

Wyrion Ynyr o Nannau,
Och, gwae ni hwnt, eich gwanhau . . .

A dywed yr achos :

Mae, oes heddiw, am swyddau
Megis hyn yn ymgasáu ;
Doe'r oedd gas yn diwraidd gwŷr,

a gwêl Tudur mai tynged y genedl oll oedd yn y fantol :

Cymru'n waeth, caem, o'r noethi,
Lloegr yn well o'n llygru ni . . .

a'r hyn nas medrodd na rhyfel na gormes y bymthegfed ganrif :

Nis gall estron ohonun,—
Chwychwi a'i gellwch eich hun.

Yr oedd llwyddiant a chyfoeth newydd y teuluoedd Cymreig, yr union bethau y rhoes Tudur ei fywyd i'w clodfori, wedi eu gosod hwynt ar ben rhod Ffortun :

Heddychu heddiw uchod
A wnâi parhau'n nhop y rhod ;
Coded ei chefn, ceidw Duw chwi,
I'ch gwaed gedwch gydgodi ;

Cydgodi, yr holl deuluoedd Cymreig, y genedl unedig ; ni freuddwydiasai Tudur ond am hynny. Dyna oedd ei obaith ef am droi gwasanaeth y Prins yn lles parhaol i Gymru, yn ddiogelwch i'w hen wareiddiad hi :

Coed a ddyly cyd-ddeiliaw,
Cedwch y llwyn coed i'ch llaw,
Y llwyn, o bai oll yn bêr,—
Llwyn chwerw yw lle ni charer.

A dadleua'n daer ddwys, gan alw ato holl nerth ei awen a'i athroniaeth, gan dreiddio i ystyr ei hoff ffigurau, y llwyn, y gwaed :

Gwaed rhywiog gwedi'r rhewi,
Datod dy waed atat ti ;
Tyn y rhew i'r tân y rhawg,
Tawdd dy lid, hydd dyledawg . . . .
Treiwch wenwyn trwy'ch iawnwaed,
Triagl yw gwynt arogl gwaed.

Bu'r cywydd hwn yn dra enwog erioed ; ond o'i weld fel yma, yn ddrych i'r argyfwng mawr yn hanes Cymru, yn ddadl angerddol bardd proffwydol yn wyneb ymddatod ac ymchwalu ei oes, daw ei fawredd yn amlycach, ac fe ddwg drasiedi siom a dadrithiad i ganol holl ganu Tudur i'r swyddogion a'r cyfoethogion newydd. Canys y llwyn Cymreig a garodd ef gymaint—

Llwyn chwerw yw lle ni charer,

ac unigoliaeth oes y Dadeni a orfu. Y mae'n briodol ac addas mai gwisg Sant Ffransis, yr ymgosbwr a ymwadodd â chyfoeth a swydd, a roes Tudur Aled amdano i farw.

[*Efrydiau Catholig*, i (1946), 32-46].

PENNOD XIII

DAMCANIAETH EGLWYSIG BROTESTANNAIDD

I

HYD at gyfnod diweddar fe ffynnai ymhlith haneswyr yn Lloegr a Sgotland a Chymru ac yn y cylchoedd Protestannaidd yn Iwerddon ddamcaniaeth am Eglwys Geltaidd annibynnol ar Rufain, Eglwys efengylaidd ac ysgrythurol a gadwasai, hyd onis gorchfygwyd, burdeb di-bab a diofferen y Ffydd Gristnogol apostolaidd a chyntaf. Dyry M. V. Hay yn *A Chain of Error in Scottish History* (Llundain, 1927) drem ar ledaeniad y ddamcaniaeth yn Lloegr a Sgotland ac Iwerddon ac ar gyfandir Ewrop yn y ddwy ganrif ddiwethaf. Gwrthodwyd y ddamcaniaeth bellach gan bob hanesydd cyfrifol. Ond y mae hanes ei threigliad yn rhan o hanes meddwl sy'n ddiddorol ac a fu'n ddylanwadol. Ni cheisiodd neb eto, hyd y gwn i, astudio twf a lledaeniad y ddamcaniaeth yng Nghymru. Bu iddi ran bwysig yn nadleuon politicaidd y frwydr ynghylch Datgysylltiad yr Eglwys yng Nghymru. Cynhyrchodd gorff sylweddol o lenyddiaeth o'r ail ganrif ar bymtheg hyd at yr ugeinfed. Ni ellid gosod y ddamcaniaeth yn fwy cryno nag a wnaed gan yr Esgob Burgess o Dyddewi yn ei lyfr, *Tracts On The Origin And Independence of The Ancient British Church, Etc. . . . By The Bishop of St. David's* (London, 1815) :

> An ancient and frequent intercourse had subsisted between the Churches of Rome and Britain, as long as Britain was a part of the Roman empire, and for some years afterwards. For the churches of Rome and of Britain were then the same in doctrine at least, if not in discipline. But two centuries made a great difference in the progress of error and innovation. And the church of Britain, which in the *fourth* century was an independent Church, was also, at the commencement of the *seventh*, a truly PROTESTANT Church, protesting against the corruptions of superstition, images, and idolatry, and refusing all communion with the Church of Rome. (tt. 105-6).

Ni cheisiodd Hay yn ei lyfr ef olrhain y " gadwyn o gamgymeriadau " i'w chychwyn. Bodlonodd ar gyfeirio at yr Archesgob Usher, " un o ysgolheigion mawr yr ail ganrif ar bymtheg." Gwir fod gan Usher ran bwysig dros ben yn lledaeniad y ddamcaniaeth, a phwysa'r holl ddeunawfed ganrif ar ei awdurdod ef. Yn 1678 cyhoeddodd Thomas Jones o Groesoswallt gyfrol sylweddol: *Of The Heart and its Right Soveraign: And Rome no Mother-Church to England, Or An Historical Account of the Title of Our British Church ; and by what Ministry the Gospel was first Planted in every County*, etc. . . . O'r safbwynt Cymreig, hwn yw'r llyfr helaethaf ar y testun cyn Theophilus Evans a'r Esgob Burgess, a dywed Thomas Jones am Usher :

> The great and memorable Archbishop Usher (whose memory ought ever to be especially dear to *Brittains*) is often cited in His Book, *de Britannicarum Ecclesiarum Primordiis*, ... which he writ, at the command of King James, as a Collection on purpose, for such an use, with great pains and judgment, and truth, and helpes, several wayes, and particularly from the late chief Antiquary of *Wales*, *Mr. Rob. Vaughan* of *Hen-gwrt*, with whom he corresponded.

Dyna awgrym fod gan y ddamcaniaeth gysylltiadau arbennig Gymreig, a dengys Burgess (*Op. Cit.* 77) dras Gymreig y ddamcaniaeth :

> The Old Chronicle mentioned by Bishop Davies in his Letter to Archbishop Parker, is quoted also in his Preface to the Welsh Translation of the New Testament printed in 1567. The Bishop's Preface was reprinted (Anthony Wood says) " Among other things, and published by Charles Edwards, a Welshman, Oxf. 1671, in oct." It is quoted, with reference to the Old Chronicle, by Theophilus Evans, Vicar of Llangamarch, in his Drych y Prif Oesoedd (1740).

Dyna linell Gymreig sy'n arwain yn ôl yn syth o *Ddrych y Prif Oesoedd* i *Epistol at y Cembru* yr Esgob Richard Davies yn 1567.

Bu Dr. Robin Flower, yn ôl y cofnod amdano yn y *Times* wedi ei farwolaeth, yn gweithio ar hanes y ddamcaniaeth hon yn ei flynyddoedd olaf. Cyhoeddodd ef yn y *National Library of Wales Journal* (*Vol. II*, *No.* 1, 1941), erthygl werthfawr ar *William Salesbury, Richard Davies, and Archbishop Parker*. Gellir crynhoi rhai o bwyntiau Flower :

1. Yr oedd yr Esgob Richard Davies a William Salesbury ynghyd yn Abergwili yn 1566 ac yn gohebu â'r Archesgob Parker.

2. Un o brif bynciau'r ohebiaeth oedd y ddamcaniaeth hon am Eglwys Gymreig annibynnol ac ysgrythurol. Cyhoedd-odd Parker a Joscelyn, ei ysgrifennydd, yn 1566 neu 1567, *A Testimonie of Antiquitie*, a dywed Flower :

> The insistence on the practice and doctrine of the British and Saxon Church by both Bishop Davies and Archbishop Parker at the same time shows them at one in seeking in ancient documents evidence making against what the Reformation church held to be the corruptions of Rome.

3. Dyfynna Flower ddarn o lythyr oddi wrth Richard Davies at Parker yn cyfeirio at hanes a gafodd ef mewn hen *Cronicle of England* :

> One notable story was in The Chronicle. howe after the Saxons conquered contynewall warre remayned bytwext the Bryttayns (then inhabitauntes of the realme) and the Saxons, the bryttayns being Christians, and the Saxons paganes as occacion served they somtymes treated of peace and then mette together, communed together, and dyd eate and drynke together, but after that by the meanes of Austen, the Saxons became Christianes, in such sort as Austen had taught them. The Bryttayns wold not after that nether eate nor drynk with them nor yet salute them, bycause they corrupted with superstición ymages and ydolatrie the true religion of Christe, whyche the bryttayns had reserued pure amonge them from the tyme of kyng Lucius.

Dengys Flower debyced y darn hwn i baragraff enwog yn yr *Epistol at y Cembru*. Dangosais uchod fod Burgess yn 1815 wedi dyfynnu'r un llythyr ac wedi dangos ei gysylltiad â'r paragraff yn *Epistol* Davies, ond bod Burgess hefyd wedi sylwi ar ddyfyn-iad Theophilus Evans o'r unrhyw baragraff (gweler argraffiad Urdd y Graddedigion, t. 255).

Dengys ysgrif Flower fod cysylltiad agos rhwng cwmni Richard Davies a chwmni'r Archesgob Parker. Dywed John Strype, *Life and Acts of Matthew Parker*, am yr archesgob :

> His learning though it were universal, yet it ran chiefly upon antiquity. Insomuch that he was one of the greatest antiquarians of the age. The world is ever beholden to him for retrieving many ancient authors, Saxon and British as well as Norman, and for restoring and enlightening a great deal of the ancient history of this noble island.

Am ei ysgrifennydd Joscelin fe ddywed Strype :

> What assistance John Josselyn, an Essex man, the Archbishop's Secretary, gave to this work, was undoubtedly very considerable . . . He made great collections out of the English ancient historians, ... among many other tracts out of the ancient historians a discourse ensues under this title : *De Vetustate Britannicae Ecclesiae Testimonia*. . . . The next title of discourse is: *quis primo Christi doctrinam tradidit Britannis.* The next this : *Brittannos amplexos Christi fidem, nunquam postea prolapsos esse ad ethnicismum.* The next : *De Christiana Religione publica Lucii Regis authoriate introducta* . . . The groundwork seemed to be Josselin's yet the Archbishop made many alterations, corrections, additions, and put the last hand to it. (Strype, II, 251).
>
> I make little doubt the Archbishop appointed other learned men about him to make their collections to the same end and purpose. Who also might compose as well as collect their shares and portions, as well as Josselyn. (Ibid 246).

Cynnyrch hyn oll oedd y ddau waith a gyhoeddwyd gan Parker yn 1572, a roes ei sêl ef ar y ddamcaniaeth am brif eglwys Frythonaidd efengylaidd ac anrhufeinig, sef *De Antiquitate Britannicae Ecclesiae*, etc., a'r rhagymadrodd i argraffiad yr Archesgob o'r Beibl Mawr, lle y dywedir :—

> How King Lucius sent to Eleutherius, Bishop of Rome, requiring of him the Christian Religion, but that Eleutherius gave over the care to the king in his epistle ; 'For that the King is Vicar of God in his own kingdom . . . and for that he had received the faith of Christ and had both Testaments in his kingdom' . . . which story he collected from the archives of the Church of Landaff, out of the Life of Dubricius, and out of Capgrave. (Ibid, II, 218).

Aeth yr amddiffyniad hwn o sefydliad gwladol Eglwys Loegr mewn i waith Usher ac i *Ddrych y Prif Oesoedd.* Gellir casglu felly (1) mai'r blynyddoedd 1565-1573 fu cyfnod lledaeniad y ddamcaniaeth Brotestannaidd ac mai *Epistol at y Cembru* Richard Davies oedd y mynegiant cyflawn cyntaf ; ac (2) mai o Gymru, yn arbennig o Abergwili, y daeth y ddamcaniaeth i Parker, ond bod gweithgarwch a diddordebau hynafiaethol yr archesgob wedi hybu'r gwaith a'i fod yntau wedi casglu ategion i'r ddamcaniaeth oddi wrth esgobaethau Cymreig eraill.

Diddordeb yr astudiaeth hon yw ei bod hi'n taflu golau ar

feddwl y dyneiddwyr Protestannaidd Cymreig ac ar gyfnod dyrys a phwysig yn hanes llenyddiaeth yng Nghymru. Yr amcan yw ceisio darganfod awdur cyntaf y ddamcaniaeth a deall sut y lluniwyd hi a sut y tyfodd. Mi gymeraf fod y dyneiddwyr Cymreig hyn yn ddiffuant wrth gynnal y ddamcaniaeth a'u bod yn ei chael hi'n gyson â'u syniadau eraill hwynt am draddodiadau Cymru. Nid ffugio chwedl am hen eglwys y Cymry a wnaethant. Y mae llymder M. V. Hay tuag at yr haneswyr yn y bedwaredd ganrif ar bymtheg a dderbyniodd y ddamcaniaeth, yn gyfiawn. Fy nhasg i yw chwilio am olau ar feddwl y dyneiddwyr Cymreig a luniodd y ddamcaniaeth yn yr unfed ganrif ar bymtheg ; ac yr wyf yn bwrw eu bod yn onest.

Y mae gennym felly dair dogfen Gymreig o'r cyfnod 1567-1572 i'w hastudio, sef yr *Epistol at y Cembru*, a llythyr William Salesbury *At yr oll Cembru* ar ddechrau *Testament Newydd* 1567, ac yna lyfr Lladin Humphrey Lhuyd a gyhoeddwyd yng Nghwlen yn 1572, *Commentarioli Britannicae Descriptionis Fragmentum*.

II

1. Ymranna'r *Epistol at y Cembru* yn ddwy ran, sef rhan hanesiol a rhan ddadleuol neu esboniadol. Wele grynhoi prif bwyntiau'r tracthawd.

Rhan I.

1. Bod Cymru ar ôl gwledydd eraill Ewrop yn croesawu'r diwygiad neu " ail vlodeuat Euangel."
2. Bod hynny'n anghyson â'r croeso cynnar a roes y Brytaniaid gynt i'r Efengyl a ddaethai iddynt drwy Ioseph o Aramathya.
3. Bod Ffydd Rhufain yn ddilwgr yn yr ail ganrif pan ddaeth cenhadon o Rufain i Brydain ; felly derbyniodd y Brytaniaid " grefydd Crist yn ddilwgr ac yn berffaith."
4. Felly y parhaodd hyd at amser Awstin Fynach, apostol y Saeson ; ceir trem frysiog ar hanes y cyfnod.
5. " Y Chrystynogaeth a ddug Awstin ir Sayson a lithrasai beth o ddiwrth puredd yr Efengel, a' thervynay'r hen Eglwys, ac ydoedd gymyscedic a llawer o arddigonedd, gosodigaythay dynion, a ceremoniae mution, anghytun a natur teyrnas Christ. Croeseu a' delway, crio ar y saint meirw, pendefigeth Escop Ruuain, dwr a' halen swynedic,

a chyfryw oferedd anhebic i ysprydoldep Evengil Christ a gymyscai Awstin a'r Chrystynogaeth a osodai ef ymhlith y Sayson. Chwith oedd can y Brytaniait welet y cymysciat, ar difwyniant hynny ar grefydd Christ. Ac am hynny ar ol ir Sayson dderbyn cyfryw amhur Chrystynogaeth a hynn attunt, nit oedd teilwng can y Britaniait gyfarch gwell ir un ohonynt . . ."

6. Yn ddiweddarach, trwy rym cleddyf, gorfu i'r Brytaniaid gytuno â " chrefydd y Saeson," sef gau ffydd Eglwys Rufain.

   (" Crefydd y Saeson " oedd enw'r Cymry ar Brotestaniaeth ; ceid yr un enw yng Ngwyddeleg. Yma y mae Davies yn troi'r enw ar Gatholigiaeth. Ceir dadl gyffelyb ynghylch y term " yr Hen Ffydd " gan Thomas Jones o Groesoswallt. (*Op. Cit. t.* 153, *n.*)

7. Collasai'r Cymry hefyd drwy ryfeloedd a damweiniau eu hen lyfrau a'u llyfrgelloedd, gan gynnwys yr Ysgrythur Lân.
8. Dug celfyddyd printio yn awr oleuni o newydd i'r byd, ond hyd yn hyn ni fanteisiodd y Cymry arni.
9. Ffynasai'r Efengyl yng Nghymru yn amser y Brytaniaid pan oedd " aml ddarlleydd gair Dyw," ond ni chyfrannodd y Cymry yn y goleuni newydd o ddiffyg y Bei[illegible] eu hiaith a llyfrau printiedig.
10. Unioni'r cam hwnnw yw bwriad cyhoeddi'r Testament Newydd, canys y Beibl yw'r unig awdurdod mewn crefydd, —" *yma yn unig* i ceir gwybodaeth am ordinhaad, llywodraeth, a' thragwyddawl wollys Duw."
11. " Pobl y Testament newydd herwydd dyfodiat Christ a gowson rhydit a' gollyngtot a wrth oll ceremoniae, ffyguray . . . . Dau arwydd heb fwy a ordinhaodd Christ i bopl y testament newydd ; Bedydd a' Chymmun."
12. Yn y Testament hwn caiff y Cymro yr hen ffydd a'r Gristnogaeth ganmoladwy a " oedd gennyt gynt."
13. Canys bu'r Beibl yn " ddigon cyffredin yn Gymraeg " gan yr hen Frytaniaid, a'th " rei dyscedic gynt."

Rhan II

Profion mai'r un ffydd a fu gan yr hen Frytaniaid â ffydd y Diwygwyr, mai'r Beibl oedd eu hunig awdurdod a bod eu gwybodaeth o'r Ysgrythur Lân yn drylwyr :

1. Tystiolaeth Eusebius.
2. Profion oddi wrth yr hen ddiarhebion Cymraeg ac " ymadroddion cyffredinol." Dyma'r adran helaethaf yn yr ail

ran. Manylir i brofi pynciau Protestaniaeth oddi wrth ddiarhebion neu ymadroddion llafar gwlad. Er enghraifft, dangosir bod " Y Mab rhad " yn profi cred yr hen Gymry mewn " ffydd heb weithredoedd."

3. Profion oddi wrth amldra enwau personol Cymraeg a dynnwyd o'r ddau Destament. Ar hyn gweler R. Flower, *Op. Cit. t.* 11 ar lythyr Salesbury at Parker.
4. Oddi wrth farddoniaeth yr hen feirdd, yn enwedig Taliesin sy'n dangos nad aberthu, ond pregethu, oedd swydd offeiriad yn Eglwys y Brytaniaid.

1. I ddarllenwyr heddiw y rhan a ymddengys wannaf a mwyaf mympwyol yn yr *Epistol* yw'r ddadl ar garn y diarhebion Cymraeg. Ebr Mr. W. J. Gruffydd amdani : " Gwneir cais i brofi bod yr hen Gymry yn gydnabyddus iawn â'r Ysgrythurau, ond rhaid cyfaddef mai gweiniaid anghyffredin yw profion yr Esgob " (*Llenyddiaeth Cymru, Rhyddiaith o 1540 hyd 1660*, t. 50). Dychwelaf at y pwnc hwn yn ddiweddarach. Y mae'n gysylltiedig â holl syniad y dyneiddwyr Cymraeg am draddodiad " Dysg yr hen Frytaniaid." Nid mympwyol mohono na dibwys. Ond digon yn awr y crynhoad uchod i ddangos mai'r *Epistol at y Cembru* yw'r datganiad cyflawn cyntaf o'r ddamcaniaeth Brotestannaidd am hen Eglwys y Cymry. Y mae'n ddogfen fawr mewn hanesiaeth a'i dylanwad yn estyn drwy ganrifoedd.

2. Byr yw llythyr William Salesbury sy'n dilyn, *At yr oll Cembru ys ydd yn caru Ffydd ei hen deidiau y Britanieit Gynt.* Dywed mai gorau ffydd yw'r Hen Ffydd, a'r Hen Ffydd yw ffydd y Diwygwyr, a gwae'r neb a'i geilw yn newydd (megis yr oedd yr arfer yng Nghymru). Dyry glod i Epistol "ail Dewi Mynyw," a phwysleisia mai galwad ydyw i'r rhai "nid ydych eto anyd 'rei bychein yn yr iawn ffydd" i ddychwelyd ati.

3. Ni chafodd Humphrey Lhuyd mo'i le haeddiannol eto fel un o'r pennaf o'r dyneiddwyr Cymreig a ffigur mawr yn hanes y Dadeni Dysg yng Nghymru. Cyfeiria Salesbury ato yn ei lythyr at Parker: " Thys gentleman after J. Leland and Jo. Bale, of all that I know in thys Isle, is most universaly sene in Histories and most singlerly skylled in rare subtilitees . . . . the most famous *Antiquarius* of all our country as well Demetiae as Venetiae." Dengys Flower (*Op. Cit. t.* 12) fod Lhuyd mewn cysylltiad agos ag ysgolheigion Caer-gaint ac Abergwili, yn

gydnabyddus iawn â Joscelin, ac yn un o gwmni Salesbury a Richard Davies : " When Davies was Bishop of St. Asaph, the three scholars had lived in close neighbourhood, Salesbury at Llansannan and Lhuyd at Denbigh . . . It was probably unnecessary for Salesbury to commend Lhuyd to Parker, for Lhuyd had been physician to the Earl of Arundel who was closely associated with the Archbishop in interest in the materials of English history and in the collection and copying of manuscripts." Tystia Richard Prys (*Historiae Brytannicae Defensio*, 1573) am Lhuyd : " Ille geographistoricus Humfredus Lhuidius, nunc mortuus, qui ob indefessum in historicis et mathematicis disciplinis studium, longiori vita fuit dignissimus." Dengys yr Athro G. J. Williams (*Rhagymadrodd, Gramadeg Cymraeg gan Gruffydd Robert*, tt. xcvii-xcix) fod Lhuyd hefyd mewn cyswllt â Gruffydd Robert. Bu ym Milan yn 1566-7. Efallai iddo fod yno o'r blaen, canys anodd credu mai yn 1566-7 y cafodd ef ergyd gan droed ceffyl a barodd iddo boen yn ei glun (neu boen sciatica) am flwyddyn gron ac yna adferiad llwyr wedi chwe dydd o driniaeth dyfroedd Bath. Canys bu Lhuyd farw Awst 31, 1568, ac fe edrydd yr hanes yn ei *Fragmentum* fel hen hanes. Yr oedd Lhuyd a Gruffydd Robert efallai o Ddyffryn Clwyd.

Yr unig ymdriniaeth fanwl ar Lhuyd hyd yn hyn yw *Atodiad D* y diweddar Ddoctor T. M. Chotzen yn *Cymmrodorion Transactions* 1937, tt. 129-144, ymdriniaeth dda a thra gwerthfawr. Teitl y paragraff olaf yw, " A oedd Lhuyd yn Gatholig ? " ac etyb Chotzen fel hyn :

> I have kept for the end a discussion of Lhuyd's religious opinions, which seem somewhat ambiguous . . . It would be difficult to think of the private physician of Lord Arundel and the friend of the fanatic brothers Owen as anything but a staunch Romanist. But would an unreserved Welsh Catholic really forget himself so far as to sneer at the national worship of St. Winifred ? After all, this attitude appears less startling if we only admit that the author, while remaining faithful to his Church, had developed some individual views which were by no means unprecedented. We need only think of Ortelius himself, who never left the Church, although he saw no harm in adhering to the " Family of Love ' of H. Nicolaes . . . Perhaps this agreement in religious opinions was in keeping with the harmony between both scholars.

Y ffaith yw bod ymdriniaeth Lhuyd â ffynnon Gwenfrewy yn gwbl gyson â safbwynt Catholig. Cydnebydd yn hael rinweddau'r ffynnon, ond dywed ei bod hefyd yn wrthrych *superstitiosus cultus*, peth a allai fod yn wir ac y gallasai'r Sant Thomas More ei ddweud. Ond er hynny, ac er i Lhuyd droi mewn cylchoedd Catholig pwysig a chynnal cyfeillgarwch â Chatholigion mawrion a brwd, ni allaf lai na synnu at farn derfynol Chotzen. Ymddengys i mi fod tystiolaeth ddiamwys a sicr ei fod yn Brotestant. Yn ei *Fragmentum*, a ysgrifennodd ef yn 1568, dyry groeso nid yn unig i *Destament Newydd* 1567 ond hefyd i'r *Llyfr Gweddi Gyffredin* :

> Pauci etiam ex rudiori populo invenies qui legere et scribere proprium sermonem, cytharamque suo more pulsare nesciunt : Nunc etiam et Sacra scriptura et preces ecclesiasticae in hac lingua impressae habentur. (Tud. 50).
>
> (Ychydig a gewch chwi hyd yn oed o'r bobl gyffredin na fedrant ddarllen ac ysgrifennu eu hiaith eu hunain a chanu'r delyn yn null eu gwlad ; ac yn awr hefyd fe geir yr Ysgrythur Lân a gweddïau'r eglwys wedi eu hargraffu yn eu hiaith).

Ac y mae Lhuyd (canys felly yr arferai ef ysgrifennu ei enw) yn un o brif ddatgeiniaid y ddamcaniaeth Brotestannaidd. Brolia yn y *Fragmentum* ddysg a llyfrau a llyfrgelloedd hen eglwys y Cymry a deil mai'r Saeson dan gymhelliad Awstin fynach a'i dinistriodd : *monasteria et bibliothecas vastabant* (tud. 11b) ; *monachos viros doctissimos delevisse* (22) ; dinistriwyd mynachlog Bangor gyda'i gwŷr dysgedig a'u llyfrau a llosgwyd ei llyfrgell. Dyry deirgwaith hanes y gwrthdrawiad rhwng Awstin, apostol y Saeson, a'r esgobion a'r eglwyswyr Cymreig, a phentyrra ei lid ar Awstin, gan ei alw yn waedlyd, yn greulon, yn llawn balchder a thraha, ac yn dra ofergoelus. Yr oedd *superstitiosus monachus* yn derm cryfach a thrymach o gas a gwawd yng nghyfnod cychwyn Protestaniaeth nag a fyddai heddiw. Dywed Lhuyd hanes y cyfarfod rhwng Awstin a'r esgobion Cymreig a'r rhyfel a ddilynodd oherwydd gwrthod ohonynt gydnabod archesgobaeth Caer-gaint ; a dywed hefyd mai Elfodd, archesgob Gwynedd, a unodd y Cymry ag Eglwys Rufain yn 762, ac iddo gael ei anrhydeddu gan y Pab o'r herwydd. Y mae'r *Commentarioli Britannicae Descriptionis Fragmentum*, a gyhoeddodd Ortelius yn 1572, yn un o ddogfennau pwysig cyfnod lledaeniad y ddamcaniaeth Brotestannaidd.

4. Gellir cloi'r rhan hon o'r hanes drwy ddangos yn fyr ddyled Parker yn ei *De Antiquitate Britannicae Ecclesiae*, 1572, i Richard Davies. Y bennod dan y teitl *Britannos Christi fidem amplexos nunquam postea descivisse*, etc. sy'n perthyn bennaf i'r pwnc hwn. Dyma eiriau Parker am Awstin, ei ragflaenydd yng Nghaer-gaint :

> Sed Augustinum Romanas potius consuetudines ac ceremonias, ne dicam superstitiones induxisse, et ad Papalem illum dominatum in Anglia obtinendum se callide insinuasse, et Anglicanas Ecclesias ex Romanis ritibus instituisse, potius quam Evangelium praedicasse, satis constat. (t. 12.)

Cymharer y geiriau a ddyfynnwyd uchod o'r *Epistol at y Cembru*,—" Y Chrystynogaeth a ddug Awstin i'r Saeson a lithrasai beth o ddiwrth puredd yr Efengel . . . ac ydoedd gymyscedic a llawer o arddigonedd, gosodigaythay dynion, a ceremoniae mution . . . pendefigaeth Escop Ruvain, . . . a chyfryw oferedd . . .". Y mae'r atsain yn eglur. Ac am hen eglwys y Cymry dywed Parker :

> Christiana itaque religio e Loegrensi, atque fere ex Albanensi provincia per Anglosaxones pulsa et deturbata, in Cambria retenta, et primis illis Christianis ritibus ab Asianis seu Orientalibus Ecclesiis per Lucium regem acceptis, adhuc publice culta fuit.

Ar y syniad mai o'r Dwyrain y daeth Cristnogaeth i Gymru, ac nad oedd ar yr eglwys Gymreig ddyled i Rufain na'r Gorllewin, y mae'r pwyslais. Ceir yr un pwyslais gan Lhuyd, *Britanni Asiaticos imitantes* (*Op. Cit*, 55b). Pwysigrwydd llyfr Parker, neu'r adran hon ohono, yw mai trwyddo y trosglwyddwyd y ddamcaniaeth Gymreig hon i fod yn rhan o'r traddodiad Anglicanaidd hyd at yr ugeinfed ganrif.

III

A ellir olrhain y ddamcaniaeth hanesiol hon yn ôl ymhellach na'r blynyddoedd 1566-7 ? A ellir darganfod ei hawdur gwreiddiol ?

Hawdd ateb y cwestiwn cyntaf. Yn ei *Fragmentum* (t. 6) dywed Humphrey Lhuyd ei fod ychydig flynyddoedd cynt wedi ei gynhyrfu gan feirniadaethau Polydor Vergil a Hector Boethius ar honiadau Cymreig, i ystyried ysgrifennu hanes

Cymru. Er mwyn hynny copïodd a chyfieithodd bopeth a ysgrifenasai hen haneswyr Groeg a Lladin am Brydain a phob mymryn perthnasol o waith hen feirdd Cymraeg, a throes i'r Saesneg (gyntaf o neb dyn erioed) hen hanes Cymraeg. Dyma gyfieithiad Lhuyd o *Frut* honedig Caradog o Lancarfan, eithr ychwanegodd Lhuyd nodiadau a sylwadau helaeth at ei gyfieithiad, a gwyddys iddo orffen y gwaith Gorffennaf 17, 1559. Cyhoeddwyd y cwbl gydag ychwanegiadau a gwaith golygyddol gan David Powel yn 1584 dan y teitl, *The historie of Cambria.* Ar ddalennau 254-5 ceir y brawddegau a ganlyn ; ar ymyl y ddalen (253) rhoes y golygydd enw H. Lloyd, fel y gellir gwybod mai Lhuyd piau'r paragraff :

> The noble Clerke Ambrosius Telesinus, who writing in the year 540, when the right Christian faith (which Joseph of Arемathia taught at the Ile of Avalon) reigned in this land, before the proud and bloodthirsty moonke Augustine infected it with his Romish doctrine, in a certaine Ode hath these verses :—
>
> Gwae'r offeiriad byd
> Nys angreifftia gwyd
> Ac ny phregetha, etc. . .
>
> The Brytaines the first inhabiters of this realme did abhorre the Romish doctrine taught in that time . . . . and that may be to us a mirrour to see our owne follie if we doo degenerate from our forefathers the ancient Brytaines in the sinceritie of true religion as we doo in other things . . .

Dyna'r ddamcaniaeth yn 1559. Ai Lhuyd yw awdur y ddamcaniaeth ? Yn yr *Epistol at y Cembru* fe ddyfynna Davies yn union yr un darn o waith honedig Taliesin i brofi mai swydd offeiriad yn hen eglwys y Cymry oedd pregethu, nid offrymu dros y byw a'r meirw. Ond fe'i ceir hefyd ar ail ddalen *Kynniver Llith a ban*, 1551.

Tri pheth ynglŷn â'r *Epistol at y Cembru* sy'n pwyntio at gysylltiad arbennig William Salesbury â'r ddamcaniaeth. Yn gyntaf, llythyr Salesbury ei hun " At yr oll Cembru," sy'n dilyn yn *Epistol*, llythyr od o fyr a dianghenraid yn ôl pob golwg, sy'n cymell astudio " Epistol ail Dewi Menew " ac megis yn cysylltu Salesbury ag ef :

> Nyt gwiw gwedy ef, yn enwedic y un cyn eiddilet ei ddysc a myvi yngan dim yn y devnydd y traethawdd ef o hanaw.

Yn ail, erthygl Mr. D. Myrddin Lloyd yn *N.L.W. Journal, II*, 14-16. Dengys Mr. Lloyd ddarfod i Salesbury ymyrraeth yn helaeth â'r *Epistol* ac ychwanegu ato mewn pum man, gan gynnwys y teitl, a bod yr olaf o'r chwanegiadau yn ddarn maith, yn dyfynnu o waith henfeirdd a chywyddwyr Cymraeg. Yng ngolau hyn y mae'r frawddeg uchod o lythyr Salesbury yn ysmaldod direidus a doniol. Amlwg fod Salesbury yn sicr o'i hawl i ymyrraeth yn yr *Epistol.*

Yn drydydd, y mae'r ddadl a godir yn yr *Epistol* oddi wrth y diarhebion Cymraeg a'r pwys a roddir ar y diarhebion hynny yn pwyntio'n ôl at *Oll Synnwyr Pen* William Salesbury. Fe gofir hefyd fod Salesbury yn 1550 wedi cyhoeddi pamffled *Ban wedy i dynny air yngair allan o hen gyfreith Howel da vap Cadell* i ddangos bod priodas offeiriad yn gyfreithlon yn hen eglwys y Cymry. Rhaid troi gan hynny i chwilio rhagair William Salesbury *wrth y darlleydd Camberaec-gar* ar gychwyn *Oll Synnwyr Pen Kembero ygyd*, 1547.

Maniffesto'r Dadeni Dysg a'r ddyneiddiaeth Brotestannaidd Gymreig yw'r llythyr hwn, allwedd sy'n agor drws cyfnod newydd mewn rhyddiaith a barddoniaeth Gymraeg. Nid dau beth ar wahân yw Dysg a Phrotestaniaeth gan Salesbury. Un ydynt. Protestaniaeth iddo ef yw'r wedd grefyddol ar ddyneiddiaeth, ar y Ddysg a oedd iddo ef yn ddychweliad at gyfoeth y clasuron Groeg a Lladin a Hebraeg, ac at gyfoeth y clasuron Cristnogol, y Testament Newydd a'r Hen. Ni thâl yn awr ddadansoddi'n fanwl y cwbl o'r llythyr *wrth y darlleydd Camberaec-gar.* Chwilio yr ydys am y ddamcaniaeth Brotestannaidd am hen eglwys y Cymry. Wele'r darn sy'n ei chynnwys :

> A ny vynwch vynet yn waeth nag aniueilieit (y rain ny anet y ddyall mal dyn) mynuch ddysc yn ych iaith : a ny vynnwch vod yn vwy annaturiol na nasion y dan haul, hoffwch ych iaith ac ae hoffo. A ny vynwch ymado yn dalgrwn dec a fydd Christ, a ny vynwch yn lan fyth na bo ywch ddim a wneloch ac ef, ac any vynnwch tros gofi ac ebryfygy i ewyllys ef y gyd achlan, mynwch yr yscrythur lan yn ych iaith, mal ac y bu hi y gan ych dedwydd henafieit yr hen Vrytanieit. Eithr gwedy wynt wy, pan ddechreod ych Rieni chwi, ae gohelyth wynt, (mal ydd hyspysa hen Cronicls) ddiystyry a diurawy am yr yschrythur lan, a gadael i llyfreu hi y orwedd yn gwrachot llychlyt mewn congleu didreigl ddyn, ac ystewy a moliant Deo, a hoffy cloduory eu enw ehunain : yd aeth Deo ac a baradd yddynt gael i

> galw yn aliwns ac yn estron genetl yn y ganedic wlat ehunain ac a baradd yddynt gasay a ffieiddio iaith i mammeu, rac dyscy o hanynt drwyddhi, y iawn adnabot ef, a rac bot trwy hynny yn catwedic. A llena weddill yr hen vellith ddeo er yn oes Kad-waladr vendigeit.

Cawn y ddamcaniaeth yma yn yr union gyflwr a ddisgwyliem, sef cyflwr cynnar ac amrwd. Beth a ddywedir yma ? (1) Bod gan yr hen Frytaniaid Ffydd Crist a'r Ysgrythur Lân yn eu priod iaith. (2) I'w disgynyddion hwynt ddiystyru'r ysgrythur a'i gosod heibio a cholli ei llyfrau, a throi oddi wrth foliant Duw at weniaith y beirdd. Diau mai gwaith Gildas yw'r " hen gronicl " y pwysir arno yn y dernyn hwn, a'i ddisgrifiad ef o feirdd Maelgwn, er nad yw'r amseriad yn gweddu i thesis Salesbury. Ond dylid cysylltu â'r rhan hon frawddeg ddiweddarach yn y llythyr sy'n sôn am y beirdd cyfoes â Salesbury, "ny bu ac nyd yw prydyddion ereill anyd yn cany dernyn o gywydd (i bwy bynac vo) o chwant derbyn." (3) Mai canlyniad anffyddlondeb y Brytaniaid i'w ffydd ac i'r Ysgrythur Lân oedd eu gorchfygu a'u galw yn aliwns (sef *Welsh*) yn eu gwlad eu hunain. Yma a hyd at derfyn y paragraff pwysa Salesbury ar benodau olaf *Brut y Brenhinedd*, ac yn wir fe ddefnyddia rai o union eiriau'r *Brut*. Gildas a Sieffre o Fynwy piau'r ddau hen "gronigl" a roes i'r Protestant ddeunydd crai ei ddamcaniaeth. Dehongliad Protestannaidd o esboniad Sieffre ar gwymp brenhinoedd y Brythoniaid yw cychwyn y ddamcaniaeth,—enghraifft arall o'r hyn a eilw Lloyd yn " ddylanwad anfesuradwy Sieffre ar gwrs mudiadau llenyddol yn Ewrop " (Lloyd, *History of Wales*, II, 523).

Bu Salesbury yn dra diwyd o 1546 hyd 1551 yn cyfansoddi a chyfieithu a chyhoeddi. Nid oes yn *The baterie of the Popes Botereulx*, 1550, ddim perthnasol i'r mater presennol, ond ceir ynddo ganmoliaeth i Polydor Vergil. Cyhoeddasai Vergil ei gyfrol fawreddog ar hanes Lloegr yn Basle yn 1534, ond ni cheir yn honno awgrym o'r ddamcaniaeth Brotestannaidd. Yn 1550 cyhoeddodd Salesbury *A briefe and a playne introduction teachyng how to pronounce the letters in the British tong, etc.* Yn hwn, tua'r terfyn, ceir llythyr at y *Maister Colingborne*, a rhaid dyfynnu'n weddol helaeth ohono :

> Whan the whole Isle was communely called Brytayne, the dwellers Brutes or Brytons, and accordyngelye their language

Brytishe, I wyll not . . . gaynsaye but theyr tonge than was as copious of fit wordes, and all manner of propre vocables, and as well adournated wyth worshypfull sciences, and honorable knoweledge, as anye other barbarous tonges were . . . and so styll continued (thoughe their Septre declined and theyr Kyngedome decayed, and they also were driven into the moste unfertyll region, barenest contrey, and moste desert province of all the Isle) untyll the conquest of Wales. For than (as they saye) the nobles and the greateste men of the countrey beynge captives, and brought prisoners into the tower of London there to remayne durynge their lives, desiered of a commune requeste, that they myght have wyth them all such bokes of their tonge as they moste delited in, and so their pticion[sic] was hearde, and for the lightnes sone graunted, and so brought with them al the principalest and chiefest bokes, as wel of their owne, as of other their frendes . . .

And that is the commune answere of the Walshe Bardes (for so call they their Poets or rime makers) whan a man shal object or cast in their teath the folysh uncertaintie and the phantasticall vanities of theyr prophecies (whyche they cal Brutes) or the doubtful race and kinde of living of their uncanonised saynteS : whom that notwythstanynge they boeth invocate and worshyp wyth the mooste hyghe honnoure and lowliest reverence. Addynge and allegynge in excuse thereof, that the reliques and residue of the bokes and monumentes, as well of their Sayntes lyves, as of their Brutyshe prophecies and other sciences (which perished not in the tower, for there they saye certayne were burned) at the insurrection of their contrye rebell Owen Glyndoor : were in like maner destroyed, and utterly devastat, or at the least wyse that there escaped not one, that was not uncurablye maymed, and irrecuparablye torne and mangled . . . . . .

I do not entend to encourage you nor anye man els, that is oner [*sic*] desierous to the studye of Brytyshe (I meane the language that by continuall misnomer, the recorder of the aunciente hostilitie, is called Walshe) I wyll not once speake a worde in praise of it, (thoughe and if I were learned I myght say somewhat to it) but willingly will pretermit to set forthe what select wordes, what consonant and fine termes, and what sentencious and net adages, whych the olde, sage, and learned fathers have not only invented, but also of the Grekes and the Latines moste prosperouslye have taken, translated, accepted, and untill thys daye stil retayned : I wyl omit to declare any white of the manifolde retorical phrases, I wyll winke at the

> tropes, metaphores, and translations, and such maner of speaches whych the Brytyshe tonge hath as commune, yea rather as peculiar or sisterlyke wyth the holy language [The Hebrue tonge] . . . . . And if I shoulde but once enter to treat of the unspekeable felicitie, and the wonderous graces of the Brytishe meters (who his inexplicable observative composition no man but bi the onely gifte of nature hath ever attayned) I should never make an ende. But nowe after thys, oh, howe it greaveth me to disclose the unfayned trueth, and to confesse the undisimuled veritie, that there remayneth now but walsh pamphlets for the goodly Brytish bokes, sometyme so well furnished wyth all kynde of literature ; and so fewe Brytyshe fragments of the booke of Christes owne religion remain unwormeaten, and defended from iniurie of tyme, and the booke of Howel da ap Cadell so longe preserved salfe and sounde. Yea, it is rather to be lamented and greatly to be sorowed to se howe fewe Walshemen have the knoweledge of the Englyshe tonge, whyche as by the next way mought nowe restaurate for the outworne baren Britishe, the reliques of the noble Britons to their ever affectionate knowledge and accustomed learnynge of good letters, pietie, and godlines . . . . . .

Fe welir bod yr hanes am losgi llyfrau'r hen Gymry yn y tŵr yn Llundain ac wedyn yn rhyfel Owen Glyndŵr wedi ei drosglwyddo oddi yma i'r *Epistol at y Cembru.* Ceir yma hefyd ran bwysig o'r ddadl oddi wrth yr hen ddiarhebion Cymraeg. Trwy'r cwbl, ond yn arbennig tua'r terfyn, ceir yr egwyddor mai crefydd Ysgrythurol oedd crefydd yr hen Gymry, a bod ganddynt y Beibl yn eu hiaith gyda phob dysg arall, ac mai'r un oedd eu crefydd hwy â chrefydd ddiwygiedig y Saeson a arddelid gan Salesbury ei hun.

Ymddengys gan hynny, oni ddaw rhyw olau gwahanol, mai William Salesbury yw awdur gwreiddiol y ddamcaniaeth Brotestannaidd. Ef a'i cyhoeddodd gyntaf a'i datblygu. Efallai mai Humphrey Lhuyd a droes hanes y gwrthdrawiad rhwng Awstin, apostol y Saeson, ac eglwys y Cymry yn wrthdrawiad rhwng dwy grefydd. Tyfodd y ddamcaniaeth i'w chyflawn ffurf yn ymddiddanion Salesbury a Lhuyd a Richard Davies. Aeth y ddamcaniaeth allan dan enw'r Esgob fel galwad i Gymru i *ddychwelyd at ei hen ffydd* gyda *Thestament Newydd* 1567. Yn 1572 aeth allan dan enw Archesgob Caergaint i'r holl wledydd Protestannaidd.

IV

Bellach ceisiwn ddeall sut y lluniwyd a sut y tyfodd y ddamcaniaeth hon am hen eglwys y Cymry, a deall meddwl ei chynheiliaid, y dyneiddwyr Cymreig o 1547 hyd 1572, ac yn arbennig feddwl William Salesbury. Yr ydym yn awr yn dathlu pedwar canmlwyddiant cyhoeddiad ei lyfr cyntaf ef. Mae'n rhyfedd ddigon, er cymaint y clod a roddwyd i Salesbury, nad oes neb wedi ymroddi i astudio'i weithiau ef yn drwyadl nac i ddehongli ei feddwl a'i ymateb i broblemau ei oes. Un agwedd, eithr agwedd bwysig, ar ei feddwl ef ac ar feddwl y dyneiddwyr cyfoes ag ef a astudir yma. Ceisir dangos mai ateb i un o broblemau pennaf dyneiddiaeth Gymreig ym mlynyddoedd canol yr unfed ganrif ar bymtheg oedd y Ddamcaniaeth Brotestannaidd.

Rhaid dysgu deall iaith Salesbury a'i gymheiriaid. Hawsaf peth yw ei chamddehongli, oblegid ein bod ni heddiw'n defnyddio'r un termau i gyfleu syniadau ac amgylchiadau ein hoes ein hunain. Dyma enghraifft ; dywedodd Salesbury yn *Oll Synnwyr Pen* :

> a chymerwch hyn yn lle rybydd y cenyf vi : a nyd achubwch chwi a chweirio a pherfeithio r iaith kyn darvod am y to ys ydd heddio, y bydd ryhwyr y gwaith gwedy.

Deallodd llawer fod Salesbury'n dweud bod yr iaith Gymraeg ar drengi a bod rhaid ei "hachub" yn y genhedlaeth honno ; gwysiwyd tystion eraill a ddefnyddiai iaith gyffelyb ; ac yna dadleuwyd ddyfod y cyfieithiad Cymraeg o'r Beibl mewn pryd i "achub yr iaith." Ni ddywed Salesbury o gwbl fod yr iaith Gymraeg ar drengi. Yn hytrach fe'i cawn yn cwyno droeon mai uniaith Gymraeg oedd y mwyafrif o'r Cymry yn ei oes ef, ie hyd yn oed o'r boneddigion. A gwelsom i Humphrey Lhuyd ddweud yn 1568 nad oedd ond ychydig iawn o'r bobl gyffredin yng Nghymru na fedrent ddarllen ac ysgrifennu Cymraeg. Nid oes angen crynhoi tystiolaeth ; darllener eto derfyn llythyr Salesbury at Colingborne.

Rhaid gwylio hyd yn oed wrth ddarllen pethau sy'n ymddangos mor argyhoeddiadol â disgrifiad enwog Gruffydd Robert o'r Cymry "yn gyttrym ag y gwelant afon Hafren, ne glochdai Ymwithig, a chlowed Sais yn doedyd unwaith good morow, a ddechreuant ollwng i Cymraeg tros gof." Cyn cysylltu hyn â Jac Glan y Gors a phrofiadau modern, arafwn ac ystyriwn at ba ddosbarth o Gymry y cyfeirir, a pha nifer oeddynt a deithiai i Loegr, a chofier fod Joachim Du Bellay yn dweud yn debyg yn 1549 am Ffrancwyr :

> Pourquoy doncques sommes-nous si grands admirateurs d'autruy ? . . . Pourquoy mendions-nous les langues etrangeres comme si nous avions honte d'user de la nostre ?

a bod llu o gyfeiriadau at yr un nodwedd ar Saeson oes Elisabeth. Cofiwn fod yr un frwydr wedi ei hymladd mewn sawl gwlad, ac mai tuedd gyntaf y dyneiddwyr eu hunain oedd gwadu addasrwydd pob tafodiaith yn ei thro i fod yn iaith urddas a Dysg. Pan astudier datganiadau'r dyneiddwyr Cymreig am gyflwr y Gymraeg yng ngolau eu cyfnod eu hunain a'u cyfoeswyr yn Ewrop, fe ddeellir gymaint y camddehongli a wnaeth gwladgarwch modern arnynt. Crewyd "myth" am argyfwng yr iaith wedi'r Ddeddf Uno a dyfodd mor braff â'r Ddamcaniaeth Brotestannaidd. Nid na bu argyfwng, fel y ceir gweld. Ond argyfwng dyneiddiaeth ydoedd.

Mudiad pendefigaidd oedd dyneiddiaeth. Ei nod oedd dwyn Dysg o'r prifysgolion i lys y Tywysog i fod yn addurn ar ymddiddan gwyrda a rhianedd, gosod ysgolheictod yn foes ac yn fireinder ar ymgomion boneddigion, i decáu a chyweirio segurdod newydd eu bywyd. Gan hynny, od oedd iaith gwlad i brifio'n iaith pendefigaeth newydd y Dadeni, rhaid oedd iddi ymddieithrio megis Lladin neu Roeg oddi wrth iaith sathredig y bobl gyffredin, a magu urddas geirfa a throeon ymadrodd a dulliau mynegiant ar wahân. Chwedl Don Adriano De Armado yn *Love's Labour Lost*, "Arts-man, praeambula : we will be singled from the barbarous," neu chwedl Salesbury :

> A ydych chwi yn tybieit nat rait amgenach eirieu, na mwy amryw ar amadroddion y draythy dysceidaeth, ac y adrodd athrawaeth a chelfyddodeu, nag sydd genwch chwi yn arueredic wrth siarad beunydd yn pryny a gwerthy a bwyta ac yfed ?

Wrth fwyta ac yfed yr ymgomiai'r pendefigion newydd a'r dyneiddwyr a gymerwyd ganddynt yn athrawon i'w neuaddau; ond yr oedd yn weddus i'w siarad hwy gynnwys amrywiaeth ymadroddion (ffigurau rhetoreg llyfr Salesbury) a geirfa a rhithmau ac arddull a drôi eu siarad yn gelfyddyd llys, yn iaith ar wahân i iaith y bobl gyffredin. Dywedais mai maniffesto'r Dadeni yw rhagair *Oll Synnwyr Pen.*

Troi'r Gymraeg yn iaith llys, dyna ystyr achub yr iaith a'i chweirio a'i pherffeithio. A mynnodd Salesbury oni wnelsid hynny "cyn darfod am y to y sydd heddiw, y byddai ryhwyr y gwaith wedyn." Diau mai Deddf Uno Cymru a Lloegr a oedd ym meddwl Salesbury, a holl dueddiad polisi Harri Wyth. Ni phrotestiodd Salesbury yn eu herbyn ; eithriad oedd dyneiddiwr a ddywedai ddim yn erbyn polisi Prins. Croesawodd Salesbury bolisi ei frenin. Ond mewn cyfnod pan oedd gwyrda'r Dadeni ym mhob gwlad yn amlieithog, tybiodd Salesbury y gellid croesawu'r ail adran ar bymtheg o'r Ddeddf Uno ac er hynny gadw'r bendefigaeth Gymreig, llys Cyngor Cymru, yr oedd llenorion Cymraeg yn aelodau ohono, llysoedd yr esgobion a neuaddau'r arglwyddi, yn Gymraeg eu hymddiddan. Sut y medrid hynny ? Trwy apêl at eu dyneiddiaeth a thrwy arddangos y Gymraeg iddynt yn iaith Dysg ac yn iaith deilwng o'u gwladgarwch. *Gwladwriaeth* yw gair Salesbury am wladgarwch, a defnyddir *gwladwr* ganddo ef a William Llŷn a chan John Davies yn 1632 am wladgarwr. Cwyna Salesbury oblegid diffyg gwladgarwch y boneddigion Cymraeg wrth iddo ddyheu am "ymgeledd gwladwriaeth yr iaith" :

> Oh y pa peth ydd yngeneis i am wladwriaeth, can na ys gwyr Kymbro heddyo o pa han yw gwladwriaeth.

Dannod sydd yma i'r boneddigion Cymreig nad oedd ffasiwn dyneiddiaeth wedi cyffwrdd â hwynt. Ymlyniad balch wrth iaith a hanes mamwlad oedd gwladgarwch dyneiddiaeth. Erys yn nodwedd ar yr holl ysgol yng Nghymru hefyd. Tybiai John Prys a Lhuyd fod Polydor Vergil yn amddifadu Cymru o seiliau gwladgarwch dyneiddiol wrth ymosod ar Sieffre o Fynwy a'r chwedlau am Arthur ; codasant i amddiffyn eu creiriau. Ar gyfer pendefigion dysgedig ac amlieithog Cymru yr ysgrifennent hwy eu Lladin a Salesbury ei Gymraeg a'i Saesneg. Gwelodd Salesbury yn graff a chywir fod dyfodol y Dadeni Dysg a chyflawni holl raglen uchelgeisiol dyneiddiaeth yn yr iaith Gymraeg yn dibynnu ar ennill y bendefigaeth newydd i arddel yr iaith a noddi'r dyneiddwyr "cyn darfod am y to y sydd heddiw." Onid dyna ystyr ei apêl daer ef am nodded a mawrhad i Ruffydd Hiraethog ? Yr oedd cysgod y Ddeddf Uno yn bygwth cuddio haul y Dadeni oddi wrth y Gymraeg. Sut y gellid profi bod yr iaith Gymraeg yn iaith Dysg, yn iaith a haeddai nawdd ac arddeliad urddasolion y wlad ?

Dygai iaith ddysgedig, megis Groeg a Lladin, dri nod, sef ei bod yn iaith llys a thywysog, a'i bod yn iaith ysgol yn ôl traddodiad Quintilian, a bod ei chynnwys yn *sapientia*, yn ddoethineb a gwybodaeth a chelfyddyd, a hynny wedi ei drysori mewn llyfrau.

Nid oedd raid profi fod y Gymraeg gynt yn iaith brenin a thywysog ; gŵr llys yw Taliesin yn y *Bardd Cwsc*. Ond rhaid profi'r ddau nod arall ar y Gymraeg. Aeth Salesbury a'i gymrodyr at y beirdd.

Dyma'r man y mae'r dyneiddwyr Cymreig a mudiad y Dadeni yng Nghymru yn ymddidoli oddi wrth ddyneiddiaeth gweddill gogledd Ewrop. Mae'r pwynt yn bwysig, canys fe effeithiodd ar holl gwrs llenyddiaeth Gymraeg. Ac y mae'n perthyn i'r ymchwil bresennol, oherwydd oni buasai hyn, ni chodasai'r ddamcaniaeth Brotestannaidd.

Hawsaf dangos y gwahaniaeth yn fyr drwy gymryd llyfr Du Bellay, *La Défense et Illustration de la Langue Française*, 1549, a elwir yn gyffredin yn faniffesto'r Pléiade, a'i gymharu â llythyr Salesbury at Colingborne yn 1550 a rhagair *Oll Synnwyr Pen*, 1546. Ni fanylaf, ond bodloni ar ddangos y gwahaniaeth rhwng agwedd y ddau ddyneiddiwr tuag at feirdd o'u hiaith yn yr oesoedd o'u blaen. Nid rhaid dweud bod wmbredd o bethau tebyg i'w gilydd ganddynt, ond sylwer ar y gwahaniaeth hwn. Dyma a ddywed Du Bellay am farddoniaeth Ffrangeg :

> O'r holl hen feirdd Ffrangeg, prin fod ychwaneg nag un, sef Guillaume du Lauris a Jean de Meun [dau, ond awduron un gerdd, Rhamant y Rhosyn], yn teilyngu ei ddarllen, ac nid oblegid bod ynddynt hwy ddim a dalai i feirdd modern ei efelychu, ond er mwyn gweld megis llun cyntefig o'r iaith Ffrangeg, sy'n barchus oherwydd ei benwynni (Pen. II.)

Yn y bedwaredd bennod gorchymyn Du Bellay i feirdd y Pléiade droi oddi wrth toutes ces vieilles poesies françoises . . . et autres telles espiceries qui corrompent le goust de nostre langue et ne servent sinon à porter tesmoignage de nostre ignorance. [sef, yr holl hen gerddi Ffrangeg a phetheuach siop groser o'r fath, sy'n llygru blas ein hiaith ac na wasnaethant ond i brofi ein diffyg dysg.]

Dyna agwedd normal y dyneiddwyr tuag at gelfyddyd a llenyddiaeth yr Oesoedd Canol, dirmyg tuag at lenyddiaeth siop groser, neu yng ngeiriau Salesbury pethau mewn iaith "arferedig wrth siarad yn prynu a gwerthu." Gwnaeth y dyneiddwyr Cymreig eu gorau i ddilyn y ffasiwn. Ond ni fedrent. Y ffordd rwydd oddi wrth Du Bellay at Salesbury yw honno a agorir yn wythfed bennod y *Defense et Illustration.* Honnir yno mai oddi wrth Bardus, frenin Gâl, y deilliodd galwedigaeth y Bardd Celtaidd, a bod tystiolaeth am bobl Gâl gynt :

Que les Gaules anciennement avaient esté florissantes, non seulement en armes, mais en *toutes sortes de sciences et bonnes lettres.*

Dyna'r ddolen gyswllt â Salesbury :

Pop oes a adawodd Maugnant, Merddin Embris, a Thaliessin, ef a Merddin Wyllt eu ddiscipl, ac Ystuduach vardd yn ddoethion yn ddyscedic ac yn gymen . . . Theyr tonge than was as copious of fit wordes . . . and as well adournated wyth worshypfull sciences, and honorable knoweledge . . . . and so styll continued . . . untyll the conquest of Wales . . .

What select wordes, what consonant and fine termes, and what sentencious and net adages, whych the olde, sage, and learned fathers have not only invented, but also of the Grekes and Latines moste prosperouslye have taken . . . I wyl omit to declare any white of the manifolde retorical phrases . . .tropes, metaphores . . . . the unspekeable felicitie, and the wonderous graces of the Brytishe meters . . . . . .

Fe welir bod y gwahaniaeth rhwng y Ffrancwr a'r Cymro yn drwyadl. Ni throes y dyneiddwyr Cymreig mo'u cefnau ar lenyddiaeth yr oesoedd o'u blaen na gwadu bod rhinwedd a chelfyddyd ynddynt. Yn hytrach deil Salesbury fod "cynghordioledd gramadeg, blodeuau retorigyddiaeth," sef dysg yr ysgolion yn ôl traddodiad Quintilian, i'w cael yn yr iaith Gymraeg ac yng ngwaith ei beirdd. Pan aeth Henry Perri ati'n ddiweddarach i orffen gwaith Salesbury ar Retoreg, a chymryd ei esiamplau o ffigurau ymadrodd bob yn ail allan o'r Beibl ac o'r beirdd Cymraeg, nid oedd yntau ond yn dilyn ôl Salesbury gan brofi felly fod y Gymraeg yn "sisterlike with the holy language, the Hebrew," yn iaith dysg a chelfyddyd.

Yn y bennod gyntaf o *Historiae Brytannicae Defensio* Syr John Prys y ceir y *locus classicus* ar y pwnc hwn. Cyhoeddwyd y llyfr yn 1573, ond gorffenasai Prys ei ysgrifennu cyn ei farw yn 1555. Fe berthyn felly i'r un cyfnod â'r pethau a godwyd allan o Salesbury. Haedda'i ddyfynnu'n bur helaeth. Gwelir ei debyced i ragair *Oll Synnwyr Pen* ac i'r llythyr at Colingborne. Dyry Prys bwys ar draddodiad Taliesinaidd barddoniaeth Gymraeg a throsglwydda hynny i'r dyneiddwyr cyfoes fel gogoniant neilltuol y Gymraeg. Celfyddyd gywrain y mesurau a thraddodiad di-fwlch y beirdd yw ei bwynt yn y paragraff hwn :

> Deinde carminum compositionem tam attonite semper coluere Brytanni, ut nullam putem gentem aliam, vel toto orbe reperiri, quae tam varios et multiplices metri modos teneant . . . . Et eos, qui nunc apud Brytannos carmina collunt, Bardorum huis modi sequaces esse haud dubium est, cum ex nomine, quod adhuc post tot saecula ne quicquam luxatum est . . .

Yna ceir paragraff sy'n dadlau ddyfod "ffydd Crist a llenyddiaeth ddysgedig" gyda'i gilydd i oleuo'r Brytaniaid:

> An igitur putabimus post tantae lucis iubar exortum, quum et Christi fides et literarum pariter studia ad omnes mundi plagas, imo barbarie summa eatenus involutas diffunderentur, et praecipue inter Brytannos, qui inter primos quos universim fide initiatos legerim, Christi cultum susceperunt, imo post habita cum Romanis ipsis literarum precipuis cultoribus assidua et diuturna commertia, majores quam antea rerum tenebras extitisse ?

Wedi dangos mai'r beirdd a gadwai hanes ac achau'r genedl a chanu clod ei phenaethiaid, ac wedi brolio hynafiaeth Taliesin, dengys ymhellach mai traddodiad Taliesinaidd ydoedd traddodiad ysgolion y beirdd, ac mai traddodiad o Ddysg yn ôl diffiniad y dyneiddwyr ydoedd, ac mai hynny a eglurai'r parch a delid i'r prydyddion a oedd yn olynwyr y Derwyddion dysgedig gynt :

> Et huiusmodi Poetas sive Bardos (quos et alio nomine Pryduides appellant, atque eosdem esse coniicio qui a veteribus Druydes dicebantur) inter se ea maxime de causa alunt et venerantur, ut

> linguae iuxta ac Brytannicae antiquitatis omnis, ius et integritatem conseruent et tueantur. Quocirca a Taliessini jam dicti aevo in hanc usque aetatem, his non defuere Poetae sive Bardi huiusmodi . . . . Quorum aliquos non solum sua lingua exercitatos, sed Latinis literis atque artibus qui his potissimum traduntur, haud vulgariter doctos fuisse, ex eorum carminibus facile videtur. Cuiusmodi Taliessinus iam dictus, et uterque Merlinus proculdubio fuere.

Yna ceir braslun o olyniaeth y beirdd hyd at Dudur Aled, crynodeb byr o hanes barddoniaeth Gymraeg. Cly Prys ei arolwg gan honni :

> Nullum pene doctrinae genus est cuius non habent principia et canones quosdam generales sua lingua descriptos. Quia praeter Grammaticam (quam ut dixi habent exactissimam) Rhetoricae, et Dialectae, Geometriae insuper et Arithmeticae regulas habent generales, et de Astronomia pariter et Cosmographia complures habent commentarios, quibus eorum vates plurimum studii adhibuisse, ex eorum carminibus liquet . . . . Denique quod maxime ad rem de qua agitur spectat, historias habent tum productiores et fusas, tum breves et contractas chronicorum in morem sua lingua descriptas.

Gwelir bod Prys yn hawlio yma fod *trivium* a *quadrivium* y prifysgolion yn rhan o gynhysgaeth y beirdd Cymraeg a bod mewn llenyddiaeth Gymraeg *sapientia* a chynnwys hafal i gynnwys y llenyddiaethau Groeg a Lladin. Bu dylanwad y syniadau hyn ar yr holl ddyneiddwyr Cymraeg yn helaeth. Ni ellir heb hyn ddeall eu hagwedd tuag at gerdd dafod. Megis y cymerth y dyneiddwyr cyfandirol efrydiau'r *trivium* a dysg Ladin allan o'r ysgolion a'u troi'n rhinweddau ar wyrda'r llysoedd, felly yr ymroes y dyneiddwyr Cymraeg i ddwyn cerdd dafod allan o ysgolion y beirdd a'i throi hithau'n rhinwedd i bendefigion Cymru, gan ei symleiddio a'i llyseiddio. Derbyniasant gerdd dafod yn gelfyddyd ddysgedig megis mesurau'r Lladin.

Yr oedd un nod arall anhepgor ar iaith ddysgedig, sef bod ganddi lyfrau'n cynnwys ei doethineb a'i chelfyddyd, fel y gellid eu hargraffu a'u dangos i'r byd. Pan ddywedodd Cynwal wrth Edmwnd Prys, "llyfr yw d'athraw" fe ddiffiniodd nodwedd hanfodol ar y dyneiddwyr, ar eu dysg ac ar eu crefydd. Llyfrau oedd y prawf iddynt hwy ar iaith dysg ac ni allent osgoi'r cwestiwn, ple'r oedd llyfrau'r Gymraeg ? Gwelsom eisoes ateb Salesbury a Lhuyd a Davies : collwyd a llosgwyd llyfrau'r henfeirdd ; nid arhosai ond gweddillion. Dyry Lhuyd bwyslais huawdl ar hyn i egluro prinder llyfrau'r Gymraeg, a derbyniwyd yr esboniad gan John Davies yn 1632. Cyhuddid y beirdd hefyd o guddio'u llyfrau rhag i'w gwybodaeth a'u celfyddyd hwy fynd yn eiddo cyffredin,—enghraifft Gymreig o'r gwrthdaro nodweddiadol rhwng arbenigwyr yr Oesoedd Canol ac "amateurs" y Dadeni Dysg. Cynigiwyd hefyd—gan Salesbury gyntaf—drydydd esboniad, sef bod y beirdd wedi dirywio, wedi colli llawer o'u dysg a gadael i'w llyfrau bydru. Yma eto fe glywir atsain o gwynion y dyneiddwyr er dyddiau Petrarc yn erbyn llyfrgelloedd y mynachlogydd a dirywiad dysg y myneich.

Nid oedd ar gael gan hynny namyn gweddillion o hen ddysg y Cymry gynt. Y darnau y rhoddai Salesbury werth arbennig arnynt oedd yr odlau moesol a briodolid i Daliesin a'r henfeirdd, trwyadl nodweddiadol o'r Dadeni oedd bri barddoniaeth foesol—ynghyd â Chyfreithiau Hywel Dda a'r diarhebion Cymraeg. Rhoesai Polydor Vergil ac wedyn Erasmus status dysg i gasgliadau o ddiarhebion, ac ebr Salesbury, " Gwybyddwch chwi yn ddinam i'r hen Frytaniaid dysgedig drafaelio ynghylch yr unrhyw waith. Megis y gwnaeth gweddill yr athrawon dysgedig pwy gynullwyd i wneuthur Cyfraith Hoel Dda. A megis ag y gwnaeth y dysgedig fardd pwy a gant Englynion yr Eiry ; ac Enerfin Gwawdrydd pwy gant Englynion y Misoedd, y rhain oll sydd yn llawn diarhebion." Ceir ysbryd a rhetoreg y Dadeni yn ei glod i ddiarhebion :

> Ie, pa beth yw diarebion a nyd ryw wreichion o anueidrawl ddoethineb Deo, y ar ddangos gwneythyr dyn gynt ar lun y antraethawl ddelw ef ? Ac y vyrhay, pa beth amgenach meddaf yw diarebion, anyd dywediadeu byrrion synnwyrol kyngorus o rei ny chahad vn er oed yn palledic : yn y rhein yr ymgyffred ac y cynnwysir oll synwyr a doethineb yr iaith ne r nasion ae dychymygawdd yn gyntaf.

Dangoswyd fod sôn hefyd yn y llythyr at Colinborne am

> What sentencious and net adages, which the olde, sage, and learned fathers have not only invented, but also of the Grekes and the Latines moste prosperouslye have taken, translated, accepted, and untill thys daye stil retyaned.

Dyna'r cefndir i'r ddadl ar gorn y diarhebion yn yr *Epistol at y Cembru.* Yn yr Epistol dibynnai Davies a Salesbury ar yr hyn a oedd eisoes wedi ei gyhoeddi a'i dderbyn amdanynt : mai rhan fawr o ddysg y Brytaniaid oeddynt ; tarddasent o gyfnod dysg, a chrynhowyd ynddynt swrn o ddoethineb y clasuron Groeg a Lladin. Ond "gan na ŵyr nemor o ddyn faint o ystyriol dywysogaeth coffadwriaeth sydd ynddynt," rhaid eu dehongli yng ngolau'r dadeni diweddar ar ddysg. Golygai hynny ddehongli'r diarhebion crefyddol yng ngolau'r diwygiad Protestannaidd. Hynny a wnaed yn yr *Epistol.*

Canys crefydd dysg bendefigaidd oedd Protestaniaeth i Salesbury a'i gyd-ddyneiddwyr, crefydd y clasuron Cristnogol, Hebraeg a Groeg. Gan hynny, od oedd gan yr hen Gymry wir ddysg, fel yr argyhoeddwyd ef a'i gymrodyr, ac fel y cyfaddefai rhai o haneswyr gogledd Ewrop yn y cyfnod, ac od oedd ganddynt hefyd Gristnogaeth, fel yr addefai pawb,—rhaid gan hynny mai Cristnogaeth Dysg a fu ganddynt, crefydd y Beibl Protestannaidd heb arlliw o ofergoelion yr oesoedd tywyll, gwerinol, Catholig. Ni ellid gan hynny nad oedd ganddynt yr Ysgrythur Lân yn eu hiaith. Onid oedd gosodiadau'r ddadl yn gedyrn ? Cristnogaeth Dysg yw Protestaniaeth ; Cristnogion dysgedig oedd yr hen Frytaniaid ; *ergo*, Protestaniaeth oedd crefydd hen Eglwys y Cymry.

Dyna'r ddadl derfynol, yr orau oll i ennill ymlyniad y pendefigion Cymreig wrth yr iaith Gymraeg, iaith wreiddiol Dysg a Phrotestaniaeth. Dyna goron gogoniant y Gymraeg. Aethpwyd ati i ddehongli'r *Brutiau* a'r llyfrau hanes, y beirdd a'r diarhebion, yng ngolau'r argyhoeddiad. Nid gormod dweud mai ateb y dyneiddwyr Cymraeg i Ddeddf Uno 1536 oedd y Ddamcaniaeth Brotestannaidd.

[*Efrydiau Catholig*, ii (1947), 36-55].

PENNOD XIV

Y *CURSUS* YN Y COLECTAU CYMRAEG

YN y *Church Quarterly Review*, Ebrill, 1912, ceir astudiaeth o'r *cursus* yng ngholectau'r Llyfr Gweddi Gyffredin a gyhoeddwyd yn Saesneg yn 1549. Dywed yr awdur, Mr. J. Shelly :

> The Collects and other prayers of the Church were composed rhythmically, with accented cadences corresponding for the most part to Cicero's favourite metrical endings. This style of writing, known as the *cursus*, is found from the 4th century to the 7th . . . It was then little used for some time, but was revived in the eleventh century, and is then found in all formal documents . . . By the end of the fourteenth century it became extinct . . the habit of writing this rhythmical prose was abandoned at the Renaissance. The new imitators of Cicero made no serious attempt to study or reproduce his metrical " clausulae."
>
> Some time ago while studying this rhythm in the Collects of the early Latin Sacramentaries, Collects which continued to be used without intermission in the Missal, it occured to the writer that there was an echo of their rhythm in the translation of these Collects in the English Prayer Book. It is a rhythm that is not framed so easily in English as in Latin. The great number of monosyllabic words in English is against it . . . . But there can be no doubt that the rhythm of the Latin Collects is repeated in the English versions in the Prayer Book of 1549 . .

Dyry Shelly enghreifftiau o'r prif ffurfiau ar y *cursus* yn y Saesneg, ac yna :

> Is this accidental or deliberate ? To test this we have examined all the Sunday and Holy-day Collects of the first English Prayer Book, 1549. The Sunday Collects are mostly translations from the Latin, the Holy-day Collects are most of them new. Taking them all, out of 187 endings of clauses, at least 94, just half, are in one form or another of the *cursus*. If we take the Sunday Collects only, 80 out of 148 of the clauses end in accordance with the *cursus* . . . Of those not so, most of them (71 out of 95) end with an accented syllable, which no form of the *cursus* ever does . . .
>
> From the Prayer Book we naturally turn to the Bible . . . . Of the 23 verses of the second chapter of St. Matthew 16 end

with various forms of the *cursus planus* or *tardus* . . . There seems to be evidence that the translators sought a rhythmical ending for their sentences, and that they preferred one of the endings of the *cursus* . . .

Yn awr, fel y dealler beth yw'r *cursus* a'r ffurfiau sydd iddo, dilynwn Shelly a dyfynnu *postcommunio* Lladin dydd gŵyl Cyfarchiad Mair, Mawrth 25. Y mae'r weddi'n ymrannu'n dair brawddeg a cheir enghraifft o dair ffurf y *cursus* yn cloi'r brawddegau:

Gratiam tuam, quaesumus, Domine, mentibus *nóstris infúnde* : (Ffurf 1 = *planus*)
Ut qui, angelo nuntiante, Christi filii tui incarnatiónem *cognóvimus* ; (Ffurf 2 = *tardus*)
Per passionem eius et crucem ad resurrectionis *glóriam perducámur*. (Ffurf 3 = *velox*)

Gwelir mai pum sillaf sydd i'r *cursus planus*, a bod yr acenion, os cyfrifir yn ôl o'r terfyn, ar y bumed a'r ail. Caniateir hefyd amrywiad sy'n cynnwys chwe sillaf a'r aceniad ar y chweched a'r ail. Gellir galw'r ddwy ffurf yn *planus* 1 a *planus* 2. Dealler fod pob ffurf ar y *cursus* yn cychwyn o sillaf acennog. (5-2 a 6-2).

Chwe sillaf sydd i'r *tardus* a'r acen drom ar y chweched a'r drydedd. Caniateid hefyd amrywiad o saith sillaf a'r acen ar y seithfed a'r drydedd. (*Tardus* 1 =6-3 ; *tardus* 2=7-3).

Saith sillaf sydd i'r *cursus velox*, a'r aceniad ar y seithfed a'r ail. Ond pan ddelo pedair sillaf ddiacen ynghyd, fe dueddir yn fynych i roi lled-acen ar un ohonynt ; efallai mai *glóriam pèrducámur* sydd yma, ac yn wir fe geir enghreifftiau hefyd y ceir ynddynt acen lawn ar y bedwaredd sillaf. Caniatawn gan hynny dair ffurf ar y *velox*—velox 1=7-2 ; *velox* 2 = 7-4-2, sef /xx\x/x ; *velox* 3 = 7-IV-2 = /xx/x/x.

Cymerwn yn awr gyfieithiad Saesneg Llyfr Gweddi Gyffredin 1549 o'r weddi uchod fel y gweler sut yr ymosododd hwnnw ar y rhithmau :

We beseche thee, Lord, powre thy grace *into our heárts* : (methiant)
that as we have knowen Christ, thy sonnes incarnaction, by the *message of an ángel* (planus 2)
so by his crosse and passion, we may be brought into the *glóry of his rèsurréccion.*

Tybiaf fod cywasgiad yn ' glory of ' ac y bwriedid siantio dwy sillaf yn lle tair ; tybiaf hefyd fod cywasgiad ar derfyn ' resurreccion,' ac felly dyna *velox* 2. Yn awr trown at Ll.G.G. 1567 :

> Ni atolygwn yty Arglwydd, dineya dy *rát yn ein calónnau*,
> yn y bo mal i'r adwaynom gnawdoliaeth Christ dy fab trwy genad*ŵri yr ángel*,
> velly trwy ei groc ai ddyoddefaint cahel ein dwyn y *ogóniant ei gyfódiat ef*.

Ceir *planus* 2 yn y cymal cyntaf, ond tybed nad ' clonnau ' oedd ynganiad y gair wrth ei siantio ? Ceir *planus* 1 yn yr ail gymal ac fe geir *tardus* 2 ar derfyn y weddi.

Hawdd deall mai prin yw'r *cursus tardus* mewn Gymraeg llenyddol, ond nid mor brin yn siarad y bobl gyffredin. Wrth siarad defnyddiwn oll y rhagenwau ôl ategol yn gyson. Dyry hynny ddwy sillaf ddiacen ar derfyn brawddeg, a dyna anhepgor *cursus tardus*. Mi gredaf mai yn null llafar y bobl y bwriadai Richard Davies ynganiad brawddegau fel hyn :

> Gwna yddynt erchi cyfryw bethau ac a rango bódd y-ty.

A dyry hyny *cursus tardus* eto yn ail gymal colect y Sulgwyn:

> Caniatha i nyni trwy yr unrhyw yspryt ddyall yr iawn farn ym bob peth a byth llawenychu yn ei wynfyd*édic ddiddánwch ef*.

O'r Saesneg, o fersiwn awdurdodedig 1559, y cyfieithwyd Ll.G.G. 1567. Lle bynnag y gwahaniaetha'r colectau Saesneg yn bwysig oddi wrth y gwreiddiol Lladin, bydd y cyfieithiad Cymraeg yn dilyn y Saesneg. Dyma Saesneg colect y chweched Sul wedi'r Drindod :

> God, whiche haste prepared to them that love thee, such good thynges as passe all mannes understanding :
> powre into our hartes such love toward thee, that we loyving thee in all thinges, may obteine thy promises, which excede all that we can desyre.

Yn y Lladin gwreiddiol nid ' lovyng thee in al thinges ' a geir ond ' te in omnibus et super omnia diligentes,' ond y mae Ll.G.G. yn cadw at y Saesneg :

> Dinea in calonau gyfryw serch arnat yn y bo y ni gan dy garu ymhob ryw beth . . .

Yn y *Book of Common Prayer* a gyhoeddwyd yn 1662 newidiwyd y fersiwn Saesneg a rhoddwyd 'loving thee above all things,' sef ail ran y frawddeg Ladin. Troer yn awr at argraffiad Charles Edwards yn 1677 o'r Colectau a gwelir :

> Tywallt i'n calonnau gyfryw serch arnat, fel y byddo i ni gan dy garu uwch law pob dim . . . . .

arwydd fod Charles Edwards yntau wedi cyfrannu at ffurf y Llyfr Gweddi Gyffredin ac wedi gweithio drwy'r cwbl ohono o newydd.

Ceir digon o enghreifftiau eraill sy'n dangos y llyfr Cymraeg yn dilyn y Saesneg pan wahaniaetha hwnnw oddi wrth y Lladin. Dyma'r ffurfiau ar gyfer 'Die Iou derchafael' :

> Caniatha atolygwn ith orucheldeb oll alluog Dduw, megis ac ydd ym ni yn credu darfod ith un-mab ein Arglwydd dderchafel ir nefoedd :
> felly bod i nineu a meddylfryd ein calon allu ymdderchafel yno, a' chyd ac ef drigaw yn wastadawl.

Saesneg 1549 :

> Graunte we beseche thee almightie God, that like as we doe beleve thy onely begotten sonne our lorde to have ascended into the heavens :
> so we may also in heart and mind thither ascende, and with him continually dwell.

Ni cheir ond hyn yn y Lladin gwreiddiol :

> Concede, quaesumus, omnipotens Deus, ut, qui hodierna die Unigenitum tuum Redemptorem nostrum ad caelos ascendisse credimus ;
> ipsi quoque mente in caelestibus habitemus.

Hawdd chwanegu enghreifftiau. Mae'n eglur mai'r Saesneg oedd y testun awdurdodedig ac mai hwnnw a ddilynid. Un enghraifft wan ac ansicr sy gennyf o'r cyfieithiad Cymraeg yn awgrymu'r Lladin gwreiddiol yn fanylach na'r Saesneg, sef Colect yr ail Sul wedi'r Drindod. Wele Saesneg 1549 :

> Lorde make us to have a perpetuall feare and love of thy hóly nâme :
> for thou never failest to helpe and governe them, whom thou doest bryng up in thy stêdfast lôve.

Dyma'r Lladin :

> Sancti nominis tui, Domine, timorem pariter et amorem fac nos habere perpetuum :
> quia numquam tua gubernatione destituis, quos in soliditate tuae dilectionis instituis.

a dyma'r fersiwn Gymraeg :

> Arglwydd par fod arnom wastadawl ofn a chariat dy sântaidd ênw:
> canys byth ny phelly gymorth a llywiaw y sawl a vaethddrînvch yn dŵyster dy gáriad.

Onid yw ' yn dwyster dy gariad ' yn gais pendant i gyfleu ' in soliditate tuae dilectionis ' yn hytrach na'r Saesneg ? *Velox* 3 a *planus* 1 yw'r *cursus*. Eithr a sylwodd y darllenydd ? Yng ngholect Saesneg yr ail Sul wedi'r Drindod ac yn Saesneg y chweched Sul wedi'r Drindod ac eto yng ngholect Saesneg Dydd Iau Dyrchafael ni cheir yn yr holl gymalau ond un enghraifft o'r *cursus*. Y mae methu'r *cursus* yn beth anamlach o gryn dipyn yn y colectau Cymraeg yn 1567 nag yng ngholectau Saesneg 1549. Fe geir cymalau yn y Gymraeg yn diweddu mewn sillaf acennog, ond eithriad yw eu cael yn y cymal olaf o'r colect. Pan gaffer, odid nad dipton a geir, *llaw*, *iawn*, *mwynhau*, neu ynteu eiriau y mae eu hyd yn agos at eu gwneud yn gyfwerth â deusain, megis *ffydd*, *lles*, *da*.

Fy mhwynt i yw bod rheoleidd-dra ffurfiau'r *cursus* yn y colectau Cymraeg yn profi bwriad y cyfieithydd i drosglwyddo rhithmau'r gweddïau Lladin i'w drosiadau. Dewisaf ychydig enghreifftiau i ddangos fel y ceir y *cursus* yn y Gymraeg pan nas ceir yn Saesneg.

Y seithfed Sul wedi'r Drindod :

> Lorde of all power and might, which art the author and giver of áll goód thíngs :
> Grafte in our hartes the love of thy name, increase in us true religion, norishe us with all goodness, and of thy great mercy, képe us in the sáme.

Gwelir nad oes *cursus* o gwbl. Dyma'r Gymraeg :

> Duw yr holl nerth a'r cadernit yr hwn wyt penadyr a rhóddwr pob daióni, (*planus* 2)

plann yn eyn calonau gariat dy enw, angwanega ynom wir greddyf, maetha nyni a phob daioni, ac o'th vawr drugáredd cadw ni yn yr únrhyw. (*Velox* 1)

Efallai fod lled-acen ar ' pob ' yn y cymal cyntaf, ond i'm clust i y mae'r rhediad *planus* yn ddiamwys.

Y Sul cyntaf wedi'r Drindod :

God, the strength of all theym that trust in thee, mercifully accèpt our práyers :
And because the weakenes of our mortall nature can do no good thyng without thee, graunt us the helpe of thy grace, that in kepyng of thy commaundementes we may please thee bóth in wíll and déed.

Duw, yr hwn wyt wir nerth pawb oll ysy yn amddiriet ynot, yn drugarog érbyn ein gweddíau : (*planus* 2)
A chan na ddichon gwendit eyn marwol anian wneuthur dim da eboti, caniatha i ny gymorth dy rat val y bo yni gan gadw dy orchmynneu rengu bodd yty ar ewýllys a gwêithred. (*planus* 1)

Nid ar derfyn cymalau yn unig y ceir rhithmau'r *cursus* ýn y colectau Lladin. Fe'u ceir ym mhob brawddeg, a hwy sy'n rheoli miwsig yr holl bros. Deallai Richard Davies hynny, fel y dengys rhediadau megis :

ysý yn amddíriet ýnot
gwéndit eyn márwol ánian
gan gádw dy orchmýnneu
Caniathá i ny gýmorth dy rat

sy'n enghreifftiau o'r *velox* a'r *planus* yng nghorff y cymalau. Y cymhlethdod hwn sy'n rhoi i'r colectau eu harbenigrwydd fel patrymau o bros rhithmig Cymraeg.

Y trydydd Sul wedi'r Drindod :

Lorde we beseche thee mercifully to hear us, and unto whom thou hast geven an heártie desýre to práy,
Graunt that by thy mightie aýde we may be defènded. (*velox* 1)

Arglwydd attolygwn yty gan drugaredd eyn gwrandaw, a' megis y rhoddeist yny gwbl óglyt y weddíaw, (*planus* 2)
Caniatha trwy dy vawr nerth y ni gahel eyn amddéffen rhac-lláw. (*planus* 1 amherffaith)

Ni fedrais gael y Lladin gwreiddiol i'r colect hwn. Efallai ei fod yn newydd. Esboniai hynny gloffni rhithmig y ddau gymal Saesneg, a sylwer fel y mae ' gan drygáredd eyn gwrándaw ' yn rhagori ar 'mércifully to heár us,' canys ni red *velox* yn llyfn yn y Saesneg ; tueddir i acennu ' mércifùlly.' Y gwendid yng ngwaith Richard Davies yw bod ei derfyniadau yn dibynnu ormod ar ddwy ffurf y *cursus planus*. Ceir digon o enghreifftiau o'r *velox* yng nghorff ei frawddegau, a gwelsom fod ganddo hefyd ychydig rithmau *tardus*. Ond y *planus* sy'n dyfod hawsaf i'r Gymraeg. Beth am Destament Newydd 1567 ? Gwelsom fod Shelly yn derbyn cyfartaledd o 50% o derfyniadau adnodau yn brawf o fwriad rhithmig :

> The second chapter of St. Luke may be the work of another hand ; of the 52 verses 27 end with forms of the *cursus planus*, *tardus* or *velox*, 5 being of the latter. There seems to be evidence that the translators sought a rhythmical ending for their sentences, and that they preferred one of the endings of the *cursus*.

Gall unrhyw efrydydd Cymraeg a fynno fynd ati i chwilio Testament 1567. Fel arbraw mi euthum i ati i gymharu Epistol cyntaf St. Ioan a gyfieithwyd gan Salesbury ag Epistol St. Iago gan Richard Davies. Dewisais hwynt am fod ganddynt bum pennod bob un a'u bod yn agos i'r un hyd. Y mae 103 adnod yn Epistol Ioan ; cefais ryw ffurf ar y *cursus* yn cloi 53 adnod. Yn Epistol Iago, a droswyd gan gyfieithydd y Colectau,ceir 108 adnod : cloir 73 â ffurfiau'r *cursus*. Yr oedd hyn mor ddiddorol fel y rhoddais brawf pellach ar y ddau. Cymerais ddau Epistol arall Sant Ioan ac Epistol Sant Iwdas o gyfieithiad Salesbury, sef 52 adnod. Ceir y cursus yn cloi 27, sef 50%. Yna ail Epistol Pedr gan Richard Davies ; 61 adnod a'r *cursus* yn cloi 44, hynny yw 72%. Fe gofir mai esgob a mab i offeiriad Catholig oedd Richard Davies.

Awgrymaf hefyd mai ar ôl iddo orffen ar y Llyfr Gweddi Gyffredin y troes Richard Davies i gyfieithu'r Epistolau. Canys yn ei gyfraniadau ef i'r Testament Newydd fe ddengys feistrolaeth ar holl ffurfiau'r *cursus*, yn arbennig ar gywreinrwydd a chyfoeth y *velox*. Fel y gellid disgwyl, y *cursus planus* a geir amlaf gan Salesbury.

[*Llên Cymru*, i (1950-1), 7-11].

PENNOD XV

LLYFR Y RESOLUSION

YN ystod hanner cyntaf y ganrif hon cyhoeddodd Gwasg Prifysgol Cymru adargraffiadau o amryw o'r clasuron rhyddiaith a gyfansoddasid neu a gyfieithasid i'r Gymraeg yn ystod yr unfed a'r ail ganrif ar bymtheg. Ond gadawyd *Llyfr y Resolusion*, 1632, heb ei gyffwrdd. Barn W. J. Gruffydd ar y gwaith hwn a bennodd agwedd Bwrdd y Wasg :

> Am John Davies, llwyddodd i roddi ei fater gyda'r symlrwydd eithaf, drwy arfer geiriau byrion cyffredin ac osgoi pob math o addurn llenyddol.

Dyfynnu'r frawddeg hon yw'r unig sylw a ddyry *Hanes Llenyddiaeth Gymraeg Hyd 1900* i gyfieithiad John Davies. Nid oes ond un eglurhad ar hyn : mae'n gwbl amlwg ac yn gwbl sicr na ddarllenodd W. J. Gruffydd erioed mo'r llyfr oddieithr y llythyr gan y cyfieithydd ' at ei annwyl blwyfolion ' ar ei gychwyn. Dyna'r dyfarniad caredicaf, a'r unig ddyfarniad, gobeithio, ar sylw Gruffydd.

Gwahanol iawn oedd syniadau Cymreigwyr yr ail ganrif ar bymtheg. ' Wedi ei osod allan gan y Cymreigiwr gorau yng Nghymru ' ebr Stephen Hughes. Ar wynebddalen yr ail argraffiad yn 1684 dywedir :

> Wedi ei gyfieithu yn Gymraeg gan y Dr. I. D. er lles i'w blwyfolion, fe brintiwyd y Llyfr hwn er ys mwy na hanner cant o flynyddoedd a aethant heibio, ac yn awr drachefn, nid yn unig er mwyn y Gymraeg bur sydd ynddo (yn amgenach nag mewn un llyfr arall ond y Bibl) eithr hefyd er mwyn y Defnydd da ar a ellir ei wneuthur ohono.

Galwodd Rowland Vaughan y cyfieithydd ' yr unig Plato ardderchog o'n hiaith ni ' a dyry Ellis Wynne y llyfr yn un o dri ' o les cyffredinach ac angenrheitiach na'r lleill i gyd.'

Ychydig o efrydwyr Cymraeg a gafodd gyfle i ymgydnabod â'r llyfr. Gan hynny bydd yr erthygl hon yn gyfres o ddyfyniadau gyda sylwadau. Rhaid imi ddyfynnu o'r ail argraffiad, ond mi fûm beth amser yn ôl yn ei gymharu â'r cyntaf, ac fe ellir dibynnu arno. Dechreuaf gyda pharagraff ar d. 68 sy'n disgrifio Duw yn ei greadigaeth :

> Meddwl bellach, fy mrawd anwyl, dy fod ti yn gweled y brenin mawr ymma yn eistedd ar orseddfainc ei fawredd, a cherbydau tanllyd, a goleuni anhydraeth, ac aneirif o fyrddiwnau Angylion yn ei gylch, fel y dengys yr Scrythur lân. Meddwl hefyd, yr hyn sydd wiriaf peth, dy fod yn gweled holl greaduriaid y byd yn sefyll yn ei wydd ei, ac yn crynu rhag ei fawredd, ac yn ofalus iawn am wneuthur y peth y creodd efe hwynt i'w wneuthur ; sef y nefoedd i ymsymmud oddiamgylch, y ddaiar i ddwyn cynheiliaeth i'r creaduriaid byw, a'r cyffelyb. Meddwl hefyd dy fod di yn gweled yr holl greaduriaid hyn, er maint neu er lleied fyddont, a'i goglud ac a'i gogwydd ar allu a rhinwedd Duw, trwy'r hyn y maent yn sefyll, yn symmud, ac yn bod : a bod yn dyfod ac yn deilliaw oddiwrth Dduw at bob creadur yn y byd, ie at bob cyfran o bob creadur ac sydd a bod ac ymsymmud ynddo, ryw belydr o'i rinwedd ac o'i allu ef ; megis y gwelwn ni fod o'r haul aneirif o belydr yn dyfod trwy'r awyr. Ystyria, meddaf, nas gall un rhan o un creadur yn y byd, nac o'r pyscod yn y môr, nac o'r glaswellt ar y ddaiar, nac o'r dail ar y coed a'r gwydd, nac un gyfran o ddyn ar wyneb y ddaiaren, na thyfu, na symmud, na bod, oni bydd i ryw gaingc neu belydr o rinwedd, fod yn dyfod ato yn wastadol oddiwrth Dduw. Felly, mae'n rhaid i ti feddwl fod Duw megis haul gogoneddus yn sefyll yn y canol, a bod yn dyfod oddiwrtho ef aneirif o belydr a goferoedd o rinwedd at bob creadur ac sydd nac yn y nef, nac ar y ddaiar, nac yn yr awyr, nac yn y dwfr ; ac at bob rhan o bob un ohonynt : ac oddiwrth y pelydr hyn o'i rinwedd ef y mae i'r holl greaduriaid eu bywyd a'i bod ; a phettai efe yn atal un o'r pelydr hynny, fe barai hynny i ryw greadur neu ei gilydd yn y man fyned yn ddiddim . . . .

Gellir dweud dau beth ar unwaith am y paragraff hwn. Yn gyntaf, y mae ynddo ddyfnder meddwl diwinyddol a chefndir cadarn o athroniaeth. Yn ail, dyma ryddiaith sy'n perthyn i'w chyfnod ac yn goleuo'r cyfnod, yn arddangos rhetoreg ysblennydd a ' hwyl ' ac ymchwydd areithyddol pros y Dadeni Dysg, gyda meistraeth ar rymuster priod-ddull ac ar holl gyfoeth geirfa'r Gymraeg. Yr oedd Paul Rubens yn gyfoes â'r awdur gwreiddiol ac â'r cyfieithydd, ac ym mheintiadau crefyddol rhetoregol Rubens y ceir cymar i *panache* y rhyddiaith hon. Ac y mae yn *Llyfr y Resolusion* ddegau onid ugeiniau o baragraffau, ie a rhai penodau cyfain, mor fawreddog â'r dyfyniad uchod.

Mi enwais Rubens. Ceisiaf ddangos yn awr mai *Llyfr y Resolusion* yw'r esiampl gyntaf a'r unig esiampl gyflawn ac eang ei chwmpas a feddwn ni yn Gymraeg o'r arddull *baroque* mewn rhyddiaith. Y mae'r cyfnod *baroque* un yn o gyfnodau mwyaf diddorol a chynhyrfus hanes celfyddyd o bob math yn Ewrop. Cynhyrfu'r teimladau, apelio at y teimlad yn hytrach nag at reswm, synnu'r gwyliedydd neu'r gwrandawr, ei ddychryn neu ei swyno drwy ddarluniau a bair iddo o'u gweld neu o'u gwrando gyfranogi megis ym mherlewyg y sant neu ym mhangfeydd y colledig. Cysylltir yr arddull artistig yma'n arbennig â'r ' gwrth-ddiwygiad ' Catholig ac â chenhadaeth Cymdeithas yr Iesu drwy Ewrop, yn enwedig yn mlynyddoedd olaf yr unfed ganrif ar bymtheg a hanner cyntaf y ganrif ddilynol. I'r genhadaeth a'r Gymdeithas honno y perthynai Robert Parsons, awdur y *Christian Directory* a droswyd (ar ôl ei brotestaneiddio ryw gymaint gan Edmund Bunney) yn *Llyfr y Resolusion.* Arddull ddarluniadol, hwyliog, areithyddol, aflonydd fywiog a chynhyrfus, arddull pregethwr diwygiad, ond diwygiwr wedi ei drwytho a'i foldio yn y clasuron Lladin ac yn safonau dyneiddiaeth y Dadeni, dyna a geir. Darlunio, dwyn golygfa'n fyw o flaen llygaid y gwrandawr, cyfleu hynny mewn rhuthmau paragraffaidd ymchwyddog. Sut y llwyddodd John Davies i drosi'r cyfryw arddull ? Mi gymeraf ddau baragraff cyferbyniol yn enghreifftiau. Dyma'r cyntaf, sef darlun megis ar reredos eglwys iesuaidd yn Rhufain, o ddyrchafael enaid santaidd i'r nefoedd :

> Dyweid i mi pa fath ddiwrnod, dybygidi, fydd hwnnw, pan fo dy enaid di yn myned allan o garchar, ac yn cael ei gyrchu a'i ddwyn i babell nef, ac yn cael ei dderbyn yno gyda minteioedd a byddinoedd anrhydeddus y lle hwnnw ; gyda'r holl ysbrydion gwynfydedig hynny y mae sôn amdanynt yn yr Scrythur lân, sef yw y rhai hynny, tywysogaethau, a galluoedd, a nerthoedd, ac arglwyddiaethau, a thronau, ac Angylion, ac archangylion, a Cherubiaid a Seraphiaid, a hefyd gyda sanctaidd Apostolion a disgyblion Christ, a'r padrieirch a'r prophwydi, a'r merthyron, a'r gwirioniaid, a chonffesoriaid, a holl Sainct Duw ; y rhai a orfoleddant i gyd oll wrth dy goroni di a'th ogoneddu. Pa lawenydd a fydd i'th enaid y dythwn hwnnw, pan bresentier ef yngwydd yr holl rai uchel-swydd hynny, ger bron gorseddfainc a mawrhydi y fendigedig Drindod, a dangos ac ysbyssu dy holl weithredoedd da di, a'th lafur a ddioddefaist er cariad ar

> Dduw, ac er mwyn ei wasanaeth ef? Pan osoder ar lawr yn y senedd a'r gymmanfa anrhydeddus honno, dy holl weithredoedd da di, a'th holl boen a gymmeraist yn dy alwedigaeth, a'th holl eluseni, a'th holl weddiau, a'th holl ymprydiau, a'th holl ddiniweidrwydd bywyd, a'th holl ddioddefgarwch wrth gael cam, a'th holl ddianwadalwch yn dy adfyd, a'th holl gymmedrolder, a'th gymmesurwydd mewn bwyd a diod, a holl rinweddau da dy holl fywyd ?

Gyferbyn â'r pictiwr rhyddiaith hwn mi osodaf baragraff o'r ail ran o'r llyfr sy'n darlunio byrdra a seithugrwydd golud a mawredd bydol. Yma eto y peintiwr *baroque* sydd wrthi, a rhyfedd fel y mae paragraffau llyfn John Davies yn trosi arddull Ewropeaidd i Gymraeg cyfoes coeth glasurol :

> Pa ddolur a gofid, dybygwch chwi, oedd i *Alexander* mawr, wedi iddo mewn deuddeng mlynedd orchfygu y rhan fwyaf o'r holl fyd, orfod arno farw pan oedd chwannoccaf i gael byw ; a phan oedd i gymmeryd y llawenydd a'r diddanwch mwyaf o'i orfodaethau ? Pa dristwch oedd i'r gwr goludog yn yr Efengyl, glywed dywedyd wrtho yn ddisymwth, *Hac nocte, y nos hon y dygir dy enaid oddiarnat* ? Pa drueni a gofid gan lawer rhai bydol a fydd hyn, pan ddel atynt ; y rhai sy yr awrhon yn adeiladu palasau teg, yn prynu tiroedd, yn pentyrru golud, yn cyrhaeddyd uchelswyddau, yn gwneuthur priodasau, yn clymmu cyfathrachon, megis pe na byddai byth ddiwedd ar y pethau hyn ? Pa ddiwrnod tostur fydd hwnnw iddynt (meddaf) pan orffo arnynt adael y cwbl y maent hwy'r awrhon yn eu hoffi'n gymaint ? Pan droer hwy heibio, fel y gwneir â mulod Twysogion, pan ddelont i ben eu siwrnai : sef yw hynny, tynnu'r trysor oddiarnynt, ac heb adael iddynt hwy ond y cefnau briwedig ? Oblegid fel y gwelwn ni'r mulod hynny ar hyd y dydd yn cael eu llawnbwn o drysor ar eu cefnau, a'i hulio â brethynnau gwychion teg ; ond erbyn y nos yn cael eu troi i stabl ddrwg, wedi briwo a blingo eu cefnau yn dwyn y trysor hwnnw : felly y mae'r cyfoethogion sy'n ymdaith yn y byd hwn yn llwythog o aur ac arian, ac yn briwo eu cydwybodau yn ddrwg wrth eu dwyn hwy ; yn cael dwyn eu llwyth oddiarnynt pan font feirw, a'i troi heibio, a'i cydwybodau cefnrhwd canthynt, i ystabl erchyll ffiaidd uffern a cholledigaeth.

Ceir dwy bennod faith yn Rhan I y llyfr sy'n drylwyr gyferbyniol â'i gilydd. Teitl pennod IX yw ' Y Poenau sydd wedi eu hordeinio am bechod ar ôl y fuchedd hon.' Disgrifio Uffern sydd yma ac y mae Gweledigaeth Uffern Ellis Wynne dan ddyled sylweddol a diamau i'r bennod hon. Yn wir, trwy ei astudiaeth ofalus ef o *Llyfr y Resolusion* y daeth yr elfennau *baroque* sy mor amlwg yn ail Weledigaeth y *Bardd Cwsc* i gyfoethogi pros rhyfeddol a disgrifiadau ffantastig glasurol y weledigaeth fawr honno—*locus classicus* arddull y *baroque* yn y Gymraeg —a'i chyfansoddiad mor gywrain a chyfan.[1]

Teitl y ddegfed bennod yw : ' Am y gwobr a'r tâl anrhydeddus a haelionus a osodir o flaen pawb a wasanaetho Dduw yn gywir,'—disgrifiad o nefoedd Duw a'i saint. Dyfynnaf un darlun rhyddiaith allan o'r bennod hon i derfynu, paragraff sy'n atgoffa un am Caravaggio yn hytrach nag am Rubens gan mor ddramatig yw'r cynfas :

> Pe bai ddyn tlawd a fai allan o'i ffordd, yn crwydro ei hunan ar y mynyddoedd ynghanol noswaith dywyll dymhestlog, ym mhell oddiwrth gwmpeini, mewn eisiau am arian, a'r glaw yn ei guro, a'r taranau yn ei ddychrynu, a'r oerfel yn ei sythu, a chwedi blino gan ei daith, ac agos yn dyddfu gan newyn a syched, ac agos i anobeithio gan liaws gofidiau ; pe bai'r cyfryw ddyn, meddaf, yn ddisymmwth, ar darawiad llygad, yn cael ei osod mewn palas teg, helaeth, cyfoethog, yn llawn o bob math ar oleuadau disglair, a thân gwresog, ac aroglau peraidd, a bwydydd dainteiddiol, a gwelyau esmwythglyd, a difyr felysgerdd, a gwisgoedd dillynion, a chwmpeini anrhydeddus, a'r cwbl wedi ei barottoi iddo ef, ac yn disgwyl am ei ddyfodiad, i wasanaethu arno, i'w anrhydeddu, ac i'w enneinio ac i'w goroni yn frenhin tros byth ; pa beth a wnai'r dyn tlawd hwn, meddwch chwi ? Pa fodd yr edrychai ef ? Pa beth a fedrai efe ei ddywedyd ? Yr wyf yn tybiaid yn siccr na fedrai efe ddywedyd dim, ond yn hytrach wylo yn ddistaw o wir lawenydd, gan na allai ei galon ef amgyffred disymmwth ac anfeidrol faint y llawenydd hwnnw.

Ni ellid rhyddiaith fwy ysblennydd o'i dull. Cymerodd dramaydd *The Taming of the Shrew* yr un thema yn ddiweddarach na Parsons. ' Anffawd y clasuron hyn ' medd *Hanes Llenyddiaeth Hyd 1900*, ' yw bod eu mater mor anniddorol erbyn hyn.' Ond darllen deallus a gwybodus sy'n darganfod diddordeb yr hen glasuron. Y mae darn pwysig o fywyd Ewrop

[1]Y mae'r *safbwynt*—ond *nid* y ffeithiau—yn fy ysgrif i ar y *Bardd Cwsc* yn y *Llenor* II, 159, yn gwbl druenus.

y tu mewn i gloriau *Llyfr y Resolusion.* Dywedodd Emrys ap Iwan amdano :

> Nid oedd awdur y llyfr ddim yn un o'r awduron gorau, hyd yn oed yn ôl tystiolaeth ei gyd-grefyddwyr ; canys yr oedd Robert Parsons yn rhy brysur yn ceisio adsefydlu'r ffydd Gatholig yn Lloegr i allu cael hamdden i wneuthur llyfr hirhoedlog. Os bu'r llyfr hwn farw yn Lloegr o eisiau hynodrwydd llenyddol, prin y byddai'n wiw ei atgyfodi yng Nghymru, hyd yn oed yn y corff ysbrydol a mwy Protestannaidd a roes Dr. Davies iddo.

Ysywaeth, nid un o baragraffau call Emrys ap Iwan. Y mae rhagor lawer i'w ddweud am y llyfr gwreiddiol ac am ei helynt. Byddai'n dda cofio barn y Deon Swift fod Parsons yn un o feistri'r iaith Saesneg a phros dadlau. Fe wyddai Swift dipyn am Saesneg.

[*Ysgrifau Catholig*, iii (1964), 1-6].

PENNOD XVI

MORGAN LLWYD[1]

I. Trefn Ei Lyfrau

[Defnyddiaf I a II yn y llith hon i ddynodi dwy gyfrol *Gweithiau Morgan Llwyd o Wynedd.*]

Yn ei nodiadau llyfryddol (II, 316) dywedodd J. H. Davies :

> A barnu oddi wrth ei gynnwys, gallem feddwl fod " Gwaedd yng Nghymru " wedi ei argraffu tua 1655 neu 1656. Ni ddigwyddodd i ni weled copi o'r argraffiadau cyntaf o'r llyfrau hyn, ac felly nid yw'r uchod ar y goreu ond casgliad, na ddylid rhoddi mwy na mwy o bwys arno. Ar yr un pryd, dyledus dweud fod Dafydd Jones, Trefriw, yn ei argraffiad o'r llyfrau a ddygwyd allan yn 1750, yn rhoddi ar ddeall fod y llyfr olaf wedi ei argraffu yn 1653.

Ond rhoi mwy na mwy o bwys ar gasgliad J. H. Davies a wnaeth pawb ar ei ôl a derbyn ei ddyfarniad. Ar dudalen 76 o'i lyfr *Morgan Llwyd y Llenor* y mae Mr. Hugh Bevan yn petruso peth ac yn gweld rhyw berthynas rhwng *Gwaedd yng Nghymru* a llyfrau 1653; ond.ar d. 85 ac ymlaen y mae yntau'n cysylltu'r llyfr yn ei naws a'i fater â'r gweithiau eraill gan yr awdur sy'n perthyn i'r cyfnod 1655-6 ac yn dehongli'r llyfr yn gyson â'r dyddiad a roesai J. H. Davies iddo. Daliaf innau mai Dafydd Jones o Drefriw oedd ar yr iawn a cheisiaf yn awr brofi hynny a chwilio trefn ysgrifennu a chyhoeddi llyfrau Morgan Llwyd yn 1653.

Mi dybiaf fod pob darllenydd yn gyfarwydd â Rhagymadrodd clasurol J. H. Davies ac yn gwybod am y digwyddiadau cyffrous a barodd i Forgan Llwyd yng Ngwrecsam sgrifennu ei lyfryn rhyddiaith cyntaf, *Llythyr i'r Cymru Cariadus.* Ebr Davies :

> Y tebygolrwydd yw iddo gael ei gyhoeddi rhwng Ebrill ac Awst 1653 . . . Cyfarfyddodd y Senedd newydd ar y 5ed o fis Gorffennaf, 1653.

[1] Morgan Llwyd y Llenor, gan Hugh Bevan, Caerdydd, Gwasg Prifysgol Cymru, 1954. 156 tud. 8/6.

Dywed Morgan Llwyd ei hunan ar derfyn y *Llythyr* :

> Dyma'r llythyr cyntaf a ddanfonais i erioed attat ti mewn print (ag megis mewn awr) . . .

Yn awr fe gyhoeddodd J. H. Davies (II, 260-3) lythyr Saesneg gan Llwyd at William Erbery a ddyddiwyd *Wrexham* 3 *m* 53, sef y trydydd mis, hynny yw, mis Mai 1653. Y mae aml frawddeg o'r llythyr Saesneg hwn yn ein taro ni â'i thebygrwydd hynod i frawddegau yn y *Llythyr i'r Cymru Cariadus*. Dewisaf enghreifftiau :

> Many now in the ends of this earth expect the striking off of the curtaines, that we may at length now see the tree of life, and Paradise of God, and Arke of his Testament, and Pot of Manna, which have been hid in the bottom of the everlasting Gospel from ages and generations ; and whilst some expect fountains of waters to spring from afar upon them . . .

> Mae dynion gwych (Hiliogaeth yr hen *Jacob*) yn barod i godi allan o'r pridd ag er hynny or nefoedd y descynnant. Mae ffynnonnau y môr tragwyddol yn torri allan ynddynt. . . . Yna yr ymddengys Paradwys, a phren y bywyd, ac arch y Dystiolaeth, ar manna cuddiedig . . . . .(I, 121).

> When this appeareth, the light of the Sun will be as sackcloth, and gold as dung, and men as grass, and our selves as nothing. And then see we that we have the three names written upon us . . .

> Y rhain a fyddant golofnau yn nheml Duw ac arnynt hwy yr ysgrifennir y Tri henw . . . ar brawd nefol Crist (o flaen yr hwn nid iw'r haul ganol dydd ond fel sachlen ddu dywyll) . . . (I, 121).

> Ye are upon the brink of eternity, ready to launch into the everlasting deep . . .

> Yn byw megis ynglann traeth . . . heb feddwl mo'i fod ef ar y dibin, ag ar glogwyn tragwyddoldeb, yn mynd i mewn ir byd a bery byth . . . (I, 116).

Yr un meddwl yn y ddwy iaith. Chwalesid y Senedd Hir Ebrill 20. Y cyffro mawr o obaith a ddilynodd hynny sy'n egluro tôn llythyr Saesneg Morgan Llwyd a thôn gyffelyb *Llythyr i'r Cymru Cariadus*. Mae'r dyfyniadau uchod yn caniatáu inni ddyddio'r cyfansoddiad yr un adeg â'r llythyr at William

Erbery, sef yn gynnar ym mis Mai 1653. Mae'n ddiogel hefyd iddo ddyfod allan o'r wasg yn Llundain cyn cyfarfod o'r senedd newydd y pumed o fis Gorffennaf.

Cyhoeddwyd *Llyfr y Tri Aderyn* yn 1653. Dywed J. H. Davies (II, lxvii) :

> Y mae lle i gredu fod Morgan wedi pregethu ar un achlysur o flaen y Senedd yn Hydref 1653, ac yn ddiau dyma'r amser y bu yn dwyn y llyfr trwy'r wasg yn Llundain. Y mae'n amlwg oddiwrth y cyfeiriad a wna at " symud Parliamentau wrth dy ewyllys dy hun " fod y llyfr wedi ei ysgrifennu ar ôl i Cromwell a Harrison droi'r Senedd Hir allan o'r Tŷ ym mis Ebrill 1653, ac yn sicr gorffenwyd ef cyn i'r Senedd Fer gael ei dadgorffori. Cymerodd y digwyddiad olaf le ar y ddeuddegfed o fis Rhagfyr 1653, er syndod a digofaint plaid y Pumed Frenhiniaeth.

Derbynier hyn, a chytuno mai mis Hydref yw amser tebygol y cyhoeddi. Y mae hwn yn llyfr sylweddol ; nid " mewn awr," fel y *Llythyr*, y sgrifennwyd ef. Gwyddom dan ba swmbwl yr ysgrifennwyd y *Llythyr* :

> Rwy'n byw yngobaith Israel, ag yn hyfryd gennif weled y wawr yn torri, ar haul ar godi ar ynys Brydain. Deffro, Deffro, Deffro . . . (I, 123).

Ceir yn gymwys yr un dôn fwy nag unwaith yn *Llyfr y Tri Aderyn* (mi ddefnyddiaf Ll.T.A. wrth sôn amdano o hyn ymlaen), er enghraifft :

> Wele, mae'r dydd yn codi yn ddisclair, ar Seinctiau yn gweiddi Hallelujah, ar pechaduriaid yn deffroi, ar anifeiliaid drwg yn rhedeg i'w llochesau, ar blodau yn tarddu, ar haf mawr yn agos. (I, 242).

Y mae sawr Mai a'i flodau ar y geiriau. Yn wir, blodau a gwawr a haf yn agor yw rhai o hoff sumbolau Morgan Llwyd yng ngweithiau 1653 :

Gan hynny, pan drown ni at *Gwaedd yng Nghymru* a darllen :

> O Bobl Cymru ! Attoch i y mae fy llais, O *Drigolion Gwynedd* ar *Deheubarth*, Arnochi yr wyfi yn gweiddi. Mae'r wawr wedi torri, ar haul yn codi arnoch. Mae'r adar yn canu : Deffro (*O Gymro*) Deffro . . . (I, 127),

mae'n gwbl annichon peidio â gosod hyn gyda brawddeg derfynol y *Llythyr* a'r darnau tebyg yn Ll.T.A. ; acenion dechrau haf 1653 sydd yma gyda'i lam o obaith a gorfoledd. Nid fel yna y bydd Morgan Llwyd yn sgrifennu yn 1655.

Sylwer ar fymryn pwysig o wahaniaeth rhwng geiriau'r *Llythyr* a geiriad y *Waedd.* Yn y cyntaf y mae'r " wawr yn torri, ar haul ar godi." Yn y *Waedd* y mae'r " wawr *wedi* torri ar haul *yn* codi arnoch." Ar bwys hyn, gyda'r ychwaneg sydd i'w ddweud, rhoddaf Fehefin yn amser cyfansoddi *Gwaedd yng Nghymru.*

Y mae tystiolaeth ategol. Yn gynnar yn y llyfr (I, 129) dyry Morgan Llwyd grynodeb diddorol yn ei ddull arbennig ei hunan o ddamcaniaeth hanesiol *Epistol at y Cembru* Richard Davies. Dwg ef ei grynodeb o hanes crefyddol Cymru i lawr i'w oes ef ei hunan a'r gwaith y bu ganddo ef ran arbennig ynddo :

> Yr offeiriaid mudion, hefyd ar pregethwyr chwyddedig an anrheithiodd. Nid oedd yw gael wr i Dduw ymysg pedwar cant. Y dall a dywysodd y dall, a llawer a aethant i'r ffôs. Dyscawdwyr o waith dynion oeddynt ag nid o waith *ysbryd Duw*, am hynny fe drowyd llawer (fel dylluanod) allan o'i swyddau, ag fe droir etto ragor heibio (I, 129).

Ystyrier y bygythiad yn y pum gair olaf. Gŵr a chanddo ran yn y gwaith sy'n llefaru a chanddo eto awdurdod i gyflawni ei fygythiad. Gallai Morgan Llwyd ddweud hynny'n dawel sicr a heb focsach ofer yn 1653. Nid felly ar ôl 1653. Yn sicr iawn nid felly yn 1655. Edrychai Profwyr newydd 1654 yn ddrwgdybus i'r eithaf arno a bu'n rhaid i Oliver Cromwell ei hunan ymyrraeth yn 1656 cyn ei sefydlu ef yng Ngwrecsam ddiwedd y flwyddyn honno (Richards, *R.D.W.*, 14). Ymddengys i mi fod hyn ar ei ben ei hunan yn derfynol : 1653 yw blwyddyn cyhoeddi *Gwaedd yng Nghymru.*

Mae gennym lythyr enwog John Jones at Forgan Llwyd o Ddulyn a ddyddiwyd Medi 30, 1653 :

> I intend to send you herwith one or more coppyes of your paper printed, wherein (although there was much care taken in the correction) yet through the unskilfullnesse of the composer of the presse, and correctors you will finde that many errors have escaped us, but I hope none very consequentiall. I intend to send over the bookes to Major Swift, from thence you may order the disposall of them as you please . . . (II, 302).

Gellir bod yn sicr bellach mai am *Gwaedd yng Nghymru* y mae'r sôn. Y mae llawysgrif wreiddiol y gwaith yn Aberystwyth ac " awgryma'r llawysgrif hon, ynghyd â llythyrau yn yr un casgliad, mai yn Nulyn yr argraffwyd hi " (E. D. Jones, *Y Cymro*, Ion. 29, 1938). Gan hynny trefn cyhoeddi gweithiau 1653 yw :

Llythyr i'r Cymru Cariadus: Mai-Mehefin, Llundain.
Gwaedd Ynghymru yn Wyneb Pob Cydwybod: Medi-Hydref, Dulyn.
Llyfr y Tri Aderyn: Hydref-Tachwedd, Llundain.

Mi gredaf y gellir mynd yn fanylach i bennu trefn cyfansoddi'r llyfrau hyn. Sgrifennwyd y *Llythyr*, fe ddywedwyd eisoes, " megis mewn awr " fis Mai. Mis Mai hefyd y cychwynnwyd *Llyfr y Tri Aderyn*. Awgrymwyd hynny wrth sylwi ar y sôn am " y blodau yn tarddu a'r haf mawr yn agos." Yn llythyr mis Mai at Erbery yr oedd cyfeiriad at yr adar :

> I desire but to chatter as a little Swallow, and mourn as a Dove on the sick bed with *Hezekiah*, waiting for that unspeakable joy and pleasant peace . . . and in flying above the loves and fears of the creatures . . . yea the Father doth now reveal himself as the natural father, nourisher and enjoyer of this world, for so of him are all things, though the birds fleet from branch to branch, and see not how the root beareth all . . . . (II, 260-1).

Ceir yn Ll.T.A. yn union yr un ffigur :

> Nid yw'r adar ar ganghennau'r pren yn meddwl pa fodd y mae'r gwreiddyn yn cynnal ei naturiaeth, a nhwythau ynddi (I, 174).

Ond awn at brif bwnc y llythyr at Erbery :

> I finde that the Lord Jesus is as a golden mine in our owne fields, under our owne earth, and is in Saints as the soul in the eye, or Sun in the Firmament, or fire in the inward furnace, or inhabitant in a house. But O ! how few see that the very same Son, in whom the three is in one, is in Saints, though the Scripture be not afraid to say, that the Trinity is in all Saints . . . (II, 262).

Dyma, bid sicr, un o bennaf pynciau'r drafodaeth yn rhan gyntaf Ll.T.A. a cheir yn y Gymraeg yn union yr un ffiguraeth ag yn y llythyr Saesneg a'r unrhyw ddatganiad ar garn yr Ysgrythurau :

> Ond mae'r Drindod yn aros ynom yr un fath ag y mae'r mŵn aur yn y ddaear, neu ŵr yn ei dŷ, neu blentyn yn y grôth, neu dân mewn ffwrn, neu'r môr mewn ffynnon, neu fel y mae'r enaid yn y llygad y mae'r Drindod yn y Duwiol (I, 188) . . . . Mae un ysgrythur lân yn dywedyd fod y Tâd ynom ; a'r llall fôd y mâb, a'r drydedd fôd yr ysbryd glân ymhôb calon bûr, oleu, isel, nefol. Ac mae'r holl yscrythurau ynghŷd yn dangos (a minnau a feiddiaf ddywedyd) fod y Drindod dragwyddol ynom ni, ac yn ein gwneuthur ni yn dragwyddol . . . . (I, 187).

Cafwyd yr unrhyw athrawiaeth yn y *Llythyr i'r Cymru Cariadus*. Athrawiaeth arbennig mis Mai a Mehefin 1653 yw hi. Hon sy'n egluro hawl y " Saint " i ethol y Senedd Fer :

> Wee humbly advise that forasmuch as the policy and greatnesse of men hath ever failed, yee would now at length (*in the next election*) suffer and encourage the saints of God in His spirit, to recommend unto you *such as God shall choose* for that worke . . . (II, 266).

Myfi piau'r italeiddio. Wrth egluro darnau tebyg i'r rhai uchod y mae Mr. Bevan yn sôn llawer am eu Mewnfodaeth, megis pe na buasent ond trafodaethau athronyddol. Mae'n bwysig iawn deall mai athrawiaeth weithredol boliticaidd sydd yma, ac mai llyfrau politicaidd yw llyfrau haf 1653. Cyfarfu'r senedd newydd Gorffennaf 5. Rhaid felly fod y rhan gyntaf o Ll.T.A. wedi ei gorffen yn gynnar ym Mehefin.

Ac ar ganol ei sgrifennu—mi dybiaf i—fe droes ef ymaith i gyfansoddi ar frys *Gwaedd yng Nghymru*. Y tebyg yw mai John Jones a'r Cymry niferus yn Nulyn ac Iwerddon ar y pryd a'i cymhellodd ef. Ceir awgrym o hynny ond odid yng nghŵyn a siom John Jones wrth anfon y copïau ato :

> I confess the discourse is exceedingly good and spirituall according to my understanding, yet my selfe and many other sober wise Christians heere conceive that if it had beene penned in a language or still less parabolicall, and in more plane Scripture expressions, it would be more useful. Babes must be fed with milk. (II, 302).

Tract i'r amseroedd a fynasent. Yn awr, yr hyn sy fwyaf trawiadol yn arddull y *Waedd* yw ei bod hi'n cychwyn yn bamffled tebyg ddigon i'r *Llythyr* ac yna'n datblygu'n ddialog yn union megis ymddiddan y Golomen a'r Eryr yn Ll.T.A. Ceir ymadroddion o fath " ond (meddi di) ", " Diammeu yw (*fy nghymydog*)" drwy'r cwbl o ail ran y gwaith, megis petai'r awdur wedi rhoi'r Ll.T.A. heibio ar gais ei gyfeillion ond yn methu'n lân â'i ysgwyd allan o'i feddwl ac felly'n ei barhau yn y gwaith newydd. Pwysicach na hynny, themâu Ll.T.A. a geir hefyd yn y *Waedd.* Dywed Mr. Bevan mai'r gydwybod yw pwnc arbennig y llyfr. Yn wir, y gydwybod ydyw'r Waedd :

> Wele'r *Cymro* Dyma'r *waedd.* Dyma'r llefain, yr *udcorn o'r tu mewn.* (I, 141).

Ond parhad yw hyn o ddeunydd rhan gyntaf Ll.T.A. :

> Eryr. Ond beth (meddi di) yw'r Gydwybod.
> Cigfran. Tŷst oddifewn, Goleuni'r adar, Canwyll dynion, llais yn ein holrhain. Gwalch Noah, Sgrifennydd buan, Cynghorwr dirgel, Cyfaill tragwyddol, Gwledd wastadol i rai, a phrŷf anfarwol mewn eraill (I, 181).

Ac yn sicr iawn, man cychwyn yw'r gydwybod yn y ddau lyfr. Gwneud saint ar gyfer y dydd pwysig sy ar ddyfod, dyna'r nod. Trefn neu broses santeiddhad yw mater mawr y *Waedd* hefyd. Rhaid rhoi'r paragraff llawn, y dyfynnwyd y frawddeg gyntaf ohono uchod, i gael hyd i wir bwnc y llyfr :

> Wele'r *Cymro* Dyma'r *waedd.* Dyma'r llefain, yr *udcorn o'r tu mewn.* Ag onid yw'r gydwybod yn dadseinio, fe a dry'r *waedd* yn *wae* i ti. Ond os wyti yn deffro, ac yn agoryd dy lygaid i edrych i mewn. Yna mae'r galon yn rhoi gwaedd hefyd, ag yn llefain, *Pa beth a wna'i i fod yn gadwedig* ? Pa fodd y cai lanhau fy nghydwybod lygredig: Pa fodd y *diangaf fi oddiwrth y dig a ddaw* ? *Pa fodd y gallai gyrhaedd y bywyd tragwyddol* ?

Hynny yw, crynodeb o'r rhan ganol a sylweddol o *Lyfr y Tri Aderyn* ydyw'r *Waedd.* Gellid codi llawer paragraff i enghreifftio hynny, ond blin yw dyfynnu gormod o ddarnau digyswllt. Mi fodlonaf ar un darn o bob llyfr i ddangos y cysylltiad agos iawn sy rhyngddynt. Dyma'r darn cyntaf allan o'r *Waedd* :

> Os dywaid y cyhuddwr, mai colledig wyt ; atteb dithau mai gwir yw hynny: ond gwir yw hyn hefyd, *ddyfod Crist i gadw'r colledig*: Ni all y gelyn wadu mo hynny chwaith, mwy nag y gelli dithau wadu'r cyntaf . . . (I, 145).

Yn Ll.T.A. rhoddir gwedd ddwysach ar yr unrhyw brofiad; y mae Morgan Llwyd yn sôn amdano'i hunan :

> Mi adwaenwn un y daeth Diafol atto, gan ddywedyd. Colledig wyt. Yntau a attebodd. Gwir yw hynny. Ond (ebr ef) Gwir yw hyn hefyd. ddyfod Christ i gadw'r colledig. Dal dy afael ar yr edef honno . . . (I, 244).

Wedi anfon llawysgrif y *Waedd* i Ddulyn troes Morgan Llwyd yn ôl at ei waith mawr. Pa bryd y gorffennodd ef Ll.T.A. ? Yn "hanes y Golomen" sy'n bennod olaf i'r llyfr ceir y darn hwn o hunan-gofiant :

> Ond fe ddaeth y Sarph attafi, ac a geisiodd atal y pin ymma. Hi a boerodd ei chelwydd tuag attaf wrth sissial fel hyn. Hunan sy'n dy osod ar waith. Rwyti yn scrifennu yn rhŷ dywyll, ni fedr neb mo'th ddeall nes i'th niwl di godi, ac nid wyt ti yn dy ddeall dy hunan . . . (I, 260).

Mae'n deg bwrw fod yma gyfeiriad pendant at achwynion John Jones yn ei lythyr Medi 30. Bwriaf felly mai mis Hydref y sgrifennwyd y rhan olaf odidog hon. Gellir crynhoi'r ddadl drwy gynnig yr amseriad a ganlyn i sgrifennu'r tri llyfr :

Llythyr i'r Cymru Cariadus: Mai.
Gwaedd Ynghymru: Mehefin.
Llyfr y Tri Aderyn: Mai-Hydref.

II. Profiad Personol yng Ngwaith Morgan Llwyd

Yn ei bennod ar *Forgan Llwyd y Piwritan*, ar ôl dangos tuedd y Piwritaniaid Seisnig i gofnodi'r profiadau ysbrydol a ddaethai i'w rhan, dywed Mr. Bevan (t. 24) :

> Ond pa mor weithgar bynnag y bu Morgan Llwyd yn helpu eraill i ymgodymu â phroblemau'r bywyd mewnol, eto nid priodol ei alw ef ei hun yn gofnodwr profiadau. Er mor ddiwyd y byddai ei gyfoeswyr yn lleoli ac yn amseru'r cyffroadau a brofasent, ni adawodd ef unrhyw gofnod a awgrymai fod llecyn neu ddiwrnod yn gofiadwy yn ei feddwl. Yn oes yr hunan-gofiannau nid ysgrifennodd hunangofiant. Hyd yn oed pan edrydd ychydig o'i hanes ysbrydol yn rhith hunangofiant un o ddilynwyr y Golomen yn *Llyfr y Tri Aderyn* agwedd amhersonol iawn a esyd ar y defnydd bywgraffyddol oblegid cais gyflwyno helynt y ddynoliaeth gyfan yn nhermau cyffredinol ei brofiadau ef ei hunan.

Ac ymlaen wedyn i egluro pam hynny. Bu darllen hyn yn gryn syndod i mi. Y mae dweud fod Hanes y Golomen yn amhersonol iawn yn enbyd o groes i'm profiad i o aml-amlddarllen y darn. Cymerer er enghraifft y cwbl o dudalen I, 259. Mae'n rhy faith i'w godi a'i roi yma. Cymered y darllenydd y llyfr i'w law a darllen y tudalen cyfan. Beth sydd yma ? Disgrifiad o Nos yr Enaid, profiad ysbrydol pendant ac arbennig sy'n perthyn i radd uchel iawn ar weddi'r meddwl.

Byddaf yn meddwl mai gŵr swil a chignoeth oedd Morgan Llwyd ynddo'i hun er gwaethaf ei fywyd cyhoeddus a'i bregethu. Dywedodd wrth Erbery :

> whereas you have printed my Letter, I desire you let me be a private seeker, lest I should be spiritually a loser, and seem more than I am, for how much better is it to have the heart in secret, than to be accounted of amongst men ? (II, 262).

Dywedodd wrth ei gâr John Price yn un o'i lythyrau pwysicaf :

> For want of that knowledge the land of our nativitie is asleepe and the people dreame and talk through their sleepe, and shall we then lay to heart what they say of us ? I have been in an agony there, least I should imprison the trueth of God in silence. (II, 252).

Dyna'r eglurhad ar yr ymguddio yn y frawddeg yn Ll.T.A. :

> dan gerydd pawb, Gwael yn y tir, llwyd gan môr.

Anodd ganddo bob amser, oddieithr yn ei gerddi a'i rigymau preifat, sôn amdano'i hun yn y person cyntaf yn ei lyfrau. Gwell ganddo ddweud, " Mi adwaenwn un y daeth Diafol atto." Hyd yn oed yn Hanes y Golomen, y bennod fwyaf dwys bersonol yn ei holl waith ef, ac un o'r darnau dwysaf o hunangofiant yn ein llenyddiaeth Gymraeg, ei awydd ef i estyn help ei brofiad " i'r Cymry tirion " sydd yn y diwedd yn torri drwy ei swildod ef.

Gan hynny, os mynnwn ni ddarganfod y profiadau gweddïol uchaf yn ei waith ef, rhaid darllen yn chwilgar a manwl ofalus. Ond y mae'r peth yno. Fe ellir ei ddarganfod, oblegid " o'i brofiad " yn sicr iawn y traetha Morgan Llwyd. Ystyriwn gan hynny ei athrawiaeth ef am farw ac am Baradwys. Dechreuwn gyda'r frawddeg hon :

> Mae'r eneidiau sanctaidd a hunasont yn Nuw yn llonydd yn y golau distaw ymhôb man o flaen ei wyneb ef o'r tu allan i drwst ysbryd y byd . . . . (I, 255).

Ac ymhellach :

> Eryr: Paradwys: Pa le mae'r ardd honno ? Mi glywais sôn llawer am dani.
>
> Colomen: Ni all neb hedeg yno, Ond y sawl sydd yn rhedeg allan o hono ei hunan, sef allan o'i ewyllys, a'i gyfrwystra, a'i ddiweddion, a'i lwybrau ei hunan. Mae Paradwys nid ymmhell oddiwrthyt ond ymmhôb man llei mae cariad Duw yn ymddangos. Ac mae'r holl golomennod cywir ynddi, yn clywed geiriau anrhaethadwy, ymmysg myrddiynau o angelion, ac ysbrydoedd perffaith . . .
>
> Eryr: Ond Beth ped fawn i yn dy ladd di'r awron, i ba le yr ait ti ?
>
> Colomen: I mewn ymhellach i'm gwlad, canys ni ellir mo'm gwthio i allan o'm naturiaeth, a naturiaeth nefol yw Paradwys.
>
> Eryr: A wyddosti beth yr wyti yn i ddywedyd ?
>
> Colomen: Gwn, er na fedrai beri i ti ddeall . . . (I, 213-5).

Hynny yw, profiad o Dduw yw Paradwys, " bod yn llonydd yn y golau distaw," sef y math uchaf o weddi cymundeb neu weddi undeb, wedi ei ddidoli oddi wrth amser a lle a heb derfyn iddo. Gan hynny y mae disgrifiad o Baradwys o angenrheidrwydd yn ddisgrifiad hefyd o'r math uchaf o weddi undeb. Yn awr trown at Lazarus yn y llyfr Saesneg a gyhoeddodd Morgan Llwyd yn 1655 a gwrandawn arno'n disgrifio ei farw ei hunan :

> Mary: Brother Lazarus, what pain hadst thou in and after thy late corporeal lamented death ?
>
> Lazarus: I know that my words may be abused by many, yet hear, or hear not, I will testifie: my naturall life was put out like a candle, or as if one did fall asleep into sensible visions of the night. But (Mary) thou dost remember that Jesus loved me, and I love him again dearly: otherwise my spirit should not have been so easie in and after my departure. I found myself full of thoughts, but very quiet, having no lust, or will, or motion of my own, but my mind breathed in Gods own will all the while; I waited only for his pleasure in the quiet region of holy Angels, hearing (by an inward ear) the heavenly melody, and seeing (with the spirit of my mind) the unutterable wonders of the God-head: it was a sleep to

> me, yet I was very sensible all the while of the love of God, and of my own nothingness ; so sweet was it, that I never felt before nor since the like . . . (I, 274).

A fedr unrhyw un sy wedi darllen llyfrau'r gweddïwyr amau nad profiad personol sydd yma ? Byddai Sant Bernard a Teresa ac Ieuan y Groes yn adnabod yr iaith hon a'r profiad hwn. Y mae un cymal yn rhywfaint o anhawster i mi, sef " I found myself full of thoughts," ond y mae'r darn yn perthyn i lenyddiaeth gweddi'r meddwl. Y mae'n arbennig nodweddiadol o Forgan Llwyd o Wynedd ei fod ef yn cuddio'r profiad personol uchaf a gafodd ef yn ei fywyd o weddi dan enw a stori Lazarus.

Gobeithiaf ddychwelyd dro arall i drafod arddull Morgan Llwyd.

[*Efrydiau Catholig*, vii (1955), 21-30].

PENNOD XVII

Y FFYDD DDI-FFUANT

WN i ddim pa nifer ohonoch chi sy'n mentro gwrando 'rwan sy wedi darllen llyfr Charles Edwards, *Y Ffydd Ddi-Ffuant*, sef Hanes y Ffydd Gristianogol a'i Rhinwedd.

Mae hanes i'r llyfr yma ac efallai mai dweud ei hanes yn fyr sydd orau imi gyntaf. Fy ngharn i am bopeth a ddywedaf yw rhagymadrodd yr Athro Griffith John Williams i argraffiad 1936, Gwasg Prifysgol Cymru. Un o gampau ymchwil ysgolhaig a llenor yw'r rhagymadrodd hwnnw, a dyna fan cychwyn pob astudiaeth ddiweddar ar fywyd a gwaith Charles Edwards.

Yn y flwyddyn 1666, ac Oliver Cromwell yn ei fedd a Siarl yr Ail ar orsedd Lloegr, yr oedd Charles Edwards yn byw gyda'i wraig a'i blant mewn neilltuedd yn Sir Ddinbych. Yr oedd yn ŵr gradd o Rydychen. Buasai'n ficer Llanrhaeadr-ym-Mochnant, ond collodd ei fywoliaeth yno pan ddaeth y brenin i'w orsedd. Bu mewn helbul droeon cyn hynny a chafodd ei erlid wedyn ; ymosodwyd arno yn ei dŷ. Troes ei wraig hithau yn ei erbyn a mynnu byw ar wahân iddo. Felly gadawodd Charles Edwards ei wlad a'i deulu ac aeth i Rydychen. Yn fuan wedyn, yn y flwyddyn 1667 fe gyhoeddodd drwy Wasg y Brifysgol " Y Ffydd Ddi-Ffuant," llyfr bychan o lai na chan tudalen. Dyma fel y disgrifia'r Athro Williams gynnwys y llyfr :

> Ei amcan ar y dechrau ydoedd rhoddi crynodeb o hanes Cristnogaeth, gan fanylu ar yr erledigaethau a ddisgrifir yn llyfr John Fox, ' Acts and Monuments of Matters most special and Memorable, Happening in the Church, with an Universall Historie of the Same '. Yr oedd hwn yn un o'r llyfrau mwyaf poblogaidd yn y cyfnod, a chedwid ef gyda'r Beibl mewn rhai eglwysi fel y gallai'r bobl ei ddarllen, a gellir tybio mai rhoddi sylwedd y llyfr poblogaidd hwn i Gymry uniaith ydoedd amcan cyntaf Charles Edwards. Yna aeth ati i gasglu'r dadleuon a ddefnyddiasid o bryd i'w gilydd i brofi " sicr wirionedd y Ffydd Gristianogol."

Dyna a geir ganddo yn 1667. Yn y ddwy flynedd nesaf cawn fod Edwards yn bwrw cryn amser yn nhai boneddigion ardal Llansilin ac yn chwilio barddoniaeth Gymraeg yr oesoedd canol a llyfrau hanes am Gymru. Y canlyniad fu argraffiad newydd o'r " Ffydd Ddi-ffuant " yn 1671, dau gant a deugain o dudalennau, a Hanes y Ffydd yng Nghymru yn adran bwysig yn rhan gyntaf y llyfr, a phennod newydd ar y diwedd ar Rinwedd y Grefydd Gristnogol yn gorchfygu llygredigaeth ac yn sancteiddio ei gwir dderbynwyr. Y ffaith yw bod y llyfr wedi ei weddnewid. Yn Llansilin, wrth astudio'r cywyddwyr Cymraeg, fe gafodd Charles Edwards weledigaeth , a'r weledigaeth honno a droes ei lyfr bychan cynnar yn glasur mawr. Yr hyn a feddyliaf i wrth " weledigaeth " yw goleuni yn y deall, goleuni ar hanes Cymru, ar ffordd Rhagluniaeth Duw yn y byd mawr ac yn y byd bychan, sef y dyn unigol. A dyna'r pam y mae'r bennod ar hanes Cymru a'r bennod ar Rinwedd Crefydd yn gorchfygu pechod wedi dyfod ynghyd yn argraffiad 1671.

Ond nid oedd Charles Edwards eto'n fodlon ar ei lyfr. Yn y blynyddoedd nesaf ymdaflodd i astudio ac i gyfieithu'r Tadau Eglwysig, y " prif Gristnogion " fel y gelwid hwynt yn ei oes ef, a rhoes y rheiny hefyd yn ei lyfr. Cyhoeddwyd y llyfr yn 1677 ac yn ei ragair fe ddengys Charles Edwards mai gwneud rhywbeth mawr i Gymru oedd ei nod :

> Y mae i mi achos arbennig i glodfori enw yr Hollalluog am ddwyn fy ngorchwyl i hyn o hyd . . . . Bu fodlon gan Baganiaid wasanaethu eu pobl drwy ddirfawr boen a chaledi. Ac os bu i'r cyfryw chwysu a gwaedu dros eu gwlad, nid yw ond peth bychan i Gristianogion ysgrifennu er ei mwyn.

Yn awr, dowch imi sefyll yn y fan hon i ystyried ei gyfnod ef. Cyfnod helbulus a therfysglyd a rhyfelus fel ein cyfnod ni oedd oes Charles Edwards.

Pan anwyd ef yr oedd rhyfel erchyll yn yr Almaen, rhyfel y deng mlynedd ar hugain a ddibennodd yng nghytundeb Westphalia yn 1749. Gadawodd y rhyfel hwnnw yr Almaen yn fwy o ddiffeithwch o drueni nag y bu hi erioed wedyn hyd at y bomio pechadurus saith mlynedd yn ôl. Dyma i chi frawddeg o ddisgrifiad Charles Edwards o'r rhyfel hwnnw:

> Torrodd allan ryfel echryslon yn Germania rhwng y Papistiaid a'r Protestaniaid. a barhaodd ddeg ar hugain o

flynyddoedd ; a naw mlynedd cyn ei ddarfod clybuwyd hela mawr gan y Cythraul yn Bafaria, arglwyddiaeth o Germania, gyda bloeddio mawr a llais cŵn.

Yna, a Charles Edwards newydd fynd i brifysgol Rhydychen torrodd allan ryfel rhwng y brenin a'r senedd yn ynys Prydain. Daliwyd yntau yng nghanlyniadau'r rhyfel hwnnw a chynnil ryfeddol yw ei sôn amdano :

> Ychydig wedi hynny torrodd allan y rhyfel brwd yn Lloegr, am yr hwn anghydfod anafus nid rhaid yn awr sôn yn helaethach am fod ei friwiau, neu ei greithiau, i'w gweled eto. Yn unig cyfaddefwn drugaredd Duw yn peri i wybodaeth efengylaidd chwanegu drwy ymdrech y ddwy blaid. Oddi wrth ymgur y dur a'r callestr enynnodd goleuni gyda'r tân.

Cymaint oedd terfysg a thrueni'r ganrif onid oedd dynion galluog a duwiol yn holl wledydd Ewrop yn disgwyl am weled diwedd y byd a Dydd y Farn yn fuan. Mae'r peth yn gyffredinol ac y mae'n wir am holl brif feirdd a llenorion Cymraeg y ganrif : mae'n wir am Forgan Llwyd ac am Ellis Wynne megis am Charles Edwards. Heb ddal hynny mewn cof ni ellir deall na'r ganrif ei hun na llyfr Edwards, *Y Ffydd Ddi-ffuant.*

A dyna'r gwahaniaeth odiaf, ond odid, rhwng oes Charles Edwards a'n hoes ni. Ychydig sy heddiw o sôn am ddiwedd byd a dydd Barn. Ac i ni y mae'r byd yn hen iawn, yr ydym ni'n mesur oed y byd mewn miliynau o flynyddoedd. Yn awr, oed y byd, oed y greadigaeth i gyd, i Charles Edwards, pan gyhoeddodd ef y trydydd argraffiad o'r *Ffydd Ddi-ffuant*, oedd 5640. Fe gofiwch fod y Bardd Cwsc yn ei Weledigaeth Angau yr un mor bendant am oed y greadigaeth. Dyna argyhoeddiad cyffredinol y ganrif.

Yn awr, rhowch y ddau syniad yma gyda'i gilydd—fod oed y byd yn 5640 o flynyddoedd, a bod diwedd y byd yn awr ar ddyfod ; fod yr holl arwyddion yn eglur. Beth yw'r canlyniad i Gristion meddylgar ? Hyn, ei fod ef yn awr, efallai am y tro cyntaf, yn medru gweld holl stori'r byd a stori'r ddynoliaeth o safbwynt Duw, yn medru gweld patrwm cynllun o Ragluniaeth Duw mewn hanes. Mae'r cynllun mawr, holl drefn Rhagluniaeth Duw, yn ymddangos.

Dyna i chwi un o ddarganfyddiadau pwysicaf a rhyfeddaf yr ail ganrif ar bymtheg. Wele, y mae undod, patrwm Cristnogol holl ganrifoedd dyn o Adda ymlaen yn dyfod i'r amlwg. Hynny yw, yn lle *cronigl* ac *annales* yr oesoedd canol, mae'n bosibl yn awr ddeall holl droeon y ddynoliaeth, eu deall yn athronyddol : hynny yw, y mae ysgrifennu *Hanes* yn bosibl, hanes ymwneud Duw â dynion, a gweld achos ac effaith mewn patrwm cyfan.

Dyna ydyw *History of the World* Syr Walter Raleigh (1614) ; dyna ydyw *Discours sur L'histoire Universelle* yr Esgob Bossuet (1681) a dyna ydyw *Hanes y Ffydd Ddi-ffuant* neu'r " Ffydd Gristianogol " gan Charles Edwards. Dyna gynnyrch gweledigaeth yr ail ganrif ar bymtheg, sef rhoi genedigaeth i hanes, fel peth athronyddol, fel undod ; hanes fel yr oedd Karl Marx i ddeall hanes yn llawer diweddarach. Heb Charles Edwards a Raleigh a Bossuet, hynny yw heb weledigaeth gyfan, apocalyptig yr ail ganrif ar bymtheg, ni byddai *Das Kapital* Karl Marx yn bosibl.

Beth yw cyfran Charles Edwards yn y datblygiad hwn ? Yr ateb yw mai ef yw hanesydd cyntaf Cymru. Ef yw'r cyntaf i weld patrwm, cynllun, unoliaeth, yn hanes y genedl Gymreig, gweld hanes Cymru yn enghraifft o ddull Duw o drin cenedl. Ac am hynny mae penodau Charles Edwards ar Gymru yn hanes athronyddol, nid yn-gronigl. Cawn ei fod, er enghraifft, yn medru esbonio pam y methodd rhyfel Owain Glyndŵr, ac yn esbonio pam yr oedd yn rhaid cael y Tuduriaid Cymreig ar orsedd Loegr cyn y gallai'r Diwygiad Protestannaidd gael croeso yng Nghymru. I Charles Edwards y mae hanes Cymru wedi'r holl ganrifoedd o ormes a siom ac adfyd yn tynnu i derfyn nefolaidd a llawn trugaredd. Gwrandewch arno :

> Am hynny dywedaf wrth y Cymro a ryddhawyd, yn ôl y siars a roddes Crist ar y clwyfus a iachawyd. Wele, ti a wnaethpwyd yn iach, na phecha mwyach, rhag digwydd i ti beth a fyddo gwaeth. Mae ewyllys Duw yn ddatguddiedig yn yr oes hon.

Dyna'r frawddeg sy'n allwedd i'r cwbl, fe welwch, " Mae ewyllys Duw yn ddatguddiedig yn yr oes hon."

> Wedi'r hyn oll a ddaeth arnom am ein mawr gamwedd, a rhoddi o'r Arglwydd inni ddihangfa fel hyn, a dorrwn ni drachefn ei orchmynion ef oni ddigia efe wrthym nes ein difetha, fel na byddo un dihangol ? Nid ydym ni heddyw

> ond tipyn o weddill y Britaniaid ; 'mogelwn rhag i'n Gwneuthurwr yn ei ddig fwrw ymaith hynny i'r dinistriwr, ar ôl y llall . . . gwnaed yr oes hon ei rhan yn adeiladu ar y sail ysgrythurol a osododd yr oes ddiwethaf, ac yn cynnyddu'r gwaith a ddechreuwyd drwy gymaint o anhawstra, fel y torro goleuni Cymru allan fel y wawr, ac na ddiffodder ei phentewyn. Byddai yn gymorth nid bychan iddi, pe cyfodai ei blaenoriaid goleds neu ddau ynddi, i ddwyn gwŷr ieuainc gobeithiol i fyny mewn dysgeidiaeth a moesau da, tuag at eu cymhwyso gyda bendith y goruchaf i weinidogaeth efengylol a swyddogaeth wladwriaethol . . . . Tybia rhai mai epil Cam ydym ni, a pheth o weddillion y cenhedloedd a ddiangasant o dir Canaan tua'r gorllewin rhag y dialedd dinistriol a ddaeth arnynt yn amser Joshua. Os yw hynny yn bod (canys nid yw'r chwedl heb liw), eto byddwn rasol, a bendith Crist a ylch ymaith felltith Noah. A chaiff y cenhedloedd o'n hamgylch wybod nad ardal drygioni ydym . . . eithr had a fendithiodd yr Arglwydd . . . Oherwydd cyfiawnder a ddyrchafa genedl, ond cywilydd pobloedd yw pechod.

Wedi sgrifennu hanes Cymru troes Charles Edwards i sgrifennu Rhinwedd y Grefydd Gristnogol, rhan olaf ei lyfr. Dyma waith ei aeddfedrwydd ef a dyma'i gampwaith mawr. Mi ddechreuais sôn amdano fel hanesydd drwy sylwi ar wahaniaeth amlwg rhwng meddwl yr ail ganrif ar bymtheg a'n meddwl ni heddiw. A gaf i ddyfod yn ôl at wahaniaeth arall ? Yn wir, hawdd fyddai dangos llu o wahaniaethau pwysig a rhyfedd. Megis, er enghraifft, gred Charles Edwards mai un o ganlyniadau rhyfel Owain Glyndŵr fu cynyddu dylanwad y Tylwyth Teg yng Nghymru ; ac nid mympwy o gwbl mo'r gred honno. Ond gadewch imi ddyfod at wahaniaeth sy'n ddofn, sef gwahaniaeth barn ynghylch natur dyn.

Mater diwinyddol yw hwn ; ond mewn sgwrs radio fel hon mi geisia' i drafod y pwnc mor ysgafn ag y medra' i a heb fy maglu fy hun mewn diwinyddiaeth. Tuedd y byd heddiw, hyd yn oed y byd sy'n parhau i'w alw ei hun yn Gristnogol, yw meddwl yn dda am ddyn, a thybio, ond cael addysg uwchradd i bawb a lluniau'r cinema seithwaith yr wythnos, y daw'r demos gan bwyll i berffeithrwydd. Yn awr tuedd pobl yr ail ganrif ar bymtheg oedd meddwl yn wael am ddyn. Rhaid i chwi faddau iddyn' nhw ; 'chawson' nhw mo'n manteision ni.

'Doedd ganddyn nhw ddim *News of the World* i'w goleuo hwynt am ddyn ar y Sul.

Yr oedd Charles Edwards yn Galfinydd, yn Galfinydd o'r un ysgol â Baxter. Ond ar y mater hwn yr oedd holl feddylwyr ei ganrif ef, Calfiniaid, Catholigion, Janseniaid a'r di-ffydd, yn dal barn go debyg. Cymerent oll olwg ddu ar natur dyn.

Dyna nodwedd hanfodol a syniad hanfodol llenyddiaeth glasurol Ffrainc. Blwyddyn cyn ymddangos argraffiad cyntaf *Y Ffydd Ddi-ffuant* fe actiwyd ym Mharis y mwyaf o gampweithiau Molière, *Le Misanthrope*. Gwrandewch yn awr ar yr hyn a ddywed yn y ddrama honno y callaf a'r mwyaf cymedrol o'r cymeriadau :

> " Gwelaf i'r gwallau sy'n cyffroi eich gwŷn
> Fel drygau sydd yn un â natur dyn ;
> Bod dyn yn twyllo, yn treisio, yn mynnu ei ran,
> Nid yw'n fwy rhyfedd gennyf i na phan
> Welaf i fwltur yn dyheu am gelain
> Neu fwnci'n gas neu flaidd mewn llid yn ubain."

Ac yn awr gwrandewch ar Charles Edwards ar yr un testun :

> Tra niweidiol i ddynion ydyw gweithrediad y llygredigaeth hwn, gan eu gwneuthur fel bleiddiaid wrth ei gilydd, ie yn waeth nag eirth, y rhai ni rwygant eu rhyw eu hun, er iddynt ysglyfaethu creaduriaid eraill. Ond lladd y naill ddyn y llall... Ystum waradwyddus y mae'r pechod yn ei wneuthur ar ddynion, ac megis â diodydd y ddewines Circe, y mae'n troi'r naill yn fochyn drwy feddwdod, a'r llall yn arth drwy wŷn digllon, a'r trydydd yn afr drwy anlladrwydd, a'r pedwerydd yn dwrch daear drwy gybydd-dod i ymdroi yn y pridd.

A gaf i drafod y mater hwn yn fyr am funud neu ddau. Mae llenorion a diwinyddion yr ail ganrif ar bymtheg yn fwy enbyd eu barn ar ddyn na llenorion a diwinyddion yr oesoedd canol. Mae rhyw nodyn o siom a chwerwder a dadrithiad yn holl sôn cyfoeswyr Charles Edwards. Pam ? Wel, yn rhannol o leiaf oblegid bod cyfnod y Dadeni Dysg wedi meddwl ac wedi gobeithio'n rhy uchel am ddyn. Darllenwch lyfr Castiglione, *Y Gŵr Llys*, neu lyfrau tebyg gan ddyneiddwyr yr unfed ganrif ar bymtheg : yr oeddyn' nhw'n credu y gallai astudio ac efelychu Platon a Cicero a Pheidias a seiri'r Acropolis godi dyn i fod megis duw, ac yn annibynnol ar Dduw. Cyfnod gobaith a hyder dyn am ddyn oedd cyfnod y Dadeni, cyfnod delfryd dyneiddiaeth, cyfnod balchder dyn.

Yna daeth y dadrithiad. Fe'i canfyddwch drwy holl lenyddiaethau Ewrop. Dyna angerdd yr ail ganrif ar bymtheg. Dirgelwch arswydus, hanfodol bywyd dyn yw pechod, medd Pascal, " Heb y dirgelwch hwn, sy'n llwyr annealladwy i ni, yr ydym ninnau'n llwyr annealladwy i ni'n hunain " ; a gwrandewch ar fyfyrdod rhyfedd Charles Edwards ar destun telynegion tlysion lawer, sef plant bach :

> Pob oedran sydd bechadurus, ieuanc a hen. Mae bryd calon dyn yn ddrwg o'i ieuenctid a gelwir ef o'r groth yn droseddwr. Y mae baich o ffolineb yn rhwym yng nghalonnau plant, yr hwn wedi ymddatod a ystraffa'r ffordd a gerddant â direidi ac oferedd. Ymgymysg anwiredd gyda'u defnydd yn y bru, ac mewn pechod y beichioga eu mamau arnynt. A chynyddant ynddo gyda'u maintioli. Nid anodd craffu ar eu cenfigen a'u celwydd a'u chwanogrwydd i bob atgasrwydd. Medrai plant Bethel watwar proffwyd Duw. A phan dyfont i bybyrwch rhuthrant i'r pechod yn awyddus fel y march i'r frwydr ; dan fwrw ewyn aflendid a chnoi'r ffrwyn a'u hatalio a myned ar draws y sawl a'u ceryddo. Eu haf yw amser eu hieuenctid, bydd blodau ar y drain a rhosynnau hyfryd ar y mieri melltigedig.

Pan oedd Charles Edwards yn sgrifennu'r penodau cyntaf hyn ar Rinwedd y Ffydd yr oedd bardd a dramaydd mwyaf Ffrainc yn cyfansoddi'r ddrama enwog ac enbyd sy'n datguddio'n union yr un weledigaeth ar fywyd. Byddaf i'n meddwl mai'r frawddeg fwyaf ofnadwy a sgrifennwyd yn Ewrop yn yr ail ganrif ar bymtheg yw hon gan Charles Edwards :

> Mae pob dyn yn gorwedd mor ddiymod yn ei ddrygioni ag yw'r marw yn ei fedd.

Nid wyf i wedi sôn o gwbl heno am arddull rhyddiaith Charles Edwards. Mi sgrifennais bennod ar hynny i'r " Efrydiau Catholig " a cheisiais ddangos ei fod yn ei ddull o sgrifennu yn un o ogoniannau'r dull metaffusegol yn Ewrop.

Heno ceisiais roi pwyslais ar ddeubeth, ei fod yn un o'r cyntaf o haneswyr athronyddol Ewrop a'i fod yn ei ddehongliad o natur a sefyllfa dyn ar y ddaear yn dehongli holl feddwl a holl brofiad ei ganrif. Yr ail ganrif ar bymtheg yw'r ganrif fawr Gristnogol olaf yn hanes Ewrop hyd yn hyn. Ystyriwch, er enghraifft, ddramaydd mwyaf Sbaen, Calderôn, wedi iddo sgrifennu dramâu sy'n ei osod ef, yn ôl y beirniaid, ochr yn ochr â'r meistri pennaf oll yn nrama Ewrop, eto ar awr ei glod uchaf, yn hanner cant oed, wele ef yn cefnu ar y cwbl, y theatr a llys y brenin, i fynd yn nofis tlawd yn urdd Sant Ffransis. Dyna ddangos barn meddylwyr mwyaf y ganrif honno am fywyd dyn. Mae amgylchiadau heddiw yn debyg, ac os mynnwch chwi dreiddio i ysbryd y ganrif honno, a deall ei meddwl, ewch at Charles Edwards ac astudiwch un o lyfrau mawr y ganrif; llyfr bardd, hanesydd, moesegydd, *Y Ffydd Ddi-ffuant.*

A chofier hefyd mai neges o wroldeb ac o egni ac ymroddiad bywiog yw neges Charles Edwards yn y diwedd. Gwrandawn ar ei air terfynol :—

> Pwy ond y diwyd sy'n myned yn ysgolhaig neu yn gelfydd-wr neu yn hwsmon cywraint? Ac nid aiff neb yn Gristion da ond a ymgynefino ag arferion duwiol yn wastadol. Am hynny y gofynnir ganddo lafurio fel hwsmon, a dioddef ymdrech fel milwr, ac ymegnio a bod yn dymherus fel rhedegwr. Rhaid ceibio at y mwyn gwerthfawr o gysur ysbrydol drwy'r rhwystr galetaf, a dal y llaw a'r llygad ar yr aradr yn ofalus, o mynnir fyned i deyrnas Dduw; ac onid e, anrheithir y gwaith a malcir y fuchedd . . . . Goddef gystudd megis milwr da i Iesu Grist. Gorfydd i filwr yn fynych ymfodloni i fod mewn peryglon a gwyliadwriaethau a phrinder ac oerni a briwiau, cyn cael y fuddugoliaeth. Ac o mynni ennill y gamp yn yr yrfa efengylol, cynhyrfa dy holl allu ysbrydol a chorfforol, ac ym-gadw ym mhopeth oddi wrth bob maswedd a'th wanycho ac oddi wrth bob gormodedd a'th drymhao, fel y caffech afael ar y faeler ac y derbyniech y goron anllygredig. Cynhyrfiad a gwaith sy fuddiol i'r bywyd hwn a'r llall hefyd. Y dwfr rhedeg-og sy loywaf, a'r awyr wyntog sy iachaf, a'r Cristion bywiog sy ysbrydolaf.

Darlledwyd Tachwedd 28ain, 1950,
yn y gyfres " Orig Gyda'r Clasuron ".

[*Llafar*, 1951, 7-16].

PENNOD XVIII

ARDDULL CHARLES EDWARDS

HANES Y FFYDD YNG NGHYMRU, *Detholiad o'r* FFYDD DDIFFUANT gan Charles Edwards, gyda *Rhagymadrodd a Nodiadau* gan Hugh Bevan, *Coleg y Brifysgol, Abertawe.* Gwasg Prifysgol Cymru, 1948.

Y mae cyhoeddi'r detholiad hwn yn gyfle i mi i ddychwelyd at gampwaith Charles Edwards ac i ystyried ei arddull ef fel yr addewais yn *Ysgrifau Dydd Mercher.* Y gwir pwysig am Charles Edwards yw mai ef yw meistr mawr Cymraeg yr arddull metaffusegol, sef y dull hwnnw o sgrifennu ar fydr ac mewn iaith rydd a oedd yn ffenomen Ewropeaidd yn yr ail ganrif ar bymtheg. Dyfynnaf ddisgrifiad cyfleus a diweddar o'r arddull metaffusegol allan o gyfrol Douglas Bush, *English Literature in the Earlier Seventeenth Century* (Rhydychen, 1945):

> The metaphysical style, which was so well adapted to the paradoxes of faith, was a European phenomenon. In England it ran throughout our period but was especially strong in the first half of it. Andrewes and Donne, the greatest Anglo-Catholic preachers of the age, were, though very different, the chief exemplars. In prose as in verse wit involved not merely verbal tricks and surprises but the linking together of dissimilar objects, symbols, and ideas philosophized and fused by intellectual and spiritual perceptions and emotions, weighted by frequently abstruse or scientific learning, and made arresting by pointed expression. Along with the general and philosophic causes behind this mode of thought and feeling, there were the general stylistic influences represented by Euphuism and Senecanism and, for preachers, the example of some of the Fathers . . .

Y mae'r dyfyniad hwn yn ddisgrifiad boddhaol mewn termau haniaethol Saesneg o arddull Charles Edwards. Cyn ymosod ar ei nodweddion ystyriwn sut y daeth ef yn gymaint meistr arno. Cofiwn ei addysg yn Rhydychen a'i flynyddoedd wedyn o astudio yno ac yn Llundain. Cyfranogodd ef yn holl astudiaethau ysgolheigion ei gyfnod. Nid oedd dim o lenyddiaeth Saesneg ei ganrif, na'r tair llenyddiaeth glasurol na chyfrolau'r

" prif Gristnogion," sef y Tadau Eglwysig Groeg a Lladin, yn ddieithr iddo. Ceir y nodweddion metaffusegol yn ei draethodau Lladin a Saesneg megis yn ei Gymraeg. Yr oedd yn perthyn i'w ddull o feddwl o'r cychwyn ond datblygodd i'w gyflawn addfedrwydd yn y trydydd argraffiad o'r *Ffydd Ddi-ffuant*. Diau iddo ddarllen pregethau Lancelot Andrewes, ac efallai fenthyg rhywfaint ym mhennod 29 o'i lyfr allan o'r bumed bregeth ar ympryd ; ond nid oes ganddo ddull stacato Andrewes. Dysgodd fwy gan Thomas Fuller. Gellir dangos hynny allan o'r tudalen cyntaf o'r detholiad hwn a olygwyd gan Mr. Bevan ; dywedir yno am y Gymraeg :

> Mae ei llefariad yn aml fel yr Hebraeg yn dyfod oddiwrth gyffiniau y galon, o wraidd y genau, ac nid fel y Saesoneg oddiar flaen y tafod.

Felly y dywedasai Fuller yn ei *Church History of Britain* (arg. 1842, I, 97) :

> Whereas the mouth is the place wherein the office of speech is generally kept, the British words must be uttered through the throat. This rather argues the antiquity thereof, herein running parallel with the Hebrew.

Mae gennyf enghreifftiau eraill o ddyled Edwards i'r *Church History*, ond astudiodd ef lyfrau eraill gan Fuller. Ystyrier un o ffigurau enwocaf y Cymro :

> Drwy rigolau'r galon ddrylliedig y daw goleuni nefol i mewn (arg. 1936, t. 255).

Ym muchedd Monica yn *The Holy State* ceir gan Fuller yr unrhyw ffigur :

> Drawing near her death, she sent most pious thoughts as harbingers to heaven, and her soul saw a glimpse of happiness through the chinks of her sickness-broken body.

Edrycher eto ar ddarn o baragraff gan Edwards sy'n disgrifio pechadur diystyr :

> A rhediff dan neidio ar hyd y ffordd lydan (tra caffo hi yn deg ac yn ddihelbul) er ei bod yn arwain i ddestryw ymhen y daith. Cymer ei bleser a'i rwysc gyda ei gymdeithion yn yscafnder ei galon ; a chweri suglen donnen uwchben y pwll diwaelod, er na bo ond llinin brau o fywyd bregus yn ei ddal ef (t. 281).

Onid oes yma debygrwydd i ddarlun Fuller o'r *witch* yn *The Profane State* :

> She begins at first with doing tricks, rather strange than hurtful; yea, some of them pretty and pleasing. But it is dangerous to gather flowers that grow on the banks of the pit of hell, for fear of falling in; yea, they who play with the devil's rattles will be brought by degrees to wield his sword, and from making of sport they come to doing of mischief.

Ac oni chlywir tinc rhuthmau Charles Edwards yn y paragraff Saesneg hwn ? Y mae Fuller yn llawn o ffraethebion megis hon am Sant Hildegard :

> God, who denied her legs, gave her wings.

Aml y ceir pethau o'r un naws gan Edwards, megis y frawddeg am ddull yr edifeiriol, sy'n benthyg hefyd o lyfr y proffwyd Amos :

> A brunti'r fuchedd a bair iddynt lendid dannedd.

Nid honni benthygion pendant a wnaf, ond dangos fod y dull a roes i Fuller ei enwogrwydd mawr, y ffiguraeth ddarluniol od, yr epigram annisgwyl, y cyfateb cyferbyniol yng nghydbwysedd y brawddegau, oll wedi eu mabwyso gan Charles Edwards. Yn wir, odid nad ydynt yn fwy helaeth gan y Cymro. Achlysurol ydynt gan Fuller. Yn rhan olaf llyfr Edwards y maent yn gyfresi ar gyfresi o drosiadau dihysbydd. Dyma'r rhyddiaith fwyaf barddonol fetaffusegol a sgrifennwyd o gwbl yn yr ail ganrif ar bymtheg. Ceir yn fynych bethau fel hyn :

> Crynodd calon ceidwad y carchar dan ei bechod wedi i'r ddaear grynu dan ei draed (t. 309).
> Mae y rhannau dirgel yn cenhedlu llawer mwy o bechodau nag o bechaduriaid, er lluosoced yw'r byd (t. 267).

Ond mynychach na'r epigram na'r ffraethineb digrif yw'r ffraethineb ffigurol " cryf " yn ystyr yr ail ganrif ar bymtheg :

> Towydd galed oddiallan a chwanega boethni euogrwydd oddifewn : a thra fo'r cyflwr bydol yn gymylog y saetha mellt drwy'r meddwl yn aml. Y pechodau ni chanfyddid yn y cynhesrwydd llwyddiannus a'r maswedd mwll, a ymddangosant cyn amled â'r sêr pen ddêl oerni calon (t. 310).

Y mae paragraffau fel hyn y tu draw i gyrraedd Fuller. Dygant ar gof inni ruthmau a ffigurau Syr Thomas Browne. Fel Browne, y mae Charles Edwards yn symud mewn dau fyd, ym myd cyngopernig yr Oesoedd Canol ac ym myd gwyddoniaeth newydd Joseph Glanvill a'r *Royal Society*. Hawdd dyfynnu sylwadau ganddo i ddangos hyn. Wele gip ar yr hen fyd Catholig :

> Yr un rhyw ras a ddwg y cyfoethog a'r tlawd i'r un gogoniant. Tua'r un porthladd dymunol y mae'r cyfoethog a'r tlawd grasol yn hwylio ar draws tonnau'r byd hwn, ond bod y naill mewn llestr dipyn mwy na'r llall; i'r un gorphwystra y deuant, er bod y naill yn marchogaeth ei bererindod, a'r llall yn ei cherdded (t. 342).

Ond yr un awdur sy'n sylwi hefyd :

> Gan fod bwled, sydd dippyn o blwm crwn heb na blaen na min, yn myned yn rhwyddach drwy faen a phren nag y gall llaw dyn hyrddu'r arf flaen-llymmaf, mae'n dangos egni'r tân yn torri allan o gyfyngdra (t. 222).

A dyma sylw arall y gellid disgwyl ei gael gan Browne :

> Nid oes mo'r llawer iawn er pan adferwyd[1] Philosophyddieth a dysceidieth a phreintio a chyfraith a physygwrieth ac hwmonaeth ; bu pryd na welsid heb wrthiau *droi'r cerrig yn fara* wrth galchu'r tir (t. 227).

Cyfuna yntau ei ddiddordeb hynafiaethol â phrofion o wirionedd y Ffydd :

> Y cloddiau a'r tomennydd a'r cestyll amharus cyn amled yn y terfynau rhwng Cymru a Lloegr, sydd yn dangos mai gwir yw'r Croniclau a ddatcanant y rhyfeloedd tost a fu gynt rhwng y Cymru a'r Saeson (t. 226).

Awgryma ei ffigurau dihysbydd iddo ef hefyd gadw cofnodion o bethau dieithr y deuai ar eu traws wrth ddarllen. Gyda Browne fe fethodd dderbyn damcaniaeth Copernig a thry ei fyfyrdod ar y bydysawd yn farddoniaeth rwysgfawr :

> Beunydd y mae'r ddaiar drom fel pel fawr yn sefyll ynghanol yr awyr, ac ynghrog ar ddiddim. Nid oes ond yr awyr yn ei hamgylchu o bob tu, heb ddim gweledig i'w hattegu. Y mae

[1] "Arferwyd" sydd yn y testun.

> olwynion mawr y nefoedd yn troi oddiamgylch mewn pedair awr ar hugain, heb un dyn yn rhoddi llaw arnynt, y mae'r cant cwmpasog yn troi, a'r foth sef y ddaiar heb syflyd . . . Rhyfeddach yw i'r haul dywynu na thywyllu, canys naturiol yw diddymiad, a gallu anfeidrol Duw sydd yn peri bod o ddim. Rhyfeddach i'r ddaiar sefyll ynghanol yr awyr na siglo ; eto dychrynwn fwy pan fo eclips ar yr haul, a chrynfa ar y ddaiar, o herwydd eu anamlder (t. 237).

Y mae gan Basil Willey yn ei lyfr, *The Seventeenth Century Background*, bennod ar elfennau metaffusegol yn Browne a gellid benthyg braidd y cwbl i oleuo gwaith Charles Edwards. Ystyrier, er enghraifft, y cyfuno metaffusegol o'r microcosmos a'r macrocosmos yn y darn a ganlyn :

> Rhyfeddol mor gywraint yw gwneuthuriad dyn ac anifail, a maint o bibellau a gwythi a chymalau sydd ynddynt, heb un diswydd nag afreidiol, ond pob un yn cynorthwyo'r naill y llall. Y mae'r haul yn cadw ei dymhorau yn y modd buddiolaf i'r byd ; pettau'r lamp nefol hwn yn sefyll ynghanol y ffurfafen, neu yn troi yn oestadol uwchben, ac ar draws canol y ddaiar yn lîn y Cyhydedd, byddai'r naill ran o'r ddaiar yn anffrwythlon gan boethder, a'r llall yn anghyfaneddol gan dywyllwch ac oerder, am fod Crwmmach y ddaiar yn bwrw Cysgod, fel na thywynno'r haul arni i gyd ar un waith . . . (t. 241).

Dywed Willey am Browne :

> Mr. Eliot has pointed out that " a thought to Donne was an experience, it modified his sensibility " ; this is largely true of Browne as well, and both owe it, I believe, to the scholastic tradition, in which " fact " and " value " had not yet been sundered by the " mechanical " philosphy.

Ni ddeuwn i ben â dyfynnu paragraffau i ddangos y gynneddf hon ar feddwl Charles Edwards. Bodloner ar un enghraifft sy'n debyg i un o fyfyrdodau Thomas Browne :

> Mae llygaid ein corph ni o ddefnydd godidocach na'r aelodau eraill, mor loiw â meini gwerthfawr neu Sêr y ffurfafen. Beth ynteu ydoedd rhagoriaeth golugon yr enaid ?

Eithr gyda'r dull ysgolegol o feddwl fe gyfuna Edwards ddiddordeb ei ganrif yn natblygiad gwybodaeth naturiol. Tybiaf fod y dyfyniadau a roddwyd eisoes yn dangos hynny. Cyhoeddwyd *The Vanity of Dogmatizing* gan Joseph Glanvill yn 1661, llyfr a oedd megis maniffesto'r wyddoniaeth newydd. Y mae ysbryd llyfr Glanvill yn ddigon pell oddi wrth naws y *Ffydd Ddi-ffuant*, ond fe synnid hefyd at y maint o dir sy'n gyffredin iddynt. Deil Edwards megis Glanvill yr athrawiaeth sy'n tarddu o Sant Awstin fod Adda cyn y cwymp yn rhagori ar bob oes ddiweddarach yn ei ddeall o'r byd anianol :

> Yn yr enaid y deall yw tywysog y cyneddfau, fel y mae'r haul yn y ffurfafen yn benaeth y goleuadau, etto y mae ef dan ecclip du . . . Gwan yw'r deall mewn pethau bydol wrth fel y bu cyn cwymp Adda.

Ac yna daw paragraff sy'n cyfeirio at arbrofion a darganfodau gwyddonwyr yr ail ganrif ar bymtheg :

> Yn sicr y mae rhai ond nid y rhan fwyaf o'r byd, wrth astudio llyfrau a dyfeisiau'r cenhedlaethau aethant heibio, gydag ymarfer a phrofiad, wedi mynd yn gyfarwydd ar faterion daiarol, perthynol i'r corph, megis celfyddydau, hwsmonaeth, llongwriaeth a physygwriaeth. Ond ni enir y cyfarwyddyd hwn gyda phawb, canys genir dyn fel ebol Assyn gwyllt, yr hwn yw'r hurtaf o'r milod ; eithr cyfrenir ef ir cyfryw ac y rhoddo Duw yr athrylith neilltuol iddynt, ac a arferant ddiwydrwydd a phwyll.

Ac yn wir y mae'r penodau ar Wirionedd y Ffydd yn dangos fod Charles Edwards yn gwybod am ddarganfodau Harvey a Boyle. Saif ef gyda Donne a Browne ar y ffin rhwng dau fyd a chanddo'r ddawn i flasu rhin y ddau.

Yr oedd yn ysgolhaig clasurol. Haedda ei gyfieithiad o Tertullianus (pennod VIII) sylw arbennig, y mae'n bwysicach nag a ddeallwyd. Ond prin yw'r dyfyniadau clasurol yng nghorff ei waith wrth a geir gan yr ysgol fetaffusegol yn Saesneg. Awgrymaf fod dau esboniad. Un yw bod y traddodiad Puritanaidd yn tueddu i ymwrthod â'r arfer. Rhoddir y rheswm hwn gan Arthur Dent yng nghymreigiad Robert Llwyd (1629) o *Bregeth Dduwiol* :

> Na chymmered neb dramgwydd, ac na thybied yn waeth ohonof, na cheisiais ymorchestu i ehedeg yn uchel, a gwneuthur gwag ffrost o ddoethineb dynol, drwy ddangos allan olwg teg o ddysgeidiaeth, a chwythu chwsigen oferedd hyd oni dorrai o ymchwydd ; nid hyn yw fy arfer i. Iechydwriaeth rhai difedr

> ac anneallus yr wyfi yn ei geisio yn bennaf, ac yn ymorol am dano ; ac i gyrhaedd hyn yr wyf yn ymostwng yn issel at eu synnwyr hwynt a'u dalltwriaeth.

Yn ail, fe fynnai Edwards hefyd gyrraedd y werin gyffredin Gymraeg. Er hynny cyfeiria at chwedloniaeth a phoetau Groeg ac at hanes a beirdd Rhufain. Cymer ef un o'r mwyaf tarawiadol o'i ffigurau o ail Georgic Fyrsil. Wele'r Gymraeg :

> Wedi'r hollter gwreiddyn y galon, ac impio ynddi y planhigin enwog, blaguryn paradwys, dwg ffrwyth peraidd a'i diddano ei hun ac eraill (t. 330).

" A'i diddano ei hun," felly hefyd y disgrifia Fyrsil impio'r blaguryn ffrwythlon yn y pren a hollter :

> Nec longum tempus, et ingens
> exiit ad caelum ramis felicibus arbos,
> miraturque novas frondas et non sua poma.

Fyrsilaidd hefyd yw ei bwyslais ef ar y testun, *labor omnia vincit*, a'r angen am gwbl ddiwydrwydd i weithio allan ein hiechydwriaeth :

> Rhaid llafurio yn ystig i gynnill attom ffrwyth y ddaiar, ac i ddadwreiddio'r drysni a'r chwyn sy chwannog i godi o honi. Gyda gwlith y nefoedd rhaid wrth ddefnynnau o chwys y corph i beri i'r maes ffrwythloni. Ac ni wasnaetha i ni dybied am natur dyn fyddo wedi ei llygru â phechodau ffiaidd y daw hi yn ddiboen i ddwyn ffrwyth da. Am hynny y perir ini weithio allan ein iechydwriaeth drwy ofn.

Ni ellir darllen y paragraff heb gofio am aml gyngor tebyg yn y Georgica, megis :

> Pater ipse colendi
> haud facilem esse viam voluit, primusque per artem
> movit agros, curis acuens mortalia corda . . .

Nid at Fyrsil yn unig, eithr at Lancelot Andrewes hefyd y mae Charles Edwards yn nesáu yn y penodau olaf clasurol hyn a ysgrifennodd ef i'r trydydd argraffiad yn 1677.

Yma hefyd y mae peth newydd i sylwi arno. Y paragraff Ciceronaidd yw dull nodweddiadol y dyneiddwyr Cymraeg a meibion y prifysgolion. Dyna'r arddull a amlygir yn yr *Hen Gyflwyniadau* (Caerdydd, 1948), casgliad hynod werthfawr a wnaed inni'n ddiweddar gan yr Athro Henry Lewis. Cyfododd yr awduron metaffusegol yn erbyn y dull Ciceronaidd a'i frawddegau cymhleth a'i huodledd rhuthmig. Dewisasant hwy yn batrwm iddynt Seneca a'i ddull epigramatig, trwm-gynhwysfawr, cryno, a'i frawddegau gwrthgyferbyniol. Daeth y dull hwn yn nodwedd ar ysgrifenwyr y *Cymeriadau*, dilynwyr Theophrastos yn eu defnydd a Seneca yn eu dull. Ceir aml baragraff gan Charles Edwards, yn arbennig ym mhenodau 22 a 23, sy'n dwyn i gof y brasluniau o gymeriadau a oedd mor ffasiynol yn ei oes drwy Ewrop, ac y sy'n arddangos naws Senecanaidd ei ryddiaith :

> Y mae baich o ffolineb yn rhwym ynghalonau plant ; yr hwn wedi ymddattod a ystraffa'r ffordd a gerddont â direidi ac oferedd. Ymgymysc anwiredd gyda'u defnydd yn y bru, ac mewn pechod y beichioga eu mammau arnynt. A chynydd-ant ynddo gyda eu maintioli. Nid anhawdd craffu ar eu cenfigen a'u celwydd, au chwannogrwydd i bob atcasrwydd . . . A phan dyfont i bybyrwch rhuthrant ir pechod yn awyddus, fel y march ir frwydr ; dan fwrw ewin aflendid, a chnoi'r ffrwyn a'u attalio, a myned ar draws y Sawl au ceryddo. Eu haf yw amser eu ieuenctid, bydd blodau ar y drain, a rhosynnau hyfryd ar y mieri melltigedig . . . . (t. 262).

Os ysgolegol yw modd ei feddwl, clasurol hefyd yw ei foeseg :

> Dylai'r deall reoli'r ewyllis ; ond yn awr collodd ei awdurdod, a gwnaiff y deisyfiadau llygredig a fynnont er gwaetha iddo ef. Yn yr anhrefn hwn mae'r gweision gwrthryfelgar hyn ar feirch, a'r tywysog ar draed, ie ar lawr. Wrth ei gwymp aeth dyn a'i ben tano, a'i fol yn uchaf (ys drwg yr ystum) trech yw ei chwant na'i reswm. A thra fo'r fenn yn tynnu'r wedd dros dorlennydd, tyrr y ddau eu gyddfau (t. 265).

Tebyg yw disgrifiad ei gyfoeswr, Milton, o ganlyniadau'r cwymp :

> They sate them down to weep, nor onely Teares
> Raind at thir Eyes, but high Winds worse within
> Began to rise, high Passions, Anger, Hate,
> Mistrust, Suspicion, Discord, and shook sore
> Thir inward State of Mind, calme Region once
> And full of Peace, now tost and turbulent :
> For Understanding rul'd not, and the Will
> Heard not her lore, both in subjection now
> To sensual Appetite, who from beneathe
> Usurping over sovran Reason claimd
> Superior sway . . .
>
> (*Paradise Lost*, IX, 1121-1130).

Y mae Basil Willey yn trafod darn tebyg gan Milton yn y deuddegfed llyfr o *Paradise Lost* ac yn dal (*Seventeenth century Background*, t. 241, 242) mai o foeseg dyneiddwyr y Dadeni Dysg y cafodd Milton y syniadau hyn a'u bod yn dangos ei gydnawsedd ef ag ysgol Platonwyr Caer Grawnt. Ni allai fod camgymeriad llwyrach. Dyma'r ddysg Gristnogol glasurol ac fe'i ceir gan holl ysgolwyr yr Oesoedd Canol. Fe'i ceir hyd yn oed gan Thomas a Kempis :

> Oblegid fod yr ychydig nerth sydd eto'n aros ynddo, megis rhyw wreichionen wedi ei chuddio â lludw. A honno yw y rheswm naturiol ei hunan . .

A dyfynnu Awstin Sant y mae Thomas yma :

> Non in eo (=homine) tamen penitus extincta est quaedam velut scintilla rationis, in qua factus est ad imaginem Dei (*De Civ. Dei.* XXII, 24).

Ceir y syniad o ddisgleirdeb, megis yn y ffigur o *scintilla*, gan Charles Edwards, ac nid oes darn mwy Awstinaidd yn ei waith na'r paragraff mawr hwn :

> Dyna'r cyneddfau godidocaf yn yr enaid, ac oedd a mwyaf o ddelw Duw arnynt ; gan fod eu swyddau i ddirnad ac i farnu, ac i reoli pob peth. Mae llygaid ein corph ni o ddefnydd godidoccach na'r aelodau eraill, mor loiw a meini gwerthfawr neu Sêr y ffurfafen. Beth ynteu ydoedd rhagoriaeth golugon yr enaid ? Etto yn awr mae'r fagddu wedi dyfod trostynt, a nhwythau wedi tywyllu yn drist : er eu bod yn bwrw peth llewyrch wrth eu cynhyrfu, fel y discleiria darn o arian ond ei rwbio, er darfod i ddelw'r brenin wisco ymaith oddiarno (t. 265).

Felly astudiaeth o aflywodraeth ac o anhrefn yw penodau 22 a 23 o'i lyfr, lle y disgrifir dylanwad pechod ar holl gyneddfau enaid a chorff ac ar berthynas dyn a'i amgylchfyd. Y trefnusrwydd cadarn hwn wrth drafod ei fater, ynghyd â'r cyfoeth o ffiguraeth sy'n goleuo'r dadansoddiad, yw nodwedd amlwg y gwaith. Y mae'n fanwl drefnus yn null Burton yn ei *Anatomy of Melancholy*. Y mae trefn yn rhan hanfodol o arddull y gwaith.

Gair olaf felly ar drefn yr holl lyfr. Onid tyfu'n raddol drwy dri argraffiad a chwanegu digyswllt a wnaeth y *Ffydd Ddi-ffuant*? A pha gysylltiad sydd rhwng Hanes y Ffydd yng Nghymru a

" Rhinwedd y Ffydd Gristianogol yn gorchfygu llygredigaeth ac yn Sancteiddio ei gwir dderbynwyr " ? Onid rhyw glytwaith o holl wahanol ddiddordebau Charles Edwards yw ei lyfr, clytwaith o gyfieithu a benthygion a phregethau, o ddefnyddiau Cymraeg a defnyddiau Lladin a Groeg a Hebraeg a Saesneg, o hanes a daearyddiaeth ac ieitheg ? Gwir hynny, y mae'r llyfr yn rhyw fath o *Summa* o'r ail ganrif ar bymtheg, a dyna ran bwysig o'i werth arbennig. Ond sylwer hefyd mor daer oedd Charles Edwards i gyflawni ei fwriadau ar gyfer ei lyfr :

> Gwelodd Duw yn dda roddi i mi amser i orphen yr hyn a ragfwriadaswn ei yscrifennu ynghylch Rhinwedd y ffydd, ac i ddatcan ei helynt hi beth yn helaethach nag o'r blaen, gan roddi ar lawr fwy o resymmau'r prif Gristianogion nag a welaisti gynt . . .
> Y mae i mi achos arbennig i glodfori enw yr Hollalluog am ddwyn fy ngorchwyl i hyn o hyd.

Iaith awdur a chanddo gynllun a threfn sydd yma. Felly yr oedd. Un o brif syniadau'r traddodiad ysgolegol oedd y syniad am " gynghordioledd " neu gyfatebrwydd y Byd Mawr a'r Byd Bychan, y macrocosmos a'r microcosmos, y Byd a Dyn. Ceir trafodaeth lawn ar y pwnc gan Tillyard yn ei *Elizabethan World Picture.* Nid oes unrhyw syniad yn fwy cyffredin drwy gydol yr ail ganrif ar bymtheg. Y mae pennod gyntaf y *Ffydd Ddi-ffuant* yn dra dyledus i waith Samuel Purchas ar ddaearyddiaeth. Gwaith cyntaf Purchas oedd : *Purchas his Pilgrimage. Or Relations of the World and the Religions Observed in all Ages and places discovered from the Creation unto this Present* (1613). Ei ail lyfr oedd : *Purchase his Pilgrim. Micrososmus or the Historie of Man* (1619). Disgrifiad ar ddull dameg o gyflwr dyn yw'r ail lyfr hwn ; y mae'n llyfr a gafodd ddylanwad ar lenyddiaeth Gymraeg. Braidd na ellir gweld yn nau lyfr cyntaf Purchas gynllun y *Ffydd Ddi-ffuant.* Disgrifia'r rhan gyntaf o lyfr Charles Edwards waith Duw yn y macrocosmos ac yn y gymdeithas ddynol gyffredinol, dull Rhagluniaeth o drin cenhedloedd. Yn y rhan olaf ceir gwaith Duw yn y microcosmos, yn y dyn unigol. Rhwng y ddwy ran gosodir y prawf o wirionedd y Grefydd Gristnogol. Ac os creffir ar gynllun y ddwy ran, yn arbennig ar yr adran ar Hanes y Ffydd yng Nghymru ac ar yr adran ar Rinwedd y Ffydd, fe welir mai nod a chynllun Charles

Edwards yw dangos sut y mae Duw yn gweithio'n drefnus gyffelyb yn y byd mawr a'r byd bychan. Hynny sy'n peri bod yn deg galw'r llyfr yn *summa* Cymraeg o'r ail ganrif ar bymtheg. Y mae gennyf eto bethau i'w dweud am Charles Edwards fel hanesydd ac am ddatblygiad ei feddwl. Rhaid aros am gyfle arall. Araf yr ydys yn canfod ei fawredd. Ped ysgrifenasai mewn iaith arall fe'i rhoesid ers talm ymhlith meistri Ewrop.

[*Efrydiau Catholig*, iv (1949), 45-52].

PENNOD XIX

THOMAS Â KEMPIS YN GYMRAEG

I. HUW OWEN

CYHOEDDWYD cyfieithiad Huw Owen o *Ddilyniad Christ* yn 1684 gyda llythyr cyflwyniad enwog ei fab, John Hughes. Am y cyfieithiad hwn dywedodd y Dr. Elfet Lewis yn 1908 yn ei ragair i argraffiad Urdd y Graddedigion o *Batrwm y Gwir Gristion* :

> Cyfieithiad llythrennol, lled anystwyth ydyw . . . Y mae'n ffyddlonach i'r gwreiddiol nag eiddo 'W.M.A.B.' ; ond am Gymreigrwydd cryf a hoyw a chlir y mae ymhell ar ôl.

Cyffelyb fu barn holl feirniaid y ganrif hon ac ychydig o sylw a gafodd trosiad Huw Owen gan na darllenwyr nac ysgolheigion diweddar. Ni bu chwaith gynnig ar ei adargraffu. Yn y *Rhybudd* ar gychwyn llyfr Huw Owen sonnir am dri chyfieithiad Cymraeg arall o'r *Imitatio* gan Gatholigion yn yr ail ganrif ar bymtheg. Ysywaeth, ni wyddom ddim mwyach am y cyfieithiadau hynny.

Am gyfieithiad Huw Owen y mae rhagor i'w ddweud nag a ddywedwyd gan y Dr. Elfet Lewis yn 1908. Dywedir yn y cofiant iddo sydd ar ffurf llythyr cyflwyniad i'r gwaith :

> Ef a gyfansoddodd amryw Draethodau duwiol, a phan nid oedd ef eto ond 27 oed ef a gyfieithiodd yn Gymraeg *Lyfr y Resolution* yn ol Editiwn diweddaf a chyflawnaf yr Awdur ei hun (obobtu i ddec arugain mlynedd cyn i *D. Davies* brintio rhan ohono) a gwedi hynny *Vincentius Lirinensis* . . .

Felly tua 1602 y trosodd ef *Lyfr y Resolusion.* Pa bryd y dechreuodd ef weithio ar yr *Imitatio* ? Dyry Hugh Williams awgrym gwiw yn ei Ragdraeth ef i gyfieithiad John Owen Jones o'r *Imitatio* (ail argraffiad, y Bala, 1907) :

> Yr wyf yn methu peidio sylwi ar y geiriau " Editiwn yr Awdur " yn wyneb-ddalen Huw Owen ; gwyddys yn dda fod yn Llyfrgell Brussels gyfrol o holl weithiau Thomas a Kempis, wedi ei hysgrifennu yn ei ysgrifen brydferth ef ei hun a'i gorffen yn y fl. 1441 ; gwyddom hefyd i Heribertus Rosweydius gyhoeddi argraffiad o'r *Imitatio* fel y mae yn y llawysgrif hon yn 1617, ac

wedi hynny yn berffeithiach yn 1626. Dyma yn ddiau yr argraffiad, sef yr eiddo Rosweyd, a ddefnyddiai Huw Owen, ac yn yr ystyr yma, yn unig, y gallai arfer y geiriau " yn ôl Editiwn yr Awdur."

Un o glasuron pennaf y Gristnogaeth yw'r *De Imitatione Christi Libri Quattuor*. Hyd heddiw cyfieithiad Huw Owen yw'r unig fersiwn onest ohono yn yr iaith Gymraeg. Ni soniaf yn awr am drosiadau'r bedwaredd ganrif ar bymtheg a'r ugeinfed ; ni cheisient hwy gyfleu'r *Imitatio* yn gyfan. Rhaid i'r cyfieithydd ffyddlon gyflwyno holl gynnwys ei awdur yn ei drosiad. Rhaid iddo hefyd, hyd y medro, gyfleu nodweddion amlycaf arddull y gwreiddiol. Huw Owen yw'r unig gyfieithydd printiedig Cymraeg a geisiodd gyflawni'r ddeubeth.

Ni thâl honni ei fod yn gydradd meistr ar arddull ag W.M., ond daliaf fod ei lyfr yn bwysig yn ein llenyddiaeth a dyfynnaf ohono i ddangos fel yr ymgodymodd ef â rhai o benodau mawrion ei awdur. Mynych y defnyddia Thomas à Kempis y ffigur ymadrodd a elwir yn *anaphora*, sy'n golygu aml-adrodd gair neu eiriau mewn cyfres o frawddegau. Bu pin golygyddol W.M. yn llym ar y cyfresi hyn. Wele'n awr ddwy enghraifft o gymreigiad Huw Owen o'r unfed bennod ar ddeg a'r ddeuddegfed bennod o ail lyfr yr *Imitatio* :

> Mae llawer 'rwon gan yr Iesu o'r sawl sy'n caru ei deyrnas nefol ef, ond nid oes nemmor yn dwyn ei Groes ef.
> Mae llawer yn mynnu cael cysur gantho, eithr nid oes ond nemmor yn mynnu dioddef blinfyd trosto.
> Mae llawer o gyfeillion bwrdd gantho, ond nid oes ond nemmor o gyfeillion dirwest.
> Mae pawb yn mynnu bod yn llawen gydag ef : ond nid oes ond nemmor yn mynnu dioddef rhywbeth trosto.
> Mae llawer yn dilyn yr Iesu hyd at dorri'r bara gydag ef : ond nid oes ond nemmor yn ei ddilyn ef i yfed caregl ei ddioddefaint.
> Mae llawer yn anrhydeddu ei Wyrthiau ef, ond nid oes ond nemmor yn dilyn cywilydd ei Groes ef.

Wele'r ail enghraifft a ddaw o'r bennod fawr olaf o'r ail lyfr :

> Yn y Groes y mae iachawdwriaeth, yn y Groes y mae bywyd, yn y Groes y mae amddiffyn rhag ein gelynion.
> Yn y Groes y mae tywallt melysder nefol : yn y Groes y mae cadernid calon, yn y Groes y mae llawenydd ysbrydol.

> Yn y Groes y mae uchder rhinwedd : yn y Groes y mae perffeith-dra sancteiddrwydd.
> Nid oes nac iachawdwriaeth i'r enaid, na gobaith am fywyd tragwyddol, ond yn y Groes.
> Cod i fyny gan hynny dy Groes, a chanlyn yr Iesu, a thi a gai fyned i fywyd tragwyddol.
> Efe a aeth o'r blaen gan ddwyn ei Groes, ac a fu farw ar y Groes trosoti : fel y dygit tithau dy Groes, ac fel yr hoffit farw ar y Groes.
> Oblegid os cydfarw a wnai ag ef, ti a gai fod yn gyfrannog o'i ogoniant ef.
> Wele ar y Groes y mae'r cwbl yn sefyll, ac ar farw arni y mae'r cwbl yn bod : ac nid oes ffordd arall i fywyd, nac i gael gwir heddwch ysbryd, ond ffordd y Groes sanctaidd, a beunyddol farweiddio'r cnawd.

Yr un modd y digwydd yn fynych i ruthmau'r *Imitatio*. Dyma baragraff o'r chweched bennod ar hugain yn y trydydd llyfr, a andwyir gan dalfyriad W.M., sy'n dangos fel yr ymdrechai Huw Owen i awgrymu rhuthmau a threfn farddonol y gwreiddiol :

> O fy Nuw i, y melusder annhraethadwy ! gwna'n chwerw imi bob digrifwch cnawdol, sy'n fy nal i rhag caru'r diddanion tragwyddol, ac yn fy nrwg-ddenu â rhyw ragrith o ddifyrrwch presennol.
> Na orchfyged fi, O fy Nuw, na orchfyged fi, cig a gwaed : ac na thwylled fi y byd a'i fyrr ogoniant : na fwried fi i lawr y Diawl a'i gyfrwysder.
> Dyro imi gadernid i wrthsefyll, ymmynedd i ddioddef, a gwastadrwydd i barhâu.
> Dyro imi yn lle pob difyrrion bydol, hyfrydlon ymiriad dy ysbryd di : ac yn lle cariad cnawdol, tywallt ynof gariad arnati.

Rhoddaf un dyfyniad arall a ddengys Huw Owen yn dilyn meddwl Thomas à Kempis yn gyfewin mewn pennod nodweddiadol na ellid disgwyl i W.M. fod yn gartrefol ynddi. Duw sy'n llefaru :

> Rhai a dynnir â zêl o helaethach cariad i hoffi'r Sainct hyn yn fwy na'r rhai eraill : eithr o ddyn y mae'r cariad hwnnw'n hytrach nac o Dduw.
> Myfi yw'r hwn a greais pob un o'r Sainct : myfi a rois râs : myfi a roddais ogoniant iddynt.

> Myfi a wn haeddedigaethau pob un ohonynt : myfi a'i rhagflaenais hwynt â bendithion fy melusrwydd i.
> Myfi a ragwybuum fy anwyl garedigion ers cyn holl oesoedd : myfi a'i dewisais hwynt o'r byd, ac nid hwynt hwy a'm dewisasant i.
> Myfi a'i gelwais hwynt â grâs : a'i tynnais hwynt â thrugaredd: myfi a'i harweiniais hwynt trwy amryw brofedigaethau.
> Myfi a dywalltais iddynt gyssurau mowrwych : myfi a roddais barhâu iddynt : myfi a goronais eu dioddefgarwch hwynt.
> Myfi a adwaen y cyntaf a'r diweddaf ohonynt : myfi wyf yn eu cofleidio hwynt i gyd a chariad gwerthfawr anfeidrol.
> Myfi ydwyf i'm moliannu'n fy holl Sainct : myfi wyf goruwch pob peth i'm bendithio ac i'm hanrhydeddu ymmhob un ohonynt : y rhai a ddarfu imi eu dyrchafu i gymmaint gogoniant, ac a'i rhagordeiniais i hynny heb ddim haeddiant ohonynt eu hun yn myned o'r blaen.
> Pwy bynnac gan hynny a ddiystyro ryw un o'm rhai lleiaf i, nid yw hwnnw'n anrhydeddu'r mwyaf : canys myfi yw'r hwn a wneuthum y bychan a'r mawr.
> A'r neb a ddibrisia ryw un o'm Sainct i, a'm dibrisia innau hefyd, a'r lleill i gyd sy'n nheyrnas y Nef.
> Mae'n hwy i gyd yn un trwy rwym cariad perffaith : mae'r un meddwl a'r un mynnu ganthynt : a mae'n hwy'n caru eu gilydd a'r un rhwym Cariad.

Tybiai W.M. fod Duw mor anghysurus ag yntau yng nghwmni'r saint pabyddol a phair iddo ffoi am loches i *Lyfr yr Homiliau* a dyfynnu oddi yno :

> Os oes gan yr Eneidiau bendigedig sydd yn y Nef wybodaeth o'r pethau a wnair ar y ddaear (W.M. 263).

Megis yn union pe dywedai'r Crewr, *Mr. Livingstone, I presume.* Eithr amcan y dyfyniadau uchod yw dangos nid yn unig mai Huw Owen yw unig gyfieithydd Thomas à Kempis, ond ei fod ef hefyd yn un o gymreigwyr rhagorol yr ail ganrif ar bymtheg. Aml y ceir ganddo eiriau a brawddegau hynod :

> Nid yw cariad yn clywed ei bwn.
> Rhyw dammed prawf o'r wlad nefol.
> Mynych y mae dy chwantau yn dy yrru rhagot yn fforddrych.
> Cynifer cywyn a marwolaethau.
> Nid oes allan ohonof i na chymorth a dâl ddim, na chyngor a wna les, na rhwymedi a barhâ.

Cais yw'r frawddeg olaf i drosi'r *cursus tardus* i Gymraeg : *sed neque durabile remedium.* Yn wir fe ymboena Huw Owen yn fynych i gyfleu hyd yn oed fanion arddull ei awdur, megis pan chwilia ef yr iaith lên a'r iaith lafar i gyfateb i'r *modo* a'r *nunc* yn y darn a ganlyn (III, 33) :

> Quamdiu vixeris, mutabilitati subiectus es etiam nolens ; ut modo laetus, modo tristis, modo pacatus, modo turbatus, nunc devotus, nunc indevotus, nunc studiosus, nunc acediosus, nunc gravis, nunc levis inveniaris.

> Tra fyddych fyw ti a fyddi'n gogwyddo i newid ac i fod yn anwadal, ie o'th anfodd : fel ac y cair di rwon yn llawen, rwon yn drist ; ynawr yn heddychlon, ynawr yn aflonydd ; rwon yn ddefosiynol, rwon heb ddim defosiwn : ynawr yn astudiol, ynawr yn ddiog : rwon yn drwm-gofidus : rwon yn ysgafn esmwyth . . .

Dangosaf yn y bennod nesaf beth a wnaeth W.M. o eirfa dechnegol yr *Imitatio.* Ni fedrai Huw Owen osgoi'r broblem. Cydnebydd ei anhawster wrth gyfieithu :

> Raro totus liber quis invenitur a naevo propriae exquisitionis.

> Odid ddyn yn gwbl lan o'r brychni a elwir : ceisio ei hunan yn ei helyntiau.

Termau sydd hyd heddiw yn benbleth i'r cymreigydd yw *contemplatio* a *contemplativus* ; mae'n drueni na chadwyd *cynhemlu* Gruffydd Robert a Rhosier Smyth. Weithiau defnyddia Huw Owen "myfyrio'n dduwiol," a "dyn myfyrdodgar," ac unwaith am y cyntaf "ymsyniadau a myfyrdodau." Y mae pennod XXXI o drydydd llyfr Thomas yn bont asynnod i unrhyw gyfieithydd. Wele drosiad Huw Owen o ran ohoni :

> Beth sy lonyddach na llygad syml ? A pha beth sy rwyddach na'r dyn a fo heb fod yn chwennych dim ar y ddaear ?
> Rhaid i ddyn gan hynny fyned goruwch pob creadur, a chan ymwrthod a'i hunan, sefyll ar uchelder meddwl, a gweled nad oes yn y creaduriaid ddim tebyg i'r hyn sydd ynoti, Creawdwr pob peth . . . .
> Dyma'r achos nad oes nemmor o ddynion myfyrdodgar i'w cael am nad oes ond anaml ddynion yn medru sequestrio eu hunain yn hollawl oddiwrth bethau darfodedig a'r creaduriaid . . .

> Mae'n rhaid gras mawr i hyn, sef i godi'r enaid i fynu ac i'w gippio ef goruwch ei hunan . . . .
> A'r peth bynnag nid yw'n Dduw, nid yw ond dim, ac yn ddim y dylid ei gyfrif ef.
> Mae rhagor mawr rhwng doethineb dyn defosiynol wedi lewyrchu gan Dduw, a gwybodaeth dyn dyscedic neu ryw wr eglwysic mawr-lythrennoc . . .
> Mae llawer yn chwennych myfyrio'n dduwiol : eithr nid ydynt hwy'n ceisio arfer y peth sy'n angenrheidiol i hynny.
> Rhwystr mawr ydyw ein bod ni'n sefyll ar arwyddion ac ar bethau gweledic, ac heb geisio marwolaethu ein hunain ond ychydic . . .
> Och yfi ! gwedi ychydic ymgynnull ein meddwl ar Dduw, yr ydym yn y man yn torri allan heb fod a manwl ymholi yn ystyried ein gweithredoedd.

Y mae termau technegol defosiwn Catholig yn niferus yn yr adnodau uchod. Ceisiodd Huw Owen drosi pob un ohonynt â gair neu frawddeg bendant, sefyll ar uchelder meddwl, sequestrio, llewyrchu, myfyrio'n dduwiol, arwyddion, marwolaethu, ymgynnull ein meddwl ar Dduw (*recollectio*), manwl ymholi. Cawn ef yn llunio ffurfiau lluosog newydd megis *llawenyddau*, *uchel ddyrchafaelion enaid* (*excessus mentales*). Ymhlith termau benthyg ceir ganddo scrupul, esemptio, affectiwnau, desolasiwnau, oriau canonical, oen mysticawl. Dwg y rhain ar gof inni mai yng nghyfnod y Dadeni Dysg y magwyd ef a'i fod wedi yfed o ysbryd y dyneiddwyr ac yn awyddus fel hwythau i gyfoethogi'r iaith â geiriau technegol. " Gwelais " ebr W.M. yn ei ragair ef, " mai ofer ac anfuddiol fydde imi ddal yn ddyfal ac yn agos at y Lladin, canys doeth a chynwys yw Rhesymau y Llyfr hwn, ac mewn llawer man y maent yn dywyll ac yn anhawdd eu deall." Ymgadwodd Huw Owen yn ddyfal agos at y Lladin, at dermau technegol y Lladin, at ffigurau a rhuthmau Thomas à Kempis, at holl feddwl ei awdur o'r dechrau i'r terfyn. Haedda le anrhydeddus ymhlith cyfieithwyr cyfnod dyneiddiaeth. Bid sicr fe geir gwallau yn ei iaith, yn ei dreigliadau, yn ei gystrawen, ac nid yn anfynych. Yr hyllaf ohonynt yw ffurfiau fel *uchelaf*, *iselaf*. Ond credaf fod y dyfyniadau a godais uchod yn profi ei hawl i'w gyfrif yn llenor pwysig ac yn dangos gwerth parhaol ei gyfraniad i lenyddiaeth Gymraeg.

2. W. M.

Er mai yn 1723 y cyhoeddwyd *Patrwm y Gwir-Gristion : Neu Ddilyniad Iesu Grist* gan W. M. A.B., naws a hindda ysbrydol yr ail ganrif ar bymtheg a ganfyddir yn y gwaith. Ni wyddom pwy oedd W.M., er i J. H. Davies awgrymu enw William Morgan, Penmynydd ; golygwyd ei lyfr yn 1908 gan y Dr. Elfet Lewis i gyfres Urdd y Graddedigion. Wrth ddyfynnu mi gyfeiriaf at yr argraffiad hwnnw o hyn ymlaen a rhoi rhif y tudalen. Cynnig Dr. Lewis yw mai gŵr o Fôn neu Arfon ac offeiriad yn Eglwys Loegr oedd W.M.. Erys Rhagymadrodd a Nodiadau Dr. Lewis yn werthfawr hyd heddiw, yr unig astudiaeth sy gennym o'r gwaith. Ebr ef wrth gloi : " Y mae'r cyfieithiad hwn ymron a bod yn llyfr newydd o ran ei ieithwedd, er nad o ran ei gynnwys." Ond yn wir y mae swrn o'r cynnwys yn gwbl newydd. Dywedodd W.M. ei hunan : " Nid oedd fodd gwneuthur y Cyfieithiad hwn yn llesol i'r annysgedic heb gymmeryd Rhwysg a Rhydd-did i gwttogi y naill Ran ac i helaethu'r llall." Trwy graffu ar yr helaethiadau hyn gellir darganfod y math o ddyn oedd W.M. Yr oedd yn berson yn Eglwys Loegr, ac yr oedd cyflwr a swydd personiaid o Gymry yn fynych yn ei feddwl pan drosai ef i Gymraeg anogaethau Thomas à Kempis i fynaich a chrefyddwyr. Wele enghreifftiau o'r cyfryw chwanegiadau y gellir eu rhoi gyda'r rhai tarawiadol a godwyd gan Dr. Elfet Lewis (t. xv) :—

W.M. t. 6 : Y mae pregethu a darllain lawer gwaith yn blino ac yn llwfrhau fy 'nghalon . . .

t. 45 : Er maint o boen a gofal yr wyt yn ei gymmeryd i wasanaethu Duw yn yr Eglwys ac allan ohoni . . .

t. 102 : Ni bu erioed Ddyn, er maint ei Rinwedd ai Sancteidd-rwydd na bydde ar amserau yn oeredd ac yn ddifatter am Wasanaeth Duw . . .

t. 179 : Na feddwl chwaith . . . dy fod mewn stat gadwedic er amled yr wyt yn cyrchu i'r eglwys, ac er hoffet gennyt ei gwasanaeth . . .

t. 145 : Oh, mor ddedwydd yw Gweinidogion yr Arglwydd.

t. 232 : Er bod fy nghorff yn ymgrymmu o flaen dy orseddfainc, y mae fy Meddwl gwasgarog yn gwibio draw ac yma . . .

t. 281 : Wele fi, Gweinidog a chreadur gwael im Harglwydd . .

t. 311 : Gan hynny, O Dduw hollalluog, cymorth ath lan Ysbryd holl Weinidogion yr Eglwys, fel y cyflawnont eu Gorchwyl nefol drwy Burdeb a Sancteiddrwydd.

Yr oedd yn afiach ac o natur bruddglwyfus a swil, a dioddefai oddi wrth gam-farn ei blwyfolion a dirmyg ysweiniaid ei fro. Efallai mai'r hyn a hoffasai ef fuasai bywyd fel a fu yn nheulu Nicholas Ferrar yn Little Gidding, ond ni ddeallai ei gydnabod hynny :

> t. 34 : Dedwydd, *yn fy marn i*, ydyw'r Dyn a fwrio ei ddyddie mewn rhyw le dirgel, gyda chymdeithion duwiol. (Non est parvum in monasteriis vel in congregatione habitare et inibi sine querela conversari).
> t. 51 : Bydd ddyfal i ymgeleddu dy Enaid, ac er bod eraill yn ddiystyr, dilyn di Gyngor ac Athrawiaeth dda. Ond os gwnei hyn, nid hwyrach a dywaid rhai mai dyn Sarrig neilltuol wyt . . . . .
> Peth dymunol yw gair da : ond er hyn gwell yw bod hebddo, gan ei fod yn rhy aml yn magu ffrost a Balchter.
> t. 52 : Ond er maint o Dramgwyddiadau sy'n digwydd i'r Corff...
> t. 56 : Clefyd a chystudd a ddengys y ffordd i'r Nef . . . .
> t. 124 : Cystudd yw'r Bregeth ore . . . . .
> t. 85 : Mae rhai pobl yn dda ganddynt Lonyddwch ac yn medru byw mewn Cariad a chyttundeb ar holl fŷd : Mae eraill, na fedrant gymmeryd Esmwythdra iddynt eu hunain, ac ni fynnant i eraill moi gael. Y mae y rhain yn blino llawer arnynt eu hunain, a llawer ychwaneg ar eu Cymmydogion.

Y frawddeg olaf hon yw'r sioc fwyaf a'r peth mwyaf cyfaddefus bersonol yn holl lyfr W.M., canys nid damwain ei fod yn dweud yn union groes i'r gwreiddiol :

> Aliis sunt graves, sed sibi semper graviores.

Gallwn weld y dyn yn awr a deall sut y cyfrifid ef yn ŵr " sarrug, neilltuol." Ceir elfen sarrug hyd yn oed yn ei ddoniolwch, megis pan ddyry ef yng ngenau Crist y cyngor :

> t. 213 : Fy Mab, os wyt mewn cydnabyddiaeth â Gwyr Mawr ac yn ymddiried ynddynt, ni chei nac Esmwythdra i'th Gorff na Heddwch ith Ysbryd.

Nid oes awgrym am " wŷr mawr " yn y gwreiddiol a W.M. piau eto'r sylw :

> t. 203 : Y mae meddyliau dynion (fel eu hwynebau) yn anhebyg iawn i'w gilydd.

Gellir dangos profion o ddysg Ladin W.M. sy'n dangos mai un o feibion diweddar y Dadeni ydoedd yntau. Ceir arwyddion hefyd ei fod yn amau ac yn ofni balchder y Dadeni ac yn ymroi i'w "farwolaethu." Mynych yr ymesyd yr *Imitatio* ar orbrisio dysg yr ysgolwyr. Fe â W.M. weithiau'n bellach na'i destun. Rhoddaf ychydig enghreifftiau heb ddyfynnu'r Lladin ond gan roi cyfieithiad gofalus Huw Owen ar ôl trosiad W.M. :

> t. 4 : Nid yw gwybodaeth yn gwneuthur gronyn o Les ir Enaid.
> H.O. : Mae llawer o bethau gwybod y rhai nis gwna ond bychan neu ddim o les i'r enaid.
> t. 105 : Ni ddewiswn ychwaith mo'r Ddysg a'm gwna'i yn falch ac yn rhyfygus.
> H.O : Nid wyf i'n chwennych y myfyrdod (=*contemplatio*) a'm gwnelo'n falch.
> t. 216 : Myfi a fedraf roddi mewn munudyn fwy o Athrawiaeth nefol i'r addfwyn ar gostyngedic, nac a ddichon gael gan yr Ysgolheigion mwya holl ddyddie ei fywyd.
> H.O. : Myfi yw'r neb sy mewn munudyn yn codi'r dyn gostyngedic i ddyall mwy o resymmau a gwirioneddau tragwyddol, na phettei wedi astudio ddeng mlynedd yn yr Yscolau.
> t. 217 : Hwy a gawsant fwy o Ddysc a Gwybodaeth wrth fyw yn unic ac yn fyfyriol, na phe basent yn darllain holl Lyfrau'r byd.
> H.O. : Ef a gafodd fwy o les, wrth ymwrthod a'r cwbl, nac wrth astudio uchel a manwl ddysceidiaethau.

A dyma eto ddarn o brofiad ac o hanes W.M. nad oes dim yn y gwreiddiol yn cyfateb iddo :

> t. 218 : Pan welych bethau gwrthun anrhefnus, tro dy Lygaid oddiwrthynt, canys gwell iti hynny nac ymddadlu a Dynion gwargaled. Ond os digwydd iti droi attynt ac ymryson a hwynt, a chael dy orchfygu ganddynt, eto na feddwl yn waeth o honot dy hun, os bydd Duw ath Gydwybod yn dy gyfiawnhau.

Cawn ddarlun o offeiriad plwy yn ysgolhaig manwl :

> Canys pan edrychwyf ar lawer o Lyfrau cymraeg eraill, er maint gwybodaeth a chywreindeb y sawl a'u parottodd, etto, naill ai trwy anwybodaeth neu ddiofalwch y Printwyr, y maent yn dry-frith o feiau . . . (*At y Darllenydd*)

ond yn anfedrus mewn cwmni, yn ŵr distaw, od, yn bruddglwyfus ei wedd, yn ddirmygedig braidd gan ei blwyfolion a'r gwŷr mawr, a'i wir fywyd yn ei stydi ac yn yr eglwys.

Dywed Dr. Lewis wrth drafod arddull arbennig W.M., "Ni ddigwyddasom daro ar un cyfieithiad Saesneg sy'n cyfrif mewn un modd am ffraethder arddull W.M. . . ." Ond bydd yn wiw ystyried a oedd arno ddyled i gyfieithiadau Saesneg o Thomas à Kempis. Bu amryw drosiadau Saesneg yn yr unfed ganrif ar bymtheg a'r ganrif ddilynol, ac adargraffu mynych arnynt. Y cyntaf oedd cyfieithiad Thomas Rogers yn 1580 :

> In which my translation I have rather followed the sense of the Author than his very wordes . . . .

brawddeg a adroddir eto gan gyfieithwyr Saesneg ar ei ôl a chan W.M. yntau. Yn 1613 cyhoeddwyd cyfieithiad cywir Anthony Hoskins o Gymdeithas yr Iesu. Yn ei ragair i adargraffiad 1898 o'r gwaith hwn dywed y Dr. Charles Bigg :

> Till within the last few years almost all English editions have adhered to a bad custom which grew up in the controversial times of the 16th and 17th centuries, not simply of omitting certain passages, but of altering the expression in almost countless instances. The monk became a devout person, his cell was changed into a secret chamber, his penance into repentance, etc. . . . . .

Fe ŵyr y darllenydd oddi wrth astudiaeth y Dr. Elvet Lewis mor llwyr y gwedda'r disgrifiad hwn i waith W.M. hefyd, fel na ellir gwrthod y ddedfryd fod esiampl y cyfieithwyr Saesneg wedi helpu'n sylweddol i benderfynu lliw ei drosiad yntau. Gellir mynd ymhellach. Oddi wrth y Saeson y cymerodd ef y teitl a roes ef i'w lyfr. Yn 1654 cyhoeddodd John Worthington *The Christian's Pattern : or a Divine Treatise of the Imitation of Christ.* Dyna'r teitl a roes W.M. i'w lyfr yntau : *Pattrwm y Gwir-Gristion neu Ddilyniad Iesu Grist.* Gwaith Hoskins yw llyfr Worthington yn ôl a ddywed W. A. Copinger (*On the English Translations of the Imitatio Christi*, 1900) a'r darnau na fedrai'r Protestant ddygymod â hwy wedi eu bwrw allan. Bu'n llyfr tra phoblogaidd ac fe'i hargraffwyd ddeg o weithiau cyn 1700. Yna yn 1696 ymddangosodd aralleiriad George Stanhope, *The Christian's Pattern.* Nid cyfieithiad mohono. Dywed yr awdur iddo droi'r penodau ar fynachaeth —

> to the circumstances of any pious Christian who declines the

> pleasures and business and other interruptions of the world and sequesters himself to the exercise of devotion.

Dywed ef wedyn am benodau a pharagraffau cyfriniol yr *Imitatio* :

> I confess also to have given the rapturous passages another turn to bring them down to the common conditions of human life and fit them for the mouths of every sincere practical Christian . . .

A chyfeddyf iddo yntau —

> in some parts abridged the language and in other parts amplified the thoughts.

Bron yn yr un geiriau y dywed W.M.—

> Yn wir yr wyf yn cyfadde ddarfod imi gymmeryd Rhwysg a Rhydd-did i gwttogi y naill ran ac i helaethu'r llall.

Ac fe gawn weld mor debyg i Stanhope yw dull W.M. o drin mynachaeth a'r " rapturous passages " yn yr *Imitatio*. Ni fedraf amau nad oedd W.M. wedi darllen ac ystyried gwaith Stanhope a'i gymryd yn batrwm o'r rhyddid a ganiateid i gyfieithydd. Yr hyn a wnaethai Stanhope i'r Saeson a fwriadodd W.M. ar gyfer y Cymry.

Pa beth a wnaeth ef o ddysgeidiaeth yr *Imitatio* ? Pedwar llyfr o fyfyrdodau ac o gynghorion i grefyddwyr, hynny yw i fynaich rheolaidd yn hanner cyntaf y bymthegfed ganrif, yw'r gwreiddiol. Dywed Dr. Elfet Lewis i W.M. brotestaneiddio ac anglicaneiddio'r gwaith. Do, fe wnaeth hynny ; ond nid yn unig drwy ddileu neu newid y mynych gyfeirio at fynach a mynachlog a chell. Awgryma'r llythyr *At y Darllenydd* a llawer rhan o'r cyfieithiad mai uchel eglwyswr oedd W.M. ; nid Calfinydd mohono. Ei Gymraeg ef am deitl pennod LV o'r trydydd llyfr yw *Amherffeithrwydd Natur a Rhinwedd Gras*, ac y mae ei drosiad o'r rhan a ddisgrifia effaith pechod Adda yn gywir Gatholig, er nad yw ei dermau technegol ddim mor ddiamwys â rhai Huw Owen. Wele'r ddau drosiad :

> W.M. t. 254 : Yr ychydic Nerth sydd gennym nid yw amgen na Gwreichionen fechan y'nghanol Pentwr o Ludw. Y mae niwl gwedi ei danu tros ein Rheswm an Synhwyrau : Ac er ein bod yn canfod Rhagoriaeth rhwng DA a DRWG, rhwng

> Gwir ac anwir, etto nid oes na Grym na Gallu i wneuthur yn ol ein Gwybodaeth : Nid yw'r Gwir Oleuni yn tywynnu yn ein Calonnau ac nid oes na Nerth nag Iechyd yn ein Haelodau.
> H.O. t. 340 : Oblegid fod yr ychydic nerth sydd etto'n aros ynddo, megis rhyw wreichionen wedi ei chuddio â lludw. A honno yw, y rheswm naturiol ei hunan, wedi ei amgylchu â mawr dywyllwch, etto a gallu gantho i farnu rhwng y da a'r drwg, i ganfod y rhagor sy rhwng y gwir a'r anwir : er ei fod yn fethiant i gyflowni pob peth y mae'n ei farnu'n dda, ac heb fod yn meddu na chyflawn oleuni'r gwirionedd na chwbl iechyd ei ewyllysfryd.

Yn y darn yna Huw Owen sy'n rhagori. Rhoddaf yn awr enghreifftiau o athrawiaethau Catholig a geir yn yr *Imitatio* y mae W.M. yn eu bwrw ymaith neu ynteu yn eu newid. Ni honnaf fod y rhestr yn gyflawn o gwbl, ond haedda'r mater sylw er mwyn deall yn fanwl yr hyn a wnaeth W.M. o'i ddeunydd. Rhoddaf gyfieithiad Huw Owen ar ôl un W.M. pan fo hynny'n help i ddangos y cyfnewid, a bodlonaf ar un enghraifft ar bob pwynt.

1. Sagrafen Penyd.

> W.M. t. 303 : Pa ffrwyth ne pa wellhad a dderbyn Dyn wrth oedi Edifeirwch, ag esgeuluso'r Cymmun ?
> H.O. t. 412 : Pa les a wna oedi Cyffes ?

Dyma'r hyn y soniodd Dr. Bigg amdano, troi " penance into repentance," ond rhaid imi ddyfynnu'r cwbl o'r paragraff sy'n rhagflaenu'r frawddeg uchod yn W.M. :

> Ond pan fo Amheuaeth ne Arswyd yn codi yn dy Fynwes, na lwyr ddigalonna, rhag diffodd yr Ysbryd ; eithr dos at ryw Eglwyswr duwiol ; dangos iddo ef dy Ddolur, a gwrando ar ei Gyngor ai Addysg ysbrydol : Na rwystred na Gofal bydol na Blinder Calon monot' at Fwrdd yr Arglwydd, eithr yn hytrach cais mewn pryd ymdrwsio a glanhau dy Gydwybod drwy Gyffes a gwir Edifeirwch . . . .

Nid o Thomas â Kempis y daw sylwedd y paragraff hwn o gwbl, eithr allan o gyfieithiad Edward James o'r *Homiliau*, sef o'r bregeth am Edifeirwch :

> Nid ydwyf yn dywedyd, os trallodir cydwybod neb, na allant fyned at ryw Gurat neu Fugail dysgedig, neu at ryw ŵr duwiol

dysgedig arall, a dangos iddo eu trallod a'r hyn sydd yn blino eu cydwybod . . . . .

ac eto mewn darn arall y mae'r Homili yn cysylltu edifeirwch â " chyffes ddiffuant yngeiriau ein geneuau ger bron Duw am ein bywyd annheilwng." Cawn weld enghreifftiau eraill o ddwyn yr *Homilïau* i gywiro athrawiaeth yr *Imitatio* yn W.M.

2. Purdan. Dilea W.M. aml gyfeiriadau'r *Imitatio* at y Purdan. Wele un enghraifft o laweroedd :

t. 148 : O, fy Mab, onid yw Tân uffern yn llawer tostach ac yn llawer anhawsach ei ddiodde ?

Dinistrir holl ergyd y gwreiddiol yma fel y dengys trosiad Huw Owen :

Os tydi a ddywedi nad wyt yn gallu dioddef llawer, pa fodd gan hynny y dioddefi di y Purdan ?

3. Limbo'r Patriarchiaid. Wele gyfieithiad Huw Owen (t. 207) :

Ac nid oedd chwaith y sawl oeddynt y pryd hynny'n gyfiawn ac i fod yn gadwedic, cyn dy Ddioddefaint di, a gwerthfawr ddyled dy farwolaeth sancteiddlawn, yn gallu myned i mewn i deyrnas y Nefoedd.

Sôn sydd yma am dynged y cyfiawn dan yr " Hen gyfraith, pan yr oedd porth y Nefoedd yn aros yn gaead." Gedy W. M. y cwbl heb ei gyfieithu. Yn Saesneg Worthington—fy nghopi i yw argraffiad 1676,—ceir y darn wedi ei gyfieithu'n gywir a llawn (t. 153).

4. Gweddïo dros y Meirw.

W.M. t. 60 : Na ymddirieda yn dy Gyfeillion anwyl, ac na feddwl y dwg eu Gweddi hwynt dy Enaid i Baradwys.

5. Haeddiannau'r Graslon.

W.M. t. 63 : Gweddia yn ddwys ac yn ddygn ar Dduw am dderbyn dy Enaid (pan alwo am danat) iw Lawenydd tragwyddol yn y Nefoedd.
H.O. t. 76 : Cyfeiria tuac yno dy weddiau, dy ucheneidiau, a'th gwynfan beunyddiol, fel y gallo dy enaid ar ôl angeu haeddu myned yn ddedwyddlawn at Dduw.

Y mae gwahaniaeth diwinyddol dwfn rhwng y ddau gyfieithiad, ac y mae'n enghraifft dda o brotestaneiddio W.M.

6. Anrhydeddu'r Saint a Chymundeb y Saint :

W.M. t. 62 : Gwna bobl Dduw yn Gyfeillion iti, a dilyn eu siamplau eurad hwynt, fel pan ddarfyddo am danynt yn y byd hwn, y derbyniont dy Enaid ir tragwyddol Bebyll.

H.O. t. 76 : Gwna rwon garedigion iti, gan anrhydeddu Sainct Duw, a chan ddilyn a dynwared eu gweithredoedd hwynt : fel pan ddarfyddo amdanat yn y bywyd hwn, y cymmerant hwy ti i'r pabellau tragwyddol.

7. Eiriolaeth y Saint.

Huw Owen, t. 358 : Gwell yw â defosiynol ymbil, ac â dagrau, gweddio ar y Sainct, ac â meddwl gostyngedic gofyn eu cymorth : nac â gwag ymholi chwilio eu cyfrinachau hwynt.

Bu W.M. yn anghysurus drwy gydol y bennod hon (III-58), a'r tro hwn, wrth adael yr adnod oll heb ei haralleirio, fe roes res o sêr i ddangos ddyfod terfyn ar ei amynedd (t. 266). Yma eto fe ffoes at yr *Homilïau.*

O dri llyfr cyntaf yr *Imitatio*, gydag un eithriad, y cymerwyd y dyfyniadau hyd yn hyn. " Swper yr Arglwydd yw Testun y pedwerydd Llyfr " ebr W.M. ; yn hwn y mae'r newid ar y gwreiddiol i'w brotestaneiddio yn gyson ac yn drylwyr. Ni ddoid i ben â dangos enghreifftiau o'r newid ar frawddeg wedi brawddeg. Cymer gwasanaeth cymun Eglwys Loegr le'r offeren a'r cymun Catholig. Diflanna'r offrwm dros y byw a'r meirw. Ni cheir mo'r gair *offeren* er amled *missa* y gwreiddiol. Pan sonio'r testun am dderbyn Corff Crist, derbyn Crist *yn ysbrydol* neu *yn y cyfryw fodd* sy gan W.M. Diflanna holl iaith bendant ddogmatig y gwreiddiol a'r holl gyfeiriadau cyson at weddïau canon yr Offeren. Y ddiwinyddiaeth a deflir ymaith. Cedwir gwres y teimlad. Digoned un enghraifft o gant :

Quotiens hoc mysterium recolis et Christi corpus accipis, totiens tuae redemptionis opus agis et particeps omnium meritorum Christi efficeris.

Huw Owen, t. 381 : Canys cynnifer gwaith ac y byddi'n trin ac yn coffa, neu'n derbyn corph Christ, ti fyddi cyn fynyched yn cyflawni gwaith dy Rybrynniad ac yn gwneuthur dy hun yn gyfrannog o holl haeddiannau Christ.

W.M., t. 284 : Canys cyn fynyched ag y derbynni y *Cymmun*, yr wyt yn coffau Marwolaeth Crist ac yn cyfrannu o holl Ddoniau ei Ddioddefaint.

Hwyrach nad anfuddiol dangos pen draw y math hwn o gyfieithu. Cymerwn frawddeg o'r bumed bennod, un allan o lawer cyffelyb :

Sacerdos factus es et ad celebrandum consecratus.

Wele gymreigiad Huw Owen y Catholig :

Ti a wnaed yn offeiriad ac i ddywedyd offeren ti a gysegrwyd.

Ceidw Worthington, y Sais, gyfieithiad Hoskins :

Thou art made a Priest, and consecrated to celebrate.

Ond dyma a geir gan W.M. :

Ti a wnaethpwyd yn offeiriad ac yn Oruchwyliwr y Duw gorucha.

Ac yn 1905 wele drosiad John Owen Jones, Methodist Calfinaidd ac ysgolor da :

Gwnaethpwyd di yn weinidog Duw a neilltuwyd di i weinyddu'r ordinhad.

Facilis descensus Averno ! Chwarae teg i J. O. Jones, fe ddefnyddiodd ef o leiaf dermau technegol pendant ei enwad, ac fe ddangosodd felly fesur o barch i'r deunydd.

Paham gan hynny y dewisodd W.M. yr *Imitatio* i'w gyfieithu neu i'w ailysgrifennu yn y dull y gwnaeth ? Dyma ei eglurhad ef ei hun yn ei lythyr *At y Darllenydd* :

Canys er maint y llid ar gynnen, er maint yr ymrafael ar ymryson, er maint y camgymeriad ar anghyttundeb sydd rhwng Cristianogion, etto nid yw y Gwr-da hwn yn cyffroi'r un o honynt, nid yw yn disodli neb nac yn ysgwyd sail eu crefydd. Yn lle hyn y mae'n ceisio arwain pob enaid i Dir uniondeb, gan ddangos iddynt Lwybrau hyfryd yr Efengyl.

Hynny yw, fe welodd W.M. yn yr *Imitatio*, fel y gwelsai eraill, ateb i ymrafaelion crefyddol yr ail ganrif ar bymtheg. Yr oedd disgrifiad *Gorsedd y Byd* o'r Gristnogaeth yn 1561 yn aros yn wir. Wele gymreigiad Rhosier Smyth o'r paragraff yn 1615 (wedi diweddaru'r orgraff) :

> Ymrafael opiniynau sy'n ein mysg â'r rhain y darfu ein rhwydo a'n maglu ni. Canys y peth y mae un yn ei alw yn wyn, arall sy'n ei alw yn ddu ; y peth y mae y naill yn ei alw yn ddydd, y llall sy'n ei alw yn nos ; y peth sydd oleuni i'r naill sydd dywyllni'r i'r llall ; y peth y mae y naill yn ei gael yn felys, arall sy'n ei farnu'n chwerw ; y peth sydd Iesu Grist, gwirionedd a pharadwys i un, sydd Anticrist, yn gelwydd ac yn uffern i'r llall. Eithr yn y cyfamser, beth a eill y gwirion a'r annysgedig truan ei dybied, mewn pa drafferth, drysni ac anobaith y dylai ei gydwybod truan ef fod ? Gan weled fod un yn gwadu y peth y mae'r llall yn ei wirhau, gan fod yn ddiamau nad oes onid un gwirionedd ymysg cymaint o ymrafaelion a chyfeiliorni opiniynau ?

Yn awr fe ystyriodd W.M. mai mewn cyfnod tebyg o derfysg ac ymrafael ac ymryson ar faterion crefyddol, eithr yn yr ysgolion a'r mynachlogydd Catholig, y cyfansoddasid yr *Imitatio*, yn hyfforddwr i'r mynach pryderus. Barnodd ef y gellid yn deg drosglwyddo i Gymru a Lloegr Brotestannaidd ddisgrifiad yr *Imitatio* o benbleth y mynachlogydd ar ddechrau'r bymthegfed ganrif. Cymerer dernyn o'r drydedd bennod o'r llyfr cyntaf yn wers ; rhoddaf gyfieithiad cywir Huw Owen yn lle'r gwreiddiol, ac yna gymhwysiad W.M. :

> O ! pe bai dynion yn cymmeryd cymaint gofal am ddiwreiddio beiau, ac am blannu rhinweddau ynddynt eu hun, ac y maen' hwy wrth godi ammheuon ac wrth gynnal dadleuau, ni fyddai mor cymmaint drygau a scandalau ymmysg y bobl, na chymmaint o afreolaeth yn y Monachlogydd.

> W.M. t. 8: Oh, pe bai Dynion yn cymmeryd cymmaint o boen i ddiwreiddio pechod ac i blannu Rhinwedd yn ei le, ac y maent ynghylch ymddadleuon rhwystrus a chwestiwnau tywyll, ni byddai mor fath ddrygau ymmysg y cyffredin, na'r fath anllywodraeth yn yr Eglwys.

Ac eto :

> Pa faint gwell a fyddwn, er deall cwestiwnau rhwystrus Rhydychain (t. 6).

Nid clyfrwch arwynebol mo hyn, na dilyn slicrwydd cyfieithwyr Llundain, fel yr awgrymais i yn fy anwybodaeth yn *A School of Welsh Augustans*, eithr cais cyson i addasu hoff glasur Catholig pobl o bob enw yn yr ail ganrif ar bymtheg i amgylchiadau ac anghenion cyfoes Cymru. Aethai ymrysonau mynachlogydd ac ysgolion y bymthegfed ganrif yn ôl i gyfnod Sant Bernard ac Abelard. Ateb yr *Imitatio* i'r ymrafaelion hynny ydoedd galw ar y mynach i droi oddi wrth y dadleuon ac oddi wrth y rhaglenni lawer i ddiwygio'r Eglwys, ac ymroddi i'w adnabod ei hun yn ei gell ac adnabod cariad Crist. Fe geir, fel y gwelsom, gefndir mawr o ddogma yn yr *Imitatio*, fe geir llu o dermau technegol yr ysgolion. Ond cyngor y llyfr yw : *Relinque curiosa*. Ac ar y testun hwnnw, gan ei addasu eto i'w oes ei hun, cyfansoddodd W.M. baragraff sy bron oll yn newydd ac a ddengys yn olau y nod a oedd ganddo, sef llunio o'r *Imitatio* hyfforddwr i'r Cymro duwiolfrydig yng nghanol berw dadleuon y cyfnodau ar ôl ymddrylliad undod Cred :

> t. 44 : Pan gaffech amser cyfaddas ymad a phob Cymdeithas, a dos i ryw Le dirgel, ac yno cofia a myfyria am Ddoniau a thrugareddau Duw. Na chais ymryson nac ymddadleu a neb ynghylch *Pyngciau tywyll* neu *gwestiwnau dyfnion*. Os darllenni, dewis Lyfrau duwiol y rhai ath gynghorant i ymadel ath Bechodau ac i ddilyn Sancteiddrwydd : Ond gwilia dreulio dy amser yn darllain Llyfrau na bo dim ynddynt ond rhyw ffraethineb diddeunydd ne Synwyr ddynol. Os medri ochel gwag Siarad, a phob ofer Gyfeillach, os medri beidio a gwrando nac adrodd Newyddion ac ofer chwedlau, ti a gei ddigon i o amser i buro'r galon ac i fyfyrio ar bethau ysbrydol.

Ysgolhaig piau'r geiriau, un cyfarwydd â llenyddiaeth ei briod iaith, y diarhebion a'r cywydd a'r carol, yr holl ryddiaith newydd, fel y dengys ei gyfeiriadau at *Holl Ddyletswydd Dyn* a *Rheol Buchedd Sanctaidd* ; un a wyddai'r traddodiad llenyddol :

> Dysc imi gywydd Cariad . . . . ac yno Canaf dy foliant (t. 132);

Un eiddigeddus hefyd dros safon llyfrau Cymraeg : er hynny oll, nid yn llyfrau Dysg y gwêl ef ateb i broblem ei gyfnod :

> Llyfrau sydd yn llefaru wrth bawb fel eu gilydd, ond nid pawb a ddichon eu deall (t. 217).

W.M. piau'r tro sychlyd i'r frawddeg honno hefyd. Yn ei oes ef yr oedd cyfnod y mynachlogydd ar ben. Rhaid i'r duwiolfrydig fyw yn y byd bellach. O'r gorau, gallai yntau droi'r byd yn fynachlog a'i stafell ei hunan yn gell :

> t. 49 : Dos ith Stafell, a chau y Drws arnat, a gwahodd yno

> Iesu Grist dy Brynwr anwyl. Aros gydag ef yn y distawrwydd yma . . . .

Dyna dueddiad dihewyd yr ail ganrif ar bymtheg, nid yn y gwledydd Protestannaidd yn unig, eithr yn y gwledydd Catholig hefyd. Gallai gweinidog o Eglwys Loegr, a'r llan a'i gwasanaeth dan ei ofal, droi ei blwyf yn fynachlog a dilyn buchedd a rheol crefyddwr yn ei deulu ac ymhlith ei blwyfolion. Ymroes W.M., gyda Stanhope a'r Saeson cyffelyb, i droi'r *Imitatio*, hyfforddwr y mynach yn ei gell, yn *Batrwm y Gwir Gristion*, hyfforddwr i fywyd o ddefosiwn yn y plwyfi gwledig Protestannaidd Cymreig. Pa gyfnewidiadau pellach a olygai hynny ar destun yr *Imitatio* ?

1. Proffes y mynach, Bedydd y Cristion. Os y byd yw mynachlog y Cristion modern, yna'r hyn sy'n cyfateb i broffes y mynach, sef y llw o ymgysegriad a gymer ef ar gychwyn ei yrfa, yw'r " Llw ac amod a wnaed yn y Bedydd." Nid gwŷr yr ail ganrif ar bymtheg piau datgan y gyfatebiaeth hon gyntaf. Yr oedd rhai o'r " prif Gristnogion " wedi sôn am broffes y mynach fel " ail fedydd," oblegid ei bod hi'n adnewyddu'r diofryd i ymwrthod â'r cythraul a'r byd a roesid yn y bedydd. Troi'r gyfatebiaeth honno yn ei gwrthol a wna W.M. ac Anglicanwyr yr ail ganrif ar bymtheg. Nid ofna W.M. lwyr newid testun yr *Imitatio* i'w amcan. Ar gychwyn pennod XXV o'r llyfr cyntaf ceir cyngor i'r mynach sy wedi gadael y byd ; wele'r frawddeg yng nghyfieithiad Huw Owen :

> Meddwl yn fynych i ba beth y deuthost a phaham y darfu iti ymadael a'r byd.

Dyma drosiad W.M. :

> Ystyria i ba bwrpas y daethost ir Byd ; a phaham yr addewaist yn dy Fedydd ymwrthod a Rhodres a Gwagedd.

Troer at Gatecism Eglwys Loegr (dyfynnaf yn awr o'r *Llyfr Plygain*, 1612, adargraffiad Gwasg y Brifysgol, t. 50) ac fe geir y cyfeiriad :

> A. Pa beth a wnaeth dy dadeu bedydd ath fammeu bedydd yr amser hwnnw trosot ?
>
> D. Hwy a addawsont ac a eddunyssont dri pheth yn fy enw : yn gyntaf, ymwrthod ohonof a diawl ai oll weithredoedd, rhodres a gorwagedd y byd enwir, a phechadurus chwantau y cnawd.

Felly pan sonio'r *Imitatio* am *Christi tironem*, a throsi o Huw Owen hynny yn *nofis Christ*, cyfieithiad W.M. yw y *milwr ifanc cristnogol*, a phan sonio'r Lladin am grefyddwyr y fynachlog, " dy gymydog " sy gan y Cymro. Defnyddia Huw Owen y gair *crefyddol* yn ei ystyr dechnegol megis yn yr Oesoedd Canol ; defnyddia W.M. ef yn ei ystyr annhechnegol a modern. Y mae lleygoli termau Catholig yn rhan o'i orchwyl.

Cafodd anhawster gyda'r bedwaredd bennod ar bymtheg o'r Llyfr Cyntaf, *De Exercitiis Boni religiosi*. Methodd hyd yn oed Huw Owen gyfleu ysmaldod chwareus yr *Imitatio* yn y wers :

> inspector noster est Deus, quem summopere revereri debemus.

Dyry Thomas à Kempis wedyn weddi yng ngenau'r mynach, ac fe'i cymreigir yn dda gan Huw Owen :

> Cymmhorth fi, O fy Arglwydd Dduw, yn fy mwriad da, ac yn dy sanctaidd wasanaeth di : a dyro imi heddyw ddechreu'n berffeithlon, am nad yw ond dim yr hyn a wneuthym hyd yn hyn.

Try'r frawddeg olaf yn nonsens dan law W.M. :

> t. 40 : O, caniatta imi ddechre' fy Siwrne ar yr union lwybr, o herwydd yr wyf yn cyfadde na wneuthym un weithred dda erioed o'r blaen.

Pan rybuddio Thomas y mynach rhag gormod o waith corff, daw'r twmpath chwarae ar brynhawn Sul yn y plwyfi Cymreig i mewn i destun W.M. :

> Na chymmer Ddifyrrwch mewn chwaryddiaeth,

megis hefyd pan sonio Thomas am " habitus et tonsura " y cymer W.M. gyfle i roi sen i'r Puritaniaid :

> t. 35 : Nid yw dillad gwael ne' ymddanghosiad tylodaidd yn glanhau Calon Dyn.

Darllener y paragraffau ym mhennod I-XIX (W.M. t. 42-3). Y ffaith seml yw nad oes ystyr iddynt heb droi at y Lladin neu at Huw Owen. Collir pob ystyr droeon pan fo W.M. yn cyfieithu paragraffau sy'n ymwneud â bywyd a phroffes y mynach :

> t. 21 : Yn wir, ni ddylem gynnyddu mewn Duwioldeb, ond yn y Dyddie hyn, yr ym ni yn cyfri hwnnw yn ŵr da a gadwo ryw fesur oi Berffeithrwydd cynta'.

Ceisio gosod diniweidrwydd y baban na fedr bechu yn lle sêl grefyddol y nofis ifanc yn ei fynachlog, neu unwaith eto osod Bedydd yn lle Proffes, dyna sydd yma. Yn rhyfedd ddigon, cadw yn rhy agos at ei destun a wna W.M. yn y rhannau hyn.

2. Ufudd-dod. Un o'r cynghorion efengylaidd yw ufudd-dod diamod ac fe'i cymerir yn rheol bywyd gan y mynach yn ei broffes. Y mae ufudd-dod hefyd yn rhinwedd y dylai pob dyn ymarfer ag ef i fesur, megis plant i'w rhieni, deiliaid i'w llywodraethwyr cyfiawn, ffyddloniaid yr Eglwys i'w hesgobion a'u hoffeiriaid plwy mewn materion moesol ac ysbrydol. Dysgir hefyd yng nghatecism Eglwys Loegr yn y Llyfr Pylgain, 1612 :

> Anrhydeddu ac ufuddhau i'r Brenhin ai swyddogion : ym-ddarostwng im holl lywiawdwyr, dysgawdwyr, bugeiliaid ysbrydol ac athrawon.

Ond y mae'r catecism hwnnw'n mynd lawer ymhellach, gan osod y pwys pennaf ar ufudd-dod i'r Tywysog (t. 59) :

> Yr Apostolion sanctaidd Pawl a Pheder sy'n discu, mai Duw ei hun a greawdd ac a osodawdd yr holl Benaethiaid goruchaf ym-mysc dynion : a phwy bynac sydd yn ymyscwyddaw yn erbyn y Penaeth goruchaf, ei fod yn gwrthwynebu peth a ordeiniodd Duw ac in ynill iddo ei hunan golledigaeth tra-gwyddawl. Ac am hynny y maent yn cynghori yr oll ddeilied ar iddynt ofni caru, ac anrhydeddu i tywysawc, ac iddynt ym-yfuddhau yn bwylloc iw gyfraith ef ai orchymynion, ac i swyddogion a llywodraethwyr y gyfraith ar deyrnas : a hynny nid in unic rhag ofn, eithr er mwyn cydwybod . . . .

Unwaith eto, trwy addasu'r *Imitatio* i eiriau ac athrawiaeth ei gatecism y mae W.M. yn trafod y drydedd bennod ar ddeg o drydydd llyfr Thomas :

> t. 150 : Y neb nid ufuddha iw Bennaethiaid sydd yn dangos fod ei Natur yn boeth ac yn chwannog i wrthryfelu.

A'r lle y dywed y Lladin a Huw Owen, " ai mawr gennyt ti, er mwyn Duw, dy ddarostwng dy hun i ddyn ? ", ceir gan W.M., " Ai mawr ynte gennit fod yn ufudd i Awdurdod ? " Trafod ufudd-dod y mynach sy'n dilyn ar ffordd perffeithrwydd y mae Thomas à Kempis. Trosi hynny i ddelfryd Toriaeth Anglican-aidd personiaid gwledig ei oes ei hun a wna W.M. ; gwelir yr un trawsnewid yn y nawfed bennod o'r llyfr cyntaf ac yn rhan olaf pennod XLIX o'r trydydd llyfr, lle y traethir yn y gwreidd-iol am wobr y mynach ufudd yn y Nef.

3. Cyfriniaeth : (a) Termau. Ceir yn yr *Imitatio* drafod profiadau uchaf a dirgelion anhraethadwy bywyd gweddi, er nad yn drefnus megis gan ddoctoriaid yr Eglwys. O raid, gan hynny, mabwysiedir geirfa'r athronwyr Platonaidd a'r athraw-on o'r ddeuddegfed ganrif hyd at y bymthegfed, dilynwyr Sant Awstin. Ceir termau cyffredin yr holl lenyddiaeth gyfoethog y mae'r *Imitatio* yn perthyn iddi, termau a oedd yn ystrydebau yn y mynachlogydd. Britha'r termau hyn, geirfa dechnegol defosiwn, ddail yr *Imitatio*. Gwelsom ymdrech Huw Owen i'w cymreigio hwynt. Ni cheir mo'r fath ymdrech gan W.M.

Amcana W.M. gyda Stanhope dynnu'r bywyd o weddi allan o'r fynachlog a'i osod yn nod o fewn cyrraedd offeiriad plwy o Gymro Protestannaidd a'r lleygwyr duwiolfrydig. Gwnaethai dyneiddwyr y Dadeni Dysg hynny o leygoli neu ddadarbenigo ar iaith athroniaeth. Gwnaethai Gruffydd Robert beth tebyg ym maes cerdd dafod Gymraeg. Dyna a wna W.M. yn awr ar gyfriniaeth Thomas à Kempis, sef ei thynnu allan o'r fynachlog a pheri iddi lefaru heb dermau technegol yr ysgolion. Ni fedraf ddangos hyn heb ddyfynnu o leiaf un enghraifft o'r Lladin gwreiddiol. Dyma ddarn lle y mae'r *Imitatio* yn benthyg geirfa Dionusios, awdur *Graddau'r Nef*, yn y drydedd bennod o'r llyfr cyntaf :

> Cui omnia unum sunt et omnia ad unum trahit et omnia in uno videt, potest stabilis corde esse et in Deo pacificus permanere. . . . Quanto aliquis magis sibi unitus et interius simplificatus fuerit, tanto plura et altiora sine labore intellegit, quia desuper lumen intelligentiae accipit. Purus, simplex et stabilis spiritu in multis operibus non dissipatur, quia omnia ad Dei honorem operatur et in se otiosus ab omni propria exquisitione esse nititur.

> W.M. t. 6 : Ar neb a osodo ei holl feddwl ar y Gair Bendigedig hwn ac a ddilyno yn ofalus y Llwybr y mae yn ei osod o'i flaen, geill hwnnw orffwys mewn esmwythdra, ac ymddiried yn holl-awl yn ei Dduw . . . Pa mwya yr ymgynnnefino dyn ag ef ei hun, mwya o feddyliau nefolaidd a ddisgyn iw Fynwes ; canys yna y mae ysbryd Duw yn ymweled ag ef ac yn goleuo ei Ddealltwriaeth.

Braidd gyffwrdd o gyfieithiad sydd yma ar y gorau, ond fe sylwir mai'n union oblegid diflannu termau technegol y Lladin y mae hynny. Felly drwy'r cwbl o waith W.M., peri i'r diwinydd cyfriniol ddehongli ei feddwl yng Nghymraeg annhechnegol rhyddiaith glasurol yr ail ganrif ar bymtheg yw ei nod. Yn hynny o beth ef yw'r olaf o'r Dyneiddwyr Cymraeg.

3 (b). Athrawiaeth. " Er hynny yr wyf yn gobeithio ac yn llawn gredu na lithrais heibio ac na chollais ddim o Sylwedd na dim o Rym nac Egni'r Awdur " ebe W.M. A gadwodd ef sylwedd y gwreiddiol ? Buasai Huw Owen yn gwadu hynny ar ei ben. Eithr yma rhaid deall beth yn union a olygai W.M. Ceisiais egluro'i amcan eisoes, sef cymryd dysgeidiaeth yr *Imitatio* am gariad Duw a'r ffordd i feithrin cariad Duw yn yr enaid, a dwyn hynny allan o'r fynachlog i'r persondy a'r plas a'r ffarm a rhoi i'r Cymro yn Eglwys Loegr hyfforddwr i fywyd defosiwn.

Cymerwn y nawfed bennod o'r ail Lyfr. Sôn sydd yn y bennod honno am brofiadau o bêr-ymweliadau gras Duw â'r enaid a'r cyfnodau o sychder a fo'n aml yn dilyn y cyfryw brofiadau, ac y sy'n rhan o ddisgyblaeth lem " ffordd y puro." Mae'r cwbl yn hen gynefin y tu mewn i glwystai'r mynachlogydd ac yn rhan normal o'r bywyd yno. Beth a wna W.M. o'r bennod hon a llawer cyffelyb ? Darllener ei gyfieithiad yn ofalus a'r gwreiddiol wrth law. Gwelwn ei fod yn symleiddio'r cwbl, yn cysylltu'r profiadau â chroesau beunyddiol lleygwyr yn y byd, yn gostwng tymheredd angerdd y bennod, gan ei throi'n wers o ymgosbi ac o ostyngeiddrwydd ac o ddibyniad ar Dduw, gwers a fai o fewn cyrraedd Cristion ystyriol yn ei orchwylion bydol. Y mae'r bennod, yn wir, wedi ei gweddnewid bob yn frawddeg, a thro wedi ei roi i'r " rapturous passages . . . to bring them down to the common conditions of human life." Geill yr ysgolhaig ffromi a barnu mai cyfieithu anonest sydd yma, ond gwrthod deall safbwynt yr ail ganrif ar bymtheg yw gwneud felly. Symleiddio techneg y bywyd ysbrydol yn debyg i'r modd y symleiddiasai Gruffydd Robert reolau cerdd dafod yw bwriad W.M. Hyd yn oed pan fo'r *Imitatio* yn gosod mewn un frawddeg hanfod cyfriniaeth, *vita tua via nostra*, try W.M. honno hefyd yn rheol o fewn cyrraedd a deall darllenwyr *Carwr y Cymro* :

Yr Efengyl Sanctaidd ydyw ein Llwybr an Llewyrch ni (t. 160).

Hyfforddiant yn ffordd y puro yw ei lyfr ef. Golyga hynny ymroddi o'r Cristion i'w adnabod ei hunan a gwybod y rhagor sydd rhwng cymhellion gras a chymhellion natur. Mae'n nodweddiadol ei fod yn trosi pennod LIV o'r trydydd llyfr yn fanwl odiaeth o'r dechrau i'r diwedd, canys y bennod honno yw'r siart i yrfa defosiwn. Llwybr cwbl groes i natur yw rheol buchedd santaidd iddo ef. Y mae i'r rheol ei hegwyddor, sef cariad. Gras goruwchnaturiol yw cariad, ac ar y cyfan tybiasai athrawon yr Oesoedd Canol mai mewn urdd grefyddol neu mewn mynachlog, wedi ymneilltuo oddi wrth y byd, y gellid orau ei feithrin. Athrawon yr ail ganrif ar bymtheg, a François de Sales yn flaenor arnynt, a ddangosodd, gan mai cariad Duw yw hanfod y bywyd ysbrydol, y gellid ei feithrin hefyd drwy holl orchwylion bywyd beunyddiol y lleygwr. Cyflymder cariad, sydd fel cyflymder y golomen yn hedfan i gyflawni ewyllys Duw, yw testun y bennod enwog gyntaf o'r *Introduction à la Vie Dévote*. Ceir yr unrhyw delynegrwydd yn y bumed bennod o drydydd llyfr yr *Imitatio*. Ymdaflodd W.M. â'i holl egni i gyfieithu'n ddi-fwlch y bennod hon. Troes hi'n gywydd moliant mewn rhyddiaith, a hi yw un o binaglau ei drosiad. Y mae ei lyfr ef yn gyfraniad gwreiddiol i lenyddiaeth yr ail ganrif ar bymtheg, yn glo ar gyfnod ac yn fynegiant i ysbryd y cyfnod. Y mae yntau'n un o feddylwyr da ein rhyddiaith glasurol.

[*Efrydiau Catholig*, iv (1949), 28-44].

PENNOD XX

Y BARDD CWSC

Fe gyhoeddwyd *Gweledigaethau y Bardd Cwsc* yn 1703, hynny yw, yn nechrau'r ddeunawfed ganrif. Y mae'r llyfr yn un o glasuron y Gymraeg. Y mae hefyd yn agoriad i feddwl Cymru yn y ganrif a greodd ein Cymru ni heddiw. Dengys y dylanwadau a effeithiodd ar foes a meddwl ein cenedl mewn cyfnod pwysig yn ein hanes. Amcan yr ysgrif hon yw olrhain y dylanwadau amlycaf ar lyfr Ellis Wynne. O bydd yr ysgrif yn foel a sych, yr angen am fod yn gryno yw f'esgus am hynny. Nid beirniadaeth bur a geir yma, ond ymchwil am ddeunydd beirniadaeth. Mi ddymunwn hefyd yn gyntaf peth gydnabod fy nyled i ragymadrodd Syr John Morris-Jones ac i'w argraffiad ef o'r *Bardd Cwsc*,—rhagymadrodd ac argraffiad a fu'n gychwyn cyfnod newydd yn hanes efrydiaeth y clasuron Cymraeg.

I.

Deunydd y Bardd Cwsc

Y mae'n hysbys ddarfod i Ellis Wynne fenthyca llawer oddi ar gyfieithiad gan Syr Roger L'Estrange o lyfr yr Ysbaenwr Quevedo,—*The Visions of Dom Francisco de Quevedo Villegas, Knight of the Order of St. James, Made English by R. L.* 1667. Rhoes Syr J. Morris-Jones amlinelliad o ddyled Ellis Wynne i Quevedo (Rhagymadrodd td. xvii-xxiv), ac felly nid oes raid i minnau ailadrodd y manylion. Dangosodd fod yn llyfr yr Ysbaenwr saith weledigaeth, a bod teitlau tair o'r saith yn cyfateb i deitlau tair gweledigaeth y *Bardd Cwsc*. Ond fe ddefnyddiodd Ellis Wynne rannau o holl weledigaethau Quevedo, a phan ddywedir nad oes ond " rhyw ddegwm go helaeth o'r *Bardd Cwsc* yn efelychiad neu aralleiriad o ddarnau o lyfr Syr Roger," prin iawn y mae hynny'n gwbl gyfiawn, hyd yn oed ag ystyried dim ond y deunydd. Gwir fod llawer yn y *Bardd Cwsc* heblaw a geir yng nghyfieithiad L'Estrange ; gwir arall ddarfod gadael allan ohono lawer rhan o'r llyfr Saesneg. Ond mewn un modd neu'i gilydd fe ddefnyddiodd Ellis Wynne *holl* weledigaethau Quevedo ; yng *Ngweledigaeth Cwrs y Byd*, cymerth ddwy weledigaeth o L'Estrange, sef *The Fourth Vision of Loving Fools*, a roes iddo gynllun Llys Cariad yn Stryd Pleser, a'r *Fifth Vision of the World.* Hon a awgrymodd iddo ddarlunio'r byd yn strydoedd (ond un stryd oedd yn L'Estrange sef *The Hypocrite's Walk*), a chafodd ynddi hefyd ddeunydd ei bortread o Lys Rhagrith, y cynhebrwng, y weddw, etc. Yng *Ngweledigaeth Angeu* defnyddiodd Ellis Wynne ddwy ran arall o lyfr L'Estrange, sef *The Second Vision of Death and her Empire*, a'r *Third Vision of the Last Judgment.* Y mae ei ddyled i'r *Vision of Death* yn drwm ac amlwg (gweler eto ragymadrodd Syr J. Morris-Jones). Dengys yntau ei synnwyr artistig yn y dull y defnyddiodd *The Last Judgment.* Gweledigaeth fer o lys a brawdle oedd honno. Cymerth Ellis Wynne y prif syniad ac amryw fanylion, a gwasgodd y cwbl yn rhan o'i hanes ef am y barnu yn Llys Angau. Yng *Ngweledigaeth Uffern* defnyddiwyd gweddill llyfr L'Estrange, sef *The First Vision of the Catchpole Possest*, *The Sixth Vision of Hell*, *The Seventh Vision of Hell Reform'd*, a defnyddiwyd y ddwy olaf yn helaeth iawn. Gwir nad oes fawr o gyfieithu moel ohonynt, ond cymerwyd eu prif syniadau a'u cymeriadau yn ddigon llwyr, a'u creu o newydd yn Gymraeg. Gellid sôn llawer am fanylion y ddyled hon, a byddai hynny'n werthfawr gan nad yw'r cwbl ar yr wyneb. Er enghraifft, yn L'Estrange y cafodd Ellis Wynne yr awgrym am Olifer Cromwell yn Uffern, am y dyn nas poenai ond ei gydwybod, am Ddiawl y Tybaco, am y cythraul a fu'n anfedrus yn temtio dynion, am y damniaid a yrasid yn ôl i'r byd i gydweithio â'r diawliaid, am y cyffro a fu pan sibrydwyd y gair iechydwriaeth, ac am lawer ychwaneg. Ond digon i'r ysgrif hon yw dangos bod dyled Ellis Wynne i L'Estrange am ei ddeunydd yn fawr.

Llawn mor ddiddorol â hynny yw ei ddyled i *Paradise Lost*, ac wele eto fater o bwys. Ni chafodd neb llenor Saesneg effaith ehangach na dyfnach ar lenyddiaeth Gymraeg am ddwy ganrif na John Milton, a byddai olrhain ei ddylanwad yn fanwl yn ychwanegu'n fawr at ein gwybodaeth am lên Cymru a Lloegr. Ceir awgrym o'i ddylanwad yng *Ngweledigaeth Angau.* Y mae perthynas Lucifer â'i "naturiol Fab," Angau, a'i berthynas yntau â'i fam, Pechod, sy'n gwylio yn entrych Uffern, yn atsain o *Paradise Lost.* Gan Milton hefyd y cafwyd y syniad am newyn diderfyn Angau :

Whom thus the Sin-born Monster answered soon
To me, who with eternal famine pine,
Alike is Hell, or Paradise, or Heaven,
There best, where most with ravin I may meet.[1]

Y mae'r disgrifiad o Uffern a'i wres a'i rew a'i fwg a'i boen yn rhan ry gyffredinol o chwedloniaeth Gristnogol inni feddwl ei fenthyg gan Ellis Wynne oddi wrth Milton ; ond Miltonaidd, mi gredaf, yw'r disgrifiad o'r Gymysgfa Ddidrefn ar y ffordd i Uffern. Gan Milton y cafwyd y syniad am y " Parliament Uffernol " : " Gyferbyn â'r drŵs, ar Orseddfainc fflamllyd, yr oedd y Fall Fawr a'i brif angylion colledig o'u ddeutu, ar feinciau o dân tra echryslawn yn eiste'n ôl eu graddeu gynt yn Gwlad y goleuni " (*B. C.*, arg. J.M.-J., td. 106). Dyma a geir ym Milton :

But far within . . .
The great Seraphic Lords and Cherubim
In close recess and secret conclave sat[2] . . .
High on a Throne of Royal State, which far
Outshon the wealth of Ormus and of Ind . . .
Satan exalted sat[3] . . . .
And from the dore
Of that Plutonian Hall, invisible
Ascended his high throne, which under state
Of richest texture spred, at th'upper end
Was plac't in regal lustre.[4]

Y mae araith gyntaf Lucifer yng *Ngweledigaeth Uffern* yn llawn atseiniau o areithiau'r Diawl yng nghaniad cyntaf *Paradise Lost.* Ceir awgrym yn y frawddeg sy'n agor—" Os collasom y meddiant lle buom yn discleirio hyd Teyrnasoedd Gwynion Uchelder "—o'r annerch enwog :

How chang'd
From him, who in the happy Realms of Light
Cloth'd with transcendant brightness didst outshine
Myriads though bright.[5]

[1] *P. L.* X, 596-601.
[2] *P. L.* I, 792-794.
[3] *P. L.* II, 1-5.
[4] *P. L.* X, 443-447.
[5] *P. L.* I, 84-87.

Eto : " Nid oeddem ni'n bwrw am ddim llai na'r cwbl ; ac ni chollasom mo'r cwbl chwaith, canys wele wledydd helaeth a dyfnion hyd eitha Gwylltoedd Destryw fawr, tan ein rheolaeth ni eto. Gwyr yw, mewn dirboen anaelef yr ŷm ni'n teyrnasu, etto gwell gan ysprydion o'n uchder ni deyrnasu mewn penyd na gwasanaethu mewn esmwythyd " (*B. C.*, td. 107). Cymharer :

What though the field be lost,
All is not lost[6] . . .
Hail horrours, hail
Infernal world, and thou profoundest Hell
Receive thy new Possessor[7] . . . .
Better to reign in Hell than serve in Heav'n.[8]

Eto : " Ac heblaw hwn, dyma ni agos ac ennill Byd arall, mae mwy na phum rhann o'r Ddaiar tan fy maner i er's talm " (*B.C.*, td. 108). Cymharer :

There is a place
. . . . Another world, the happy seat
Of som new Race call'd Man[9] . . . .
. . . . Here perhaps
Some advantagious act may be achiev'd
By sudden onset, either with Hell fire
To waste his whole Creation, or possess
All as our own.[10]

Ar ôl araith Lucifer, Moloc sy'n codi'n ail ; dyna hefyd drefn Milton. A phan ymgymero Diawl Ellis Wynne â mynd ei hun i'r ddaear ; " Mi wna'r gwaith fy hun, ac a fynna'r orchest yn ddi-rann," dilyn Diawl Milton yw hynny :

I abroad
Through all the coasts of dark Destruction seek
Deliverance for us all : this enterprise
None shall partake with me.[11]

Ac o chaf droi am funud at fater arddull, y mae'n iawn sylwi

[6]*P. L.* I, 105, 6.
[7]*P. L.* I, 250-252.
[8]*P. L.* I, 263.
[9]*P. L.* II, 345-348.
[10]*P. L.* II, 362-366.
[11]*P. L.* II, 463-466.

bod Diawl Ellis Wynne, pan fenthyco eiriau neu nodweddion arwr cân Milton, yn ymliwio'n fwy urddasol, ac yn ymddangos yn llai o " Wesleyad hynaws newydd gael cwymp oddi wrth ras," chwedl Emrys ap Iwan yn ei ysgrif glasurol ar y testun hwn. Dyma, mi gredaf, gychwyn gyrfa Milton yn llên Cymru.

Yr ydys felly yn bur sicr am ffynonellau'r ddwy weledigaeth olaf yn y *Bardd Cwsc*. Erys ansicrwydd am *Weledigaeth Cwrs y Byd*. Y mae cynllun hon yn helaethach ac yn gywreiniach na dim sydd yn L'Estrange. Un stryd oedd ganddo ef, a chynllun ei bortread ohoni yn syml. O ble y cafodd Ellis Wynne ei ddarlun a'i gynllun helaethach ?

Fe welir fy mod yn tebygu iddo ei gael gan ryw awdur arall, ac nid gan ei ddychymyg ei hun. Gobeithio na feddwl neb fy mod yn cyhuddo Ellis Wynne o lên-ladrad. Y gwir syml yw bod sôn am lên-ladrad yn y 18fed ganrif gan amlaf yn anachroniaeth ddiystyr. Bu unwaith chwedl, a chredai Silvan Evans hi, " ddarfod i Ellis Wynne ysgrifennu Gweledigaeth y nefoedd, ond iddo daflu'r ysgrifen i'r tân mewn digllondeb oherwydd edliw o rywrai iddo mai cyfieithiad o weledigaethau Quevedo oedd y lleill." Y mae'n gwbl ddiogel gennyf mai yn y 19eg ganrif y crewyd y chwedl hon. Yn y ddeunawfed ganrif, clod yn hytrach nag anghlod i Ellis Wynne fuasai ddangos iddo ddilyn Quevedo. At hynny, nid wyf yn amau, ped ysgrifenasai efô bedwaredd weledigaeth, nad gweledigaeth y Farn Olaf a fuasai honno. Canys yr oedd honno eisoes yn Quevedo, yr oedd hi hefyd yn gydnaws ag athrylith Ellis Wynne, ac yn gydnaws â thuedd ei oes. Nid oedd fynd ar y nefoedd yn ei ddydd ef ; yr oedd y ddaear y pryd hynny yn hynawsach nag yw hi heddiw, ac ni ddaethai Pantycelyn eto i ddarganfod rhinweddau mynwentydd.

Ond ni allaf olrhain tarddiad *Gweledigaeth Cwrs y Byd*. Y mae ynddi yn ddiamau olion darllen *Taith y Pererin*, ond yn y disgrifiad o Ddinas Immanuel y ceir hynny. Y mae hanes yr " un dyn wynebdrist oedd yn rhedeg o ddifri " yn dilyn Bunyan yn union a gellid dangos, ond odid, mai yn y cyfieithiad Cymraeg y darllenodd Ellis Wynne ef. Gan hynny, fe ddichon bod a wnelo'r " dref a elwid Gwagedd," a Ffair Wagedd hithau, ag awgrymu peth o gynllun y Ddinas Ddihenydd. Dyma godi ychydig frawddegau o ddisgrifiad Bunyan :

> Am hynny fe werthir ynddi bob rhyw o farsiandaeth, megis tai, tiroedd, celfyddydau, swyddau uchel, anrhydedd, gwledydd . . . ac heblaw hynny cair gweled yn y ffair hon bob amser hudolwyr, twyllwyr, chwaryddion, ynfydion, eppaod, cnafiaid, rogiaid o bob math . . . ac megis y mae mewn ffeiriau eraill (llai eu bri) felly hefyd y mae yma amryw heolydd, tan eu henwau priodol, lle y gwerthir y cyfryw farsiandaeth. Y mae yma heol y Bruttaniaid, heol y Ffrangcod, heol yr Italiaid, heol yr Hispaenwyr, a heol y Germaniaid, lle y mae amryw fath o wagedd ar werth . . . Ond marsiandaeth Rhufain sy'n cerdded oreu yn y ffair yma, ond bod y Bruttaniaid, a rhyw Nasiwnau eraill, yn dibrisio'r marsiandaeth hynny.

Odid nad dyma wraidd y Ddinas Ddihenydd ? Ond ni ellir bod yn sicr, ac ni synnaf ddim na chaiff un a ddarlleno gyfieithiadau Saesneg diwedd yr 17eg ganrif, afael ar bethau tebycach na hynny i weledigaeth gyntaf Ellis Wynne.

II.

Arddull y Bardd Cwsc

Yr oedd yr 17eg ganrif a dechrau'r 18fed yn gyfnod heulwen ar ryddiaith Gymraeg. Ond fe glyw pawb fod y *Bardd Cwsc* yn llyfr annhebyg i weithiau eraill yr oesau hynny. Dywed Syr J. Morris-Jones am Ellis Wynne : " Fe'i dyrchefir gan y llyfryn hwn uwchlaw pob ysgrifennydd rhyddiaith Gymraeg yn yr un o'r ddwy ganrif y bu efe yn oesi ynddynt." A yw hyn yn gwbl sicr ? Er cystal yw iaith Ellis Wynne, mi gredaf fod maes ei defnyddioldeb yn bur gyfyng, a bod rhyddiaith Morgan Llwyd neu Edward Samuel yn ablach at holl amcanion pros. Nid ydys eto wedi dangos ystwythed oedd arddull Morgan Llwyd a chystal paragraffwr oedd.

Y gwir yw bod dau arddull a dau ddylanwad yn gyfrodedd trwy'i gilydd yn y *Bardd Cwsc*. Y dylanwad cyntaf yw'r dylanwad Cymreig. Yr hanes am y beirdd yn ail weledigaeth Ellis Wynne yw'r dystiolaeth bwysicaf sy gennym am gyflwr y traddodiad llenyddol yng Nghymru yn nechrau'r 18fed ganrif. At hynny, y mae'n ddilys bod Ellis Wynne yn gyfarwydd â dulliau'r hen " areithiau " Cymraeg. Dengys y *Cydymaith Diddan* (1766) hysbysed oedd y cyfansoddiadau hyn yn y 18fed ganrif. Un arbenigrwydd arnynt oedd " tyrru ansoddeiriau disgrifiadol cyfansawdd y naill ar ben y llall."[12] Yr oedd eu hiaith hithau'n gymalog ac afrwydd, a rhyw rwysg cryno ynddi ar ei gorau. Ac mi debygaf glywed ei hacen yn aml yn y *Bardd Cwsc*, eithr wedi ei meistroli a'i chymhwyso'n gynnil, megis yn yr enghreifftiau a ganlyn :

> Hislanod gwenwynig o bicellau geirwon gwrthfachog ; llais garwgry rhuadwy ; llu henffel iselgraff ; cyntedd trahelaeth a hyllferth, a gwg ei redfa at ryw gongl ddugoch anghredadwy o wrthuni ac erchylltod (td. 104).

Heblaw'r pethau hyn, fe geir yn y *Bardd Cwsc* enghreifftiau ddigon o Gymraeg traddodiadol rhyddiaith, a hynny'n neilltuol yn y disgrifiadau yr ymboenwyd â'u caboli ; megis y disgrifiad o Lys Angau, o adfeilion hen blasau Cymreig (td. 13), ac aml dudalen o *Weledigaeth Uffern*. A'r awdur Cymraeg a effeithiodd fwyaf ar arddull y *Bardd Cwsc* oedd Rowland Vaughan (neu Fychan), y cyfieithydd y rhoes Ellis Wynne wrogaeth mor deilwng iddo yn ei drydedd weledigaeth : "Ac weithiau darllenwn rann o Lyfr Ymarfer Duwioldeb." Ni ellir darllen y dim lleiaf o'r *Ymarfer o Dduwioldeb* heb sylwi debyced yw ei arddull i rannau o'r *Bardd Cwsc*. Ac mewn nerth cyhyrog a Chymreigrwydd ei ddull nid yw'r cyfieithydd ar ei orau ddim ar ôl ei ddisgybl enwocach. Boed y darn hwn yn arwydd :

> Yno y caiff dy lygaid serchogaidd eu cystuddio wrth edrych a'r ysbrydion erchyll : dy glustiau moethusglyw eu dychrynu gan oernad y cythreuliaid yn udo, a rhingcian dannedd y gwrthodedigion poenedig : dy drwyn meindlws a gaiff ei lenwi a drygsawyr drewedig frwmstan : dy archwaeth dewisol a boenir â newyn anguriol, dy gêg feddw a sŷch gan syched an-niffoddadwy . . . O fal y bydd dy ddealltwriaeth ar bigau dur, wrth ystyried ddarfod i ti o chwant i gyfoeth darfodedig, golli y trysor tragwyddol, a chyfnewid dedwyddwch nef am drueni uffern ! Lle bydd pob rhan o'th gorff (heb na thorr na thrai a'r boenau) yn cael yr un ffunud eu penydio yn dragywydd . . . Ni chei di fyth weled goleuni, nac un golwg ar lawenydd, ond gorwedd mewn tragwyddol boenau y tywyllwch eithaf, lle na bydd trefn ond dychryndod ; na llais ond llais cablwyr, a rhai yn udo ; na sŵn ond sŵn y poenau a'r penydwyr ; na chym-deithas, ond gyda diafol ai angylion . . . .

[12]Gweler *Llenyddiaeth Cymru, 1450—1600*, gan W. J. Gruffydd, td. 64-67.

Nid oes angen pwysleisio dyled *Gweledigaeth Uffern* i bethau fel hyn. Ond wedi'r cwbl, nid dyma'r peth hynotaf yn y *Bardd Cwsc*. Gellir dywedyd yn gryno mai'r nodwedd a dery'n amlycaf yn y llyfr yw'r gwahaniaeth rhyngddo a rhyddiaith lenyddol yr 17eg ganrif. Dau draddodiad rhyddiaith y ganrif honno oedd traddodiad y cyfieithu o'r Lladin a'r cyfieithu o'r Saesneg. Ceir olion yr ymarfer â chyfieithu yn holl bros Cymru o ddyddiau'r " Diwygiad " Protestannaidd hyd at Edward Samuel ; a'r cyfieithu hwnnw yn anad dim a greodd yr iaith rydd lenyddol. Neilltuolrwydd y *Bardd Cwsc* yw ei fod yn torri ar y traddodiad hwnnw. Ceir ynddo, nid yr iaith lenyddol yn unig, ond yn arbennig iaith a phriod-ddulliau llafar gwlad, iaith siarad y bobl. Dyna'r rheswm y rhydd ei brif olygydd ef " uwchlaw pob ysgrifennydd rhyddiaith Gymraeg y ddwy ganrif." Meddai'r golygydd : " Y mae ei arddull yn lân oddiwrth y priod-ddulliau Seisnig . . . Ond heblaw bod delw Gymreig ar y brawddegau, y mae yma hefyd lawer o hen ymadroddion Cymreigaidd na welir mo'u hwynebau erbyn hyn " (Rhag. J.M.-J., td. xli). Defnyddiodd Ellis Wynne briod-ddulliau Cymraeg llafar. Beth a'i cymhellodd ? Ceisiaf ddangos mai *dilyn ffasiwn yn llenyddiaeth Saesneg a wnaeth.*

Yn niwedd yr 17eg ganrif fe ffynnai yn Llundain nifer o lenorion a elwir bellach yn " awduron a chyfieithwyr Llundain,"— " *the Cockney School of writers of burlesque and translators.*"[13] Gwaith Ffrancwr, sef Scarron, yn cyfansoddi trafesti ar Fyrsil, *Le Virgile Travesti*, a roes gychwyn i'r ysgol hon yn Lloegr. Yna daeth dychangerdd enwog Butler, sef *Hudibras*, yn gynllun iddynt mewn barddoniaeth ; ac mewn mydr neu iaith rydd, parodïau dibarch ar y clasuron, a dychan ar foesau eu gwlad a'u hoes oedd eu holl lafur. Cyfansoddent gerddi, dramâu, llythyrau, pamffledi, y cwbl yn yr un cywair a chyda'r un amcan. Llundain oedd eu byd a'u paradwys. Iaith Lundain a lefarent, bywyd Llundain oedd testun popeth a gyhoeddent. Yn anad dim, yr oeddynt yn wrth-arwrol. Amherchi a goganu a gwawdio a dinoethi oedd eu trad. Strydoedd Llundain, y bywyd ynddynt, y tafarnau, siopau, cyfreithwyr, meddygon, newidwyr, meddwon, puteiniaid, milwyr,—dyma eu testunau

[13]Prin bellach yw eu gweithiau, ond gweler *The Cambridge History of English Literature*, Ch. X, 255f, a gweler *D. N. Biog.* dan enwau Brown, Ward, Steevens, L'Estrange, Curle, Philips, etc.

a'u cymeriadau, sef teipiau bywyd y ddinas wedi eu disgrifio'n fras ac yn aflednais i'r eithaf. Gwelir hyn yng ngwaith Tom Brown, Ned Ward, John Philips, a degau eraill, ac yn eu mysg Roger L'Estrange, cyfieithydd Quevedo. Ac fe ddewisodd yr ysgol hon arddull neilltuol ; nid iaith lenyddol Saesneg, ond iaith lafar gwerin Llundain, iaith y stryd a'r dafarn, gyda'i holl slang a'i phriod-ddulliau. Eu prif ddiwydiant oedd cyfieithu. Eithr nid cyfieithu'n llythrennol na cheisio cyfleu awyrgylch a natur y gwaith gwreiddiol, ond cymryd hen awdur neu ddiweddarach, Petronius neu Longus neu Cervantes neu Rabelais neu Quevedo, a throi'r cwbl, iaith, awyrgylch, amgylchiadau, cyfeiriadau, enwau personau a lleoedd, yn Seisnig ac yn Saesneg ; eu Llundeineiddio mor llwyr ag y credai'r darllenydd fod y llyfr yn waith gwreiddiol a chyfoes ; a Groegwyr yr oesau cyn Crist a Ffrancwyr yr Oesau Canol yn siarad yn rhugl iaith tafarnau Llundain yn yr 17eg ganrif, a chyfeirio at gylchfannau enwocaf y ddinas megis rhai a aned ynddi. Byddid hefyd yn helaethu llawer ar y gwaith a gyfieithwyd ac yn aml ddigon yn ychwanegu ato bethau nas dychmygasai'r awdur. Ac un o'r llyfrau a gyfieithwyd felly, gan gynnwys holl nodweddion yr ysgol Lundain, oedd *Visions* Quevedo gan L'Estrange. Dyma enghreifftiau o enwau lleoedd yn Llundain na wybu Quevedo druan erioed am danynt : " Exchange, Hide Park, Spring Gardens, Fleece Tavern, the Bear at Bridge-Foot, Hackney, Newgate." Wele eto enghreifftiau o newid enwau cymeriadau a dwyn rhai hollol newydd i mewn a chyfeiriadau newydd i'r testun : " Falstaff's hostess ; Robin the Devil ; George Withers ; a law contrary to Quinto Elizabethae ; the Herald's Office, Old Oliver [Cromwell], a conventicle." Ac y mae'r llyfr drwyddo yn orlawn o slang a dulliau iaith strydoedd Llundain, megis :

> Come along and never hang an arse for the matter ; what's gotten upon the Change is spent upon the Stews ; he had other fish to fry ; they were all together by the ears, etc.

Yn awr, fe wyddom gynefined oedd Ellis Wynne â llenyddiaeth Saesneg. O'r Saesneg y troes ef *Reol Buchedd Sanctaidd* ; o'r Saesneg hefyd ei garolau (gweler ysgrif werthfawr y Parch. Ll. Jones yn y *Geninen*, Gorff. 1923), ac yn llyfr L'Estrange y cafodd ddeunydd y *Bardd Cwsc*. Y mae'n sicr gennyf hefyd ei fod yn gyfarwydd nid yn unig â gwaith L'Estrange, eithr hefyd â llawer iawn o waith awduron eraill o'r un ysgol, megis Brown a Ward. Ac wedi gweled dulliau cyfieithwyr Llundain, onid yw'n deg dywedyd mai ymgais yw'r *Bardd Cwsc* i gyfansoddi yn Gymraeg yn ôl eu method hwy, gan droi i'r Gymraeg eu holl nodweddion ? Er enghraifft, onid dyma ddull cyfieithwyr Llundain o gyfieithu, gan drosi'r meddwl yn hytrach na'r geiriau :

L'Estrange :

> As if Nature had not brought them into the world the common way.

Bardd Cwsc :

> Ai nid yr un ffordd rhwng y trwnc a'r baw y daethochwi i gyd allan ?

Ac wele eilwaith enghraifft ddiddorol, L'Estrange wrth gyfieithu yn troi'r cyfeiriad neilltuol yn Seisnig, ac Ellis Wynne yntau yn ailgyfieithu a throsi'r cyfeiriad i Gymru :

L'Estrange :

> The parchment being a testimonial from the Herald's office.

Bardd Cwsc :

> Trolyn mawr o femrwn sef ei gart achau yno'n datcan o ba sawl un o'r pymthegllwyth Gwynedd y tarddasai ef.

A sylwn ar iaith Ellis Wynne. Cwynwyd droeon ei bod yn ddichwaeth, a cheisiwyd dywedyd yn esgus mai arfer yr oes oedd hynny. Eithr nid arfer yr oes mohono, namyn arfer un ysgol neilltuol o lenorion Saesneg. Iaith y werin oedd hi, yn cadw priod-ddulliau'r werin a'i slang :

> Ni cheisia i ond gwaetha ungwr ddangos ei glanach hi ; ambell gip o wên gynffonog ; mynd yn union i ddiawl wrth blwm ; os tlawd hwdiwch bawb i'w sathru ; ewinedd diawledig o hir ; un ar y llawr yn glwtt ; rhidyllio ffa wrth wynt ei gynffon ; ymlwybro o glun i glun fel ceffyl a phwn, etc.

Ac nid mewn iaith yn unig y dilynai Ellis Wynne awduron Llundain. Eu hysbryd a'u hamcanion hwy sy ganddo. Lloegr a'r frenhines Ann yw ei ddelwau. Gwelodd yntau'r byd oll yn ddinas megis Llundain. Bywyd Llundain yn hytrach na bywyd Cymru a ogenir ganddo yng *Nghwrs y Byd.* Yn Llundain y gwelodd ef yr Alderman, y marsiandwyr, y llogwyr, y cyfreithwyr, y puteiniaid miwail hudolus, yr Italiaid a'r Hollandwyr, y goegen " ac wrth ei chlustiau werth Tyddyn da o berlau," a'r arglwyddi yn eu cerbydau. Soniwyd eisoes am ddychan cyfieithwyr Llundain, eu hysbryd gwrth-arwrol, a'u hamarch at y clasuron a phob bonedd. Ceir yr un ysbryd yn y *Bardd Cwsc*, yn ei ymdriniaeth â Thaliesin ac â chwedloniaeth Roeg ("Cuwpid bensyfrdan yn ergydio gwenwyn nychlyd a elwir blys"), ac â bonedd marchog ac ysgweier. Teipiau yn hytrach nag unigolion oedd cyff gogan L'Estrange a'i gymheiriaid, ac felly gydag Ellis Wynne yntau. Rhydd inni resi lawer o deipiau : " Gorescynnwyr Teyrnasoedd a'i sawdwyr, Gorthrymwyr, Fforestwyr, Cauwyr y Drosfa Gyffredin, Ustusiaid a'u breibwyr." Neu ynteu ceir hwy â llysenwau arnynt : " Sion o bob Creft, Meistres Marchoges, Cecryn Cyfreithgar." Yn wir poeri baw a drygair ar y cwbl sy'n gain mewn gwareiddiad yw uchelgais Ellis Wynne :

> Tai teg a gerddi tra hyfryd, perllannau llownion, llwyni cyscodol, cymwys i bob dirgel ymgyfarfod i ddal adar, ac ymbell gwningen wen ; afonydd gloew tirion i'w pyscotta, meusydd maith cwmpasog, hawddgar i erlid ceunach a chadno.

Yn Stryd Pleser y ceir y rhai hyn, y fasaf a'r wrthunaf o'r strydoedd. Ond ni chyffwrdd Ellis Wynne â phethau harddaf bywyd namyn i'w maeddu a'u llychwino, gan mor fandalaidd ei ddychan. Ac nid dychan Swift a geir ganddo, nid dicter a chwerwder enaid mawr ; ond poeri a llysenwi ac ymddiddori yn y gwter. Wrth gwrs, nid yw'n ddim gwaelach llenyddiaeth oherwydd hynny. Dyna a fynnodd, ac a fynnodd, fe'i gwnaeth. Ceisiodd drosi ffasiwn Seisnig i Gymraeg, ac, yn yr ymdrech, ysgrifennodd gampwaith.

[*Y Llenor*, ii (1923), 159-69].

PENNOD XXI

GWELEDIGAETH ANGEU

Ar dudalen 24 yn argraffiad ffotograffig y Phaidon Press o waith Velazquez y mae llun copi o'i bortread ef o Quevedo. Fe dâl edrych arno a'i ystyried. Dyma'r llenor modern. Gyda'i sbectol fawr gron ar ei drwyn llydan synhwyrus, a'i lygad chwith craff a'i lygad de myfyrdodus, gyda'i drawswch gofalus a'i farf wedi ei thorri i lun barf gafr dan ei wefus isaf,—dyna'r math o fardd a beirniad llenyddol y gellid ei gyfarfod mewn caffe ar lethrau Montmartre, dyweder yn 1910. Gwir mai yng nghyfieithiad Saesneg L'Estrange y darllenodd Ellis Wynne *Weledigaethau* neu Freuddwydion Quevedo a chael ei gynhyrfu'n ogoneddus ganddynt. Ond y mae darlun Velazquez o'r llenor mawr Sbaeneg yn help i ninnau i fynd i mewn i fyd Ellis Wynne.

Canys ef yw'r llenor modern Cymraeg cyntaf. Llenor oedd ef. Yr oedd ganddo feddiant helaeth a byw o'r traddodiad llenyddol Cymraeg. Yr oedd yn ysgolhaig Lladin, cynnyrch ysgol Amwythig (mi dybiaf) a Rhydychen. Ymhyfrydai yn llenyddiaeth newydd y Saesneg a chanddo reddf ddi-ffael i adnabod y gorau. O'r cyfieithwyr Cymraeg hyd at 1701 ef yn unig, oddieithr efallai John Davies, a ddewisodd glasur Saesneg i'w drosi i Gymraeg. A chyn bod neb yn Lloegr yn brolio *Paradise Lost*, a chyn bod neb yn meiddio, y mae Ellis Wynne yn ei gymryd yn batrwm i'r tudalennau mwyaf ysblennydd yn ei drydedd bennod o'r *Bardd Cwsc*.

Y mae pob un o'r tair Gweledigaeth yn gampwaith mewn dull gwahanol i'w gilydd. Haeddant bob un astudiaeth neilltuol. Nid oes neb hyd yn hyn yn y ganrif hon wedi anturio dwyn allan argraffiad newydd o'r *Bardd Cwsc* gyda nodiadau llawn ar iaith a phriod-ddull a phob cyfeiriad llenyddol a hanesyddol a chymdeithasol a lleol a phob benthyg llenyddol. Llafur blynyddoedd i ysgolhaig tra eang ei wybodaeth fyddai hynny. Nis meiddiwn i. Rhaid inni fodloni o hyd ar ragymadrodd a geirfa a nodiadau John Morris Jones yn 1898. Yr oedd y rhain yn eu dydd yn chwyldro ac yn ddadeni.

Arhosant yn rhan o hanes ein llên. Ond bellach y mae marc eu cyfnod arnynt.

Y fyrraf o'r tair Gweledigaeth yw *Gweledigaeth Angeu yn ei Frenhinllys isa.* Ysgafn yw ei dyled hi i'r *Second Vision of Death and her Empire* yng nghyfieithiad L'Estrange. Nid dynwared na Quevedo na L'Estrange y mae Ellis Wynne yn yr ail Weledigaeth na'r drydedd chwaith, eithr eu defnyddio megis, dyweder, y mae Shakespeare yn defnyddio North a Plutarch. Mae'n deg dweud yn bendant gyda John Morris Jones, er bod Quevedo yn llenor pwysig iawn ac yn fardd o fri, fod y *Bardd Cwsc* yn gampwaith llenyddol mwy o lawer na'r *Sueños* gwreiddiol, heb sôn am gyfieithiad Saesneg L'Estrange.

Ar brynhawngwaith o haf yr egyr y Weledigaeth gyntaf. Ar fore o Ebrill yr olaf. Yn nhrymder hirnos gaea y digwydd yr ail. Y mae pob un o'r agoriadau yma yn ymarferiad yn rhetoreg Ciceronaidd y Dadeni Dysg. Ar gychwyn *Gweledigaeth Uffern* fe fu Ellis Wynne yn hyach na rhaid. Fe gymerodd bennill cyfan o ganig ar fesur Melwawd Mai, ei waith ef ei hun :

> Ar foreu o Ebrill rywiog
> A'r ddaiar yn las feichiog
> A Phrydain baradwysaidd
> Yn gwisgo lifrai gwychion,
> Arwyddion Heulwen Ha . . .

Fe wthiodd ef yr ansoddair *teg* i mewn i'r llinell gyntaf i geisio rhuthm rhyddiaith a chuddio'i fenter. Ni lwyddodd. Y mae agoriad yr ail bennod yn fwy clasurol :

> Pan oedd *Phoebus* un-llygeidiog ar gyrraedd ei eithaf bennod yn y deheu . . .

Phoebus yw un o enwau Lladin yr haul. Y mae Ofydd yn y *Metamorphoses* yn ei alw yn llygad y byd, *mundi oculus* (IV, 228) ac eto *lux immensi publica mundo*, cyffredin oleuni'r enfawr fydysawd. Diau mai cofio hynny a roes i Ellis Wynne ei 'un-llygeidiog.' Mae'n ddiogel fod Ofydd a Fyrsil gymaint yn ei feddwl wrth iddo gyfansoddi'r ail weledigaeth ag ydoedd Milton wrth iddo sgrifennu'r drydedd. Hyd y gwn i ni roddwyd hyd yn hyn ddim sylw i ddylanwad y clasuron Lladin ar ei waith. Y mae Quevedo yn llawn o enwau a chyfeiriadau clasurol yn ôl arfer y Dadeni. Cynnil iawn yw Ellis Wynne, a hyd yn oed wrth gyfieithu Jeremy Taylor gadawodd ef allan y llu cyfeiriadau dysgedig sy gan yr esgob. Ond pan ddaw cyfle i ysmaldod ? Mae gan John Morris Jones nodyn Rhydychennaidd (t. 170) ar " Cerberus Diawl y Tybacco " : " Y ci hwn a wyliai borth Hades . . . Pa reswm oedd gan Ellis Wyn yn rhoi enw hwn ar Ddiawl y Tybacco nid hawdd canfod." Tybed ? " Pawb a'i bistol pridd yn chwythu mŵg a thân " yw priod nod ysmygwyr baco yn y Weledigaeth gyntaf, ac fe ddywed Ofydd (M. IV, 501) am *oris Cerberei spumas*, ewyn allan o enau Cerberus.

Y mae'r benthygiadau o Ofydd ac o Fyrsil yn eglur yn yr ail Weledigaeth, a hynny mewn paragraffau nad oes arnynt ddyled i na Quevedo na L'Estrange. Er enghraifft :

> A ph'le y descynnem ond wrth un o Byrth Merched *Belial*, o'r tu cefn i'r *Ddinas ddihenydd*, lle gwelwn fod y tri Phorth dihenydd yn cyfyngu'n un o'r tu cefn, ac yn agor i'r un lle . . . o hir graffu, gwelwn fyrdd fyrddiwn o ddrysau'n edrych ymhell, ac er hynny yn f'ymyl. Yn rhodd, Meistr *Cwsc*, ebr fi, i ba le mae'r drysau yna'n agor ? Maent yn agor, ebr ynte, i *Dir Ango*, Gwlâd fawr tan lywodraeth fy mrawd yr *Angeu*, a'r Gaer fawr yma, yw Terfyn yr anferth *Dragwyddoldeb*. Erbyn hyn, gwelwn *Angeu bach*, wrth bob drŵs, heb un 'r un arfeu, na'r un henw a'i gilydd . . .

Atsain o ddisgrifiad Ofydd (M. IV, 439) sydd yma :

> mille capax aditus et apertas undique portas
> urbs habet . . .

Wedyn ceir gan Wynne restr o'r angheuod a diau ei fod yn codi cryn dipyn o L'Estrange, ond nid heb fynd hefyd at y ffynhonnell yn Fyrsil :

> Vestibulum ante ipsum primisque in faucibus Orci
> Luctus et ultrices posuere cubilia Curae,
> pallentesque habitant Morbi, tristisque Senectus,
> et Metus, et malesuada Fames, ac turpis Egestas,
> terribiles uisu formae, Lectumque, Labosque . . .
>
> (A. VI, 273-)

> (O flaen y porth ac yng ngenau Hades y mae Galar a Gofid y dialydd wedi taenu eu gwlâu, a thrig yno'r Clefydau gwelw a Henaint trist, ac Ofn, a'r temtiwr Newyn, a Thlodi afluniaidd, ffurfiau erchyll, ac Angau a Phoen . . .)

Ni cheir gan Quevedo y disgrifiad hwn :

> Mi'm gwelwn mewn Dyffryn pygddu anfeidrol o gwmpas ac i'm tŷb i nid oedd diben arno : ac ymhen ennyd wrth ymbell oleuni glâs fel cannwyll ar diffodd, mi welwn aneirif oh ! aneirif o gyscodion Dynion, rhai ar draed, a rhai ar feirch yn gwau trwy eu gilydd fel y gwynt, yn ddistaw ac yn ddifrifol aruthr (t. 59).

Y mae hyd yn oed y disgrifiad o'r goleuni yn dwyn ar gof inni linellau enwog Fyrsil :

> Ibant obscuri sola sub nocte per umbram
> perque domos Ditis uacuas et inania regna ;
> quale per incertam lunam sub luce maligna
> est iter in siluis, ubi caelum condidit umbra
> Iuppiter, et rebus nox abstulit atra colorem.
> (A. VI, 268-72)

> (Mae'n nhw'n mynd fel cysgodion dan y nos estronol drwy'r [gwyll
> A thrwy wacter erwau Plwton a'i deyrnas o rithiau
> Megis dan loer anniben a'i golau gwantan
> Y teithir fforest a Iau yn caddugo'r ffurfafen
> A du'r nos yn ysbeilio'r byd o bob lliw.)

Gellid dangos un neu ddau fenthyciad arall oddi wrth Fyrsil ac Ofydd yn y Weledigaeth hon. Clasurol hollol yw tirlun teyrnas Angau gan Ellis Wynne, clasurol yn hytrach na Christnogol. Pennod o bros y Dadeni Dysg yn ei addfedrwydd sydd yma.

Bu Emrys ap Iwan a John Morris Jones ac amryw ar eu hôl yn brolio Cymraeg y *Bardd Cwsc*. Y rhagymadrodd i argraffiad 1898 oedd cychwyn ymgyrch ysblennydd Morris Jones i edfryd grym a chymeriad sgrifennu Cymraeg. Dywedodd Ellis Wynne ei hunan yn ddigon gwylaidd fod ei drosiad ef o *Holy Living* yn cyflawni triawd addas gyda Llyfr Holl Ddyletswydd Dyn a Llyfr y Resolusion. Mi gredaf mai gyda John Davies y carai Ellis Wynne ei osod ei hun, hynny yw yn nhraddodiad rhyddiaith gymdeithasol y Dadeni Dysg a gafodd ei batrymau yn Lladin Cicero. Mae ganddo'n wir ddau fath o ryddiaith, sef y paragraffau clasurol disgrifiadol sy'n ffrâm i'r tair Gweledigaeth ac at hynny'r paragraffau dychan a dialog a chyflym hanesiol sy'n elwa ar L'Estrange a'i gymheiriaid, y cyfieithwyr a'r cyn-newyddiadurwyr Cockney. Ein tuedd ni yw sylwi bellach yn unig ar yr ail math hwn—dyna a wnes innau mewn ysgrif dwp yn y *Llenor* ers talm—a barnu fod Ellis Wynne yn flaengar fodern. Mi ddywedais ar gychwyn hyn o draethawd mai ef yw'r llenor Cymraeg modern cyntaf. Ond nid oblegid ei arddull. O graffu ar y ddau fath o arddull ni ellir ond synnu mor hen-ffasiwn yw ei arddull Ciceronaidd ef. Darllener *Llythyr i'r Cymru Cariadus* neu eto bennod 23 o *Hanes y Ffydd*, ac wedyn hyn :

> Pan oedd *Phoebus* un-llygeidiog ar gyrraedd ei eithaf bennod yn y deheu, ac yn dal gŵg o hirbell ar *Brydain* fawr a'r holl Ogledd-dir ; ryw hirnos Gaia dduoer, pan oedd hi'n llawer twymnach yn nghegin *Glynn-cywarch* nac ar ben *Cadair Idris*, ac yn well mewn stafell glŷd gydâ chywely cynnes, nac mewn amdo ymhorth y fonwẹnt ; myfyrio'r oeddwn i ar ryw ymddiddanion a fuasai wrth y tân rhyngo'i a Chymydog . . .

Onid yn y cyfnod 1567-1604 y byddid yn disgwyl paragraff fel yna, yn hytrach nag yn hir ar ôl Morgan Llwyd a Charles Edwards ? A sylwer yn arbennig ar naws ruthmig y pros yma. Y mae Ellis Wynne yn ei baragraffau clasurol yn gorffen brawddeg braidd yn gyson â deusill ddisgynedig. Dyna nod amlwg pob ymgais i gyfleu rhuthmau sy'n cyfateb i'r rhuthmau Ciceronaidd yn rhyddiaith tafodieithoedd y Dadeni. Er enghraifft yn y paragraff uchod :

/ /
bennod yn y deheu . . . (cursus planus, 6-2)

/ /
Prydain fawr a'r holl Ogledd-dir (planus, 6-2)

/ /
cegin Glynn-Cywarcḥ . . . (planus, 5-2)

/ / /
Ar ben Cadair Idris . . . (planus, ansicr, 5/4-2)

/ / /
amdo ymhorth y fonwent (cursus velox, 7-4-2)

/ /
rhyngo'i a Ch'mydog . . . (planus, 5-2)

Mi ddaliaf yn hyderus iawn fod y *cursus* yn rhy gyson yma i neb amau fod y rhuthmau hyn yn fwriadol. A gaf i ofyn i'r darllenydd droi'n ôl at y frawddeg Fyrsilaidd a ddyfynnais i uchod, sef " Mi'm gwelwn mewn dyffryn pygddu, etc." Y mae dwyster a miwsig y frawddeg honno yn dibynnu ar y darnau o'r *cursus* sy'n rhedeg drwyddi o'i dechrau i'w diwedd :

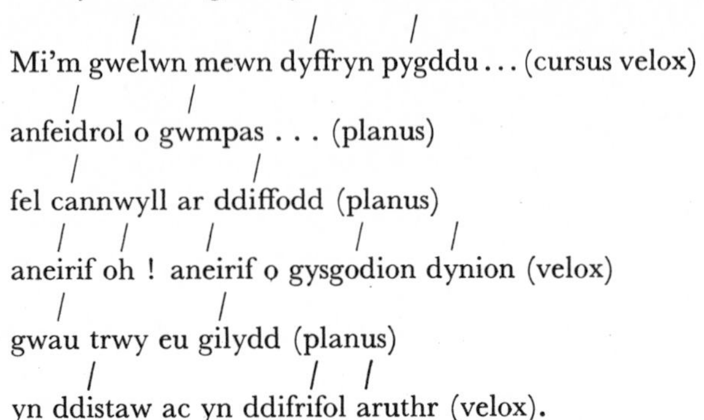

Mi'm gwelwn mewn dyffryn pygddu . . . (cursus velox)

anfeidrol o gwmpas . . . (planus)

fel cannwyll ar ddiffodd (planus)

aneirif oh ! aneirif o gysgodion dynion (velox)

gwau trwy eu gilydd (planus)

yn ddistaw ac yn ddifrifol aruthr (velox).

Gwelwn o'i dadansoddi fod y frawddeg yn ffiwg o ruthmau synhwyrus a phrofedig glasurol. Nid oes ond un cymal yn gorffen yn acennog : " fel y gwynt." Y mae'r sioc yn fwriadol.

A gaf i gennad i ddyfynnu'n llawn y paragraff sy'n ganolbwynt i'r ail Weledigaeth ac o ran ei ddychymyg yn *tour de force* digyffelyb. Nid oes arno ond y gronyn lleiaf o ddyled i Quevedo, sef yr awgrym am *Death's Judgement Seat* : " The walls were hung with Sighs and Groans." Bu hynny'n ddigon i symbylu Ellis Wynne i sgrifennu hyn :

> ac mewn congl gaeth ni welem glogwyn o Lŷs candryll pen-agored dirfawr, yn cyrraedd hyd at y Wal lle'r oedd y drysau aneirif, a rheiny oll yn arwain i'r anferth Lŷs arswydus hwn : â phenglogeu Dynion y gwnelsid y murieu, a rheini'n 'scyrnygu dannedd yn erchyll ; du oedd y clai wedi ei gyweirio trwy ddagreu a chwŷs, a'r calch oddi allan yn frith o phlêm a chrawn, ac oddifewn o waed dugoch. Ar ben pob tŵr, gwelit Angeu bach â chanddo galon dwymn ar flaen ei saeth. O amgylch y Llŷs roedd rhai *coed*, ymbell Ywen wenwynig, a Cypres-wydden farwol, ac yn y rheini 'roedd yn nythu ddylluanod, Cigfrain ac Adar y Cyrff a'r cyfryw, yn creu am *Gig* fŷth, er nad oedd y fangre oll ond un *Gigfa* fawr ddrewedig. O escyrn morddwyd-ydd Dynion y gwnelsid holl bilereu'r Neuadd, a Philereu'r Parlwr o escyrn y coeseu, a'r llorieu'n un walfa o bôb cig-yddiaeth. (t. 65).

Haedda'r darlun hwn ei astudio'n fanwl. Y mae Ellis Wynne yn olynydd i John Davies mewn rhagor nag un modd. Soniais unwaith (*Ysgrifau Catholig*, 1964) am arddull *baroque* Llyfr y Resolusion. Ni ellid gwell enghraifft o'r dychymyg *baroque* na'r tudalen *macabre* hwn. Fe ddyry inni mewn rhyddiaith ddarlun sy'n cyfranogi o'r un ysbryd â Saith Bechod Marwol Hieronymus Bosch. Fe'i cyfansoddwyd, mae'n eglur, yn ofalus araf, *ut pictura poesis*. Ond wrth ddotio ar hagrwch a morbidrwydd y darlunio peidiwn â cholli rhyfeddod pensaernïaeth ruthmig y paragraff. Y mae ffurfiau'r *cursus* yn rheoli yn y dechrau ac yn y diwedd, ac felly'n sicrhau undod organig y cyfan. Ond yn y canol, er mwyn dwysáu'r erchylltod, y mae'r sillaf acennog terfynol a'r rhuthm iambig yn taro fel gordd :

/ / /
yn frith o phlêm a chrawn
/ / / /
Ar ben pob tŵr gwelit Angeu bach
/ / / /
a chanddo galon dwym ar flaen ei saeth

Soniais am bensaernïaeth y paragraff. A gaf i orffen drwy alw sylw at bensaernïaeth y bennod oll. Yma yr amlyga Ellis Wynne ei feistraeth glasurol o'i osod wrth annibendod ysgafala Quevedo. O'i gyfoeswyr Saesneg, Swift yw fy ffefryn i o lawer iawn. Mae'n anodd heddiw ddarllen unrhyw awdur na wynebodd wallgofrwydd. *Gulliver's Travels* yw'r tebycaf ei ysbryd i *Weledigaetheu y Bardd Cwsc*. Digrifwch pensyfrdan erchylltod bod yw testun Swift a Wynne. Ac yng Ngweledigaeth Angeu cafodd y peth ffurf fel trasiedi. Gyda " hirnos Gaia dduoer " yr egyr y Weledigaeth. Gydag " erchylltod y noson honno " y diwedda. Llys a gorseddfainc Angau gyda'r disgrifiad sy'n dilyn o'r " Brenhin Angeu yn ei frenhinwisc," disgrifiad sy'n benthyg yn briodol o lyfr y proffwyd Ezeciel (II, 10), yw'r canolbwynt. Gan hynny y mae'r act olaf yn agor gyda'r cyfnewid llythyrau llysgenhadol rhwng y Brenin Angau a Brenin Brenhinoedd y Byd. Dyma'r unig esiamplau o barodi mawreddog ddigri y gwn i amdanynt yn Gymraeg. Yn wir, drwy'r holl Weledigaeth mae'r llu donioldebau llai, Rhywun, Taliesin, Meistr Medleiwr a'i gwmni, yn cymryd eu lle y tu mewn i'r ffrâm yma o ysbleddach grotesg, a chynildeb a chyflymder y dweud yn rhoi i'r noson oll wir nodau " fy chwaer Hunlle." Hunlle yw byw —

> Ac etto gwiliwch Angeu Gawr
> O'r Gollborth fawr ar Ddestryw.

[*Ysgrifau Beirniadol* gol. J. E. Caerwyn Williams, IV (Dinbych, 1969), 75-82].

PENNOD XXII

JOHN MORGAN

LLENOR a anghofiwyd yw John Morgan. Ychydig heddiw a ŵyr am ei enw. Haedda yntau le ymysg clasuron y Gymraeg ; profi hynny, a chasglu hanes ei fywyd, yw amcan yr ysgrif hon.

Ganwyd John Morgan yn 1688. Mab ydoedd i Edward Morgan, person Llangelynnin yn sir Feirionnydd, ac yr oedd iddo frawd, Edward. Tybiais am amser fod Wiliam Morgan, a oedd yn gurad ym Mhenmynydd ym Môn yn 1710, ac yn rheithor Llanddeusant wedi hynny, yn frawd arall.[1] Yr oedd y ddau yn gyfeillion, ond y tebyg yw nad oedd un berthynas rhyngddynt. Am Edward Morgan, y mae sicrwydd. Ganwyd ef yn 1686 ; aeth i Rydychen, i Goleg yr Iesu, yr un diwrnod â John, sef Mawrth 16, 1704 ; graddiodd yn B.A. yn 1708. Bu wedi hynny yn ficer yn Nhywyn (1717), ac o 1726 hyd ei farw, —rywbryd wedi 1747—bu yn rheithor Llanaber yn sir ei enedigaeth. Cymerai yntau ddiddordeb mewn llenyddiaeth ac yr oedd yn berchen llawysgrifau ; gohebai hefyd â Lewis Morys.[2]

Graddiodd John Morgan gyda'i frawd yn 1708. Yn 1709-10, cawn ef yn gurad yn Llandegfan, Môn. Y mae llawysgrif ganddo (Llanstephan MS. 15) a'i lythyrau (N.L.W. Add. MS. 17B.) yn dangos iddo farddoni llawer tra fu yno, a chasglu cywyddau hen feirdd, ac ymddiddori yn arferion iaith pobl ei blwyf. Hoffai'r epigram ; cyfansoddai ambell un, a chyfieithodd bethau tebyg o'r Lladin, o Horas neu o Ofydd. Effeithiodd hyn, fel y cawn weled, ar ei ryddiaith. Dyma ddwy enghraifft o'i allu mewn mydr, a chredaf mai cyfieithiad yw'r gyntaf :

> Gwell genni ffynon oer yn rhan
> Na gwinllan yn Ravenna ;
> Can's gwerthu'r dŵr yn uwch na'r gwin
> Sydd beth cynnefin ymma.

[1] Y mae lle i feddwl mai William Morgan yw W.M., cyfieithydd *Patrwm y Gwir Gristion*, 1723. (Felly hefyd y darganfu y Prifathro J. H. Davies.)

[2] *Alumni Oxonienses* ; *Camb. Register, II,* 540.

Teitl yr ail yw " Myfyrdod wrth Fwyta " :

Pan fwytewch, wrth gnoi pob tamaid,
Dwedwch, dyma fwyd i bryfaid,
Ac am hynny 'rwy'n dy fwrw,
Pridd i bridd, a lludw i ludw.

Nid arhosodd John Morgan fwy na dwy flynedd ym Môn, nac yn ddigon hir felly i ddylanwadu dim ar y crwt, Lewys Morys. Aeth oddi yno i blwyf Llanfyllin yn sir Drefaldwyn, lle bu yn ddedwydd am ddwy flynedd arall. Ni chafodd nemor blwyf yng Nghymru deyrnged well na Llanfyllin, oblegid iddi hi, yn gydnabod am ei rhadlonrwydd y cyflwynodd John Morgan ei lyfr, *Myfyrdodau Bucheddol ar y Pedwar Peth Diweddaf.* Yn 1713 cafodd Morgan radd M.A. gan brifysgol Caergrawnt, ac fe symudodd o Drefaldwyn i reithordy Matchin yn sir Essex, heb fod ymhell o Lundain, ac yno y bu hyd derfyn ei oes yn 1745. Ym Matchin ysgrifennodd ei *Fyfyrdodau* ; cyfansoddodd gywyddau hefyd. Ymaelododd yng nghymdeithas yr Hen Frutaniaid yn Llundain, y gymdeithas Gymreig gyntaf yn y ddinas. Cymerth yntau ddiddordeb yn ysgol rad y gymdeithas, a phregethodd iddi ar yr ŵyl genedlaethol yn 1728.[3]

Perthyn John Morgan i ddau symudiad pwysig yn llenyddiaeth Gymraeg y ddeunawfed ganrif, y mudiad hynafiaethol a'r mudiad clasurol. Aeth i Rydychen dair blynedd wedi dychwelyd Edward Llwyd o'i deithiau, a phan oedd dylanwad Llwyd yn gryf yn y brifysgol. Yn 1707 cyhoeddwyd yr *Archaeologia Britannica*, a John Morgan ar y pryd yng nghanol ei yrfa. Y mae ôl Llwyd yn amlwg ar lythyrau'r clerigwr yn 1714. Yn yr un a gyhoeddodd y *Cambrian Register*, lle rhydd Morgan gyngor i Foses Williams pa fodd i gasglu deunydd at eirlyfr Cymraeg, dengys y gwyddai lawer am hen lawysgrifau ac am ffynonellau gwaith felly. Pan fu farw Edward Llwyd yn 1709, cyfansoddodd Morgan gyfres o englynion i'w goffa, a gyhoeddwyd wedi hynny gyda'r *Myfyrdodau.* Dyma a ddywed am ei arwr :

Meini nâdd a mynyddoedd—a gwaliau
Ac olion Dinasoedd
A dail dy fyfyrdod oedd,
A Hanesion Hen Oesoedd.

[3]*Llythyrau'r Morysiaid, I,* 3.

Er na chyfrannodd John Morgan ddim o bwys i'r mudiad hynafiaethol, yr oedd yn ddolen gyswllt rhwng Edward Llwyd a'r Morysiaid a'u prysurdeb hwythau. Cyfarfu â Richard Morys yn Llundain yn 1728,[4] ac wedi ei farw daeth ei lythyrau i ddwylo Lewis Morys, a gwnaeth yntau nodion gofalus arnynt. Ebr William Morys yn 1746: " Gwych a fydde cael copiau o lythyrau Sion Morgan, ni wiw imi ddisgwyl monynt drwy law Llywelyn . . . . Mae gennyf opiniwn da odiaethol of his prose and poetry. Gresyn marw dyn o'r fath." Yr oedd William Morys yntau'n feirniad craff, ac fe gafodd ei ddymuniad ym mhen blwyddyn.[5]

Gwelwn hefyd ddechrau'r mudiad clasurol yng ngwaith John Morgan. O Ffrainc i Loegr, o Loegr i Gymru, dyna dreigliad y dylanwad hwn. Gelwir cyfnod ei fri yn Lloegr yr oes ' Augustan.' Arbenigrwydd ar y mudiad oedd ei barch i'r clasuron Lladin, yn fwyaf i Horas, Ofydd, Iufenal, beirdd dinas a chymdeithas. Nod arall arno oedd gofal am gynildeb ymadrodd, am fesur, am berffeithrwydd ffurf,—er mai cyfyng oedd y dewis o ran ffurfiau. Sylwyd eisoes ar hoffter John Morgan o'r epigram a'i ymadrodd cwta. Gwelsom hefyd iddo gyfieithu peth o'r Lladin. Cawn weled eto yn ei ryddiaith, yn ffurfiad ei frawddegau, yn ei gynildeb, olion eglur o'i ddarllen clasurol. Cawn weled hefyd ei waith yn cyfieithu rhyddiaith Ladin i'r Cymraeg.

Deuwn bellach at ei gysylltiadau Cymreig. Dengys ei lythyrau synnwyr cyffredin cryf a gwladgarwch. Achwynai wrth Foses Williams am ddull ysgolion Cymreig o addysgu yn Saesneg : " *This method is as ridiculous and preposterous as if English boys should be instructed in Latin and Greek.*" Parch crefftwr i'w arfau yw ei ofal am yr iaith, ac apêl am un i'w noddi yw ei gywydd gorau :

Nad i'r gwyfyn bryfyn brau
Ysu dysgeidiaeth oesau,
Nad i'r ddyfniaith drwy ddefni
A gwall ei bro golli bri.
Iaith gynt bob mann, llann a llys,
A gwyr enwog yr ynys,

[4] *Llyth. Morys.*, *I*, 3.
[5] Gwel. *Llyth. Morys.*, *I*, 106.

Iaith nerthog, wrthiog Arthur,
Iaith ddilediaith berffaith bur ;
O dywyllwch di elli
Ei dwyn oll ar daen i ni ;
Er bod amhuredd heddyw
Rhwd a llwch ar hyd ei lliw ;
Di fedri di loywi'n lân
Ei dull ai gosod allan,
A thaenu'r hen Frythoneg
Hyd Gymru mewn print du têg.[6]

Dysgodd John Morgan ei iaith oddi wrth bobl gyffredin sir Feirionnydd a sir Fôn, ceidwaid gorau clasuroldeb yr iaith : " *It is a general mistake in Wales, and that among good Welshmen, that several words are grown obsolete which are not so among the vulgar,*"—a rhydd yntau enghreifftiau. Ond fe ddysgodd ei iaith hefyd drwy ddarllen yn ddyfal, a sylwi ar ffurfiau a brawddegau y clasuron : " *Get some Welsh printed books, in order to collect idioms, such as* Llyfr y Resolution, Bardd Cwsg, Rheol Buchedd Sanctaidd, Llwybr Hyffordd i'r Nefoedd, Hanes y Ffydd, etc." Dichon mai yng ngwaith John Morgan y ceir yr olion cyntaf o ddylanwad llenyddol Elis Wyn. Yn ei *Fyfyrdod ar Uffern* cawn rwymiad enw ac ansoddair, megis " y geulan ddiadlam," " Dihennydd Trag'wyddol" sy'n amlwg yn adlais o'r *Bardd Cwsg* ; a thybed ,pe na buasai Elis Wyn, y dywedasai John Morgan am Uffern fel y gwnaeth : " O pa Riddfan ! Pa Wae ! Pa Wylofain gwastadol a fydd yno. Maent yno'n dioddef mewn Munud fwy nag a ellir yma mewn Mil o Flynyddoedd, ac eto nid yw Mil Flynyddoedd yno gymaint ag un munud yma."

Yn 1714 cyhoeddodd Morgan ei brif waith, sef *Myfyrdodau Bucheddol ar y Pedwar Peth Diweddaf, sef Angau, Barn, Nef, ac Uffern.* Amlwg ei fod yn llyfr enwog, oblegid fe'i hadargraffwyd yn 1716, 1745, 1756, 1775, ac yn 1830. Ond truan yw argraffiad Llanrwst yn 1830. Aeth yr argraffydd ati i newid amryw o eiriau byw, disgrifiadol John Morgan, a rhoi i'w lle eiriau llwyd a dienaid o'i dlodi ei hun, megis " ymryson " am " elino " yn y paragraff a ganlyn. Darn yw hwn o'r *Myfyrdod ar Angau* :

Canys y mae'r dyn yn marw er y pryd y dechreuodd fyw. Yr ydym bawb er pan ddaethom yma, yn brysio o hyd tua'r

[6]*N.L.W. MS.* 17—B.

byd nesa. Mae'r naill do yn dilyn y llall, ar hwya ei oes yn ymadel mewn ychydig amser. Doe neu echdoe 'r oedd ein tadau cyn wyched gwyr a ninnau, er gwaeled eu lle ai llwch heddyw. Ond fal y maent hwy yr awrhon y byddwn oll ar fyrder. Mae pawb yn gydradd yn y bedd. Mae brenhinoedd yn diosg eu mowredd, ac yn gorwedd yn ddifalch gyda eu deiliaid yno. Mae'r ffel yn rhoi ei ben i lawr wrth ystlys y ffol, ac ni adwaenir y naill oddiwrth y llall. Mae'r cyfoethog yn ymddarostwng i gyscu gyda'r tlawd, a'r dysgedig gyda'r anllyth'rennog. Nid oes yno neb yn elino am le, nac yn gofyn mwy rhwysg a rhagor na'i gymmydog.

Fal hyn mae'n sicr y byddwn oll farw, a hynny cyn chwaith hir, etto nid oes dim mwy ansicr na'r pryd hwnnw. Nid ym yn byw ond wrth gynhwysiad yn y cyrph hyn ; fe ellir ein troi allan o'n tyddynnoedd daearol pan ofynnir. Yr ym bob awr megis yn diangc am ein hoedl, a pha cyn gynted y collwn hi nis gwyddom. Awel fach a ddiffydd y ganwyll lwydoleu hon. Pwys bychan a dyr edau ungorn einioes dyn. Draen crin a blewyn pen a fuont saethau angeu fwy nag unwaith.

Fe gydnebydd pawb rwysg ac ardderchowgrwydd y darn hwn. Rhan o ddirgelwch arddull John Morgan yw ei fod yn trin pethau elfennol bywyd, angau a dychmygion mawr ac ofnadwy dynion am y tu hwnt i'r bedd. Ceidw hyn ei fyfyrdodau rhag bod yn " fucheddol " yn unig. Canys o hir feddwl am farwolaeth, fe hed y bryd heibio i ofn, i fyny i dir ymson pur a synfyfyrdod, lle'r ymddengys byd a bywyd yn bethau dieithr fel mewn breuddwyd. Ac felly y mae yn y darn rhyddiaith hwn, sy'n llawn miwsig dwfn a chyffelybiaethau bardd.

Ond y mae gallu llenyddol yr awdur yr un mor eglur â mawredd ei feddyliau, a'r paragraff drwyddo ymysg y perffeithiaf yn yr iaith. Y mae'r brawddegau yn fyr a chryno, a thuedd ynddynt i ymgloi mewn epigram. Ceir cydbwysedd gofalus rhwng y naill fraich o frawddeg a'r llall, a daw cynghanedd i bwysleisio ambell wrthgyferbyniad megis rhwng "ffel" a "ffol." Nid yw hyn yn beth newydd mewn Cymraeg ; fe'i gwelir weithiau yn *Llyfr y Tri Aderyn* ; ond y mae'r bwriad celfyddydol yn amlycach yng ngwaith Morgan, a'r nodweddion clasurol a grybwyllwyd eisoes, mesur, cynildeb, gofal am ffurf, yn disgleirio ynddo o glawr i glawr. Ceir ynddo hefyd dawelwch prydferth y clasuron, fel y dengys y frawddeg hon : " Mae pob blodeuyn yn gwywo, pob ffrwyth yn addfedu, pob dilledyn yn llychwino ac yn heneiddio, a phob dydd yn darfod." A dyma enghraifft arall o'r epigram : " Ni wiw disgwyl nofio i borthladd gwynfyd tragwyddol hyd genlli o ddifyrrwch cnawdol." Yr unig fai a welaf i ar ramadeg Morgan yw peidio â gwahaniaethu rhwng y " ni " negyddol a " ni " y rhagenw, a hyd yn oed yn hynny, y mae fel rheol yn gyson ag ef ei hun. Dyma'r unig frawddeg ddyrys a welais yn ei waith : " Ni a ofalwn yn gywir dros yr amddifaid a gymmunir i'n cadwraeth, ni ddiwallwn yr anghenus, ac ni thalwn ddrwg ar ddrwg i neb." Am eiliad yn unig y mae honno yn dywyll.

Dywedais mai dwy ffynhonnell arddull John Morgan oedd Cymraeg y werin a'r hen awduron Lladin. Yn un o lawysgrifau Llanstephan (MS. 20) y mae casgliad diarhebion a llafareiriau Cymraeg a glybu ef yn sir Fôn ac ym Meirionydd. Dywed wrth Foses Williams (*Ibid.*) : " *This is all the collection I could make of Welsh proverbs in three years ; I had too a small collection of idioms . . . . I did design to gather all the proverbs and idioms I could, and to publish them . . . Many among the vulgar add to proverbs more than they should.*" Y mae'r diarhebion Cymraeg yn rhan bwysig o'n llenyddiaeth, dangosant fedr llenyddol di-ail ; ac y mae eu lliw ar ryddiaith John Morgan. Nid oes sicrach prawf o'i reddf at geinder geiriau na'r llawysgrif hon.

Ac yn ffodus hefyd nid ydym heb enghraifft o ddylanwad ei ddarllen clasurol. Yn 1716 cyhoeddodd gyfieithiad o'r Lladin i Gymraeg o waith Tertullian, y llythyr at Scapula (*Ad Scapulam*), ac at y Merthyron (*Ad Martyres*), a llythyr tebyg o waith Cyprian, a rhwymodd y tri llythyr yn llyfr bychan deuddeg-plyg gyda chywydd a wnaeth ei hun. Ni roddodd Morgan ei enw i'r llyfr, ond fe'i priodolir iddo yng " Nghofrestr " ei gyfaill Moses Williams a gyhoeddwyd yn 1717, ac y mae arddull y llyfr yn braw digonol pwy yw'r awdur. Gwir nad yw mor ddiddorol â'r *Myfyrdodau*, nac yn llawn mor ystwyth ei Gymraeg Er hynny, ceir ambell baragraff sydd mor fywiog â dim a ysgrifennodd Morgan, onid anghofiwn wrth ei ddarllen mai cyfieithiad yw. Dyma enghraifft :

> E'n galwyd ni i filwriaeth y Duw byw, er y pryd yr addowsom hyn yn ein bedydd. Nid oes sawdiwr yn y byd yn myned â mwythusfwyd i ryfel, nac yn codi o'i guddigl dymhoraidd i'r gad, namyn o'i babell gryno, gyfyng, lle mae pob caledi ac annhyfrydwch i'w gael. Maent hefyd yn amser heddwch yn

> dysgu trwy lafur a chaledfyd ddiodde' rhyfel, gan rodio'n arfog, gan redeg yn y maes, gan godi cloddieu, a chan sychu'r gadgrogen. Maent yn gweithio'n dost, ac yn chwysu'n fynych, rhag i'w cyrph a'i calonnau trwy seguryd lyfrhau, gan fudo o'r cysgod i'r tes, o'r tes i'r gwynt, o'r twyg i'r llurig, o'r distawrwydd i'r floeddfa, o'r llonyddwch i'r cythrwfl.

Wrth gyfieithu pethau fel hyn y dysgodd Morgan ei arddull. Cawn yma y cydbwysedd, y gwrthgyferbyniadau, sydd yn ei waith gwreiddiol. A chawn fwy na hynny, sef yr un mudiad, yr un miwsig, yr un gallu i glymu brawddegau i undod paragraff, y nerth rhesymegol sydd yn nodwedd amlwg yn arddull yr awduron Lladin. Dyna'r nodweddion a drosglwyddodd John Morgan i lenyddiaeth Gymraeg.

[*Y Llenor*, i (1922), 11-17].

PENNOD XXIII

DRYCH Y PRIF OESOEDD

DYWEDODD ysgolhaig yn ddiweddar mewn sgwrs ddarlledu na fyddai *Drych y Prif Oesoedd* yn glasur mewn unrhyw lenyddiaeth oddieithr y Gymraeg. Ni bu barn ysgolheigion eraill yn wahanol : " hygoelus ac anfeirniadol," ebr *Hanes Llenyddiaeth Gymraeg* ; " rhagfarnllyd ac anfeirniadol," medd y *Bywgraffiadur*, ac fe gofiwn oll am ragymadrodd S. J. Evans i argraffiad 1902. Mi geisiaf innau ddangos nad oedd Theophilus Evans ddim yn fwy anfeirniadol nag eraill o'i gyfnod ac mi ystyriaf sut a pham y mae ei waith yn glasur. Yr wyf yn rhagdybio na eill hoywder arddull droi nonsens yn glasur, eithr yn hytrach mai ceinder meddwl *yw* ceinder arddull.

I. DRYCH 1716

Bu dau argraffiad o'r *Drych*, ac er mai'r awdur piau'r enw, prin y mae'n gymwys sôn am *argraffiad* gan gymaint y gwahaniaeth rhyngddynt. Ystyriwn yn gyntaf gyfrol 1716 na chafodd o gwbl y sylw a haedda. Y rhagymadrodd Cymraeg gorau hyd yn hyn i waith Theophilus Evans yw erthygl Mr. David Thomas yn *Y Llenor* 1939, erthygl sy'n achub y blaen mewn rhai pynciau pwysig ar lyfr Saesneg helaethach Mr. T. D. Kendrick, *British Antiquity*, 1950.

Cynnyrch tröedigaeth llanc un ar hugain oed oedd *Drych* 1716. Tystiodd y llanc ei hun i'r dröedigaeth honno yn ei ragair i'w lyfr cyntaf a gyhoeddasid yn 1715 :

> Nid oes i ti ddisguil fod y cyfieithiad hyn mor gywraint o ran ymadrodd ffraeth areithiawl ag y gwnaethai Cymreigiwr hyddysg, canys yr ydwyf yn cyfaddeu, nad oes oddiar guarter blwyddyn, er pan ddarllenais i un llyfr Cymraeg gyda dim hoffder. Rhyw ffol serch at bethau eraill a'm llygad dynnodd i yn y cyfryw fodd fel nad oeddem yn canfod y godidawgrwydd nag yn ystyried purdeb y iaith anghyvartal helaith hon . . .

Ni ddywed ef wrthym beth oedd y " pethau eraill " y rhoesai ef ei " ffol serch " arnynt, ond gellir bwrw fod barddoniaeth Fyrsil yn eu plith. Eithr sylwer ar y cymal, " cywraint o ran ymadrodd ffraeth areithiawl " ; dyna briod-ddull dyneidd-wyr Cymraeg y Dadeni Dysg, a dyna ddatgan natur ei dröedig-aeth. Troi a wnaeth ef yn aelod ifanc o'r cylch o ddyneiddwyr brwdfrydig a drigai yng ngwlad Emlyn neu gerllaw glannau Teifi ym mlynyddoedd olaf yr ail ganrif ar bymtheg a dechrau'r ddeunawfed, un o gylchoedd eithaf ac olaf y Dadeni Dysg yng ngogledd Ewrob. Ysgrifennaf cyn cyhoeddi gwaith Mr. Garfield Hughes ar Iaco ab Dewi ; ar hyn o bryd y drydedd bennod o lyfr da y diweddar John Davies, *Bywyd a Gwaith Moses Williams*, yw'r hyfforddwr gorau i'r gymdeithas ddiddorol hon. Ni chaf oedi i sôn am naws ac ysbryd y cwmni ; os myn neb ymgydnabod â hwynt darllened gyfieithiad hardd Samuel Williams, *Amser a Diwedd Amser*, ac yn arbennig ei annerch gwreiddiol ef ei hunan " at y Darllenydd o Gymro diledryw." Mae'r rhagymadrodd hwnnw'n sefyll gyda myfyrdodau Bossuet a Walter Raleigh yn fynegiant mawreddog i un brif dymer ar ddyneiddwyr y Dadeni Dysg, a cheir ynddo gyfeiriad-au at Aristotl ac Epictetus ac Erasmus, ond hefyd at Ramadeg y Beirdd o'r bymthegfed ganrif.

Drych 1716 yw cynnyrch gwreiddiol helaethaf y cylch, ac yn ddiau rhan hynod o ddiddordeb y llyfr yw'r sôn a geir ynddo am yr arweinwyr, megis pan ddywed y llenor ifanc iddo gael copi o'r cyfreithiau Cymreig gan

> y Periglor dysgedig, a'r Cymreigydd cywreiniaf hwnnw, Mr. Samuel Williams, Person *Llangynllo* yng *Ngheredigion*.

Mae'r paragraff ar ei fab yn fwy " ffraeth areithiawl " :

> Gwnaeth y Brittwn uchel-ddysg hwnnw, *Sion Dafydd Rys* M.D. ei ran ef yn hoyw-odidog, ac iddo ef yn unig y mae'r Beirdd yn rhwym am Reol eu Celfyddyd. Gwnaeth y byth tra enwog Sion Dafies D.D. ei ran ynteu yn odiaeth, ac yn odidog rhagorol, trwy gyfansoddi Gramadeg a Geir-lyfr i hyfforddi ei gydwlad-wyr i ddysgu cywreinrwydd eu hiaith. Ac yr awr-hon y mae'r Parchedig Mr. Moses Williams B.A. trwy lafurus boen a diwydrwydd wedi chwilio allan berffeithrwydd y cwbl, a'r y sydd bosibl i gael y ffordd honno : Canys mi allaf ddywedyd yn hy, na fydd wiw i neb ddisgwyl am ychwaneg o berffeith-rwydd mewn Geir-lyfr a Gramadeg, nag y sydd yn y gwaith y mae efe yn ei osod allan. *Uno avulso, non deficit alter Qui Spartam quam nactus est ornavit.*

Tybiaf mai gan Siôn Rhydderch y cafodd ef ei frawddeg am Siôn Dafydd Rhys ; daw cymal cyntaf y diweddglo Lladin o Fyrsil (A.VI, 143) a'r ail—a fuasai yn ei fodd gorchmynnol yn garn ac yn awdurdod i wladgarwch llenyddol dyneiddwyr llawer cenedl ac iaith—oddi wrth Gicero. Llyfrgell William Lewes yn y Llwynderw oedd un o ganolfannau'r cwmni hwn, ac amdano ef y dywed y *Drych* yn union iaith yr hen Frut :

> Yr hwn sy'n chwennych hanes gyflawn am helynt Tywysogion Cymru, darllened *Ghronicl Caradog* o *Lancarfan*, yr hwn er nad yw wedi ei argraphu etto yn Gymraeg, etto yr wyf yn gobeithio y bydd wiw gan y Pendefig digymmar hwnnw Mr. Wiliam Lewis o Lwynderw ganiattâu i ryw un ei osod ef mewn *Print*, canys ganddo ef y mae'r coppi perffeithiaf a'r a welais i.

A dyna rinwedd ar y cylch i gyd sy'n gwarantu ei gyfran yn nhraddodiad y dyneiddwyr Cymraeg. Da y dangosodd John Davies fod y gwŷr hyn oll yn berchnogion llawysgrifau a rhai ohonynt yn gopïwyr. Felly Theophilus Evans yntau. Rhaid ei fod wedi ymroddi gydag egni rhuthrol a nodweddiadol o'i oed i gopïo llawysgrifau ers dwy flynedd, canys yn *Nrych* 1716 fe ddyfynna o'r hen ganu ac o'r pethau a fernid yn hen ganu, o'r gogynfeirdd megis Bleddyn Fardd a Gruffydd ab yr Ynad Coch, o'r cywyddwyr Dafydd Nanmor ac Iorwerth Fynglwyd a Dafydd ap Gwilym—" yn ddi-ddadl efe yw'r Bardd hoywaf a'r a sgrifennodd erioed "—ac wedyn o'r Cyfreithiau a'r " areithwyr," sef awduron y chwedlau a'r rhamantau. Dyfynna hefyd yn fynych o'i gywyddau ef ei hunan ; mae ei gynghanedd yn wallus druenus, ond yr arddull yn henaidd a sangiadol a'r deunydd yw hanes Cymru ;—ai ef yw'r cyntaf ar ôl Edmwnd Prys i geisio troi'r cywydd i feysydd barddoniaeth y Dadeni yng ngwledydd eraill Ewrob ?

Fel y gweddai i wŷr a fu mewn cyswllt mor agos ag Edward Lhuyd, yr oedd diddordeb y cylch yn hanes cynnar a hynafiaethau Cymru a Phrydain yn frwd. Daethai argraffiad 1695 o *Britannia* Camden gyda nodiadau Lhuyd i adnewyddu'r sialens i'r traddodiadau barddol a Chymreig. Diau iddynt fod yn destun llawer sgwrs angerddol yn y Llwynderw cyn i Theophilus Evans gyfansoddi'r cywydd a ddyfynnir ganddo yn *Nrych* 1716 (t. 112) :

Camden fawr yn camdanny
Ei dyb fraith, och anrhaith hy !
Ar oddeu gwneud ei roddion
Fal pêr aroglau llysiau llon :
Ond fel danhadlen felen fawr,
Neu gogwrn sâl gegyrn sawr,
Gwrthodwn ei chwedl gwrthun,
Cam onid e ; ie cymmain' un.

Beth hefyd am yr esgob Lloyd a Stillingfleet ac Usher a Spelman a'r lleill ? Tybed na ddaethai'r adeg a'r cyfle i grynhoi holl ddadleuon a thrafodaethau'r ganrif a hanner a aethai heibio, a hynny mewn gwaith newydd Cymraeg ? Onid dyna ddwyn un o brif fudiadau'r Dadeni Dysg i gyfoethogi'r iaith a'r genedl ? Gwrandawn ar " Farn Mr. William Lewes o Lwynderw o fywn Sir Gaer-fyrddin ynghylch y Llyfr hwn " :

Nid oes un genedl oddifywn i Grêd, nac un oddifywn i barthau eraill y Byd, ac sydd a moesau dinasol iddynt, onid oes ganddynt ryw gynenid ewyllysgarwch i wybod o ba gŷff y daethant allan, a'r ymrafael ddamweiniau a ddigwyddodd i'w Hynafiaid o Amser bwygilydd : A'r neb a fyddai ag addysg llythyrol ganddynt, a osodent y pethau hynny mewn cof-ysgrifen yn eu hiaith eu hun, er tragwyddol goffau Gweithredoedd eu *Hynafiaid*, ac er cyfarwyddid i'r Tô a ddeuai.

Nid allaf esgusodi (yn anad neb rhyw Genedl) ddiofalwch a syrthni'r *Cymru* yn hyn o beth, o herwydd nad oedd un o honynt a ysgrifennodd ddim o hanes y *Brutaniaid*, er ys pump neu chwech chant o flynyddoedd (hyd y gwn i), yn y iaith Gymraeg ; Ond Mr. *Charles Edwards* yn unig, yn y Llyfr a elwir *Hanes y Ffydd*, yr hwn sy'n crybwyll ryw ychydig yn fyrr ac yn lled dywyll yma ac acw, ynghylch helynt ein Hynafiaid a phregethiad yr Efengyl gyntaf ym *Mhrydain*.

I gyflawni y Diofalwch a'r Esgeulusdra hwn, y cymmerodd y Gŵr ieuangc dysgedig o *Geredigion*, yn Neheu-barth *Cymru* (Awdur y Traethawd sy'n canlyn) y Boen a'r llafur i chwilio llyfrau hên a diweddar mywn amryw Ieithoedd, er gosod allan hanes gyflawn o weithredoedd yr hen *Frutaniaid* . . . . A'r fyrr eiriau, efe a gyfansoddwyd gyda'r fath Gywrainrwydd, ac Uniownder Barn, fel na wn i a oes un Llyfr a ysgrifennwyd mewn un iaith pa un bynnag ynghylch helynt y *Brutaniaid*, sydd yn ei ragori . . . .

Fe welwn fod William Lewes, megis Samuel Williams a'i fab, yn brawddegu yn rhuthmau Lladinaidd y dyneiddwyr. Mae'r feirniadaeth ar Charles Edwards megis cofnod o un o drafodion y gymdeithas : yr oedd *Hanes y Ffydd yng Nghymru* ar wahân i lif meddwl y dyneiddwyr Cymreig a Phrydeinig. Felly gyda bendith cwmni glannau Teifi, ac nid hwyrach ar eu hanogaeth, yr aethai'r " gŵr ieuanc dysgedig " i Amwythig i ymosod ar ei dasg wlatgar :

> Cefais rydd-did i fyned pan y mynnwn i'r *Llyfr-gell* fawr odidog sy'n perthyn i Ysgol-rydd Tref y Mwythig, lle mae'r holl Gof-lyfrau argraphedig ac sy'n crybwyll am helynt y Brutaniaid, ynghyd a Gwaith y Tadau yn gyfan-gwbl.

Mae'r mynych gyfeiriadau personol hyn a geir drwy gydol *Drych* 1716 yn ein tynnu ni megis i ganol ymddiddan llyfrgell Llwynderw ; y mae darn o fywyd llenyddol blynyddoedd cynnar y ddeunawfed ganrif wedi ei gadw inni.

Wrth gwrs, amddiffyn dilysrwydd sylweddol *Brut y Brenhinedd* a'r traddodiadau ynghylch Brutus ac Arthur a ledaenwyd gan lyfr Sieffre yw amcan Theophilus Evans yn ei ran gyntaf. Dyna fyrdwn y dyneiddwyr Cymreig er dyddiau Syr John Prys, " as if the Honour of our Nation were to stand or fall by his stories " chwedl y Cymro gan yr esgob Lloyd yn 1684. Ond gwyddai cwmni Emlyn am Camden a Lloyd a Stillingfleet a'r beirniadu treiddgar ar Sieffre. Felly gyda gofal y defnyddia'r " gŵr ieuanc dysgedig " lyfr Sieffre ar y cychwyn. Dadleua'n gynnil resymoldeb y stori am Frutus, ond dyry inni nodiad Lladin : " Omitto praeclara illa facinora quae a Galf. Monum. et MS recitantur," ac wedyn ar gychwyn ei ail bennod, yn Gymraeg :

> Nid oherwydd fy mod yn anhyddysc yng Nghronicl Brenhinoedd y Cymru o amser *Brutus* nes dyfodiad y *Rhufeiniaid* yma yr wyf yn peidio angwhanegu hanes neilltuol o'i teyrnasiad, Ond 1. O herwydd fod llawer o wyr dysgedig yn amheu gwirionedd yr hyn a adroddir am danynt.

Ac ni ddengys dim y croes-dynnu rhwng Sieffre a Lloyd yn ei feddwl ef yn well na'r ddau nodiad Lladin sy'n dilyn ei gilydd yn ei drafodaeth ar Facsen Wledig (t. 46) : ebr y cyntaf, " Gellir ymddiried yn ddiogel yn Sieffre a'r Llawysgrifau," ac ebr y nodiad dilynol : " Felly'r llawysgrifau Cymraeg, ond dywed yr Hanes Rhufeinig sy'n haeddu'n hytrach ei gredu " (*Historia Romana fide dignior*), a dilyn Lloyd a wna ef yma. Pan ddaw ef at y ddwy ganrif ar ôl " Bl. yr Argl. 410 " nid oes ganddo help yr haneswyr Rhufeinig, nid oes ganddo ond Sieffre a'r llawysgrifau Cymraeg. Gellir tybio'i fod ef weithiau yn ceisio cuddio'i ddibyniad ar Sieffre drwy sôn am " Vetustiss. MSS " neu am " MS vetustiss. sed incert. auth.". Ond y pryd hwnnw nid oedd beirniadaeth wedi dechrau ar lawysgrifau'r Brut ac fe ddywed Hearne am sgwrs a gafodd ef gyda Moses Williams yn 1733 ; yr wyf yn ei godi o lyfr John Davies (t. 24) :

> He signified that the British Chronicle in MS in Jesus College Library is only a Translation of Geffry of Monmouth into Welsh, whereas I always thought it had been the Original to the Latin, and much fuller. This deserves particularly to be considered, because if it be the old British one, from wch Geffrey deduced this [his], it will most highly deserve to be published.

Mae'n debyg gan hynny fod " MS vetustiss. sed incert. auth." Theophilus Evans yn onest ddigon yn 1716 (ac, wrth gwrs, yn 1740 hefyd) ; barnodd ef fod llawysgrifau ar gael a oedd yn ateg annibynnol i Gronigl Sieffre ac yn ateb felly i brif bwynt beirniadaeth Lloyd. Ymroes yntau i grynhoi stori'r Brut gan ystyried yn deg y beirniaid diweddar a chymrodeddu'n bwyllog. Rhyw fath o fyfyrdod uwchben traddodiadau Sieffre a dilysrwydd ei stori yw Rhan I gan mwyaf felly. Cymerer, er enghraifft, y stori am Fyrddin a thranc enbyd Gwrtheyrn yn ei gastell. A ellid ei chredu ?

> Num fabula mendax sit haec Historiola merlina nescio. Fides esto penes Galf. et MSS quibus ego usus sum, sed ego lubens assentior D. Poweli judicio, qui scribit . . .

eithr oni ellid derbyn yr hanesyn fel gwir, gellid ei dderbyn yn ddameg ac esiampl : " er mwyn rhoddi i'ch ystyriaeth siampl hynod o farnedigaeth y Goruchaf ar Bechod a Rhyfyg, tybiais yn addas i osod yma hanes o farwolaeth echrys-lawn Gwrtheyrn," a thybed nad y prif reswm dros ei gynnwys yw ei fod yn ddarn o lên yr hen ardal :

> Ac y mae Relyw y Castell yn weledig hyd heddyw yn adnabyddus wrth enw *Craig Wrtheyrn.* Y lle hwnnw sydd bedair milltir islaw *Llan-petr Pont-Stephan* yn Sir Gaerfyrddin a'r Lan *Teifi* (t. 82).

Gellid aberthu Myrddin, ond ni ellir taflu Arthur. Yn y drafodaeth arno ef daw Rhan I y *Drych* i'w uchafbwynt a'i ddiweddglo. Y mae'r awdur yn dilyn Stillingfleet yn ofalus yn ei gasgliadau a'r un pryd yn maentumio fod Arthur yn gymeriad hanes ac yn sumbol fyth i'r Cymry ac i'r Saeson :

> Er nad wyf yn credu y cwbl a edrydd y Chronicl am dano, sef iddo oresgyn deng teyrnas a'r hugain a'i goroni yn Ymherawdr yn Rhufain, etto ys yw gennyf, iddo gadw ei wlad ei hun yn wrol-wych rhac y *Saeson* . . . .
>
> Y mae ein cymmydogion yn ddigofus wrthym ein bod yn ymffrostio am *Arthur*. Ac ambell gecryn a gais ddywedyd na fu erioed y cyfryw wr ag ef yn y byd. Ond gwybydded y Darllenydd hyn, a chreded ef megis gwirionedd disiomedig nad oes gan y cyfryw un fwy sail i ddywedyd hynny, na phe taerai dyn na chododd yr Haul erioed, o herwydd ei bod hi'n fachlud Haul pan yr ynfydai efe hynny. Y Gwirionedd ydyw, yr oedd *Arthur* yn casau y *Saeson* yn ddi-ragrithiol ; a hynny ydyw'r achos eu bod yn ceisio lladd ei enw, pan fethu arnynt ladd ei Berson . . .

Y frwydr yma rhwng gwladgarwch llenyddol y dyneiddwyr ar un llaw a " gwirionedd histori "—Theophilus ei hun a ddug y term i'r Gymraeg—ar y llaw arall, sy'n rhoi i *Ddrych* 1716 ei angerdd personol. Cymharer agwedd Theophilus Evans tuag at William Lloyd ag agwedd y Morrisiaid, fel y dangosir hynny yn astudiaeth fanwl Mr. Jarman (*Llên Cymru* II, 161). Geilw Lewis Morris ef yn 1764 " that despiser of his country, y dyn a g-chodd yn ei nyth." Geilw Theophilus Evans ef yn 1740 " ein cydwladwr dysgedig o Wynedd, y gwir Barchedig Wiliam Llwyd " (DPO², 286). Gwelir dylanwad *Historical Account of Church-Government* Lloyd drwy'r cwbl o ail ran *Drych* 1716, ac nid yn unig yn y penodau sy'n disgrifio ffurf ac urddau'r Brif Eglwys ac yn dadlau yn erbyn yr Anghydffurfwyr, eithr lawn cymaint yn yr hanes am sefydlu Cristnogaeth ym Mhrydain. Lloyd a Stillingfleet, er enghraifft, sydd y tu cefn i'r paragraff hwn :

> Yr awdur hynaf a ddygir i brofi mae *Joseph o Arimathea* a bregethodd yr Efengyl gyntaf ym Mhrydain ydyw llyfr a dadogir ar *Badrig* ein cydwladwr, gŵr o'r chweched oes. Ond y mae gwyr dysgedig yn barnu na sgrifennodd efe erioed ei hun y llyfr hwnnw, ond rhyw un arall yn ei enw ef lawer cant o

flynyddoedd wedi marw *St. Padrig*. Ac yr ydys yn dal sylw, pan fyddo rhyw ffuantwr yn cyfansoddi llyfr, ac yn ei dadogi ef a'r ryw un arall, efe a esyd ar antur ryw beth ynddo a'r a ddatguddia'r ffalsder, ac nid yw'r cwbl ond twyll a dychymyg rhyw Gecryn pen-ysgafn. Ac felly y gwnaeth y gŵr da hwnnw a sgrifennodd yn enw *Padrig*, canys y mae efe yn crybwyll yn sathredig am wyr, y rhai ni aned amser da wedi marw *Padrig*. Ac o achos y twyll hwnnw y mae rhai gwyr dysgedig yn barod i goelio na fu *Joseph o Arimathea* erioed ym Mhrydain. Y mae rhai gwyr dysgedig yn dywedyd felly, ac ni chaf i ddywedyd dim ychwaneg (t. 142).

Ebr Lloyd yn ei ragair :

The Historian obliges the Nation whose History he writes . . . just as far as he does his work true, and no farther. If he gives them those Ornaments which are not their own, he wrongs them . . .

A gellir clywed dwys bigiad y geiriau pan ysgrifenna Theophilus Evans ifanc a brwd wlatgar ynghylch Lles ap Coel :

Er y buasai hyn yn wir ddiau yn anrhydedd tra mawr i'n gwlad pe gwir a fuasai . . . Ond gan nad yw hynny yn wir, yr ym yn gwrthod yr ystori ; can's gwell yw dywedyd y gwirionedd, pe Sarhad a fyddai oddi wrth hynny, na dywedyd celwydd pe anrhydedd a fyddai (t. 150).

Y mae'r frwydr foesol hon yn gwneud *Drych* 1716 yn llyfr personol iawn ac yn rhoi iddo ei ddwyster arbennig : " Ni chaf i ddywedyd dim ychwaneg " (t. 143).

II. Drych 1740

Yr oedd Theophilus Evans yn saith a deugain oed pan gyhoeddodd ef y *Drych* helaethach a diwygiedig yn 1740. Och pan fo canol oed yn mynd ati i gywiro rhwydd-galon ieuenctid ! I'r neb a ddelo at *Ddrych* 1740 o fod yn manwl ddarllen llyfr 1716, nid bychan mo'r sioc.

Bwriwyd allan yr holl gyfaddefiadau personol y buwyd yn sylwi arnynt uchod, yn Gymraeg ac yn Lladin. Nid hynny'n unig. Ers talm bellach fe chwalesid hen gymdeithas glannau Teifi. Buasai Samuel Williams a William Lewes a Iaco ab Dewi oll farw yn 1722 ; symudasai Moses Williams i Bridgwater, ac er iddo fyw hyd 1742 ni cheir mo'i enw yn y rhestr o danysgrifwyr i *Ddrych* 1740. Rhaid fod Theophilus wedi gwasgu ei ddannedd a chau ei wefusau'n dynn y chwarter awr y penderfynodd ef ddileu'r cyfeiriadau atynt oll. Canys yr un yw ef eto fyth. Os troes ef oddi wrth fachgeneidd-dra brwdfrydig ac acenion personol y llyfr cynnar, fe fradycha yn 1740, ac yntau'n tynnu at yr hanner cant cramennog, yr un gwladgarwch twymgalon a'r un ysbryd byrlymog a ffrwt. Y mae *Drych* 1740 yn ei ddull ei hun mor bersonol bob dim â'i ragflaenydd, ond mewn sylwadau ac ebychiadau a ffraethebion yr amlygir hynny weithian. Mae'r sylwadau bachog doniol yn llu craff, megis pan ddywed ef am darddiad yr enw Prydain ac am ieitheg canol y ddeunawfed ganrif :

> Ond dyma'r anffawd, pe bai un mor ffodiog a tharo wrth y gwir Ddeongliad, etto nid all neb fod yn siccr mai hwnnw sydd ar y iawn (t. 25).

Diddiwedd hefyd yw'r ebychiadau sydyn a brwd :

> Ond am yr hen *Fechgyn y Brutaniaid* . . .

neu dro arall :

> Ac y mae *un Bradwr* gartrefol (a *Melltith ei fam* a gaffo pob cyfryw un byth) . . . . (35).

Os am ddoniolwch, ystyrier y newid bychan syfrdanol ddireidus ar enw Eoppa y Brut yn y darn hwn :

> Ac yno neidio a wnaeth y Diawl i galon *Pascen*, a dyfalu ffordd i ladd y Brenin ; ac fe wyddai eusys fod ganddo Sais yn ei gymdeithas (Eppa oedd ei enw) o gystal un at y fath orchwyl ag a fu erioed yn ysgol-dy Belzebub (t. 119).

Ceir pethau tebyg drwy'r llyfr oll, yr hyn sy'n peri'n bod ni megis yn clywed y Ficer sionc ei hunan yn torri ar ein traws ni wrth inni ddarllen. Daeth hoywder gŵr o'r ddeunawfed ganrif yn lle dwyster llanc 1716.

Heb gwmni Emlyn a beirniadaeth eu hymddiddanion tyfodd yntau'n fwy dihitio am feirniaid Saesneg traddodiadau Sieffre. Ni chlywir mono'n ymatal gyda'i " ni chaf i ddywedyd dim ychwaneg " ; deil yn hytrach gyda John Davies yn ei ragair Lladin i'w Eirlyfr, " mae rhyw beth hefyd i ddysgu oddiwrth draddodiad a hen chwedlau " (24). Na frysiwn i sôn am hygoeledd ; nid oedd Hugh Williams yn wfftio at chwedl Claudia (184) a gymerasai Theophilus o Ussher ; ac er mor od ac amherthnasol y dygir i mewn y chwedl am Fadog ab Owain Gwynedd, yr oedd ganddo'r *Gentleman's Magazine* 1740 yn garn i'r stori honno. Helaethodd ef gryn dipyn ar ei bennod ar " Foesau'r Hen Frutaniaid." Dengys yr ychwanegiadau ieithegol ei fod ef, megis ei gyfoeswyr oll ac fel y gwelsom eisoes iddo gydnabod, yn druenus anabl i farnu na Pezron na Henry Rowlands. Ond yn rhannau disgrifiadol y bennod, megis y paragraffau ar noethni'r hen Frutaniaid a gwisgoedd eu pendefigion, ac ar eu crefftau, derbyniodd holl chwyldro syniadau Speed a Camden, ac y mae'r bennod yn ddogfen bwysig yn nhwf astudiaeth archaeoleg yn y Gymraeg.

Pa gyfraniad sydd yn *Nrych* 1740 i'r ddadl ynghylch dilysrwydd Sieffre ? Yn y rhagair dywed y Ficer am ei waith yn 1716 :

> er darllen o honof, ie y pryd hwnnw (yn lled anystyriol ar frys) y Rhan fwyaf o Hanesion printiedig ynghylch hen Fatterion Brydain mewn Llys a Llann, etto wedi'n (ar ol cael Odfa a Chyfle i chwilio o amgylch) y cefais i y Rhan fwyaf o Yspysrwydd mewn hen Groniclau Cymraeg o waith llaw.

Yn awr, un prif gyhuddiad a ddug cyfreithwyr Seisnig yr ail ganrif ar bymtheg yn erbyn Sieffre oedd y diffyg o unrhyw waith ysgrifenedig cyn ei ddydd ef i gynnal ei hanesion ; hynny yw, nid oedd ganddo dystion. Gwelsom yn nodiad Hearne a ddyfynnwyd gynnau, megis y dangosodd Mr. Jarman yn *Llên Cymru*, mai thesis llenorion amddiffynnol Cymraeg y ddeunawfed ganrif oedd fod y cyfryw dystion i'w cael yn y llawysgrifau Cymraeg, ac nad oedd gan y Saeson hawl i farnu Sieffre heb fedru ohonynt ddarllen a barnu'r llawysgrifau hynny. Ceir y ddadl hon gan Theophilus Evans hefyd yn ei ragair, ond nid ar ei phen ei hun :

> Yn awr am y Brutaniaid, yr oeddent hwy yn ddilys ddigon yn medru darllen a Sgrifennu (ni a wyddom) yn hir cyn amser Cred, os nid er amser Brutus y Groegwr o Gaer droea : a phe bai eu Sgrifennadau heb fyned lawer ar goll, diammeu y gallai Cymro hyddysc gael amryw ac amryw o hen Hanesion nad yw bossibl i'w cael nac yn y Lladin nac yn y Saesneg : Ond y mae bagad etto i'w gweled o Sgrifenadau'r hen Frutaniaid ; a fy ngwaith i oedd eu cymharu a'u cystadlu hwy a hen Hanesion y Rhyfeiniaid a'r Saeson . . .

Gellid dangos y mannau y ceir y cyfryw gymharu a chystadlu, yn arbennig yn yr ail bennod o'r Rhan Gyntaf. Yn Rhan II *Drych* 1740 datblygir hefyd ateb arall i'r cyhuddiad, ateb cyfreithiol. Er dyddiau Salesbury bu'n rhan o draddodiad y dyneiddwyr Cymraeg fod llyfrau dysg yr hen Gymraeg wedi eu colli, megis yr honnir yn y dyfyniad uchod. Gellir dilyn y stori hon drwy gyfres o feirdd a rhyddieithwyr o 1547 ymlaen ; yr oedd hi'n elfen anhepgor yn y muthos a elwais i mewn ysgrif flaenorol yn " ddamcaniaeth Brotestannaidd." Yn Rhan II y *Drych*, sy'n cynnal yr unrhyw ddamcaniaeth, daw'r traddodiad am y llyfrau coll yn ateb ychwanegol i'r ddadl gyfreithiol Saesneg nad oedd gan stori Sieffre dystion i'w phorthi : fe fu tystion heblaw'r gweddill llawysgrifau presennol, ond fe'u collwyd. Mae'r mater yn rhan nid dibwys o hanes meddwl y Dadeni yng Nghymru ac mi ddyfynnaf y prif gofnodion. Bydd yn wiw rhoi'n gyntaf baragraff o gyffelyb natur a geir yn 1716. Sôn y mae am erledigaeth Dioclesian :

> Y dinistr gwaethaf a wnaethpwyd (*penes nos*) ydoedd llosgi y llyfrau godidog oedd gan y Brutaniaid y pryd hwnnw, sef hanesol, meddygol, Dwyfol, sywedyddol, &c. Can's y llannoedd a adgyweiriwyd, a'r Merthyron sanctaidd a dderbynniasant goron anllygredigaeth yn y nef, ond ni adgyfyd y llyfrau fyth (t. 154).

Yn 1740 yn lle'r darn uchod fe geir hyn :

> Ni adewid Papyrin heb ei losgi ag oedd yn cynnwys Athrawiaeth *Iesu Grist*, ac yn rhoddi Hanes o Fywyd y Prif Gris'nogion. Ac dyma'r pryd cyntaf (Gwae ni !) y difethwyd Sgrifennadau'r hen *Frutaniaid*, gwerthfawroccach nag Aur coeth ! A hynny oedd o gylch y Flwyddyn o Oedran *Christ* 285 (196).

Fe sylwir mai llyfrau " Hanes o Fywyd " yr Eglwys Fore ym Mhrydain sydd yma. Pan ddaw ef nesaf i drafod heresi Arius ceir paragraff diddorol sy'n pwyso ar John Davies a Thomas Wiliems :

> Yr oedd yn drueni mawr ddarfod colli yr *Hanes Eglwysig* a ysgrifennodd *Twrog* yn amser *Cadfan* Frenin o gylch y flwyddyn O oedran Christ *chwech chant* . . . . Y Llyfr hwn oedd ynghadw yn Eglwys *Gelynnog* yn *Arfon*, a maen du arno yn lle Cloriau . . . Y mae Dr. Thomas Williams, Meddyg tra dyscedig yn ei amser, yn declario iddo ef weled y Llyfr hwn o waith *Twrog* yn y

> Flwyddyn 1594 ; Ond y mae efe ynawr er ystalm wedi myned ar goll.—Fe Sgrifennodd Tyssilio hefyd *Hanes y Brif Eglwys*, yr hwn oedd o waed brenhinol, yn Fab i *Brochvael Ysgythrog* yr hwn a ymladdodd a'r Saeson yn y Flwyddyn o Oedran Christ 602. Y mae ambell ddarn o waith Tyssilio i'w weled etto, os gellir iawn farnu ynghylch Sgrifen mor hen . . . .

ac fe ddyfynna ohono, ac ychwanegu ar derfyn y paragraff :

> Y mae hon yn Dystiolaeth hynod ynghylch Diwygiad ffydd yr hen *Frutaniaid* . . . pe gellid gwybod yn siccr mai *Tyssilio* a Sgrifennodd yr hanes (217-8).

Cymharer hyn â'r hyn a ddywed Mr. Jarman wrthym am agwedd Lewis Morris. Ceir crynhoad o'r holl golledion ar gychwyn y bumed bennod : yr oedd y darn hwn yng nghyfrol 1716, a rhyw gymaint yn llawnach yno, gan gyfeirio at Humphrey Lhuyd ac at lythyr Richard Davies. Ni chodaf y paragraff cyfan yn awr (t. 284) ond dengys y frawddeg gyntaf a'r olaf natur ei ddadl.:

> Y mae'n beth llwyr amhossibl gael Hanes *bennodol* am Drefn a Disgyblaeth y Brif Eglwys ym *Mrydain*, oblegid bod y rhan fwyaf o Lyfrau'r hen *Frutaniaid* wedi mynd ar goll . . . . Nid, onid oes Bagad o hen Lyfrau (o waith llaw) etto mewn mannau o *Gymru*, ond y maent yn anaml, ac odid *un* yn llawn am Ddisgyblaeth a Threfn y Brif Eglwys.

Er mwyn deall grym y ddadl hon rhaid cofio fod haneswyr Seisnig yr ail ganrif ar bymtheg a'r ddeunawfed yn derbyn hanfodion y ddamcaniaeth Brotestannaidd. Cymer Theophilus Evans felly elfen o'r muthos Protestannaidd, sef dysg a llyfrau'r hen Gymraeg, i gynnal dilysrwydd y muthos Cymreig. Beth yw gwerth hanes ? Yr ateb sy'n gorwedd dan holl ddysgeidiaeth *Drych y Prif Oesoedd* yw, maethu a phorthi *pietas*, ffyddlondeb i grefydd a gwlad, i Dduw ac i'r tadau. Ofnai Theophilus Evans y torri delwau a'r philistiaeth a allai ddyfod o'r syniad newydd, " gwirionedd histori,"—a allai hynny roi dyfnder daear i foesoldeb ac i ysbryd dyn ? Ac eto, rhaid cydnabod fod i hwnnw hefyd hawliau moesol. Ond ai maes i'r gwyddonwyr newydd yw hanes ? Adlewyrcha *Drych y Prif Oesoedd* beth o argyfwng cychwyn yr oes fodern yn Ewrob.

Pietas, y mae'r gair yn ein harwain ni'n ôl at Fyrsil. Trwy'r chwarter canrif er cyhoeddi'r *Drych* cyntaf bu Theophilus

Evans yn myfyrio ym meirdd a haneswyr Rhufain yn ogystal ag yn y beirdd a'r Brutiau Cymraeg. Oherwydd hynny y mae ef yn un o feibion nodweddiadol y Dadeni Dysg yn ei gyfnod ariannaid yn y ddeunawfed ganrif. Rhoes yntau liw Cymreig ar ei glasuriaeth. Mwyfwy, er pan orffennodd ef y *Drych* cynnar, fe glywai gydag Ulkessar y Brut " mai un genedl oedd wŷr Rhufain â'r Brytaniaid canys o Eneas yr hanoeddynt hwy a'r Brytaniaid." Pwysleisir hyn droeon yn llyfr 1740. Gan hynny gallai yntau, gyda Livius a Tacitus, ond gyda Gildas a Sieffre hefyd, gymryd epig Fyrsil yn batrwm i arddull hanesydd a benthyg dull y gymhariaeth Fyrsilaidd. Ni cheisiasai ef erioed sgrifennu'r paragraff Ciceronaidd megis ei hen feistri yn Emlyn. Iddo ef yr oedd Cymraeg y Brut yn y traddodiad Fyrsilaidd :

> A gwedy llunyeithaw eu bydinoed kyrchu gwyr rufein yr pebyllau yn diannot a wnaethant. Ac yna y bu kymeint y vrwydyr ac yd yttoed y tyweirch yn rydec gan y gwaet, megys pei delei deheuwynt yn deissyfyt y dodi eira a rew . . .

Meistrolodd Theophilus Evans y dull nes bod llawer paragraff o'i lyfr yn 1740, pes dodid yn orgraff y Brut, prin iawn yr amheuai neb nad rhan o'r *Ystorya* ydoedd. *Ut pictura poesis*, a fynnwch chwi esiampl o hynny hefyd yn rhyddiaith epig y ddeunawfed ganrif ? Gellid dyfynnu llawer paragraff, er enghraifft y cwbl o'r disgrifiad o frwydr gyntaf llongau Iul-Caisar na chodaf ond un frawddeg ohono :

> Canys am y glewion *Frutaniaid*, rhai a safasont ar bennau y Creigydd, rhai a ddescynasant i'r Traeth, Eraill a aethont hyd eu tin-beisiau i'r môr, a phawb yn ergydio eu Saethau cyn amled at y gelynion, nes oedd *Gwaed* y Lladdedigion yn ffrydio megis *Pistyll* yma ac acw dros Ystlysau'r Llongau i'r môr.

Ymgodymu â Tacitus a dynnodd allan orau rhyddiaith y Ficer. Mae'n werth darllen hanes goresgyniad Môn a gwrthryfel Buddug yn yr *Annales* a chraffu ar y modd y defnyddiodd yntau'r Lladin. Neu ystyrier hanes Caradog. Mae disgrifiad Tacitus o'i gymryd ef i Rufain gyda'i deulu a'i araith Stoicaidd ef gerbron y senedd yn enwog. Mae'r paragraff y crynhoes Theophilus Evans y cwbl hynny iddo, gan gynnwys hanfod yr athrawiaeth Stoicaidd hefyd, yn gwbl annibynnol ac eto megis petai'r Cymro wedi mynd dan groen Tacitus ei hunan :

> Ni bu *Dinas Rufain* ond prin erioed lawnach o Bobl na'r *pryd hwnnw* ; Nid yn unig y cyffredin Bobl, ond y *Pendefigion*, yr uchel *Gapteniaid*, y *Marchogion* a'r *Arglwyddi* o bell ac agos oeddynt yn cyrchu yn Finteioedd i gael golwg ar y Gwr a ymladdodd gyhyd o amser a holl Gadernid *Rhufain.* Ac yno, ar ddiwrnod gosodedig, mewn Eisteddfod lawn o *holl Oreuon Itali* (a'r Ymherawdr ei hun yn bresennol) efe a wyneb di-ysgog, ac a chalon ddisigl, a wnaeth Araith yn gosod allan Helbulon Byd, a *Chyfnewidiadau Bywyd dyn* mor deimladwy, fel y menodd hynny gymaint ar bawb, fel prin oedd un yn gallu ymatal rhac wylo, a dywedyd, *Wele ym mhob gwlad y megir glew.*

Erbyn 1740 fe welai ef hanes y Brutaniaid yn rhan sumbolaidd o hanes trychineb ymerodraeth Rufain. Pan edrydd ef am ladd Caron gan Alectus a hwnnw gan Frân ap Llŷr ac yntau gan Goel Codebog, yr unig nodyn a geir yw cwpled o waith Iuvenal:

> Ad generum Cereris sine caede et sanguine
> Pauci descendunt Reges et sicca morte Tyranni,

ac fe arwain y cwbl i'r weledigaeth Fyrsilaidd o drasiedi gwareiddiad Rhufain sy'n rhagflas o naws ac ysbryd a rhuthmau Gibbon a'r *Decline and Fall* :

> Buan y parodd y fath Afreolaeth a hyn (a hynny yn ddibaid dros amryw Flynyddoedd) i holl Ymerodraeth Rufain Siglo ac ymollwng ; megis *Llong fawr yn ymddatod*, pan fo'r *Tonnau* a *Gwynt* gwrthwyneb yn ei *chipio.*—Neu, megis *Maes llydan* o Wenith yn cael ei Sathru a'i *rwygo gan Genfaint o Foch*, oni bydd cae diogel o'i gylch : Felly Rufain a'i holl Gadernid a aeth o fesur ychydig ac ychydig yn chwilfriw mân, o ran yr aml Ymbleidiau o'i mewn, a digasog ymgyrch y Barbariaid o amgylch.

Mewn acenion cyffelyb a chyda'r unrhyw naws Fyrsilaidd y dywed ef am gwymp Llywelyn y Llyw Olaf :

> Ond yr hwn nid allodd holl Gadernid *Lloegr* ac *Iwerddon* ei orthrechu, a gwympodd drwy Frâd yn ei wlad ei hun. " Felly Derwen fawr, Brenin-bren y Tyddyn a saif yn ddigyffro yn erbyn ystorm, ond Diffaithwr gerllaw a'i bwr hi i lawr a'i Fwyall."

Ni wn i ai dyfyniad neu gyfieithiad yw'r darn rhwng dyfynodau, ond fe ddwg ar gof yn anorfod :

Ac ueluti summis antiquam in montibus ornum
cum ferro accisam crebrisque bipennibus instant
eruere agricolae certatim : illa usque minatur
et tremefacta comam concusso uertice nutat,
uolneribus donec paulatim euicta supremum
congemuit traxitque iugis auolsa ruinam.

Heb Fyrsil ni ellir cymaint â dechrau deall *Drych y Prif Oesoedd.*

III. Dwy Ran : Dau Futhos

Yn hanes meddwl Cymru y mae dwy chwedl am ei gorffennol hi ei hunan sy'n allweddau i'w barddoniaeth hi ac i ran fawr o'i rhyddiaith glasurol. Creadigaeth yr Oesoedd Canol yw'r naill : tarddiad y genedl o Gaer Droea, ei harwain a'i ffurfio'n genedl gan y Rhufeiniwr, Brutus orwyr Eneas, ei chyfran yn yr ymerodraeth dan Facsen a Chystennyn, a'r mawredd terfynol dan y brenin Arthur. Creadigaeth William Salesbury a'i gydweithwyr yn y Dadeni Dysg oedd yr ail[1] : y gred fod ym Mhrydain hyd at y seithfed ganrif a'r wythfed Eglwys efengylaidd, ysgrythurol, ddysgedig, a chanddi'r ddau Destament yn yr iaith Gymraeg, yn llwyr annibynnol ar Rufain, heb offeren na sagrafennau ofer na delwau na gweddïo ar y Saint, Eglwys Brotestannaidd megis Eglwys Loegr yn ei holl drefn. Gellir galw'r ddau gasgliad hyn o syniadau yn awr yn ddau futhos, y muthos Cymreig a'r muthos Protestannaidd. Heb wybod amdanynt bydd llawer iawn o lên Cymru ac o hanes Cymru yn dywyllwch i ddyn. *Drych y Prif Oesoedd* yw'r llyfr a drosglwyddodd y ddau futhos hyn i Gymru fodern a'u gwneud yn rhan o draddodiad cefn gwlad, hyd oni ddaeth addysg fodern i ddinistrio diwylliant. Y mae Theophilus Evans yn byw mewn dau fyd, ym myd brut a breuddwyd beirdd a chywyddwyr a storiawyr yr Oesoedd Canol, ac ym myd ymchwil a dadlau a gwladgarwch hynafiaethol a chrefydd ddiwygiedig a dysg Ladin y Dadeni. Nid bod hynny'n eithriadol ; dyna etifeddiaeth yr holl ddyneiddwyr Cymraeg er dyddiau Salesbury ei

[1]Ni thybiaf fod Mr. Glanmor Williams (*Traethodydd* 1948, t. 49) wedi profi o gwbl fod y " Ddamcaniaeth Brotestannaidd " yn Tyndale. Yr wyf, wrth gwrs, yn llwyr gytuno fod Tyndale, ac eraill, wedi creu'r cefndir meddwl a'r amgylchiadau a wnaeth ddamcaniaeth Gymreig Salesbury yn dderbyniol ac yn bosibl, a da y dangosodd Mr. Williams yr awgrymiadau yn Tyndale a dyfodd yn futhos cyflawn ym meddwl Salesbury.

hunan. Theophilus Evans yw eu cynrychiolydd cyflawn olaf. Bid sicr, y mae deuoliaeth ddrud yn eu bywyd, canys y mae'r ddau futhos sy'n cynnal eu gweithgarwch meddyliol ac ysbrydol yn groes i'w gilydd. Cymru yn un â Rhufain yw hanfod y naill ; Cymru heb Rufain yw calon y llall. Muthos y briodas a muthos yr ysgariad. Ar dro bydd gwrthdaro caled rhyngddynt. Yn y muthos Cymreig, o Rufain, drwy gais Lles ap Coel y brenin, y daeth Cristnogaeth i Brydain. Yn y muthos Protestannaidd, wedi peth gwegian, fe ddaeth i Glastonbury drwy St. Joseph o Arimathea, heb ddyled yn y byd i Rufain. Gellir dilyn y dadlau ar hyn drwy'r ddwy ganrif cyn *Drych* 1740. Gellir gweld yn y gyfrol honno benbleth meddwl Theophilus Evans ei hunan. A dyna'r esboniad ar ffurf a chyfansoddiad *Drych y Prif Oesoedd*—dau futhos, dwy ran ; stori'r genedl a stori ei chrefydd ar wahân. Deuoliaeth ysbrydol sy'n parhau hyd heddiw yng Nghymru, ac y mae un o'r ddau futhos mor fyw ag erioed.

[*Efrydiau Catholig*, vi (1954), 37-47].

PENNOD XXIV

JEREMI OWEN

YNG nghyfres 'Llyfrau Deunaw' Gwasg y Brifysgol cyhoeddodd Dr. R. T. Jenkins argraffiad newydd, gyda rhagymadrodd helaeth, o lyfr Jeremi Owen, *Golwg ar y Beiau*. Cyfaddefaf fod y llyfr yn gwbl newydd i mi. Cofiwn i'r Dr. Thomas Richards sôn amdano yn ei Saesneg nodweddiadol aruthr ef, mewn pennod o'r ail gyfrol o'r *History of Carmarthenshire*, gan ei alw yn bamffled "of excellent Welsh idiom but of doubtful Christian temper." Wedi darllen y llyfr yn argraffiad Dr. Jenkins euthum at *Lyfryddiaeth* Gwilym Lleyn yn argraffiad Silvan Evans, 1869, a chefais fod Gwilym Lleyn yn dweud am ail lyfr Cymraeg Jeremi Owen :

> Nid oes nemor o lyfrau diwinyddol yr hen dadau Cymraeg o'r ganrif ddiwethaf yn wreiddiolach a theilyngach o'i ail gyhoeddi na'r traethawd uchod.

Mi geisiaf ddangos cyn terfynu gywired dedfryd yr ysgolhaig da gan Wilym Lleyn, canys wedi darllen a ddywedodd, euthum innau i'r Llyfrgell Genedlaethol i'm synnu a'm syfrdanu gan y *Traethawd i brofi ac i gymmell ar yr holl Eglwysi y Ddyledswydd Fawr Efengylaidd o Weddio dros Weinidogion*, a gyhoeddwyd yn Llundain yn 1733 :

> Then felt I like some watcher of the skies
> When a new planet swims into his ken.

Cyhoeddwyd *Golwg ar y Beiau* ychydig wythnosau o flaen y *Traethawd* yn 1732-3. Ni wyddys ond am un copi ohono. Yn awr, a dwy ganrif wedi mynd heibio, yr ydys yn darganfod un o'r mawrion Cymraeg. Rhaid llongyfarch y golygydd yn galonnog am iddo ar unwaith weld hynny a gosod Jeremi Owen gyda Morgan Llwyd a Charles Edwards.

Ysgrifennodd Dr. Jenkins hefyd ragarweiniad helaeth a champus i'r llyfr, un o'i benodau meistraidd ef, golau, gwybodus, teg. Ar ddau bwnc amheuaf ei farn. Yn ei frawddeg gyntaf fe ddywed : "Rhagoriaeth ei Gymraeg yn hytrach na natur ei gynnwys a barodd ailargraffu'r llyfr bychan hwn.' Y mae hynny'n anghyson â gosod Jeremi Owen gyda Morgan

Llwyd a Charles Edwards. Oblegid ni all fod Cymraeg da heb " gynnwys " pwysig. Clindarddach drain dan grochan yw plethiad geiriau heb synnwyr o bwys. Meddwl cyfoethog sy'n rhoi cyfoeth i arddull. Gŵyr Dr. Jenkins yntau hynny canys, buan iawn y dywed :

> Tuedd darllenydd diamynedd fydd methu gweled ynddo fwy na chwerwder personol . . . Eithr y mae mwy na hynny ynddo —yr oedd egwyddorion o gryn bwys, mewn diwinyddiaeth ac mewn llywodraeth eglwysig, yn y cwestiwn . . .

ac yna dengys y golygydd fod pynciau'r llyfr yn bwysig heddiw " pan yw gwŷr fel Karl Barth yn ceisio ailorseddu Calfiniaeth." Dof yn ddiweddarach at yr ail fater y barnaf i braidd yn wahanol i'r Dr. Jenkins arno.

Bydd rhagarweiniad y golygydd yn ddigon o olau ar natur ac achlysur llyfr Jeremi Owen. Hwyrach y darllenir y nodiadau hyn gan rai nas gwelsant eto. Dywedaf yn fyr, gan hynny, beth yw mater *Golwg ar y Beiau.* Yn y blynyddoedd 1707-1709 bu rhwyg yn eglwys gynulleidfaol Henllan Amgoed yn sir Gaerfyrddin ac ymneilltuodd rhan bwysig o'r aelodau i ffurfio eglwys annibynnol Rhydyceisiaid. Gweinidog Henllan ar y pryd oedd D. J. Owen. Bu yntau farw yn 1710 a dilynwyd ef gan ei fab, Jeremi Owen. Dan ei weinidogaeth ef aeth adran arall o'r eglwys i ymuno â phobl Rhydyceisiaid, ac ymhlith y rhai a aeth allan yr oedd Mathias Maurice. Rhwng 1711 a 1715 syrthiodd Jeremi Owen i ryw drwbl na wyddys mo'i hanes ac ymddiswyddodd. Dychwelodd Henry Palmer o Rydyceisiaid i Henllan, a bu'n weinidog ar yr eglwys o 1721 hyd ei farw yn 1742. Yn 1727 cyhoeddodd Maurice *Byr a Chywir Hanes Eglwys Rhydyceished yn ei Nheulltuad o Henllan trwy y blynyddoedd 1707, 1708, 1709.* Ateb i'r llyfr hwnnw yw *Golwg ar y Beiau.*

Ar ddau bwnc y saif y ddadl rhwng Maurice a Jeremi Owen : ar gyfiawnhad pechadur gerbron Duw a'i santeiddiad, ac ar iawn drefn eglwys Brotestannaidd na chydnebydd esgob ac esgobaeth. Dadl rhwng uchel ac isel Galfiniaeth yw'r gyntaf ; dadl rhwng annibyniaeth ddiamod a phresbyteriaeth wirfoddol a chydymgynghorol yw'r ail. Peidied neb llenor ifanc nac unrhyw un arall â diystyru'r dadleuon hyn ; y maent yn rhan bwysig i bawb o hanes y Ffydd yng Nghymru, ac y maent yn rhan hanfodol o ddiwylliant ac o feddwl yr ail ganrif ar bymtheg a'r ddeunawfed ganrif. Heb eu deall, heb wybod eu harwyddocâd a'u cysylltiad â holl ddatblygiad meddwl Ewrop, ni ellir na threiddio i unrhyw adnabyddiaeth o lenyddiaeth Gymraeg na gweld ein hanes a'n llenyddiaeth ni'n rhan o gyfranc gwareiddiad.

Ystyriwn drafodaeth Jeremi Owen ar synodau Henllan. Dyry ef gyntaf enghraifft yn llyfr Actau'r Apostolion o ymgynnull yn synodau, er mwyn dangos yr arfer yn y " Brif Eglwys " neu'r Eglwys fore. Yna dengys y drefn gan y diwygwyr Protestannaidd cyntaf, a'u bod oll yn cynnal yr arfer ym mhob man, " megis meddwl Duw," sef yn " Hyngari, ym Mholand, yn amryw barthau o wlad yr Ellmyn, sef Germani, yn Switzerland, Genefa, Ffrainc . . . yn Lloegr hen ac yn Lloegr newydd ; dyma gyfraith y Sgotiaid ac arfer y gwŷr o grefydd Brotestannaidd nad ŷnt o Eglwys Loegr yn Iwerddon " ; ac fe chwanega: " Canys ar yr egwyddor hon y maent hwy yn ymwrthod â'r enw Independiaid megis gair gwaradwyddus." Try wedyn i brofi fod synodau Henllan " yn sefyll ar yr un sylfaen a throedyn â Synodau Lloegr Newydd," a dyry hanes synod Henllan yn 1711, y modd y rhoddwyd ffeithiau'r rhwyg gerbron gweinidogion " yn Sir Ddefon a Chernyw ar eu cyfarfod yn Ecseter a chyngor gweinidogion Gwlad yr Haf ar eu hymgynulliad yn Siepton Malet," a dyfynna lythyrau o Fryste a Barnstabl a Bideford cyn dyfod i'r dalennau o'i lyfr sy'n rhoi inni ddisgrifiad o gymeriadau'r gweinidogion Cymreig y bu ganddynt ran fawr yn y synodau hynny. Y mae'r disgrifiadau hyn o gyfres o bersonau yn rhywbeth newydd yn ein rhyddiaith Gymraeg, a gwiw cofio wrth eu darllen mai darlunio " cymeriadau " oedd un o brif ymarferion rhyddieithwyr a haneswyr cyfnod Jeremi Owen mewn llawer llenyddiaeth yn Ewrop.

Ni ellir darllen hyn oll heb ganfod fod Henllan ddiarffordd fechan yn rhan o undod gwledydd cred i Jeremi Owen, fel y deallai ef " wledydd cred " ; ac er mai " teyrnasiad yr Anghrist " y cyfrifai ef y canrifoedd Catholig yng Nghymru, ni ellir peidio â chofio'r modd, yn ystod rhwyg y Pelagiaid yn 429 O.C., yr anfonodd y Brythoniaid i Ffrainc a galw Garmon Sant a Lupus atynt i gyngor i gadw undod y Ffydd. Y mae'r ewyllys a'r dyhead Catholig yn amlwg yn holl drafodaeth Jeremi Owen ar synodau Henllan. Felly hefyd, yn ei ragair i'w lyfr, fe sonia'n dra diddorol am ymddiddanion rhwng gweinidogion Sir Gaerfyrddin a Sir Aberteifi a Sir Benfro ar y naill ochr a " rhai o'r gwŷr llên parchedig sydd yn Eglwys Loegr " ar y llaw arall ynghylch " pethau sydd a hanfod a sylwedd ynddynt " :

> Yr hyn sydd dystiolaeth cyn sicred o ysbryd gwir Gatholig, rhydd-did Cristnogol a chyd-ddygiad, ag un a all y deyrnas hon ei ddangos, yr hyn sydd ysgatfydd yn gynghrair mwy cyfan a hollol, rhwng gwŷr o grefydd, nag un arall, ag sydd y dydd heddiw, yn un man trwy holl gred.

Ni cheir eglurhad pellach ar yr ymddiddanion hyn a'u cais i gyrraedd cyd-ddealltwriaeth. Nid oes gan y golygydd chwaith nodyn ar y paragraff. Atega'r cyfryw eangfrydedd y ddadl fod mawrfrydigrwydd yn ogystal â mawredd cynnwys yn llyfr Jeremi Owen.

Ond y mae ynddo hefyd angerdd. Yr oedd Mathias Maurice wedi ymosod yn hallt yn ei bamffled ar dad Jeremi, a hwnnw yn ei fedd er 1710. Cyfyd y mab i amddiffyn enw ei dad, a hynny—ynghyd â chonfensiwn dadleuol cyffredinol y cyfnod—a gyfrif am y dychanu ysgubol a rhetoregol sy'n wledd lenyddol yn y *Golwg ar y Beiau.* At hynny, y mae ei arddull Ciceronaidd yn ddwys huawdl, a'r " pietas " yn nerthol Rufeinig, yn ei amddiffyniad i'w dad ; hoffwn ddyfynnu paragraff ar ei hyd ond bodloner ar ddwy frawddeg i brofi'r rhetoreg selog :

> Ni fydded amarch yn y byd ar ei goffadwriaeth ef, ddarfod pan oedd y gyfeillach yr oedd efe yn edrychwr arnynt ac ag ymysgaroedd tad ysbrydol ynddo tuag atynt, wedi myned ben ynghyd â'i gilydd, yn enwedig y pryd y rhoddes yr utgorn y floedd fawr i alw gwŷr i ryfel newydd, a chyffroadau newydd ar droed hefyd (nac adrodder hyn, meddaf, er gwradwydd iddo, ac efe er ystalm yn gorwedd yn ei fedd), i'w ysbryd ef ymgyffroi ynddo fel y llefarodd gyda chymaint o wres yn erbyn y gwŷr a oedd yn aflonyddu ar heddwch y praidd a gymerasai efe mor annwyl tan ei ofal. Rhaid i'r dyn hwnnw fod yn foncyff neu'n garreg, a chanddo anserchowgrwydd ac annheimlad ynddo yn fwy na'r eiddo'r Stoiciaid, yr hwn ni bo bluyn yn ysgogi arno wrth gyffroad newydd, a'i roddi iddo gan ŵr ieuanc a gymerai arno fwy nag a weddai iddo (ym marn pawb ar a glybu am y peth), sef bod iddo ym mhulpud y tad syrthio ar y mab yn y fath fodd ffyrnig, a chyda chymaint o sêl annhymerus.

Yn ei fyw amddiffynasai'r tad ei fab. A'r tad yn ei fedd, cyfyd y mab yn ei dro i amddiffyn ei goffadwriaeth. Priodas ' pietas ' ac uchelwriaeth.

Tua diwedd y llyfr edrydd Jeremi Owen yn syml ac yn ddwys y modd y syrthiodd ef ei hunan dan gerydd Duw a'i bobl. Nid amherthnasol mo'r hanes i ddadl y llyfr cyfan. Yn gyntaf, prawf yw'r hanes fod disgyblaeth eglwys Henllan yn amyneddus a chariadlon a Christnogol. Rhaid wrth ddewrder moesol ac unplygrwydd Cristion i'r awdur ddwyn ei achos ef ei hun, ei gwymp a'i ddiraddiad, yn enghraifft o onestrwydd ac iawnder ei gosbwyr ac yn goron i'w amddiffyniad ef iddynt. At hynny, mae'r hanes yn glo hefyd i'w ymresyniad diwinyddol ef. Nid dadl ddiwinyddol yn gorffwys yn unig ar resymeg yw ei ateb ef i uchel Galfiniaeth Maurice. Fe ddadlenna'n ddigon llym y perygl a welai ef yn rhysedd ei wrthnebydd :

> Hyn yn unig a ddywedaf fi yn awr, nad oes rhaid wrth ffydd ac edifeirwch (yn ôl eu hathrawiaeth hwynt) os gwir yw eu bod wedi eu cyfiawnhau er tragwyddoldeb, ac nis gellir dodi pechod yn eu herbyn ddim, ac od yw Crist wedi gwneuthur y cwbl, a heb adael un mymryn o waith yn ôl i ni i'w wneuthur, tuag at fod yn gadwedig . . . Nid ŷnt yn debygol o gymeryd eu rhybuddio i ffoi rhag y llid a fydd, pan ydys unwaith wedi peri iddynt goelio nad ydynt ddim tan lid Duw, eithr wedi eu gwaredu rhagddo er tragwyddoldeb os byth y gwaredir hwynt . . .

Dadlau teg ac uniongred a diolch amdano. Ond wedyn dywed Jeremi Owen yn gynnil, yn urddasol, yn ddwys, y modd y gafaelodd balchder ysbrydol ynddo ef ei hunan a'i dynnu i'r gors, ac fe arwain y darn hwn o hunan-gofiant i ddwfn feddiant profiadol o'r hyn na fuasai gynt ond argyhoeddiad deallol da :

> Mi wn y gall ffrydiau gras fod wedi eu troi ymaith, ac y gall dyn bechu ymaith ei ddoniau oll ; fe ddichon ysbryd Duw gilio cyn belled â gwrthod eu rhoddi hwynt ; pa faint a roddaswn i, lawer pryd wedi hynny, am gael yn ôl y cynorthwyadau a'r tywalltiad ysbrydol a gawswn unwaith, ac a gollais . . . A gytgam undyn ddywedyd nad yw Duw yn tywallt cerydd tadol ar ei blant ei hun am eu pechodau ?

Tudalennau fel y rhain sy'n coroni *Golwg ar y Beiau* ac yn ei ddyrchafu i haeddu lle ochr yn ochr â gweithiau Morgan Llwyd a Charles Edwards.

II

Mae gan Dr. Jenkins dudalen sy'n ddiddorol ar arddull ac ar ysgolheictod Jeremi Owen. Dyma wasgu at ei gilydd y brawddegau sy'n datgan ei farn :

> Wrth sgrifennu, ni all anghofio'r addysg ramadegol dda a gafodd gan ei ewythr ; y mae camffyr y Gramadeg Lladin yn codi i'n ffroenau—y brawddegau llaesion a'r paragraffau cymhleth baglog a oedd mewn bri gan ysgolwyr yn Lloegr yn ei ddyddiau ef . . . Ni thâl ceisio sgrifennu Cymraeg yn arddull Cicero . . . Ac eto, llenor oedd Jeremy. Nid oes warant dros gredu ei fod yn rhyw lawer o ysgolhaig,—sylwer mai ystrydebau'r ysgolion yw ei ddyfyniadau Lladin . . . .

Yn awr, gyda'r parch dyledus i un sy'n ysgolhaig mwy na mi, anturiaf amau'r ddau brif osodiad sydd o'n blaen ni. Mi ddaliaf i fod Jeremi Owen yn ysgolhaig da. Nid y dyfyniadau Lladin yn y *Golwg ar y Beiau* a wna imi dybio hynny, eithr naws y llyfr, trefn y ddadl, rheolaeth yr awdur ar ei ddefnyddiau, cryfder yr ymresymiad, arwyddion o feddwl wedi ei finio gan astudiaeth go drylwyr o'r clasuron a'r Tadau a llên ei famiaith. Yn ei ail lyfr, y *Traethawd ar y Ddyletswydd*, cawn Jeremi Owen ei hunan yn trafod addysg gweinidogion, ac wedi iddo wrthod rhai a honnai " eu haddysgu o Dduw heb gynhorthwy dysgeidiaeth ddynol " fe dry i drafod y rheiny a roddai fri yn unig ar ddysgeidiaeth ddynol :

> Na dderbyniwn ar frys y cyfryw ag a gawsent yr holl gynorthwyon a'r manteision ag a aller eu dymuno, yn unig oblegid eu bod wedi eu cynysgaeddu felly, os nid oes ganddynt ddim gwell i'w canmol inni. Beth er dyfod ohonynt atom â geiriau denu o ddoethineb ddynol, ac â lliw rhagorol o fawr ac ymchwyddedig eiriau gwagedd, a dderbyniwn ni hwynt er mwyn hynny ? Beth er darfod i'r Dysgawdwyr trahausfawr hyn wneuthur eu hunain yn hysbys yng ngwaith y Tadau Groegaidd a Lladinaidd, a bod y rhain ganddynt ar ben pob bys ; beth er gallu ohonynt alw yn dystion Crisostom, Nazianzen a'r cyfryw, a gallu ohonynt enwi, ar bob tro, Cyprian, Awstin a'r cyffelyb ; ie, gallu ohonynt adrodd gwaith y rhai hyn yn fynychach ac yn fwy cyfannedd na'r Ysgrythurau Cysegrlan, na geiriau ein Hathro mawr Crist a'i genhadon ysbrydoledig, a dybiwn ni yn well amdanynt oblegid eu cyfarwyddyd yn yr Awdwyr dynol hyn, pan nad ŷnt mor gyfarwydd yn yr Ys-

grythurau ? Na wnawn, debygwn i . . . . Y casgliad cryno a allwn ni, megis penclwm ar y cwbl, ei wneuthur ydyw hwn : y dylem ni yn ofalus wneuthur rhagor a gwahaniaeth rhwng dau ormod, y rhai sydd yn ddrwg iawn bob un ohonynt ar les achos crefydd . . . Y naill sydd yn ynfydu heb ddysgeidiaeth a'r llall yn ynfydu trwyddi ; canys dysg heb ras a ellir yn gymwys ei gyffelybu i farch gwyllt yr hwn a dyr wddf ei farchog.

Acenion ysgolhaig diofn ac eironiaeth rhetoregydd o ddysg a glywaf i yn y paragraff yna. Os cafodd Jeremi gychwyn da i'w addysg gan ei ewythr, fe ganlynodd arni ac fe fu fyw gyda'r Groegiaid a'r Lladinwyr. Y mae ef yn ddiwinydd cadarn, yn ddiwinydd athronyddol da. Gellwch glywed rhai o'r Tadau'n porthi (hynny yw, yn cynnal) ambell baragraff o'i eiddo, megis hwn yn y *Traethawd* ar greadigaeth enaid dyn ; dyfynnaf y pethau hyn oblegid fy mod yn barnu eu bod yn golofnau llenyddol hefyd :

> Megis ag mai ohono ef y mae egwyddor ein bod ni wedi dyfod, ohono ef hefyd y mae parhad y bod yma ; yr hyn sydd, debygid, yn ein dodi ni ar y ffordd i haeru fod y fath beth â dylanwad ac effaith uniongyrch, digyfrwng, a pharhaus yn llifeirio allan o Allu Duw tuag at ein gorsefylliad neu ein cynhaliad ni. Ein heneidiau nid ydynt yn tarddu o gorff neu ddeunydd tewdrwch, anhreiddiadwy, oblegid sylweddau anghorfforol ydynt. Rhaid bod gweithred newydd o Greadwriaeth yn ymosod tuag at lunio pob un ohonynt . . . . Y mae efe yn pwyso, nid yn gyffelyb i'r corff, ar Ail Achosion, ond yn ddigyfrwng ar yr Achos Cyntaf, Achos yr holl Achosion. Ac megis na ddichon undyn ddad-ddrysu y dirgelwch sydd yn yr undeb a'r cwlwm-tyn sydd yn myned rhwng yr Enaid a'r Corff yn y groth, felly nid oes undyn a ddichon adrodd pa fodd y gwneir ysgar rhwng yr Enaid a'r Corff . . . Nid oes neb ag a fedr fynegi pa wedd y datodir undeb cyn agosed, ar farwolaeth y rhan waelaf, yr hon y bu'r enaid ynghlwm mewn cyfathrach gyfrinachol â hi. Ein hanadl ni sydd yn ein ffroenau ; a pha bryd bynnag y gelwir amdano yn ôl, yna mewn moment ein meddyliau a ddifethir, o ran holl achosion y fuchedd hon . . . .

Dyna i chwi sain y traddodiad mawr patristig a'i eirfa'n deillio o Aristoteles a Phlaton. Yn Ewrop, diwinyddiaeth yw caer ysgolheictod, ac y mae dirywiad diwinyddiaeth batristig—

megis yng Nghymru yn yr ugeinfed ganrif—yn arwain i golliadau mewn ysgolheictod hefyd.

Ystyriwn yn awr yr arddull Ciceronaidd. Awgryma Dr. Jenkins mai bri'r dull " gan ysgolwyr yn Lloegr " a barodd ei arddel gan Jeremi Owen. Ond nid peth Seisnig mohono, eithr nod angen dyneiddiaeth drwy Ewrop achlân ; ac fe'i ceir gan Ruffydd Robert yn feistraidd yn 1567 cyn i neb ei fedru'n ddiogel o gwbl yn y Saesneg. Arddull Dysg yw Ciceroniaeth, arddull moes y pendefig a'r dyneiddiwr a'r mwyafrif o'r cyflwyniadau Cymraeg y gwnaed detholiad hapus ohonynt gan yr Athro Henry Lewis. Yn awr, dadl ac amddiffyniad yw'r *Golwg ar y Beiau*, sef testun ac achlysur priodol i Giceronydd o ysgolhaig ; ac o gymharu'r arddull yn nau lyfr Cymraeg Jeremi Owen fe welir fod y *Golwg ar y Beiau* yn dal at y dull Ciceronaidd fwy na'r *Traethawd*, er bod enghreifftiau godidog o'r modd yn hwnnw hefyd. Mi ddaliaf i fod y dyfyniadau a roddais i eisoes o'r ddau lyfr yn profi fod Jeremi Owen yn feistr ar y dull. A dyna ond odid ei union safle yn hanes rhyddiaith Gymraeg y Dadeni Dysg : ef yw lluniwr olaf a mwyaf y paragraffau Ciceronaidd, y pennaf o'r rhetorion Cymraeg. Nid â Samuel Johnson y dylasai Dr. Jenkins ei gymharu o gwbl ; yr awdur Saesneg sy'n gydradd ag ef ac yn debyg iddo ar ei orau yn y rhyddiaith gawraidd hon yw John Milton, ac fe geir llawer o'r un naws a'r un hinsawdd ysbrydol yn y ddau.

Ond yr oedd Milton yn fardd, ie yn ei ryddiaith. Nid digon cadernid dysg a meddwl a rhuthmau Ciceronaidd i wneud rhyddiaith glasurol fawr. Nid digon clust dda a'r ymadroddion cefn gwlad sawrus. Rhaid wrth fawredd dychymyg yn ogystal. Ceir hynny hefyd yn ail lyfr Jeremi Owen, y *Traethawd ar y ddyletswydd . . . o weddio dros Weinidogion* a sgrifenasai ef cyn y *Golwg ar y Beiau* ond a gyhoeddwyd ganddo'n fuan ar ei ôl. Pregeth ar y testun, " Y cynhaeaf yn ddiau sydd fawr ond y gweithwyr yn anaml," dyna ffurf y *Traethawd*, a phedwar pen i'r bregeth a rhannau dan y pennau. Yr ail ben yw : Arglwydd y Cynhaeaf ; ac mewn un adran ystyrir ef yn Arglwydd ar gynhaeaf Dydd y Farn. Mi gredaf i ar ôl ei ddarllen droeon mai dyma un o'r penodau mwyaf ysblennydd farddonol yn rhyddiaith y clasuron Cymraeg. Caiff y darllenydd farnu ; ni phetrusaf gynnig iddo ddyfyniad helaeth, canys dyma weledigaeth a miwsig organ :

> Yn nechreuad y byd efe a osododd amryw dymhorau, gan drefnu i'r cyrff nefol bob un ei sefyllfa benodol, a'r cynhyrfiadau y maent i'w cyflawni yn eu hamrywiol gylchoedd . . . Cyhyd ag y mae ganddo ef ddim gwaith i'w gwpláu yma, a hyd hynny yn unig, y cynnal efe ffurf a seiliau Naturiaeth, ac y dwg yn y blaen ei throellau hi. Eithr pan ddarffo iddo orffen yr amcanion ag y mae i'w cyflawni ar y ddaear, Efe a wna ben ohoni. Yr haul, y lleuad a'r sêr, y rhai ydynt yn gweini i'n daear ni, naill ai ni lewyrchant ddim mwy, neu hwy a lewyrchant i ryw ddibenion amgen na'r rhai y maent yn awr yn gweini iddynt. Er nad yw raid inni fod o'r un tŷb â'r rhai sydd yn bwrw y diddymir y ddaear gan y ffaglau tân a dreiddiant trwy ei holl gyrrau hi pan y byddo'r cwbl oll yn un danllwyth, a'r holl fyd yma yn esgyn i fyny, megis pe dywedwn, tua'r Nefoedd yn un wenfflam ac yn diflannu i gyd yn fwg ac yn awyr ; heb gredu ohonom yr athrawiaeth hon, meddaf, ni allwn yn sicr farnu y daw diwedd ar y cyflwr y mae pethau ynddo yn awr, ac y purir ac y coethir y ddaear, os na ddiddymir ac os na ddinistrir hi gan dân. Rhai a dybiant, pan ddarffo i breswylwyr presennol y ddaear ymadael â hi, megis eu lle trigiannol er mwyn pa rai y gwnaethpwyd hi, y tynnir yr adeiladwaith i lawr megis wedi darfod ateb dibenion ei gosodiad. Eithr nid yw yn debygol (i'm tyb i) y bydd i adeilad mor ardderchog â'r ddaear byth fyned yn gwbl ar feth ; y collir yn llwyr ddarn mor ogoneddus o bensaernïaeth, yr hon, ynghyd â'i pherthynasau, a gostiodd i'r Adeiladydd Hollalluog ddim llai na gwaith chwe diwrnod. Pan nas gallo hi wasanaethu y naill ddiben, hi ddichon wasanaethu diben arall. A phan yw dynion wedi eu dysgubo ymaith oddi ar ei hwyneb hi, hi ddichon wasanaethu rhywogaeth arall o fodau, a'r rheiny naill ai i'w gwneuthur i'r perwyl neu wedi eu gwneuthur yn barod.

Copïaf y paragraffau hyn heb newid ond yr orgraff mewn ambell air. Yn y darn nesaf fe welir fod Jeremi Owen, megis nifer o sgrifenwyr yr ail ganrif ar bymtheg, yn defnyddio " y " yn lle " a " fel rhagenw perthynol :

> St. Pedr, pan yw yn rhoddi hanes neilltuol i ni am losgiad y ddaear hon a'r rhan hynny o'r nefoedd ag sydd yn perthynu iddi, tebygid ei fod yn llefaru allan yn olau na ddifir mohoni yn llwyr ; ond yn hytrach yr adnewyddir hi i wasanaethu rhyw amcanion eraill, y rhai y cymhwysir hi y pryd hwnnw i'w canlyn. Unwaith fe'i golchwyd hi drosti â dwfr ; ac fe'i purir drachefn drwy dân. A chymaint ag a waethygwyd arni gan y diluw a'r

Felltith y ddaeth ar Gwymp Dyn, cymaint â hynny ysgatfydd a atgyweirir ac y wellheir arni gan y Tân a chan y Fendith newydd y gyhoeddir arni feallai y dwthwn hwnnw. Ni olchodd y Dwfr mo'r amhuredd ymaith i gyd ; eithr efe a adawodd laid sarnllyd ar ei ôl, yr hwn a'i gwnaeth hi yn llawer gwaeth nag oedd hi o'r blaen. Eithr y mae yn debygol y bydd i'r Tân hwn ei darostwng hi cyn llwyred ag y purir ac y glanheir ymaith ei holl sorod hi, ac y gwneir hi mor Baradwysaidd neu yn fwy Paradwysaidd nag y buasai hi erioed o'r blaen. Y ddaear ei hun a achubir, eto megis trwy dân, megis ag y dywaid yr Apostol mewn achos arall. Yr ydym ni yn gweled gwneuthur pethau mawrion trwy dân arferol a chynefinol ; oddi wrth yr hyn y gallwn ni fwrw amcan pa rym goruwch-arferol y fydd yn y tân anghyffredin hwn. Ac â nyni yn canfod fod tân cyffredin yn dwyn y fath effeithiau anghynefinol, megis troi daear arw fudr yn llestri mor llyfndeg, a'r rheiny o lawer math, ac i amrywiol ddefnyddiau, ie ei throi yn wydr gloyw, yr hwn y gallwn weled trwyddo a thrwyddo o'r pen bwygilydd ; pwy a ddichon ddychymyg mor ddisglair, mor loyw-wych ac mor deg y fydd yr holl ddaear trwy rinwedd y tân hwn, yr hwn y fydd nid hwyrach yn fwy angerddol a grymus gan mil o weithiau nag un math o dân ag ydym ni yn wybod amdano trwy brofiad yn awr . . .

Wedyn ystyria ef effaith y tân o'r awyr a'r tân yng nghrombil y ddaear yn cyfarfod i losgi a phuro'r byd :

Pan yw y ddaear wedi ei dwyn (trwy fod llawer o'i sorod wedi ei buro ymaith bob yn ychydig ac yn ychydig fel hyn) ymhen talm o amser yn ysgafnach lawer o weithiau nag yw hi yn awr, hi ymddyrchafa, ysgatfydd, o radd i radd, yn agosach at yr haul, fel y coether ac y purer hi yn hollol trwyddi gan wres annychmygol y ffwrn aruthrol honno. Neu feallai y daw seren y gynffon, neu amryw o sêr â chynffonnau i amgylchynu y ddaear, ac i wneuthur ei gwaith hi i gyd ar unwaith trwy y paladrau tanllyd y dardd ohonynt. A phan yw arwyneb y ddaear wedi ei baratoi felly gan dân dieithr a damweiniol i wneuthur ffordd i'r tân oddi fewn dorri allan, a phan yw y ddau wedi ymgysylltu yn un oddi fewn ac oddi allan hefyd, fe allai yr ymddengys y ddaear hon mor ddisglair ag un seren. Neu pan yw y donnen dew a dynnwyd dros y tu allan i'r ddaear gan Bechod, y Diluw a'r Felltith, wedi ei wisgo ymaith, fe allai yr ymddengys y seren oedd yn loyw yn y dechrau, ac yr ymddisgleiria hi yn ei hoywder a'i gwychder gwreiddiol. Hi

> fu unwaith yn amgen peth trwyddi nag yw hi yn awr yn ymddangos ; ac megis ag nas gallwn ddim bwrw amcan pa radd o ogoniant y daw hi iddo ar ei hadferiad, felly nis gallwn ni yn hawdd ddirnad pa ryw ogoniant y gollodd hi trwy y Cwymp . . .

Awgrymodd Dr. Jenkins gymhariaeth rhwng Jeremi Owen a Syr Thomas Browne. A oes yn yr *Urn-Buriall* ddim sy'n fwy ysblennydd na'r darn Cymraeg hwn ?

[*Baner ac Amserau Cymru*, 8 Tachwedd 1950,
22 Tachwedd 1950].

PENNOD XXV

GORONWY OWEN [1]

I.

ARBENIGRWYDD y ddeunawfed ganrif, a'i chymharu hi â chyfnodau eraill yn hanes llenyddiaeth Gymraeg, yw'r ffaith mai yn y ganrif hon yn gyntaf oll y daeth ein llên yn gyfan gwbl dan ddylanwadau Seisnig. O amser y Tuduriaid ymlaen bu'r dylanwadau hyn yn gwledychu fwyfwy yng Nghymru. Bu chwyldroad crefyddol Lloegr yn yr unfed ganrif ar bymtheg yn foddion dinistrio trefn gymdeithasol y beirdd Cymreig a'r traddodiad llenyddol. Prysurodd Piwritaniaid y ganrif nesaf gladdu'r traddodiad hwnnw. Ond trwy'r cwbl, ac ar hyd yr ail ganrif ar bymtheg, fe gadwyd rhyw gysylltiad rhwng llenorion Cymru a'u gorffennol, a rhyngddynt a llenyddiaethau eraill Ewrop. Ond gyda gwawr y ddeunawfed ganrif, a'r rhyfeloedd rhwng Lloegr a Ffrainc, daeth terfyn ar hynny. Yn nechrau'r ganrif fe gyhoeddodd Ellis Wynne " Weledigaethau'r Bardd Cwsc," llyfr sydd yn bwysig o'i herwydd ei hun, ac yn arwydd cychwyn cyfnod newydd yn ein llenyddiaeth, sef cyfnod Llundain a bywyd dinas. Llenyddiaeth wlad fuasai llên Cymru cyn hynny ; a'r awduron oll, a deddfau bywyd y beirdd, yn adlewych dull diddinas ar wareiddiad. Ond gan ddechrau yn amser Ellis Wynne daeth Llundain yn ganolfan llenorion Cymraeg, ac awduron Llundain (ac yn ddiweddarach Cymdeithasau Cymreig Llundain) yn mennu fwyfwy ar dwf ein barddoniaeth a'n rhyddiaith. Yr oedd Roger L'Estrange, y bu Ellis Wynne yn efelychu ei arddull yn y " Bardd Cwsc," yn aelod diwyd o ysgol a elwir yn " Gyfieithwyr Llundain," *The Cockney School of Translators*, a heb inni aros o gwbl gydag arddull Ellis Wynne, y mae'n wiw inni gofio mai strydoedd a thai a gwestyau a moesau dinas a geir yn y " Bardd Cwsc,"— y Ddinas Ddihenydd, sef Llundain.

[1]Ysgrif a ddarllenwyd yng nghyfarfod Adran y Cymmrodorion, yn Eisteddfod Genedlaethol 1923, yn yr Wyddgrug. Cadeirydd y Cyfarfod, yr Athro Syr John Morris-Jones.

Y mae pob efrydydd o waith Goronwy Owen dan ddyled i Mr. Shankland am ei ymchwil yn hanes bywyd y bardd. Mi ddymunaf innau gydnabod fy nyled iddo.

Ac nid oes dim yn amlycach yn llenyddiaeth Loegr yn y ddeunawfed ganrif na'i hysgariad hi oddi wrth fywyd gwlad. Yn Llundain yn unig y tybid bod gwareiddiad ; moesau Llundain oedd yn firain. Cyff gogan y glêr, dyna oedd y tyddynnwr a'r ysgweier gwlad, fel y gwelwn ni yn nhraethodau'r "Spectator." Fe beidiodd natur â bod yn fater barddoniaeth. "The proper study of man-kind is man" meddai un o feirdd y cyfnod, a'r dyn y meddyliai ef amdano oedd dyn y dref, dyn yn Llundain. Yn nechrau'r ganrif yr oedd llenyddiaeth yn null L'Estrange a Tom Brown yn ffasiynol, y ddrama ddifoes, llenyddiaeth realistig yn manwl ddisgrifio agweddau bas a hagr ar fywyd, y meddwyn, puteiniaid, chwaraewyr disiau, cyfreithwyr llwgr, a chrachfeirdd brwnt eu moesau. Dyna ddeunydd y "Bardd Cwsc," a chywyddau masweddol Lewis Morris, sy gan amlaf yn gyfieithiadau neu yn efelychiadau o'r Saesneg.

Ond dan ddylanwad Addison a Steele a Pope yn chwarter cyntaf y ganrif, fe burwyd chwaeth lenyddol Lloegr. Bu farw'r ddrama ddi-wrid ; collodd barddoniaeth y gwter ei bri, ac i'w lle fe ddaeth barddoniaeth a dychangerddi Pope a'r ysgol glasurol o feirdd, rhai gwiw eu celfyddyd a chabol eu hiaith. Dyma oes enwog beirniadaeth lenyddol hefyd a llythyrau llenorion, llythyrau yn trin problemau beirniadaeth, ac a gyhoeddid yn aml drwy gynnwys eu hawduron a hwythau'n fyw. Dan ysbrydoliaeth y llythyrau hynny y rhoes Lewis Morris ei lythyrau ef a llythyrau Edward Richard ar broblemau barddoniaeth Gymraeg i'w darllen yng nghyfarfod y Cymmrodorion yn Llundain. A'r mudiadau llenyddol hyn, na roddais i ond cipdrem arnynt, yw'r ffrâm anhepgor i unrhyw ddarlun cywir o fywyd a gwaith Goronwy Owen.

Cafodd gan ei dad esiampl mewn rhigymu, ac nid hwyrach rywfaint o ddysg yng nghyfrinion cynghanedd. Cafodd gan ei fam beth llawn mwy ei werth, sef cydwybod artist tuag at iaith: "Cornelia, the Mother of the Gracchi, is commended in History for having taught her sons in their infancy the purity of the Latin tongue. And I may say in Justice to the memory of my Mother, I never knew a Mother, nor even a master, more careful to correct an uncouth, inelegant phrase or vicious pronunciation." Y mae'r gymhariaeth Ladin yn arwyddlon ac yn addas. Dysgu ei iaith yn gywir yw'r ddisgyblaeth orau i blentyn, canys fe ddysg hynny iddo feddwl yn gywir ac yn fanwl : fe ddysg iddo resymu, a rheswm dyn yw ei goron. Bardd yr *intellect* yw Goronwy Owen, fel y cawn weld, a bu disgyblaeth ei fam yn baratoad iddo.

Ond yr oedd yr addysg a gafodd mewn ysgolion yn Seisnig. Eto, bu'n ffodusach na beirdd diweddarach, canys oes glasurol oedd ei oes, ac addysg, hyd yn oed yn Lloegr y pryd hwnnw, yn addysg yn wir. Hynny yw, fe ddysgodd Roeg a Lladin yn llwyr, a chanddo wybodaeth eang am y ddau wareiddiad a'r ddwy lenyddiaeth a erys yn seiliau Ewrop. Bid sicr fe ddengys un o'i lythyrau wybod ohono rywbeth hefyd am " ryfeddol gynheddfau yr ehedfaen," ac efallai y bydd hynny yn gysur i'r neb a farno mai cwrs mewn gwyddoniaeth yw addysg.

Yn ei ysgolion fe ddaeth Goronwy Owen yn gynefin hefyd â llenyddiaeth Saesneg ei oes. Dengys llythyrau'r Morrisiaid eu bod yn darllen y " Spectator " a chylchgronau Llundain yn Sir Fôn yn gynnar yn y ddeunawfed ganrif. Yr oedd y Deon Swift, ac yntau yn byw yn Nulyn, yn bwrw diwrnod yn aml yng Nghaergybi, a'i waith yn hysbys i Lewis Morris a llawer llengar ym Môn. Nid oes raid chwilio maint gwybodaeth Oronwy am lenyddiaeth Loegr. Fe brawf ei lythyrau nad oedd dim yn ffasiynol yn Llundain na wybu yntau amdano. Hynny yw, llenyddiaeth oes Dryden a Pope. Y " Distressed Mother " gan Ambrose Phillips oedd ei hoff ddrama. Nid yw enw Shakespeare i'w gael yn ei lythyrau. Y mae hynny yn gyson â thuedd ei ganrif. Y tebyg yw iddo ddarllen mwy o farddoniaeth Gymraeg nag a fynnai gydnabod yn ei lythyrau ; ond y mae'n sicr iddo ddarllen yn ehangach mewn llenyddiaeth Saesneg.

Yn ei syniadau gwleidyddol yr oedd yn Chwig, yn deyrngar, yn Sais. Troes ei gefn ar draddodiad politicaidd Cymru. Yr oedd boneddigion Môn yn ei oes ef yn ffyddlon i'r traddodiad hwnnw, " yn addolwyr Iago " fel y dywedai'r bardd, yn cadw yn eu hymdeimlad gwleidyddol rywfaint o annibyniaeth yr uchelwyr Cymreig. Ond am y dibynnol a'r swyddgeiswyr, Chwigiaid oeddynt, megis y Morrisiaid a ddaliai bob un swydd dan y llywodraeth. Curad a fynnai ei fod yn berson oedd Oronwy, ac felly yn Chwig.

Y gwahaniaeth rhwng Goronwy Owen a Lewis Morris oedd ei fod ef, Oronwy, yn gynnyrch ysgol a choleg a diwylliant clasurol, pethau nis cawsai'r Morrisiaid. Yr oedd o'n ysgolhaig fel Pope ac Addison, ac megis hwythau fe fagodd snobyddiaeth sy'n anhepgor ysgolhaig. Ei uchelgais oedd sgrifennu yn deilwng o safonau clasurol ei oes, oes y safonau. Gan hynny, fe edrychai ar y baledwyr a'r awduron cerddi a charolau Cymraeg gyda'r un dirmyg ag a guchiasai Pope ar " Grub Street " beirdd Llundain a'r baledwyr dienw. Yr englynion i Elis y Cowper yw " Dunciad " byr Goronwy Owen. Tybiai fod sawr y dafarn a'r werin ddi-foes ar gerddi rhydd barddoniaeth Gymraeg, a throes ei gefn arnynt. Yng ngramadeg Siôn Rhydderch a Siôn Dafydd Rhys, ac ym marddoniaeth Edmwnd Prys a Siôn y Cent ac eraill y bu eu gweithiau ganddo, fe ddysgodd grefft yr hen feirdd clasurol a fuasai gynt yng Nghymru, rhai a oedd, fel y meddyliai o, yn deilwng cymharu eu crefft â Pope ac â Dryden, beirdd yr oes " Augustan " yn Lloegr. Yr oedd y gynghanedd yn hanfodol iddo : " without them (y cynganeddion) it were no poetry." Heb gynghanedd ni byddai ragor rhyngddo ac Elis y Cowper.

Yn ei ysgolion, ac wedi hynny ym Mhwllheli, cafodd Goronwy gwmni cyfoedion ac efrydwyr. Yn fuan yn ei oes fe'i symbylwyd gan fudiadau llenyddol ei ganrif, a rhoddwyd cyfeiriad i'w awen na wyrodd hi ddim oddi wrtho. Ond am lawer blwyddyn wedi hynny, unig oedd ei fywyd. Bu'n gurad mewn pentrefi Seisnig ar ororau Cymru a Lloegr, ac yna mewn pentref yn y wlad yn agos i Lerpwl. Ychydig o gwmni Cymreig a gafodd, a llai na hynny o gwmni llenorion. Canlyniad hyn oedd fod twf ei feddwl yn union ac yn rheolaidd. Ni ddaeth dim yn annisgwyl i'w droi i lwybrau dieithr. Aeth i Donnington, allan o gyrraedd llyfrau ac ymgom efrydwyr, ymhell oddi wrth gynnwrf syniadau newydd ; a bu fyw am ddeng mlynedd ar y ddysg a'r damcaniaethau llenyddol a fu'n faeth iddo pan oedd ei feddwl yn ir ac yn barod. Ond mewn unigedd y mae athrylith yn addfedu, ac yn ei unigedd fe barhaodd Goronwy mewn myfyr ac ysgrifennu, ac yn niwedd y flwyddyn 1751 ymwelodd Lewis Morris ag ef yn Donnington, ac o hynny ymlaen y mae gennym oleuni llythyrau ar fywyd a meddwl y bardd.

Beth oedd achos syndod aruthr Lewis Morris ? Bu'r cyfarfod yn Donnington yn gychwyn cyfnod llenyddol newydd yn ôl ei farn ef. Darllenodd gywyddau Goronwy a barnodd eu bod " the best that ever the world saw in that language." Geiriau cryfion. Ysgrifennodd at ei frodyr ac at ei gyfeillion yn mynegi a welodd ac a glywodd. Fe wyddom mai'r ddau gywydd a'i syfrdanodd oedd " Cywydd y Farn Fawr," a " Bonedd a Chyneddfau'r Awen." Yr oedd gan Lewis Morris wybodaeth eang a dofn o waith Dafydd ap Gwilym a chywyddwyr y bymthegfed ganrif a'r unfed ar bymtheg. Beth oedd yn y ddau gywydd hyn i'w rhoi'n uwch na holl waith y beirdd Cymraeg ? Dyma yn wir hanner y broblem i feirniadaeth heddiw. Beth oedd pwysigrwydd Goronwy Owen i'w oes ?

Fe ddywedwyd eisoes pa fath oes ydoedd honno, oes y dylanwadau Seisnig. Yr oedd Lewis Morris wedi ei drwytho mewn llenyddiaeth Saesneg. Yn Saesneg yr ysgrifennai ei draethodau beirniadol a llenyddol. Iaith Addison a Pope, a thermau technegol barddoniaeth Saesneg oedd ar ei wefusau. Problemau llenyddiaeth Loegr, yn arbennig problemau beirniadaeth, oedd pwnc y dydd iddo ef. I ddyn o'i fath rhaid bod barddoniaeth Gymraeg yr ail ganrif ar bymtheg a dechrau'r ddeunawfed yn beth dibwys, yn beth plwyfol. Gallwn ddyfalu nad dirywiad y gynghanedd yn unig a barodd iddo gredu bod barddoniaeth yng Nghymru wedi marw yn oes Elizabeth. Ond clywed ar ei galon nad oedd gan y cerddi a'r carolau a'r cywyddau Cymraeg ddim rhan yn llif meddwl llenyddol ei ganrif. Ac yna fe ddarganfu Oronwy Owen, cael hyd i fardd Cymraeg *a oedd yng nghanol y llif*, bardd nad oedd ddim yn blwyfol ; un yn trin yn ei gywyddau broblemau hanfodol ei oes, ac yn cyfrannu'n gyfoethog i feddwl ei ganrif ; a'i grefft, yn oes y crefftwyr, yn hafal i ddim a grewyd hyd yn oed gan y meistri. Bellach y mae'n rhaid dangos cysylltiad Goronwy Owen â llenyddiaeth Saesneg, ac egluro prif deithi ei awen a'i feddwl.

II.

Ceir yn ei lythyrau gyfeiriadau at gweryl yr " Ancients and Moderns." Cychwynnodd y ddadl hon yn Ffrainc yn yr ail ganrif ar bymtheg, a ffynnodd yn Lloegr yn oes Dryden ac ym mlynyddoedd cyntaf y ddeunawfed ganrif. Ymrannai llenorion yn ddau wersyll, un yn honni mai'r awduron Groeg a Lladin oedd y gwir glasuron, ac mai trwy ddilyn eu camre hwy yn unig y gellid mwyach brydyddu'n gain. Horas oedd arwr a phatrwm yr ysgol hon, a cheisiai Dryden a Pope a Young gyfieithu ac efelychu epistolau ac awdlau Horas. Felly hefyd y gwnâi Oronwy Owen. Cyfieithodd o Horas ac o Anacreon, a throes un o awdlau'r bardd Lladin yn Gymraeg, gan newid Melpomene yn Awen, Rhufain yn Fôn, a Marcius Censorenius yn Lewis Morris. Dyna ddull Pope o drin epistolau Horas. Yn groes i hyn, fe daerai'r ysgol " fodern " mai hynafiaeth y Groegwyr a'r Rhufeinwyr oedd eu neilltuolrwydd, ac nad oedd eu barddoniaeth ddim yn amgenach na gwaith diweddar beirdd Ffrainc a Lloegr. Dyma ddamcaniaeth Perrault yn Ffrainc a'r Syr William Temple yn Lloegr, a Lewis Morris yng Nghymru. " We too," meddai Lewis Morris, " shall be ancients some day." Cododd balchder cenedl yn gefn i'r ddysg hon. Bu felly yn Lloegr, a chafodd effeithiau diddorol yng Nghymru. Dadleuai Lewis Morris fod traddodiadau llenyddol Cymru yn annibynnol ar Roeg a Rhufain, ac mor hen a chlasurol â hwythau. Darganfu Ieuan Brydydd Hir waith Aneirin, a barnwyd y Gododdin yn epig megis yr Iliad, a'r derwyddon yn feirdd yn gystal â Homer. Nid oes raid inni fynd i Barnasws am awen, meddai Lewis Morris, a throes Goronwy feddwl ei gyfaill yn gywydd cyfarch Tywysog Cymru :—

Ai rhaid awen gymengoeg
O drum Parnassws, gwlad Roeg ?
Ni cheisiaf, nid af i'w dud,
Glod o elltydd gwlad alltud.
Ofer y daith, afraid oedd,
Mwyneiddiach yw'n mynyddoedd.

Ond barn Lewis Morris yn hytrach na barn Goronwy sydd yn y cywydd hwn. Y mae meddwl Goronwy ei hun yn gywreiniach. Canys yng nghanol y dadlau yn Lloegr rhwng yr Hen a'r Newydd (the Ancients and Moderns), cododd beirniad a effeithiodd yn fwy na llawer ar ei oes ac ar Oronwy Owen. Nid ydys heddyw'n darllen gwaith John Dennis, ond yr oedd yn un o feirniaid llenyddol blaenaf y cyfnod rhwng Dryden a Johnson. Effaith dadl yr Hen a'r Newydd ar Dennis oedd ei gymell i chwilio am hanfod barddoniaeth, fel y deallai, ond odid, achos rhagoriaeth yr hen glasuron Groeg a Lladin. Tybiai wedi hynny mai hawdd fyddai magu'r rhagoriaethau hynny yn ei oes ei hun. Fe gyhoeddodd ffrwyth ei ymchwil yn 1701 yn ei draethawd ar " The Advancement and Reformation of Modern Poetry." Dadl Dennis yn y llyfr hwn oedd fod yr un amcan i farddoniaeth ag i grefydd :—" the design of true religion and poetry are the same." Fe ddengys ei draethawd wybodaeth fanwl am holl hanes Duw a dyn. Yn y cread cyntaf, meddai, yr oedd gytgord a miwsig drwy'r greadigaeth, a chan ddyn, sef Adda, ei ran ym mheroriaeth y bydysawd. Ond yng nghwymp dyn, fe dorrwyd ar gytgord y cread, dryswyd y canu persain, a chollwyd y ddynoliaeth o'r côr. Amcan crefydd yw dwyn dynion eilwaith i gytgord â holl gread Duw. A dyna, ebr Dennis, yw ymgais ac amcan barddoniaeth hithau. Hynny yw, mewn barddoniaeth fe geir rhyw flaenbraw ar gytgord y nefoedd :—" He who is entertained with an accomplished poem is for a time at least restored to Paradise."

Dyna ran gyntaf dadl John Dennis, ac fe welir bod ynddi olion syniadau Platon. Trown weithian at gywydd Goronwy Owen ar " Fonedd a Chyneddfau'r Awen," lle y ceir ei athroniaeth ef yn llawnaf, ac fe welwn mai dadl Dennis sydd yn y cywydd wedi ei phlethu yn gân. Canys yr oedd y ddysg hon wrth fodd calon y bardd Cymraeg. Yr oedd o'n hoff o sôn am ei " ddwy alwad," yn fardd ac offeiriad, ac yn athrawiaeth Dennis fe welai ei fod yn gallu cyfuno'r ddwy swydd, gan mai'r un amcan oedd iddynt. At hynny, trwy dderbyn y ddysg hon am ddechrau ac amcan barddoniaeth, gallai yntau gytuno â Lewis Morris i wrthod y traddodiad clasurol mai o Roeg baganaidd y deilliai farddoniaeth :—

> Bu gan Homer gerddber gynt
> Awenyddau, naw oeddynt ;

ond nid gwir hynny :—

> Breuddwydion y beirdd ydynt.

Canys y cread oedd cychwyn barddoniaeth, a sêr y bore oedd ffynhonnell cywyddau'r byd :—

> Un awen a adwen i,
> Da oedd, a phorth Duw iddi :
> Nis deiryd, baenes dirion,
> Naw merch clêr Homer i hon.
> Mae'n amgenach ei hachau ;
> Hŷn ac uwch oedd nag âch Iau.
> Nefol glêr a'i harferynt,
> Yn nef y cae gartref gynt . . .
> Sêr bore a ddwyrëynt

Yn llu i gydganu gynt . . .
Meibion nef yn cydlefain
A'u gilydd mewn cywydd cain . . . .

ac yr oedd i ddyn yntau, yn ôl dysg Dennis, ei ran yn y beroriaeth :—

Canai Efa, deca' dyn,
Canai Adda, cain wiwddyn.

Yna fe ganlyn hanes barddoniaeth. Yn awr, y gân arall yn y ddeunawfed ganrif y gellir yn briodol ei chymharu â'r cywydd hwn yw " The Progress of Poesy " gan Thomas Gray. Rhydd Gray yntau dras yr awen, gan ddilyn y ddamcaniaeth glasurol a dangos mai o Roeg i Rufain :—

The sad Nine, in Greece's evil hour,
Left their Parnassus for the Latian plains,

o Rufain i Loegr, dyna yw llinell barddoniaeth. Nid yw Goronwy yn cydnabod y llinell hon. O Adda i Foesen, o Foesen i Ddafydd yw ei linell ef, llinell barddoniaeth Hebraeg. A diwedda'r cywydd gyda syniad Dennis mai un amcan sydd i grefydd a barddoniaeth, sef paratoi'r ddynoliaeth i'r nefoedd :

Dyledswydd a swydd hoyw sant
Yw gwiw gân a gogoniant ;
Dysgwn y fad ganiad gu,
Ar fyr awn i'w harferu ;
Cawn awenlles cân unllef
Engyl â ni yngolau nef,
Lle na thaw ein per Awen,
' Sant, Sant, Sant ! Moliant ' Amen.

Ond sut y gallodd Goronwy, wedi ei hir addysg glasurol, ymwrthod â'r traddodiad Groeg a Lladin ? Y mae'r un acen yn aml yn ei lythyrau, yn gyfochrog â'i wrogaeth i'r clasuron,— rhyw ogan iddynt, megis arwydd anesmwythyd. Y mae'r rheswm am hyn yn amlwg yng ngweddill dadl John Dennis. Yr oedd yn aros i'r beirniad Saesneg ddangos ymhellach beth oedd sail rhagoriaeth y beirdd Groeg a Lladin, a'r modd y gallai beirdd ei oes ei hun gystadlu â hwynt. Nid amheuodd Dennis : yr unig fodd i gyfansoddi barddoniaeth berffaith oedd drwy gyfuno'r ddau allu a geisiai arwain dyn i berffeithrwydd paradwys ac i gytgord â Duw, sef cân a Christnogaeth.

Rhinwedd athrylith Homer a'r clasuron oedd eu bod hwy'n credu yn eu duwiau, Iau, Apolo, yr Awenyddau, ac mai barddoniaeth grefyddol oedd eu holl ganu. Gwendid beirdd Ewrop yn ei oes ef oedd eu bod yn cyfansoddi yn ôl patrwm yr hen baganiaid, ond heb gredu yn y ddiwinyddiaeth a fuasai'n sail i'w canu. Ond pe canai beirdd y ddeunawfed ganrif am y gwir Dduw ac am wir grefydd, meddai Dennis, gallent yn ebrwydd ragori ar y clasuron oll. Rhoes yntau ddwy enghraifft o'r rhagoriaeth a oedd yn eu cyrraedd. Esaiah, y bardd Hebraeg, oedd y gyntaf, a dyma'r lle y cafodd Goronwy ei syniad am fonedd Hebraeg i'r Awen, fel y gwelsom yn ei gywydd. Yr oedd ail enghraifft Dennis yn bwysicach na hynny yn hanes barddoniaeth Gymraeg. Yn nechrau'r ddeunawfed ganrif yn Lloegr fe anghofiwyd am lenyddiaeth Biwritanaidd y ganrif gynt. Dennis oedd y beirniad Saesneg cyntaf a roes y clod a ddylid i John Milton. Dyfynnodd yn helaeth o " Paradise Lost " i brofi bod canu Cristnogol yn well na'r cwbl o waith y Groegiaid.

Bid ddiau, fe ymddengys dadl John Dennis erbyn heddiw yn blentynnaidd. Ond bu'r effaith yn eang yn ei ddydd. Creodd ffasiwn y farddoniaeth grefyddol yn Lloegr ac yng Nghymru. Yr oedd epig Gristnogol yn uchelgais y degau beirdd, ac ysywaeth ni orffwysasant nes cyflawni eu hamcanion. Ac un o'r pynciau poblogaidd i'r caneuon hyn oedd hanes diwedd y byd, neu'r Farn Fawr. Canwyd amryw awdlau ac emynau Pindarig ar y testun hwn, a bu rhai o'r cyfansoddiadau hynny yn enwog iawn yn eu hoes, yn arbennig gwaith Young a Pomfret.[2] Yn null y rheiny a than yr un ysbrydoliaeth yr ysgrifennodd Goronwy Owen " Gywydd y Farn Fawr."

Ac yma fe ganfyddir dylanwad arall a fu'n bwysig yn hanes y bardd. Yn y ddeunawfed ganrif nid oedd enwogrwydd Joseph Addison a'r " Spectator " ddim yn llai na'r eiddo Dennis ei hun. Ac wedi i Dennis alw sylw cyffredinol at waith John Milton, fe ysgrifennodd Addison yn y " Spectator " gyfres o erthyglau ar arddull barddoniaeth epig, gan gymryd " Paradise Lost " yn sail ei feirniadaeth. Derbyniwyd yr ysgrifau hyn yn feibl i feirdd y ganrif. Yn llanc ym Môn fe astudiodd Lewis Morris y cwbl, a chyfeiria ef a Goronwy Owen atynt yn aml yn eu llythyrau.

[2]Gweler, " A School of Welsh Augustans," lle y ceir ymdriniaeth fanylach â'r mater hwn.

Yn gytun â holl feirniaid ei oes (a beirniaid lawer yng Nghymru heddiw) credai Addison fod rheolau a safonau ar farddoniaeth. Yn arbennig, yr oedd yn rhaid i iaith ac arddull fod yn aruchel, yn *sublime* ; a chan bwyso ar esiampl Milton (megis petai cân yn gynsail mewn cyfraith), fe roes reolau i'r beirdd sut y dylid ysgrifennu'r arddull aruchel a weddai mewn epig. Yn gyntaf, ni ddylid fyth arfer geiriau sathredig a chyffredin : " To be sublime the language of epic ought to deviate from the common forms of speech." Yna rhydd gyfarwyddyd sut i greu iaith anghyffredin. Un dull a arferodd Milton, meddai, oedd defnyddio cystrawen ddieithr a fenthyciwyd o Ladin, o Roeg, neu o Hebraeg. Dull arall yw arfer geiriau hen :—" The use of old words makes the poem more venerable and gives it a greater air of antiquity." Rhaid oedd hefyd drin geiriau mewn dulliau anghynefin, megis defnyddio ansoddair yn lle enw, neu newid trefn naturiol geiriau mewn brawddeg. Ac felly ymlaen.

Ac fe ddaeth y triciau hyn yn ffasiwn yn Lloegr, yn union fel y bu'n ddiweddar yn ffasiwn ymysg beirdd anghydffurfiol Cymru arfer geiriau Catholig megis claswyr, paderau, etc. A chymaint oedd coegni arddull y beirdd Cristnogol Saesneg fel yr ysgrifennodd Pope ddychan arnynt, a'u cymell i chwilio am hen eiriau tywyll yn yr eirfa a geid yn niwedd gwaith Chaucer.

Bellach, mi gredaf fod yn eglur ym mhle y dysgodd Goronwy Owen arddull " Cywydd y Farn Fawr."[3] Dengys ei lythyrau mai ymgais oedd y cywydd i gyfansoddi darn a fyddai'n batrwm arddull epig yn Gymraeg. " I flatter myself," meddai, " that I am master of a fluency of words, and purity of diction." " Our language undoubtedly affords plenty of words expressive and suitable enough for the genius of a Milton." " Our language . . . is abundantly fitted for copiousness and

[3]Cred Mr. Shankland (*Y Geninen*, Ion. 1923) fod " Cywydd y Farn ar y gweyll, os nad wedi ei orffen, cyn 1747," a " Bonedd a Chyneddfau'r Awen " yn gynt beth na hynny. Daliai Mr. J. Glyn Davies fod hynny'n wir, flynyddoedd yn ôl. Ceisiais ddangos eisoes fod y ddau gywydd yn gynnyrch effaith ei addysg ramadegol ar Oronwy, ac y mae hynny'n ategu damcaniaeth Mr. Shankland. Y mae profion arddull yn dangos sgrifennu'r ddau yn yr un cyfnod, fel y gwelir yn y llinellau hyn o gywydd " Bonedd a Chyneddfau'r Awen " a allai fod yn rhan o " Gywydd y Farn " :—

" Ffurfafen draphen a droe,
Ucheldrum nef a chwildroe ;
Daeth llef eu cân o nefoedd,
Ar hyd y crai fyd, cryf oedd."

significancy, to express the sublimest (gair Addison, a gair mawr y ganrif a astudiai Longinus) thoughts in as sublime a manner as any other language is capable of reaching to . .". " Our language is not inferior for copiousness, pithiness, and significancy, to any other, ancient or modern." Termau Addison yn disgrifio iaith epig yw'r ansoddeiriau hyn, a Chywydd y Farn oedd sail hyder Goronwy Owen :—" If there was a man that had a poetical genius, and would ever so fain learn Welsh, and use significant words (un arall o brif ansoddeiriau beirniadaeth yr oes oedd *significant*) . . . give him Cywydd y Farn or any other of mine." Ac y mae nodweddion arddull y Cywydd,—y geiriau hen ac anghynefin a gafodd ef drwy chwilio geirlyfr y Dr. John Davies,[4] fel y chwiliai'r beirdd a ddychanodd Pope eirfa Chaucer, y gystrawen sy weithiau yn hen ac weithiau yn anghymreig a Lladinaidd, y tric o ddefnyddio ansoddeiriau yn lle enwau a gwrthdroi trefn naturiol geiriau yn Gymraeg,—y mae'r cwbl yn ôl rheolau Addison ac esiampl Milton. Tasg efrydydd yw Cywydd y Farn, ymgais gydwybodol i ddilyn holl gyngor athrawon Seisnig, heb ddim gwreiddioldeb mewn na mater na deunydd nac arddull.

Ac er hynny, fe'i cyfrifid yn ei ddydd yn gampwaith, ac yn sicr y mae camp arno ; a chyn wired â hynny, y mae'n *tour de force* anghyffredin. Mor wahanol i'r syniad cyffredin am farddoniaeth ! Y syniad rhamantus yw'r syniad cyffredin, syniad am danbeidrwydd profiad ac ysbrydoliaeth a dwyster. Ond y mae Cywydd y Farn mor oer ag un o golofnau marmor y Parthenon. Ac y mae'n ddyletswydd ar feirniadaeth geisio diffinio rhinwedd y cywydd. Perffeithrwydd ei saernïaeth yw ei gamp amlycaf ; ac fe ymddengys ei berffeithrwydd yn hynotach o'i gymharu â'r caneuon a gymerth y bardd yn batrwm iddo. Cynhwysai " The Last Day " gan Young dros fil o linellau a llwythid hwynt yn aml gan foeswersi maith a diflas. Ceid yn emyn Pindarig John Ponfret dri chan llinell reithegol a gwasgarog. Yng nghywydd Goronwy ceir un digwyddiad wedi ei gwbl ddisgrifio, gyda chynildeb llym, a grym meddwl dihafal. Dywedais mai bardd yr *intellect* oedd Goronwy Owen. Gellir dywedyd hefyd mai bardd ewyllys ydoedd. Y mae argraff ei ewyllys lem ar bob llinell o'r cywydd ; mynnodd

[4] " Diamau mai diolchgar y dylem oll fod iddo a mi yn anad neb, oblegid, efe a ddysgodd i mi fy Nghymraeg." *Llythyrau*, tud. 93.

ei ffordd gyda'r gân, heb wyro unwaith oddi wrth y rheolau (hynny yw, yr arddull) a ddewisasai. Gwnaeth a fynnodd â'r ffurf ac â'r arddull, ac nid dim arall. Rhoes iddo'i hun dasg, ac fe'i gorffennodd. Yr unig gân Gymraeg arall sy'n debyg i Gywydd y Farn mewn cyflawnder a phendantrwydd ffurf a gallu cynlluniol yw " Ymadawiad Arthur " Mr. Gwynn Jones, lle y ceir yr un ymgais a llwydd i ddisgrifio un digwyddiad, yn gryno, yn gwbl, yn ddi-siawns, ond gyda chyfoeth dychymyg nas meddai Oronwy Owen ac nas dymunasai. Nid oedd bris ar ddychymyg yn ei oes ef.

Wedi iddo orffen Cywydd y Farn, fe glywai Oronwy ei fod yn feistr ar arddull aruchel, a'i holl fryd bellach oedd ymosod ar waith ei fywyd, sef cyfansoddi epig Gymraeg. Darllenai gân Milton yn gyson, ac yn Walton fe obeithiodd ei brofi ei hun yn ail iddo. Cawn yn ei lythyrau hanes ei efrydiau a'i fyfyrdod yn y gorchwyl, a diddorol yw sylwi ar anhawster y bardd. Yn hanes beirdd y ganrif ddiwethaf a fyfyriai sgrifennu epig,—Coleridge er enghraifft—gwelir mai cael testun cymwys oedd eu trafferth. Ond yn holl lythyrau Goronwy Owen, nid oes un arwydd iddo betruso y dim lleiaf am hynny. Rhydd inni'r argraff mai problem chwarter awr a fyddai dewis testun. Ac y mae'r gwahaniaeth hwn yn arwydd o'r bwlch rhwng bardd clasurol fel Goronwy a bardd rhamantus fel Coleridge, neu yng Nghymru, Islwyn. I Oronwy, holl broblem barddoniaeth yw ffurf. Fe awgrymais eisoes mai cyfieithiadau neu efelychiadau o'r Saesneg yw llawer o'i gywyddau ; a gwir hynny. Odid na ddywedai beirniaid heddiw fod hynny'n dwyll, ac yn sicr fe gredent leihau lawer ar werth ei farddoniaeth.[5] Byddai beirniadaeth felly yn gwbl annealll i Oronwy ac i feirdd Saesneg ei ganrif. Iddynt hwy celfyddyd oedd barddoniaeth, camp ar ffurf, arddull, gwiwdeb ar iaith a chyfansoddi. Am ddeunydd cân, gallai fod mor draddodiadol ag a fynnid ; yr oedd cyfieithu neu efelychu mor barchus ganddynt â dim newydd ; yn wir, efelychiadau o Horas oedd campwaith Pope, sef yr *Epistles*. Ac yr oedd i'w tyb hwy fantais mewn efelychu a

[5] Hyd yn oed yn ei oes ei hun fe gyhuddai rai Oronwy Owen o lênladrad, yn arbennig yng Nghywydd y Farn. Gweler " Letters of Goronwy Owen." (Gol. J. H. Davies) tudalen 15 :—" The subject I tho't of writing upon ever since Cottyn was pleased to accuse me of plagiarism." Gweler hefyd dudalen 17 :—" Os mawr iawn ei gymeriad, mwy yw'r genfigen gan rai wrtho."

chyfieithu. Creai hynny draddodiad—ac y mae traddodiad yn anwylbeth pob oes glasurol. Islwyn oedd un o'r cyntaf yng Nghymru i gredu mai gwreiddioldeb meddwl, a dieithrwch a beiddgarwch syniadau, yw hanfod barddoniaeth.[6] Ac ar ei ôl ef y dechreuwyd rhoddi pris ar " wreiddioldeb," megis petai'r fath beth yn bosibl â " syniad barddonol." Wrth gwrs, barddoniaeth yw'r unig beth barddonol ; ac od yw Goronwy Owen ymhen dwy ganrif yn fwy byw nag Islwyn sy gymaint yn nes atom, un rheswm am hynny yw bod ganddo feddwl cywirach am hanfod barddoniaeth.

Sut, gan hynny, na lwyddodd Goronwy i sgrifennu ei epig? Ar yr wyneb, fe ymddengys yr ateb yn wacsaw :—methodd ganddo ddewis mesur. Ni fynnai mo'r cywydd, gan fyrred hyd ei linell, na'r un arall o'r pedwar mesur ar hugain. Astudiodd fesurau Cynddelw a Gwalchmai, a phrofodd hwynt, ond ni thycient ddim. Beth oedd ar y ffordd ? Yn fyr, y traddodiad llenyddol Cymreig oedd yn rhwystr iddo. Ni fynnai ymwadu â'r mesurau swyddogol Cymreig. Ni fodlonai gymryd mesur di-odl " Paradise Lost." Bu'n hir cyn y deallodd fod cân hanes yn gwbl groes i'r traddodiad llenyddol, ac mai telynegol yw'r awdl a'r pedwar mesur ar hugain. Ond o'r diwedd, gwelodd hynny, a chredai ddianc oddi wrth ei anhawster drwy gymryd mesurau'r Gogynfeirdd. Ped arosasai'n ddigon hir gyda hwythau, fe welsai nad oedd hanfod eu barddoniaeth hwy ddim yn llai telynegol. Ond yn ffodus, yng nghanol ei ffwdan fe aeth i Lundain, a gadawodd yr epig yn broblem i'r ganrif ar ei ôl, a'i lythyrau yn gorff o ddamcaniaeth feirniadol a gafodd effaith ddofn ar dwf llenyddiaeth Cymru. Yn wir, yn *hanes* ein llenyddiaeth, y mae ei lythyrau yn bwysicach na'i gywyddau.[7] Y llythyrau a roes fod yn y diwedd i awdl a phryddest y ganrif ddiwethaf ac i holl amcanion llenyddol yr eisteddfod, ac i'w beirniadaeth hefyd. Y mae yn anffodus na chlywodd Goronwy Owen erioed am fardd a gydoesai ag ef, ac a gyfansoddodd " Theomemphus." Un peth yn unig a allasai fod yn ddolen

[6]Gweler, *Y Llenor,* Haf 1923, am esboniad ar ddamcaniaeth Islwyn gan Mr. W. J. Gruffydd. Nid hwyrach y dylid dywedyd bod Williams Pantycelyn yn dal y ddamcaniaeth hon o flaen Islwyn.

[7]Wrth gwrs, nid oes dim cymhariaeth yn bosibl rhwng *gwerth* ei gywyddau a'i lythyrau. Y mae ei gywyddau yn waith celf, ac nid yw ei lythyrau yn hynny o gwbl.

i'w cysylltu. Yr oedd y ddau yn ddisgyblion John Milton. Fe lwyddodd Williams i ysgrifennu ei epig pan fethodd gan Oronwy. Fe lwyddodd oblegid bod hanes barddoniaeth Gymraeg yn guddiedig oddi wrtho.

III.

O 1755 hyd ddiwedd 1757 yw cyfnod Goronwy Owen yn Llundain. Cafodd yno gwmni Cymmrodorion a llenorion rai. Daeth i wybod am fudiadau llenyddol canol y ganrif yn Lloegr, a daeth terfyn ar unigedd ei fywyd barddonol. Gwelodd fod y pethau a fuasai'n ffa iwn yn ei ieuenctid ef wedi eu hen anghofio yn Llundain. Ni pheidiasai dylanwad Milton yn llwyr ; ond darfuasai cyfnod yr epig ers talm, a chymerth Alexander Pope (1688-1744) ei le fel brenin barddoniaeth Saesneg. Pope oedd clasur canol y ganrif, a'i arddull ef oedd yr arddull safonol. Yn awr, nid oedd yr arddull hon yn ddieithr i Oronwy Owen. O ddechrau ei yrfa bu dylanwad Dryden a Pope, ac ysgol Pope, yn llenwi ei feddwl odid yn gymaint â gwaith Milton. Milton yn wir a deyrnasai yn ei lythyrau ; ond beirdd y ddeunawfed ganrif oedd yn batrymau ei farddoniaeth. Perthyn i gyfnod Pope y mae'r " Cywydd i'r Awen," " Y Maen Gwerthfawr " a'r cyfieithiadau. Ac fe geir acen naturiol y bardd yn y rheiny, heb reolau Addison yn gorfod arno. A thyfodd yr arddull hon i'w haddfedrwydd yn y cywyddau a berthyn i gyfnod Llundain. Ei nodweddion yw llyfnder ac esmwythdra mewn mydr, cynildeb, cymesuredd ffurf, acen gymdeithasol, barddoniaeth ddinesig a dof. Dyma nodweddion " Cywydd y Gwahodd," " Cywydd ar Enedigaeth Sior Herbert," " Cywydd i'r Nennawr," a " Chywydd Hiraeth am Fôn," ond bod nwyd y bardd yn y cywydd olaf hwn yn dwyn i'r canu angerdd a grym rheithegol sy'n neilltuolrwydd arno. Ac i'm bryd i, y cywyddau hyn a'r rhai tebyg iddynt a geid yn gynt, yw gwir waith clasurol Goronwy Owen. Canys y maent yn glasurol yn y ddwy ystyr sydd i'r gair.

Yn gyntaf, eu bod yng nghanol eu canrif, yn adlewych teg o gyflwr meddwl yr oes glasurol, yn ei chwaeth geidwadol, ei hoffter am drefn a sicrwydd a goleuni. Nid oes dim dyrys na thywyll yn y cywyddau hyn. Rhaid cydnabod bod olion ymdrech a thrais ar " Gywydd y Farn," ond y mae " Cywydd y Gwahodd" yn dawel, fel un o strydoedd cain y ddeunawfed ganrif, un o heolydd Bath, neu Rodney Street yn Lerpwl. Ceinder bywyd sefydlog.

Bid sicr yr oedd i'r bywyd hwnnw ei derfynau. Yr oedd yn anghywrain ynghylch rhannau helaeth o brofiad dyn. Nid oedd ynddo fawr le i ddychymyg nac i ddwyster enaid nac i ffansi. Gwybu Goronwy, blentyn gwlad, am goelion a hanesion o hen oesoedd :—

Tylwyth teg ar lawr cegin,
Yn llewa aml westfa win ;
Cael eu rhent ar y pentan,
A llwyr glod o bai llawr glân,
Canfod braisg widdon baisgoch
A chopa cawr, a chap coch :
Bwbach llwyd a marwydos
Wrth fedd yn niwedd y nos.

Ond troes oddi wrth y pethau "Gothig" hyn :—

Rhowch im' eich nawdd, a hawdd hyn,
Od ydwyf anghredadyn ;
Coelied hen wrach, legach lorf,
Chwedlau hen wrach ehudlorf.

Iddo fo, yr oedd syniadau haniaethol, megis Cenfigen, Tlodi, yn fwy byw ; a dyna efallai agwedd ar ei feddwl sy'n anodd i ni ei deall. Ond gwendid y ganrif oedd hynny, ac yn cyd-fynd â'i chryfder. Canys od oedd cylch ei chywreinrwydd a'i gwybod yn gyfyng, rhoes o leiaf drefn ar ei deall, a disgyblaeth ar ei dychymyg. A'r un cariad at drefn a cheinder ffurf ag a barodd i gyfoedion Goronwy a'i gyd-glerigwyr ddirmygu anhrefn a dychymyg afreolaidd y Diwygiad, a gynhyrchodd hefyd berffeithrwydd rhyddiaith John Morgan a chynghanedd Goronwy ei hun. Ac ni ellir ymdrin ag elfennau clasurol gwaith y bardd heb sôn am ei gynghanedd. Oblegid, beth bynnag a fo'r gwahaniaeth mewn llenyddiaethau eraill rhwng y clasurol a'r rhamantus, rhaid ychwanegu yn Gymraeg y gwahaniaeth hwn, fod tuedd yn y bardd rhamantus at y mesurau rhyddion, a bod y bardd clasurol (ar ôl Goronwy Owen ac oblegid ei waith ef) yn fardd y gynghanedd.

Un o wendidau amlwg y canu rhydd yng Nghymru yw cyffredinwch ei fiwsig. Nid yw ffurf ein telynegion yn aml ddigon yn cyfrannu dim at swm yr effaith, ond y mae dan ormes acennau undonog ac ystrydebol. Ni ddylai hyn fod ; ac y mae'n rhyfedd gyda'r holl astudio sydd ar feirdd diweddar Lloegr, na cheisiai rai Cymry ddeall celfyddyd Robert Bridges, sy'n etifedd meistri mwyaf prydyddiaeth Saesneg o Campion ac awdur " Samson Agonistes " hyd at Coventry Patmore. Yn awr, camp y gynghanedd yn nwylo Goronwy Owen yw bod y ffurf a'r miwsig yn rhan anhepgor o feddwl y gân. Gwelodd hefyd gyfle i greu rhinwedd yn yr awdl, sef bod y meddwl yn penderfynu rhediad pob llinell, a'r cyfnewid hyd a mesur.[8] Bydded yn enghraifft y rhan hon o'r awdl ar " Unig Ferch y Bardd " :—

Er pan gollais feinais fanwl,
Gnawa yw erddi ganiad awrddwl,
  A meddwl am ei moddion ;
Pan gofiwyf poen a gyfyd,
A dyfryd gur i'm dwyfron,
A golyth yw y galon
Erddi ac am dani'n don,
  A saeth yw son,
  Eneth union,
Am anwyl eiriau mwynion—a ddywaid,
A'i heiddil gannaid ddwylo gwynion.

Ceir pum mesur yn y llinellau hyn, a phob cyfnewid mesur yn arwydd datblygu'r meddwl a'r teimlad. Dechrau mewn myfyrdod dwfn a thrist, gyda thair llinell bwyllog y cywydd llosgyrnog. Y mae'r atgof am ei golled megis gwayw yn torri ar y myfyr, ac yn peri bod y mesur yn fyrrach a llymach dan angerdd teimlad,—ac felly'r awdl-gywydd. Try o'r awdl-gywydd i gywydd deuair hirion, oblegid dyna fesur traddodiadol ymson ac unigedd. Ond daw atgof ag ias newydd megis saeth, a cheir dwy linell o gywydd deuair fyrion sy'n sydyn a chwyrn megis y saeth hithau, ac yn gadael ar eu hôl boen hir a dwys, a llinellau araf y toddaid yn arwydd o ddyfnder yr ing. A sylwn ar dynerwch a harddwch y llinell olaf :—

A'i heiddil gannaid ddwylo gwynion,

[8] " Letters of Goronwy Owen," tudalen 151 :—" Awdl yw o amryw fesurau yn terfynu yn yr un brifodl trwyddi, 'n ôl rheolau'r hen Feirdd." Y mae hyn yn ddiddorol iawn, oblegid, er gwaethaf holl ddamcaniaethau Goronwy am natur *epig* canu'r Gogynfeirdd, wele ef yma wrth iddo geisio efelychu eu " Rheolau " (=arferion) yn canu yn fwy *telynegol* nag yn unrhyw un o'i gywyddau.

sy'n dwyn i gof linell debyg gan Verlaine :—

> Beauté des femmes, leur faiblesse, et ces mains pâles.

Ac y mae barddoniaeth megis y sydd yma yn glasurol yn ystyr eang y gair. Y mae ei hapêl yn gyffredinol, ei thegwch yn goddef ei brofi ym mhob oes, ac yn bodloni angen y dyn cyffredin ym mhobman am fynegiant i'w ymwybod.

> Diffrwyth fân flodau'r dyffryn
> A dawl wag orfoledd dyn ;
> Hafal blodeuyn hefyd
> I'n hoen fer yn hyn o fyd;
> Hyddestl blodeuyn heddiw,
> Yfory oll yn farw wyw.
> Diwedd sydd i flodeuyn,
> Ac unwedd fydd diwedd dyn.

Nid oes dim newydd yn y syniadau hyn. Dyma hen destun myfyrdod athronwyr a lleygwyr. Ond y mae'r mynegiant yn derfynol. Y mae ystyr i bob acen. Er enghraifft, yn y cwpled olaf, sylwer ar y pwyslais a rydd y gynghanedd draws ar y prifair, " diwedd " ; ac yng nghynghanedd sain y llinell olaf y mae'r tair acen, " Ac unwedd fydd diwedd dyn," yn syrthio'n drwm, megis pridd i fedd. A dyma hanfod clasuroldeb Goronwy Owen, ei fod yn cadw ar briffordd profiad y ddynoliaeth, ac yn mynegi'r profiad cyffredinol hwnnw gyda sicrwydd celfyddyd wiw.

[*Transactions of the Honourable Society of Cymmrodorion*, Session 1922-1923 (Supplemental Volume), 7-27].

PENNOD XXVI

EFA PANTYCELYN

Os darllenwch chi'r nofelwyr Cymraeg ifainc heddiw mi dybiaf y cytunwch chi fod serch a rhyw a therfysg dyheadau'r corff dynol yn cael rhagor o'u sylw nhw nag erioed o'r blaen yn hanes y nofel Gymraeg. Maen' nhw wedi darllen ac ystyried y nofelwyr Saesneg ac Americanaidd a'r Ffrancwyr neu'r Ffrancesau, a dyma hwythau'n mynnu'r un rhyddid â'r rheini i drafod heb flewyn ar dafod y byd a ddatguddiodd Freud a'r bywyd sydd ohoni i lencyndod yng Nghymru heddiw, a safonau'r seiat a llwyr-ymwrthodiad o bob math ymysg y pethau a fu.

Dyma felly awr dda i Wasg Prifysgol Cymru fynd ati i gyhoeddi o'r newydd Weithiau Williams Pantycelyn.[1] Gwell hwyr na hwyrach. Y mae Pantycelyn yn nes at y nofelwyr Cymraeg ifainc cyfoes nag at Ddaniel Owen. Wrth gwrs y mae hefyd wahaniaethau. Mae pobl ifainc heddiw yn tueddu i feddwl am y seiat mai cyfarfod ydyw neu ydoedd i bobl ganoloed neu hen bobl ddigynnwrf, sad, annioddefol gartrefol yn eu seti cynefin. Ond gwrandewch ar ddisgrifiad Pantycelyn o bobl y seiat yng nghyfnod ei chychwyn hi :

> Aneirif yw eu temtasiynau, fel nad oes neb a ŵyr eu grym a'u rhifedi ond Duw ei hun. Ond chwi ddeëllwch rai ohonynt pan ystyrioch eu hoedran a'u hamgylchiadau,—sef cwmpeini o lanciau hoenus a gwrol, tyrfa o ferched yn eu grym a'u nwyfiant, dynion y rhan fwyaf ohonynt ag sy gan Satan le cryf i weithio ar eu serchiadau cnawdol ac i'w denu at bleserau cig a gwaed.

Dyna iaith eglur y ddeunawfed ganrif, nid iaith nofelwyr oes y frenhines Victoria. A phan gawn ni'r ail gyfrol o'r Gweithiau, a Mr. Garfield Hughes yn ei golygu, fe welwn mor agos at fater nofelwyr heddiw yw nofelau byrion rhyfeddaf Pantycelyn. Yr oedd ar olygyddion y ganrif ddiwethaf arswyd rhag cyhoeddi *Cyfarwyddwr Priodas* Williams.

Yn y gyfrol gyntaf hon fe gawn nodyn diddorol o apologia

[1] *Gweithiau William Williams, Pantycelyn,* Cyf. 1. Gol. : Gomer Morgan Roberts. Gwasg Prifysgol Cymru.

ganddo am iddo yng ngherdd *Theomemphus* drafod problemau serch a rhyw mor dreiddgar a manwl :

> Ni fuaswn cyhyd yn dilyn Theomemphus yn y brofedigaeth hon oni buasai gwybod fod y fath dorf fawr o bobl ifainc yng Nghymru yn argoeli troedio ffordd y bywyd, a lliaws ohonynt eto yn weddwon, ac mewn perygl mawr o gyfeiliorni naill ai yn eu cyfeillach, neu eu priodasau . . . ac fel hyn rhai yn gwneud serchiadau natur yn wraidd priodas, ac eraill i gyfeillgarwch ac undeb mwy anysgrythurol . . .

Dwy gerdd hir Pantycelyn sydd yn y gyfrol gyntaf hon, sef " Golwg ar Deyrnas Crist " a " Theomemphus." Nofel ar fesur cerdd yw " Theomemphus " ac ynddi dair stori garu, sef stori Abasis a Phania, stori serch Theomemphus a Philomela, a stori ei briodas a'i fywyd anhapus gyda Philomêd, sy'n help mawr iddo i farw'n hapus.

Un rhamant serch a sgrifennodd Williams. Yn " Golwg ar Deyrnas Crist " y ceir honno. Ym Mharadwys y gosodir hi, y stori am garu a phriodi Adda ac Efa. At honno y dymunaf i alw eich sylw yn arbennig. Sgrifennodd Williams hi tua'r un adeg â stori wrth-ramantaidd Theomemphus a Philomela. I Bantycelyn ni all fod rhamant ddi-niwl a serch naturiol di-wenwyn ond lle nad oes euogrwydd :

> 'Nôl cwymp prin gellir gwybod, 'ŵyr tân anlladrwydd ddim
> Am gariad paradwysaidd mo'i rinwedd ef na'i rym.

" Gwneud serchiadau natur yn wraidd priodas "—yr union beth a gondemniwyd mor hallt yn Theomemphus, dyna a wna Adda cyn y Cwymp. Yn ei bennod ddychanol ar garu Abasis a Phania dywed Williams am y gwryw hwnnw :

> Nawr 'roedd e'n gweld ei alwad yn olau, loyw, glir
> I gymryd Phania nefol yn briod santaidd, bur ;
> Pan câi e hi yn ei freichiau, bryd hynny byddai byw
> Ac y dilynai'n gywir holl gamre 'Fengyl Duw.

Rhowch Efa yn lle Phania yn yr ail linell, a gallai'r pennill yn rhwydd lithro i mewn i stori Adda ac Efa ym Mharadwys, oni bai am yr awgrym o goegni yn y llinell olaf.

Wedi'r Cwymp ac o'i herwydd, ebr Williams, gall crefydd ei hunan, os crefydd o serch at Iachawdwr a Gwaredwr ydyw, ie, gall gwres ac angerdd cariad y diwygiad Methodistaidd, droi'n foddion i gynhyrfu serch naturiol sy'n disodli'r Gwaredwr a throi'n golledigaeth i'r dyn :

> Os crefydd sydd yn unig mewn nwydau poeth yn llawn
> I'r cyfryw newid gwrthrych nid yw ef anodd iawn.

Cwpled clinigol sy'n nodweddiadol. Y mae serch i Williams megis i Racine wedi ei lygru yn ei wraidd drwy'r Cwymp. Ac oblegid mai ym Mharadwys y mae ei wraidd, serch yw gelyn peryclaf, mwyaf dinistriol y Cristion.

Gan hynny y mae i eidulion Adda ac Efa yn " Golwg ar Deyrnas Crist " le canolog yng ngwaith Pantycelyn. Nis ceir yn yr argraffiad cyntaf yn 1756. Cyhoeddwyd yr ail argraffiad, 1764, ychydig wythnosau cyn cyhoeddi " Theomemphus." Yr oedd Williams eisoes yn 1762 yn Llythyr Martha Philopur wedi dweud am ei destun :

> O Gariad ! Cariad nid oes elfen fwy cynddeiriog, cryf, ac anorchfygol yn y nef a'r ddaear . . .

Yn " Theomemphus " y mae'n ymosod nerth ei afael ar y thema yna. Ond yn stori Adda ac Efa—stori cariad cyn y Cwymp—y mae Williams yn sefyll a'i osod ei hun dro gyda Theocritos mewn byd nad oes ynddo na phechod nac euogrwydd, lle y mae Duw yn rhodio mewn gardd ac megis Gwydion yn llunio merch o asgwrn a blodau â'i ddwylo :

> Mor deg ac mor garuaidd, mor nefol ac mor hardd !
> Blodeuyn pur y blodau, a ffrwyth holl ffrwythau'r ardd . . .
> Cans tegwch pob creadur oedd yn ei hwyneb cun
> A miloedd maith yn rhagor 'nawr wedi ei gasglu'n un ; . . . .
> Nes daeth rhyw wres o gariad yn gymwys fel y tân
> I mewn i galon Adda, nas teimlodd ef o'r blaen,
> A goglais yn ei enaid, dim pellach a'i boddhai
> Oni châi drigo yn wastad yn unig man y bai.

Mewn breuddwyd yn ei gwsg y gwelodd Adda hi gyntaf, megis y gwelodd Macsen ei Elen. Pan ddeffroes :

> Fe 'drychodd gylch ei gwmpas, rhaid oedd ei chael hi mwy,
> Neu, wedi ei gweld a'i cholli, saith dyfnach oedd ei glwy.
> Fe'i gwelai hi'n nesu ato wrth glun ei Chrewr glân . . .
> O, rosyn y greadigaeth ! O, greadur teg ei phryd !

Mae hithau'n edrych arno, yn gweld a deall ei awydd amdani,

ac yn penderfynu ar unwaith fod yn rhaid iddo " ei cheisio cyn ei chael " :

Am hyn hi drodd ei chefn, rhyw gywilydd hardd sy'n bod
Yn natur gras perffeithiaf cyn cwympo o ddyn erioed ;
Hi giliodd yn barchedig, yn araf ac yn dde,
Diniwed, eto yn gwybod ar frys canlynai fe.

Mae Adda'n rhedeg ar ei hôl, yn eiriol, yn dwyn rhesymau i wasgu arni :

Hi a'u pwysodd, hi ystyriodd ; o'i mewn enynnodd tân,
Grym cariad a rhesymau goncweriodd Efa'n lân.
Hi ildiodd mewn anrhydedd,—pa fodd y gallai lai ?

Ac ar hynny mae'r greadigaeth oll yn gorfoleddu :

'Rholl nef, pob seren ddedwydd yn llon ar hyn o bryd
Dywalltent eu hyfrydwch pereiddiaf yma 'nghyd . . .
Y gwm a'r blodau peraidd 'narogli'n awr ynghyd,
Yr awel hithau'n dygyd aroglau pur o hyd ;
Y coed yn taflu blodau cymysgliw, hyfryd, hardd,
A'r gwynt yn eu gwasgaru trwy'r baradwysaidd ardd . . .
Nes iddo fe, aderyn y nos, i ddechrau ei gân
I wawdd pleserau cariad addfwynaf yn y blaen,
A pheri i'r seren frysio sy'n ledio'r hwyr trwy'r rhod
Yn ddisglair lamp priodas i'r ddeuddyn gynta' erioed.

Fe wyddoch bawb am stori Blodeuwedd yn y Mabinogi. Mewn pwynt neu ddau y mae stori Efa gan Bantycelyn yn nes at honno nag at y chwedl am Adda ac Efa yn llyfr Genesis. Mae arni bid sicr fymryn o ddyled i Milton. Yn fy marn i dyma'r eidulion hyfrytaf yn yr iaith Gymraeg ac un o gerddi rhyfeddaf y ddeunawfed ganrif. Ond y mae ei lle hi yng ngwaith a meddwl Pantycelyn yn hollol ganolog :

Rho fy nwydau *fel cantorion* . . .

Nid oes dim naturiol yn aflan na llwgr. Llygredig ydynt, nid llwgr, pethau wedi eu llychwino. Mae eu hadferiad yn bosib. Mae rhamant yn bosib.

[*Barn*, rhif 25 (Tachwedd, 1964), 5, 18].

PENNOD XXVII

TWM O'R NANT

BûM yn siarad am anterliwdiau Twm o'r Nant yn ystod ffestifal Garthewin. Nid ailadrodd yr hyn a ddywedais yno yw fy amcan yn awr eithr ystyried rhai agweddau ar waith y bardd a awgrymwyd imi gan draethawd Mr. G. G. Evans yn ail rhifyn *Llên Cymru*. Y traethawd hwnnw yw'r cyfraniad pwysicaf o ddigon—yr unig gyfraniad pwysig—i astudiaeth o'r ddrama Gymraeg yn yr ail ganrif ar bymtheg a'r ddeunawfed ganrif. Dywed Mr. Evans fod yr anterliwdiau hyn yn " gorff o lenyddiaeth ddramatig y dylem fel cenedl ymfalchïo ynddo." Mae'n drueni nad yw'r dramawyr Cymraeg heddiw wedi gweld hynny. Geill astudiaeth Mr. Evans fod yn amgen nag astudiaeth academig dda ; geill alw sylw dramawyr at werth eu hetifeddiaeth eu hunain. Felly'n unig y daw comedi Gymraeg yn feirniadaeth o bwys ar fywyd cyfoes Cymru. " Bod yn ddieithrol ac anghyfarwydd gartref," yng ngeiriau Charles Edwards, yw gwendid parod awduron Cymraeg. Dywed Mr. G. G. Evans tua therfyn ei draethawd cynhwysfawr :

> Cofier mai'r bywyd gwledig ydoedd cefndir egni dramatig yng Nghymru ac nad oedd theatrau sefydlog. Gan mai drama wledig ydoedd yr unig gyfrwng, câi honno wasanaeth gwŷr o athrylith a gellid disgwyl datblygiad. Drama wledig ddigynnydd a oedd yn Lloegr. Âi egni dramatig y genedl Seisnig i hyrwyddo theatrau Llundain.

Dyna enghraifft o weledigaeth mewn beirniadaeth lenyddol, peth prin a drudfawr ; ac y mae a wnelo'r egwyddor â holl broblem y ddrama Gymraeg heddiw. Beirniadaeth lenyddol gampus yw beirniadaeth ar feirdd a llenorion y gorffennol sydd ar yr un pryd yn taflu golau newydd ar eu gwaith hwy ac ar y sefyllfa gyfoes sy'n ein hwynebu ninnau. Dywed Mr. Evans hefyd:

> Er tarddu o'r enw o'r Saesneg, yn sicr ni ellir priodoli hanfodion ffurf yr anterliwt i ddylanwadau Seisnig.

Nid yw hynny'n golygu, wrth gwrs, na bu dylanwadau Seisnig ar yr anterliwdiau Cymraeg ac ar ddatblygiad yr anterliwt yng

Nghymru. Mae gan Ellis Wynne yn ei weledigaeth Uffern ddisgrifiad o anterliwt yn Amwythig :

> Dyma walch ail i hwnnw'n y Mwythig y dydd arall, ar ganol Interlud y Doctor Faustus, a rhai ('n ôl yr arfer) yn godinebu â'u llygaid, rhai â'u dwylo . . . pan oeddynt brysura', ymddangosodd y diawl ei hun i chwarae ei bart . . .

Fe gofiwch fod yr Athro Tom Parry yn ei lyfr, *Baledi'r Ddeunawfed Ganrif* yn dal " bod mwyafrif y beirdd cerddi yn perthyn i un rhan arbennig o'r wlad, y pedwar dyffryn, Dyffryn Conwy, Edeirnion, Dyffryn Clwyd a Dyffryn Llangollen, a'u hystlysau . . . Cofier un peth arall : ' gwlad y baledwyr ' oedd y llwybr i Loegr am lawer blwyddyn hir." Yn awr fe ymddengys i mi mai gwlad y baledwyr, yn fras, ydoedd gwlad yr anterliwd hefyd. A sylwaf fod y Dr. Gwenan Jones yn ei *Three Welsh Religious Plays* yn dal mai'r unrhyw gongl o Gymru ydoedd cartref y dramâu crefyddol, Y Tri Brenin o Gwlen, Y Dioddefaint, Yr Enaid a'r Corff. Yr oedd yr ardal honno o fewn cyrraedd i Gaer ac Amwythig ac nid ymhell o Coventry, ac fe wyddom am y casgliadau enwog o ddramâu Caer a Coventry, " Chester Plays, Coventry Plays." Ni chefais i gyfle i astudio'r anterliwt Gymraeg, " Y Gŵr Cadarn," sydd mewn llawysgrif yng Nghaerdydd. Dyry Mr. Evans ddisgrifiad byr o'r deunydd a bu'r Dr. Gwenan Jones (Op. Cit., t.v) yn gweithio arno. Mae disgrifiad Mr. Evans yn peri imi gofio ar unwaith am anterliwt Saesneg enwog a gyhoeddwyd tua 1530-1533, gwaith bardd pennaf Lloegr yn ei ddydd : *Magnyfycence, a goodly interlude and a merry, devysed and made by mayster Skelton, poet laureate late deceasyd.* Ceir dau fersiwn arall o'r " Gŵr Cadarn " mewn llawysgrifau yn Aberystwyth ac yn un ohonynt troir y Gŵr Cadarn yn " Wr Bonheddig " ; y mae'r ddau enw yn cyfateb i " Magnyfycence " Skelton. Byddai'n ddifyr eu cymharu.

Yn y ffestifal yn Edinburgh eleni a llynedd chwaraewyd interliwt Sgotaidd a gyfansoddwyd tua 1540 gan David Lindsay, *The Three Estates*, sy'n debyg ddigon ei hathrawiaeth i *Bedair Colofn Gwladwriaeth* Twm o'r Nant. Sgrifennodd Lindsay anterliwt fer arall, cyn 1540, *The Auld Man and His Wife*, ac yn honno ceir cymeriadau traddodiadol ,y cybydd, ei wraig Bessi, y Ffŵl, y Traethydd, masnachwr, clerc.

Craidd damcaniaeth Mr. G. G. Evans yw bod yr anterliwt

Gymraeg yn gyfuniad o ddau ddeunydd cwbl annibynnol, sef drama werin sumbolig a drama grefyddol Gristnogol a dardd-asai o'r eglwysi. Drama ffrwythlondeb oedd y gyntaf, drama foesol oedd yr ail. Nid oes gennyf i hawl i roi barn ar y ddam-caniaeth, nid ydwyf yn gwybod digon i farnu. Ond mynnaf alw sylw ati a mentraf ddweud ei bod hi'n taflu golau pwysig ar elfennau yn y dramâu hyn a oedd gynt yn ddyrys a thywyll. Mae'r ddamcaniaeth yn egluro serthedd yr anterliwdiau cynnar, gan ddangos mai crefyddol oedd hynny hefyd yn ei darddiad.

Mi hoffwn ddweud tipyn am yr ail elfen, yr elfen foesol, gymdeithasol, Gristnogol, sy'n gref yn holl waith Twm o'r Nant.

Credai pawb ugain mlynedd yn ôl mai yn yr eglwysi y chwaraeid gyntaf y miraglau a'r dramâu crefyddol yn yr Oesoedd Canol ac iddynt gael eu bwrw'n raddol allan o'r eglwysi i'r mynwentydd oblegid bod yr elfennau digrif ynddynt yn peri miri amharchus ; ac yna, wrth i'r digrifwch a'r gwamalwch gynyddu, cymerwyd hwynt allan o'r fynwent i'r sgwâr neu'r farchnad neu'r stryd. Y mae'r hanesydd Seisnig, y Dr. G. R. Owst, wedi cynnig esboniad sy'n fwy argyhoeddiad-ol. Dengys ef mai'r bregeth a aeth allan o'r eglwysi gyntaf. Ychydig o bregethu a geid mewn eglwysi plwy yn Ewrop oll cyn cyfodiad Sant Dominig a'r " brodyr bregethwyr " neu'r " brodyr duon " yn y drydedd ganrif ar ddeg. Ar eu hôl hwy daeth brodyr Sant Ffransis, " y brodyr llwydion." Hwy oedd pregethwyr mwyaf poblogaidd y bedwaredd ganrif ar ddeg. Nid oeddynt oll yn offeiriaid. Nid yn yr eglwysi y pregethent, ond codi ar ben bocs neu ar ben cert yn y farchnad neu'r sgwâr. Nid oedd y rhelyw ohonynt nac yn ddysgedig nac yn ddiwin-yddion. Gwaharddasai Sant Ffransis iddynt bregethu diwin-yddiaeth nac esbonio dirgeleddau'r Ffydd. Gwaharddodd iddynt godi tri phwynt i'w pregethau. Rhaid iddynt bre-gethu'n syml iawn i'r werin, pregethu edifeirwch am bechod, maddau i ddyledwyr, bodloni'n ddedwydd i ewyllys Duw, caru ei gilydd, peidio â charu'r byd.

Pregethwyr moesol a difyr, croesaniaid neu glerwyr Duw, oedd dilynwyr cyntaf Ffransis. Pan bregethodd Ffransis ei hunan, yn ei gôt fratiog, yn droednoeth, o flaen llys y Pab, ni fedrai gadw ei draed yn llonydd rhag dawnsio (Englebert,

Saint Francis of Assisi, 1950, t. 248). Dywedai straeon wrth bregethu a chyfarwyddodd ei frodyr i'w efelychu. Dywedodd wrthynt stori marwolaeth y Cybydd (Englebert, t. 233) :

> Y mae'r Corff yn wael a daw Angau ato. Mae holl berthnasau a ffrindiau'r gŵr sy'n marw yn casglu o'i gwmpas ac yn ei boeni eisiau iddo wneud ei ewyllys. Mae ei wraig a'i blant yn cymryd arnynt wylo dagrau. Gwêl y claf eu dagrau ac y mae hynny'n ei gyffwrdd. " Popeth sy gennyf, fe'i gadawaf i chwi," eb ef dan ochneidio. Yna geilw'r etifeddion am offeiriad i ddyfod ato, a dywed yr offeiriad wrth y gŵr sy ar farw, " A gymeri di benyd am dy bechodau ? " Etyb yntau, " Gwnaf." Yna, " A wnei di dalu'n ôl â'th arian i bawb y gwnaethost ti gam ag ef drwy drais a thwyll ? " " Ond 'fedra' i ddim ! " " Pam na fedri di ? " " Oblegid popeth sy gennyf, fe'i rhoddais yn f'ewyllys i'm teulu a'm ffrindiau." Ar hyn y mae ei lais yn darfod a'r truan yn marw . . . . Mae ei dylwyth yn difa'i dda, a'r pryfed yn difa'i gorff, a'i deulu'n cwyno na adawsai ef ragor iddynt.

Nid yw'n gam pell o bregeth Sant Ffransis i ddrama Twm o'r Nant. Y Brodyr Llwydion, gyda'u pregeth yn erbyn cybydd-dod, gyda'u clod i'r iarlles Tlodi, a roes i'r anterliwt ran bwysig o'i deunydd. Meimio'r bregeth Ffransisaidd, ei throi bob yn dipyn yn ddrama, dyna'n fyr iawn hanes datblygiad un rhan o'r anterliwt yn Ewrop. Yr oedd gwely angau'r cybydd yn rhan hanfodol ohoni fel y dengys Twm o'r Nant :

> Mi wrantaf bydd rhai'n disgwyl ar ddiwedd y chware
> I'r Cybydd farw ac estyn ei ferre.

Ar y cychwyn, rhan o'r bregeth oedd y ddrama foesol hon, ac fe ellir gweld olion hynny o hyd yn anterliwdiau Twm o'r Nant. Cyn y " mynegiad i'r chwarae " fe geir yn fynych ragymadrodd o foeswers gan y Traethydd neu Syr Tom Tell Truth, ac ar ôl hynny daw'r " mynegiad neu'r Prologue " i roi crynodeb o'r anterliwt. Y mae hynny oll yn mynd yn ôl i'r drydedd ganrif ar ddeg yn yr Eidal.

Mewn nodiad ar gychwyn ei draethawd yn *Llên Cymru* dywed Mr. G. G. Evans iddo drafod dulliau ac amodau anterliwdio o'r testunau Cymraeg a " cheisio mesur eu gwerth fel rhan o lenyddiaeth Cymru," mewn darlith a draddododd ef i Anrhydeddus Gymdeithas y Cymmorodrion yn 1947. Yn anffodus ni chyhoeddwyd y ddarlith honno hyd yn hyn. Ysbeidiol a bylchog enbyd fu f'astudiaeth i o holl lenyddiaeth yr anterliwt. Nid wyf yn gyfarwydd ond â gwaith Twm o'r Nant yn y llyfrau argraffedig y gŵyr pawb amdanynt. Ond y mae hyn yn fy nharo i fwyfwy, sef mai dechrau deall a chanfod mawredd Thomas Edwards yr ydym. Ychydig o le a roddwyd iddo hyd yn hyn yn ein hastudiaethau o lenyddiaeth y ddeunawfed ganrif. Mae'r dydd yn nesáu y byddwn yn ei astudio ac yn ei drafod mor drylwyr ag yr astudir cywyddau a llythyrau Goronwy Owen. Y mae gan yr Athro Tom Parry bennod gampus arno yn ei lyfr ar y Baledi, ond yn sicr yr anterliwdiau yw ei gyfraniad cadarn. Tuedd beirniadaeth hyd yn ddiweddar ydoedd edrych arno fel bardd " gwerinaidd " a diystyru ei fydryddiaeth. Erbyn heddiw y mae adwaith yn erbyn iaith ac arddull orlenyddol sy'n rhy bell oddi wrth idiom siarad. Mae modd inni heddiw gydnabod grym barddol y penillion hyn, er enghraifft, a leferir gan y Brenin Angau yn anterliwt " Tri Chryfion Byd " :

Wel, concweried pawb eu gore
Gŵr gonest cywir wyf fi, Ange,
Ni wnaf i, er maint fy holl rymuster,
Gam ag undyn yn ei fater . . .

A thrwy fy eang fawr lywodreth
Nid oes gariad na rhagorieth
Rhwng un a fuase'n frenin llydan
A'r caethwas mwyaf distadl allan.

Rhai fuase gynt yn gedyrn trawsion
Yn mynnu mwy na'r hyn oedd gyfion
Trwy nerth cleddyfe, erchyll dirnad,
Neu trwy gyfreithie, gwyrgam frathiad,

Maent yn cydfraenu'n wael eu helynt
Â'r rhai buont gas anghyfion wrthynt,
Mor gymysg na ellir mewn mynwentydd
Ddidoli eu hesgyrn oddi wrth ei gilydd.

O rhyfedd y gwastadle eglur
'Mysg dynol-ryw wyf i'n ei wneuthur
Hyd onid yw y tlawd weinidog
Yn mwynhau'r un fraint â'i feistr cwaethog.

Mae'r cwbl yn gywir ddramatig, penillion y gellir eu siarad yn naturiol wrth y gynulleidfa sy'n amgylchu'r llwyfan ; nid oes yma un ffigur na thro ymadrodd dieithr (oddieithr, efallai, yr ansoddair meistraidd " brenin llydan ") ; er hynny, dyma farddoniaeth fel yr adwaenai Villon farddoniaeth, gyda'r watwareg hallt yn y llinell olaf. Ac os mynnwch chwi enghraifft o eironi dramatig nid rhaid ond troi dalen neu ddwy ac fe ddowch at ddialog y ceir ynddo linell yn ateb llinell gyda nerth a miniogrwydd a allsai ennill cymeradwyaeth Soffocles. Cariad sy'n ymddiddan gyda Rinallt y Cybydd :

Cariad :
Ai nid wyt yn deall y gwir wrth ei wrando ?
Rinallt :
Gwell 'rydwy'n deall 'mod i wedi f'andwyo.
Cariad :
Os colli d'enaid bydd mwy dy drueni.
Rinallt :
Beth ydyw enaid wrth y byd a'i ddaioni ?
Fy nefed, a'm gwartheg, a'm haur, a'm harian
A'r gwair a'r ŷd o'r ysgubor a'r ydlan
A'm holl gêr hwsmoneth, cyweth cu,
A gollais o'r tŷ ac allan ?

A ellir yn gampusach ddangos yr eirioni sydd mewn ymddiddan rhwng dau sy'n perthyn i ddau fyd gwahanol, byd natur a byd gras ? Dyna'r wir gomedi Gristnogol gyffredinol dyn ar y ddaear ; mae'r hurtrwydd dynol yn ysgubol :

Cariad :
Ow, beth am farw wedi'r cwbl ?
Rinallt :
Ymgrogi neu foddi fydda'i weithie'n feddwl.

Ond cyn medru dweud yn iawn am fawredd Twm o'r Nant rhaid imi geisio'i ddangos ef yn holl gyfoeth ei etifeddiaeth a'i gysylltiad â barddoniaeth ac athrawiaeth gymdeithasol Ewrop. Dychwelaf at hynny yn fy ysgrif nesaf.

II

Wrth gwrs, yr hyn y dylid ei gael yw llyfr helaeth yn astudio holl ddatblygiad gwaith a meddwl Thomas Edwards. Ni ellid cael testun cyfoethocach i feirniad llenyddol ymchwilgar ; a gallai llyfr llawn, aeddfed a gwybodus, sefydlu Twm o'r Nant ymhlith clasuron mawr Cymraeg y ddeunawfed ganrif. Ni wyddom hyd yn oed ddyddiadau cyfansoddi ei anterliwdiau. Ymddengys iddo ddechrau yn y pumdegau (1750-1763) gan sgrifennu megis ei frodyr ar destunau crefyddol a Beiblaidd. Yn ddiweddarach—efallai dan effaith y Diwygiad Methodistaidd—penderfynodd ymwrthod â'r testunau hynny a chanoli ar feirniadaeth foesol, gymdeithasol :

> Ni fynnwn ddim 'run faner
> Ag interliwtiau'r Cwper,
> Bregethu duwioldeb yn ei chrys
> I rai fo a blys am bleser.
>
> Am osod 'rym ni ymhob mesur
> Y gwir am bethe natur ;
> Mae'n fwy cyfaddas nag ysgrythur glaer
> Yn eisteddfa'r taer watworwyr.

Try felly oddi wrth destunau " duwioldeb " at " y gwir am bethe natur." Dyna gofnodi awr bwysig yn hanes y ddrama Gymraeg. Beth ynteu yw'r " gwir am bethe natur " ? Rhaid imi geisio rhoi braslun brysiog o holl athroniaeth gyfoethog a thraddodiadol Twm o'r Nant, a dangos ei thras a'i chyfanrwydd a'i harwyddocâd.

Yn anterliwt *Cyfoeth a Thlodi* fe geir ymddiddan athronyddol rhwng y ddau, a dywed Cyfoeth :

> Duw a wnaeth y byd yn gywren
> Ac oll sydd ynddo o beder elfen,
> Sef dŵr a thân a daear ac awyr ;
> Dyna holl ddefnyddiau Natur.

Y cyntaf yn Ewrop i gynnig mai o'r pedwar defnydd hyn y lluniwyd y bydysawd ydoedd Empedocles o ynys Sisilia yn y bumed ganrif cyn Crist. Cymerth Aristoteles afael yn y syniad a'i egluro yn ei draethodau " De Caelo " a " De Generatione et Corruptione " (Cyfieithiadau Saesneg Rhydychen, 268-9, 308-11). Fe ddywed Étienne Gilson (*La Philosophie au Moyen Âge*) mai Sant Basil yn ei esboniad ar lyfr Genesis a drosglwyddodd y ddamcaniaeth i'r byd Cristnogol ac mai Sant Ambros (333-397 A.D.) a'i cyfieithodd o Roeg Sant Basil i'r Lladin a'i rhoi felly i athronwyr yr Oesoedd Canol. Trown yn awr at *Eirfa Barddoniaeth Gynnar Gymraeg* yr Athro Lloyd-

Jones (llyfr anhepgor i astudio hanes meddwl athronyddol yng Nghymru) a chawn fod Cynddelw Brydydd Mawr yn derbyn y syniad fel un o ystrydebau cyffredin ei gyfnod. Yn yr " Elucidarium," yng nghopi Ancr Llanddewibrefi, y ceir mynegi'r ddamcaniaeth yn gyflawn. Dengys Honorius (*Llyfr Ancr*, t. 5 a 9) mai mewn chwe diwrnod y creodd Duw y byd ac mai'r pedwar defnydd a grewyd y tridiau cyntaf, a'r pethau eraill oll o gyfuniadau o'r pedwar defnydd, gan gynnwys corff dyn, yn yr ail dridiau. Dangosir hefyd, gan ddilyn Aristoteles, fod gan bob un o'r pedwar defnydd neu bedair elfen, ei briod nodweddion a'i briod le a bod torri ar y drefn a'r cyfartaledd rhwng y pedwar yn arwain i wrthdrawiad a chaos a chythrwfl yn y greadigaeth.

Gellir olrhain y syniadau hyn drwy holl lenyddiaeth Ewrop yn yr Oesoedd Canol a thrwy holl gyfnodau'r Dadeni Dysg. Felly hefyd yn y Cywyddwyr Cymraeg a'r un modd yn awduron yr ail ganrif ar bymtheg. Maent yn rhan o brawf " Gwirionedd y Grefydd Gristionogol " gan Hugo Grotius ac yn bwysig yn athroniaeth Morgan Llwyd. Yn wir, dyma uniongrededd cemegol Ewrop oll (ag eithrio syniadau Robert Boyle yn yr ail ganrif ar bymtheg) hyd oni ddangosodd Lavoisier yn 1775 mai peth cyfansodd ac nid deunydd neu elfen ydoedd yr awyr. (Gweler pennod xi, " The Postponed Scientific Revolution in Chemistry " yn llyfr Herbert Butterfield, *The Origins of Modern Science*, 1949).

Dychwelwn at anterliwt Twm o'r Nant. Mewn deunaw ar hugain o benillion y mae Cyfoeth a Thlodi yn egluro'r greadigaeth drwy gyfansoddiad y pedwar defnydd, yn dangos cyfatebiaeth gwneuthuriad dyn, ac yn dangos fod iawn ymddygiad pob elfen, sef cyflawni ei gorchwyl a bodloni i'w lle, yn amod heddwch i fyd natur ac i fyd dyn.

Sut y mae darllen a deall yr ymddiddan hwn, un o bethau mawr barddoniaeth y ddeunawfed ganrif ? Awgrymaf ddwy ffordd.

Yn gyntaf, dealler mai meddyliwr y tu mewn i gyfundrefn draddodiadol yr Oesoedd Canol yw Twm o'r Nant. Cawsai addysg bardd cerdd dafod, yr oedd ganddo gyfoeth diwylliant dwfn ei draddodiad. Ysgrifennai anterliwdiau a oedd yn eu holl ffrâm a'u dull o feddwl yn perthyn i'r Oesoedd Canol. Gan hynny, wrth ddarllen Twm o'r Nant cofiwch dri dull traddodiadol yr Oesoedd Canol o ddeall ffeithiau naturiol a phob hanes a barddoniaeth : (1) Y mae'r gwir am y byd naturiol yn wir alegorïaidd am y dyn fel person a chymeriad unigol ; (2) y mae'r disgrifiad o natur y byd gwrthrychol yn ddisgrifiad alegorïaidd hefyd o'r gymdeithas gymhleth ddynol ar y ddaear ; (3) y mae ymddygiad natur gan hynny yn wers foesol i ddynion ac yn ddrych i ddangos i ddyn ewyllys a threfn Duw yn y byd ysbrydol.

Hynny yw, yr un dull o feddwl sy gan Twm o'r Nant â Dante, ie ag Einion Offeiriad hefyd. Ni ellir eu deall ar wahân i athroniaeth draddodiadol yr Oesoedd Canol a'u hegwyddor o undod amlochrog y greadigaeth sy'n creu cadwyni o alegorïau neu ddamhegion neu gyfatebiaethau.

Y mae ail ddull sy'n torri'r garw ar gyfer y dull cyntaf ; sef chwilio am rywbeth tebyg i ymddiddan Cyfoeth a Thlodi, rhywbeth sy'n defnyddio'r un iaith ac yn deall ac yn dehongli natur a bywyd yn yr un ffordd. Nid oes, hyd y gwn i, ddim tebycach i'r act hon yn nrama Twm o'r Nant, na dim sy'n fwy cyfan gwbl o'r un meddwl, na'r araith dra enwog a roes Shakespeare yng ngenau Ulysses yn Act I *Troilus and Cressida.* Petai gofod yn caniatáu mi ddyfynnwn y dialog gan Dwm o'r Nant yn llawn, ond fe'i cewch ar dudalen 287-288 o argraffiad Lerpwl, 1874, o'i waith ef. Trowch ato a darllenwch araith Shakespeare :

> The heavens themselves, the planets, and this centre
> Observe degree, priority, and place,
> Insisture, course, proportion, season, form,
> Office and custom, in all line of order :
> And therefore is the glorious planet Sol
> In noble eminence enthron'd and spher'd
> Amidst the other, whose med'cinable eye
> Corrects the ill aspects of planets evil
> And posts like the commandment of a king,
> Sans check to good and bad. But when the planets
> In evil mixture to disorder wander,
> What plagues and what portents, what mutiny,
> What raging of the sea, shaking of earth,
> Commotion in the winds, heights, changes, horrors,
> Divert and crack, rend and deracinate
> The unity and married calm of states
> Quite from their fixture . . .

Ni ddyfynnais ond darn o'r araith. Nid yw Shakespeare chwaith yn hawdd, ond yr un esboniad ar natur, yr un syniad o gyfatebiaeth rhwng dyn a natur, yr un meddwl ac athroniaeth gymdeithasol, yr un sylfaen metaffusegol i'r athroniaeth honno, sy gan Shakespeare a Thwm o'r Nant :

Mae'r greadigaeth oll ynglŷn
O'r pedwar defnydd sy 'nghorff dyn ;
Y dwfr yw'r gwaed, a'r tân yw'r natur
Sy yng ngwres cenhedliad pob creadur ;
Y ddaear ydyw'r cnawd a'i ryw,
A'r awyr yw'r anadliad byw,
Felly dyn sydd unrhyw fryd
Â'r pedwar defnydd ynddo 'nghyd.
A chan fod dyn heb ddim gwahaniaeth
Rhyngddo a'r byd mewn creadwriaeth,
Rhoes Duw mewn dyn ddoethineb eglur
I ddallt naturiaeth pob creadur.

Dilynwn yn awr athroniaeth Twm o'r Nant gam ymhellach. Gan fod rheswm neu " ddoethineb " dwyfol mewn dyn i ddeall naturiaeth, y mae yntau yn ei fywyd cymdeithasol—yn y " wladwriaeth "—yn arddangos yr un drefn ag a geir yng nghyfansoddiad y byd. Yn union yr un fath â Shakespeare fe gred Twm mewn trefn, mewn graddau a dosbarthiad yn ôl gorchwylion cymdeithasol, " degrees " Shakespeare. Dyma'r gymdeithaseg Gristnogol glasurol. Mae hi'n gyffredin i Dante a'r athronwyr Cristnogol ac i Einion Offeiriad a'r " moliant " Cymraeg. Yn anterliwt *Pedair Colofn Gwladwriaeth* fe geir datganiad trawiadol o'r ddysgeidiaeth gymdeithasol hon gyntaf yng nghân Rhys, a dyfynnaf un pennill, ond cofier fod y gân gyfan yn anhepgor i'r ddadl :

Mae pob galwedigaeth ar dwyn
Wedi'i threfnu a'i sefydlu'n bur fwyn,
Fel cerrig mewn adail hwy wnân'
Yn y muriau, rai mawrion a mân,
Pob un yn lân a geidw le,
I glod a thriniaeth gwlad a thre',
Pob swydd, pob sail, pob dail, pob dyn,
Sy'n dda'n ei hardd sefyllfa'i hun.

Ond yn y gerdd sy'n ddiweddglo i'r anterliwt fe gawn fod y bardd yn dychwelyd at ei egwyddorion metaffusegol ac yn cysylltu'r pedair colofn gwladwriaeth—sef brenin, esgob, ustus, hwsmon—yn bendant â'r pedwar deunydd yn y byd naturiol. Mae'r athrawiaeth mor hanfodol i iawn ddeall Twm o'r Nant, y mae hi'n gymaint sylfaen i'w holl feddwl ef, yn amlygu ei etifeddiaeth ef oddi wrth athroniaeth yr Oesoedd Canol mor eglur, fel yr anturiaf ddyfyniad go helaeth :

> . . . Fe wnaeth y doeth Greawdydd
> Y byd o bedwar defnydd
> Â'i hylwydd law ei hun ;
> A thrwy ei ragluniaethau
> Mewn rheol ddynol ddoniau
> Y byd ordeiniai ar bedwar dyn.
> Ac wele'r pedwar pennaeth,
> Bu heno mewn gwahaniaeth
> Rhyw olwg o'u rheolaeth yma'n rhwydd ;
> Mae'r rhain yn wrthddrych eglur
> O bedwar defnydd natur,
> Dwfr, daear, tân ac awyr, gywir swydd.
> Y Dwfr yw'r elfen hyfryd,
> 'Roedd ysbryd Duw'n ymsymud
> O hyd ar wyneb hwn ;
> A theip o'r dwfr yn gymwys
> Yw gweinidogaeth Eglwys
> Sy'n tynnu'n hardd-ddwys bur-ddwys bwn ;
> Y dwfr yw'r elfen ddiddig
> Sy'n llonni'r rhai sychedig
> Â'i fendigedig wawr ;
> Mae'n golchi'r budyr aflwydd,
> Mae'n cario o wlad bwy gilydd,
> Mae'n peri budd i'r byd bob awr.

A chyn ffarwelio â'r pennill hwn cofiwch linell debyg gan fardd Saesneg, Keats :

> The moving waters at their priest-like task.

Dychwelwn at y lleill :

> A'r gyfraith iawnwaith unig
> Sydd deip o'r Tân llosgedig
> I buro pob llygredig oerddig wall . . .
> A'r Brenin, llaw alluog,
> Sydd deip o'r Awyr wyntog
> Mewn arfog lidiog lef . . .

Ond sylwer yn awr fel y mae'r farddoniaeth alegorïol, yn null nodweddiadol yr Oesoedd Canol, yn medru symud, sleifio bron, o radd i radd yn y greadigaeth, o'r byd materol i'r gymdeithas Gristnogol, o'r gymdeithas Gristnogol i fywyd moesol y person unigol :

Wel, dyma'r dull oddi allan,
Mae'r pedwar pennaeth anian
Fel pedair elfen gyfan yn eu gwaith ;
Yr un gyffelyb arwydd
Yw'r dynion bedwar defnydd
Yng ngrym Cristnogol grefydd, ufudd iaith :
Corff dyn yw'r Ddaear ddiwad
A'r Awyr yw'r anadliad, cynhyrfiad bywiol nerth,
A'r Tân yw'r gyfraith hynod
Sy'n argyhoeddi o bechod,
A'r Dwfr yw'r Efengyl, wiwnod werth ;
Gan hynny mae'r gair yn dwedyd
" Dowch bawb i'r dyfroedd hyfryd,"
Mae'r bywyd yma ar ben ;
Er sôn am bob helyntion
Adnabod ffyrdd ein calon
Sydd reitia' moddion inni, Amen.

Fe ddeellwch nad cymariaethau moeswersol damweiniol mo'r rhain, ond yr hyn a eilw Baudelaire yn " Correspondences," sef cyfatebiaethau hanfodol, yn codi oddi wrth undod gweledigaeth fetaffusegol ; dyna sy'n rhoi i waith Dante ddyfnderoedd ystyr haen ar haen. Bardd yn yr un traddodiad meddyliol yw Twm o'r Nant.

Tybed a ganiatâ'r darllenwyr imi ddychwelyd mewn un ysgrif arall at y bardd hwn ? Ef fu fy nghymorth trwy'r wythnosau y bûm yn sgrifennu *Eisteddfod Bodran.* Felly y deuthum, yn hwyr, i'w ddeall a'i ddarganfod.

III

Ni byddai'r nodiadau hyn ar athroniaeth Twm o'r Nant yn fras ddigonol heb baragraff byr ar ei athrawiaeth foesol. Clasurol a thraddodiadol yw hon hefyd. Daliodd Aristoteles mai dewis rhwng dau ormodedd yw rhinwedd : " Parthed rhoi arian a'i gasglu, y canol union yw haelioni ; gormodedd a gor-ddiffyg yw afradlondeb a chrintachrwydd." Daeth yr egwyddor hon yn rhan hanfodol o foeseg Gristnogol a gosodwyd " temperantia," sef cymedroldeb, yn un o'r pedwar rhinwedd cardinal y dibynna'r bywyd da arnynt. Oherwydd mai'r "byd" yw'r perygl mawr i'r bywyd moesol da dywed awdur " Piers Plowman " mai cymedroldeb yw'r pennaf o'r pedwar rhinwedd hyn (Passus xx, 22). Dyma brif fater drama Twm o'r Nant yntau. Cyfoeth a Thlodi, Pleser a Gofid (sy'n gyfystyr â thlodi drwy'r anterliwt), Cybydd-dod ac Oferedd, wele'r ddau ormodedd, y ddau anghymedroldeb, sy'n andwyo bywyd dyn yn ei holl anterliwdiau. Medd Oferedd amdano'i hun :

> Fy nhad i ydy' Mr. Anghymedrolder.

Ac yn yr epilog eto :

> Y gormod ydyw'r gwall
> Sy'n llyncu'r naill a'r llall.

Ac yn yr ymddiddan olaf rhwng y ddau datgenir y foeseg Aristotelaidd yn ddigon pendant :

> Cyb : 'Rwy'n gweled yn ddigilwg
> Ar ôl yr holl ymliw amlwg
> Ein bod ni yn geraint bod yg un
> I'n gilydd ar un golwg.
>
> Ofer. : Wel, ydym siŵr heb ame ;
> Oni ddwedes i hynny gynne ?
> Ond anghymedroldeb o bob tu
> Ar dreigl sy'n magu dryge.
>
> Cyb. : Nid da ydy' gormod serch i gyweth,
> Na gormod oferedd nag o farieth ;
> Yn grwn y gwnawd y byd mewn dawn,—
> Yn ganolig mae'r iawn gynhaliaeth.

Byddai'n hawdd dangos fel y mae'r foeseg hon yn codi'n union allan o'r ddysgeidiaeth am bedwar deunydd natur. Gellir cael hynny mewn unrhyw lyfr elfennol ar athroniaeth Aristoteles. Fy amcan i yw amlygu'r corff cyfoethog o athrawiaeth draddodiadol a chlasurol sydd yn anterliwdiau Thomas Edwards. Byddai astudiaeth gyflawn o'i feddwl ef yn dangos hefyd ei fenthyciadau o'r prif athrawon Cymraeg yn yr ail ganrif ar bymtheg, o *Lyfr y Tri Aderyn* ac o *Hanes y Ffydd* er enghraifft. Yr oedd ganddo gyfoeth o ddiwylliant.

Trof at bwnc arall. Rhan o bwysigrwydd Twm o'r Nant yw mai ef yw'r meistr pennaf ar alegori yn ein llenyddiaeth Gymraeg. Soniais eisoes am y pedair ystyr a oedd i alegori yn yr Oesoedd Canol, yr ystyr blaen neu lythrennol a'r tair ystyr sydd ynghlwm wrth y gyntaf. Yr esboniad symlaf a gofiaf i'n awr ar y modd i ddeall alegori yw llythyr Dante at Can Grande della Scala pan gyflwynodd ef ei "Baradwys" iddo. Ceir esboniad helaethach ond i'r un perwyl yn y "Convito," ac fe'i ceir droeon lawer yn yr esboniadau Lladin ar lyfrau'r Beibl drwy gydol yr Oesoedd Canol. Ymledodd yr un modd i bregethau poblogaidd y cyfnodau hynny hyd oni thyfodd alegori yn ffurf a ddeellid ac a dderbynnid gan werin bobl pob gwlad Gristnogol.

Dyna ran o'r eglurhad ar y bwlch sy rhyngom ni a'r gynulleidfa a wrandawai ar anterliwt gan Dwm o'r Nant. Un ystyr sydd gan act o ddrama i ni. Ar un lefel, neu mewn un byd, y mae'r actorion yn gweithredu. Nid ydyw unrhyw un o anterliwdiau Twm yn ddrama fel y deallwn ni ddrama ; hawdd inni, oblegid hynny, farnu mai dramaydd amrwd, anghelfydd, bwngleraidd ydoedd ef. Nid felly un dim. Eithr nyni a gollodd yr allwedd i ddeall ei waith. Nid oes gennym y gynulleidfa gyfarwydd yr oedd y confensiwn alegorïol yn etifeddiaeth iddi. Petawn i'n sgrifennu llyfr ar Dwm o'r Nant byddai gennyf ofod ac amser i astudio nodweddion ffurf ei holl brif anterliwdiau. Ni allaf ddelio'n llawn hyd yn oed ag un yn awr, ond caniatewch imi roi braslun o esboniad ar un ohonynt, un sy'n dwyn rhinweddau ffurfiol hynod amlwg, sef *Pleser a Gofid*, sy'n glasur yn ei dull.

1. Cofier fod y cerddi a genir yn rhan anhepgor o'r anterliwt. Ynddynt hwy crynhoir athrawiaeth yr act ac y mae eu harddull yn rymus lenyddol a'u crefft yn nhraddodiad y prydyddion. Mae'r cerddi yn *Pleser a Gofid* yn gabol i ryfeddu. I'r glust sy'n adnabod Cymraeg yn ei nerth, dyma, er enghraifft, bennill allan o gerdd sydd ar ei hyd yn gyfewin ei mynegiant :

> Gofidus byw dan rwymau,
> Gofidus bod yn rhydd,
> Gofidus nos mewn gwely,
> Gofidus ganol dydd ;
> Mae gofid blin yn gafod bleth

Wrth dalu treth neu ddilyn trâd ;
I dorri dyn ar dir a dŵr
Mae mawr ystŵr ym mhob rhyw stad.
Blin, blin,
Gofidiau traws, gwael fod eu trin,
Eu pwyth sy'n bwys 'mhob peth sy'n bod
Trwy riwl y rhod, trwy'r haul a'r hin ;
Ple, ple
Bydd dyn yn esmwyth dan y ne' ?
'Cheir odid beth o rydid byd
Heb gadwyn gofid gydag e'.

2. Y cwestiwn hwn yn y byrdwn, " Ple bydd dyn yn esmwyth dan y ne' ? " yw mater yr anterliwd. Fe'i trafodir mewn dau gylch o gymeriadau. Yn gyntaf gan gymeriadau sy'n edrych ar y ddynoliaeth yn gyffredinol. Pwerau moesol ac ysbrydol, drwg a da, yw'r rhain, Pleser, Gofid, Madam Rhagluniaeth, Rheswm Naturiol, Madam Boddlondeb, Mrs. Gwirionedd Cydwybod. Ond sylwer nad damweiniol na di-drefn mo'u hymddangos a'u hymddiddan. Gweithio allan, mewn termau cyffredinol, er addysg i bawb, thema'r anterliwd a wnânt hwy. Hynny yw, amlygu drama dyn ar y ddaear.

Yn yr ymddiddan cyntaf rhwng Pleser a Gofid dangosir fod ymchwil dyn am bleser yn gyffredinol, yn rhan dyn er gardd Eden, ac yn perthyn i bob dosbarth o gymdeithas ; er hynny, ni all neb oll gael gwared o'r Gofid. O'r herwydd daw Mr. Rheswm Natur i holi Madam Rhagluniaeth er mwyn cael esboniad ar y dirgelwch ac eglura hithau, sy'n llefaru megis Madam Ffortun ym moesol-ddramâu'r Oesoedd Canol—na eill Rheswm Natur ddeall na barnu ffyrdd Duw. Pair hyn i Reswm Natur ganu cân " gofid " a'r boen nad oes ymwared rhagddo ; yn union wedyn daw Madam Boddlondeb ato a dangos mai ganddi hi y mae'r allwedd i heddwch dyn ar y ddaear. Cyfrwng yn llaw Duw yw gofid i ddwyn dynion at eu Creawdwr :

Rhaid gwasgu'r grawnion llawn
Cyn delo eu nodd yn iawn ;
Rhaid clwyfo cyn cael meddyg,
'Does ar yr iach diysig
Mo'i ddiffyg ef na'i ddawn.

Dyna ddrama iachawdwriaeth dyn, siart ffordd ei waredigaeth, mae'r cwbl yn llaw Duw.

3. Bob yn ail â'r golygfeydd hyn ceir treigl yr unigolyn, Rondol Roundun y Cybydd. Mae'r ddwy ddrama'n gwbl groes i'w gilydd a dyna ran hanfodol o eironiaeth yr anterliwt. Daw'r ymddiddan cyntaf rhwng Rondol a'i wraig, Siân Ddefosiynol, yn union ar ôl ymddiddan cyntaf Pleser a Gofid. Yr un yw testun y ddau ymddiddan, trem ar y byd a welant o'u cwmpas, ond bod y safbwynt yn ddeifiol wahanol. Ni wn i am gyfosodiad golygfeydd sy'n gampusach na'r cyferbyniad hwn. Ac y mae'n ymestyn i'r holl drafodaeth : y mae'r ail mor lleol fanwl a phersonol a hunanol ag ydoedd y cyntaf yn foesol a chyffredinol a hanesiol.

Y tro nesaf yr ymddengys Rondol clywn fod Siân wedi marw. Daw Mr. Pleser o fyd y ddrama gyntaf ato (nid oes Ffŵl ond ef) a chân barodi ar y farwnad draddodiadol i'w wraig farw. Rhaid imi gael dyfynnu pennill olaf y farwnad pe na bai ond er mwyn ateb Rondol i'r llinell olaf oll ; y mae'n un o bethau disgleiriaf holl gomedi Twm o'r Nant, ac wrth gwrs, fe ddibynna'r eirioniaeth ar yr arfer hysbys o dalu am farwnad o fawl:

Ples. : Oer yw'r aelwyd arw rith,
Mae dwned chwith am dani,
I'r cŵn a'r cathod, cethin floedd,
Awch wallus oedd ei cholli,
Ac ni châi llygod byth mo'u llwgu,
Hi gadwai'r ŷd i gyd i fraenu
Heibio'n warthus heb ei werthu,
A'r tylodion, hwy hi a'u ledie,
Ni rôi hi damed ond i'w ffrindie,—
Newydd iddi fydd diodde.

Ron. : Wel, dyma, ran cariad, iti hanner coron.

Perswadia Mr. Pleser ef i geisio gwraig arall :

Mae hi'n siopwraig yn byw'n gryno
Tu allan i Landrillo.

Cytuna Rondol mai priodi gwraig ag arian ganddi yw'r unig fodd i gael gwared o ofid :

Mi fyddwn yn cadw gofid o'r neilltu,
Mae fo'n awr mor ddigwilydd yn dod gyda mi i'r gwely...
Ond os ca'i wraig a chanddi arian

Mi fyddaf eto'n ddyn i mi fy hunan
Ac a wnaf i ofid a phob drwg hyll,
Wall hyllig, sefyll allan.

Daw'r sipsi, Anti Sal o'r South, ato, a'i hawgrym o dafodiaith Morgannwg yng nghanol iaith Dyffryn Clwyd :

Hawyr, fe fues i mewn plase gentlemyn
Ac ni halws nobody fi maes ohonyn'.

Mae hi'n darllen ei ffortun ar ei law aswy :

You are going to court a shop-keeper woman,
O, bless my soul, you shall have plenty of arian.

Daw Mr. Pleser ar ei hôl ar unwaith i yrru'r ergyd adref, ac i ffwrdd â Rondol i briodi, gan adael Pleser ar y llwyfan i ddarogan :

Gofid am briodi a mil mwy gofid gwedi.

Dyma olygfa ganol yr anterliwd ac o farwnad Siân hyd at frys Rondol i fynd i'w briodi mae'r datblygiad a'r dechneg a'r digrifwch yn nes at gomedi reolaidd Ewrop yn y ddeunawfed ganrif—yn nes at ddigrifwch Beaumarchais neu Goldsmith—na dim arall a geir yn yr anterliwdiau. Er hynny cedwir holl ffrâm alegorïol yr anterliwt, ac ar unwaith ar ôl yr olygfa hon daw Gofid a Phleser i barhau eu dialog am ymchwil ofer dyn. Mae'r ddrama o hyd yn ddrama dau fyd.

Cawn gip wedyn ar Rondol newydd briodi ; gwertha ef ei dyddyn i droi'n siopwr gyda'i wraig ; myn hefyd droi'n gwacer gan mai cwaceres yw hithau, a'r cwacers piau hi, " maen' hwy'n gyfoethogion." Rhan o grafiad yr anterliwd yw mai crefyddol a drwg yw'r holl gymeriadau dynol. Ofer yw cais Mr. Pleser i atal y cybydd rhag gwerthu ei bethau. Mae cân Pleser ar derfyn yr olygfa hon yn broffwydol megis cân y côr mewn drama Roegaidd, ac yn cysylltu'r digwyddiad hwn â holl ddigwydd dyn ar y ddaear.

Dychwel Rondol yn yr olygfa nesaf i adrodd stori ei dwyllo a'i ddadrithio a'i andwyo. Mae'r stori'n ddigrif yn null straeon nodweddiadol y clerwr a'r croesan er dydd Dafydd ap Gwilym, yn llawn manylion profiadol a chyfeiriadau lleol hysbys ; ond chwap wedi'r adroddiad daw Mrs. Gwirionedd Cydwybod at y cybydd. Y mae'r ddau fyd yn cyfarfod. Barna ef mai ysbryd ei wraig gyntaf yw hi a ddaeth i'w drwblo, ac awgrymir mai ef a roesai wenwyn i fwrdro Siân Ddefosiynol :

Gwneud cam â'r wraig wnaeth drwg ei raen.

Mae'r ymddiddan rhwng y ddau yn dangos eironiaeth Twm o'r Nant ar ei heithaf. Yn y darn hwn, er enghraifft, ceir llinell yn ateb llinell fel cyllell yn taro ar gyllell ; ni ŵyr ond a'i ceisiodd mor anodd ydyw :

Gwirionedd :
Pa beth ydyw arian ond gwreiddyn pob drwg ?
Rondol :
Fe aeth fy arian i heibio 'run fath â mwg.
Gwirionedd :
Mae dull y byd yn myned heibio.
Rondol :
A garw ydyw'r gofid sydd gydag efo.
Gwirionedd :
Meddyliwch am eich ened, er gofid a chynnen.
Rondol :
Ni wn i fwy am ened na phen mawnen.
Gwirionedd :
Ow, ow, bechadur, mae'n arw dy chwedel.
Rondol :
Dim garwach nag eraill pan elo hi'n gwarel . . .
Gwirionedd :
Ow, mater mawr dros byth yn gyfan
Yw colli ened mewn gwall anian.
Rondol :
Wel, mater mawr i minne 'mod
Wedi colli 'nghod a'm harian.

Fel yna, yn ôl darlun pregeth y Brodyr Llwydion y daw angau ar ei warthaf, a dychwel Pleser a Gofid ar y llwyfan i gloi'r anterliwd drwy barhau eu dialog, dialog a bery tra bydd dynion ar y ddaear, canys Pobun yw Rondol Roundun :

Dyn anwyd i flinder dan boender di-baid
Fel yr heda'r wreichionen i'r nen ar ei naid ;
Gwagedd o wagedd, a llygredd sy'n llym
A'r byd a'i holl dreigliad yn dwad i'r dim.

Onid dyma un o gampweithiau llenyddiaeth y ddeunawfed

ganrif ? Onid oes yma fawredd cynnwys a phriodoldeb ffurf a meistraeth ? Onid oes yma glasur yn wir ? Mae gennyf eto nodiadau ar arddull a chysylltiadau llenyddol anterliwdiau Twm o'r Nant ; efallai y dychwelaf at y testun ryw dro arall. Fy mwriad i ydoedd ceisio bras awgrymu mawredd bardd Cymraeg a ddiystyrwyd yn rhyfedd.

[*Baner ac Amserau Cymru*, 27 Medi 1950,
11 Hydref 1950, 25 Hydref 1950].

PENNOD XXVIII

TRÖEDIGAETH ANN GRIFFITHS

(Cychwyn i Astudiaeth o'i Bywyd a'i Gwaith)

Cyflwynedig i L.V. a D.J.W. er cof am chwarter canrif yn ôl

Nid oedd Ann yn llawn deunaw oed pan fu farw ei mam yn oerni Ionawr 1794. Ni ddywed y cofianwyr un gair wrthym am y fam. Hawdd deall hynny ; ni throes hi " at grefydd." Ond gyda'i marw hi bu farw'r ddeunawfed ganrif ar barth Dolwar Fach. Os oedd Ann " yn rhemp am y nosweithiau chwarae ; un dost oedd hi am ddawnsio," chwedl cyfoeswr iddi yn ôl *Cofiant* Morris Davies, ei mam piau'r clod. Mae digon o arwyddion mai hogen ei mam oedd hi, ei mam oedd cymeriad cryfaf y tŷ, ei mam a'i dysgodd hi a'i llunio hi. Y mae disgrifiad John Hughes, Pontrobert o Ann yn ei gofiant ef iddi yn rhy enwog i'w ddyfynnu'n llawn : " O olwg lled fawreddog, ac er hynny yn hawdd nesáu ati *mewn cyfeillach a hoffai,*" cyfeillach a atebai i safonau ei mam ; mae'r disgrifiad yn hynod fyw. " Lled wyllt ac ysgafn ydoedd ei hieuenctyd " ; ystyr hynny yw nas ganwyd hi'n Fethodist. Merch ei mam a'r ddeunawfed ganrif oedd hi, a mwynder Maldwyn. Ffyddlondeb i'w mam ac i draddodiadau'i mam oedd ei hymlyniad hi wrth eglwys y plwy. Eglwysreg fu hi hyd at ei bedd. Thomas Charles oedd ei hoffeiriad hi. Yn null Eglwys Loegr y gweinyddid y Cymun yn y Bala, " ar eu gliniau o ddeutu y sedd fawr." Lle yr oedd offeiriad yr oedd Eglwys. Yn ei nofel, *Fy Hen Lyfr Cownt,* pair Miss Davies Jones i Ann sgrifennu am ei mam : " Roeddech chi mor falch â hil y Theodoried i gyd a chredech fod yr haul yn codi ar fy nhaid am iddo fod yn Warden Eglwys Llan." Mae'n od fel y gall nofelydd dreiddio'n ddyfnach na llawer ysgolhaig. Hyd yn oed wedi troi ohoni'n Fethodist a thyfu'n ddirfawr o ran athrylith a phrofiad, arhosai nodweddion ei mam ar gymeriad Ann, ei balchder, ei dewredd, ei blaenoriaeth naturiol a diorchest ym mhob cwmni, ei sirioldeb a'i hysgafnder ysbryd. Nid yn rhwydd y dofwyd y ddeunawfed ganrif ynddi. Ceryddwyd hi, megis gan Ruth Evans, am chwerthin : Purion ; o'i atal torrodd allan yn orfoleddu. Ni ellid ei chadw hi'n ferfaidd. Ni allai grio heb feichio crio.

Un oedd hi yr oedd yn rhaid iddi gael dweud ei chalon. Yr oedd mynegi yn hanfodol i'w byw,—dawnsio, canu, chwerthin, plagio, ffraethebu, adrodd hanesion a phert atebion, arllwys ei chwd. Ebr John Hughes amdani mewn cyfnod diweddarach : " Bwriadodd Ann unwaith ysgrifennu dyddlyfr, ond yn lle hwnnw dechreuodd gyfansoddi penillion." Nid dyna'r gwir i gyd, fel y cawn weld, ond dyna a roes gychwyn i nofel Miss Rhiannon Davies Jones. Greddf y llenor ; greddf yr artist. Mae'n rhaid dal ar hyn ; ni ellir mo'i deall hi hebddo. Gosodwch hi (yn eich dychymyg) ar drothwy'r ugeinfed ganrif yn lle'r bedwaredd ar bymtheg ac fe welech egin y stori fer Gymraeg a rhagflaenydd i Kate Roberts yn gwbl amlwg mewn paragraff yn un o'i llythyrau :

> Cefais lawer o bleser wrth fyfyrio am y wraig Sunamees yn neilltuo stafell ar y mur i ŵr Duw orffwys pan ddelai heibio, gan osod gwely, bwrdd, stôl, a chanhwyllbren. Fe allai fod y wraig honno, gan ei hiraeth am y proffwyd, yn mynych droedio yr ystafell, ac yn cael ei llonni mewn disgwyliad am y gŵr . . .

Dyna'n union fel y mae sgrifennu creadigol, stori fer neu ddrama, yn cychwyn yn y meddwl. " Heol myfyrdod " yw enw Ann ar y profiad, profiad normal yr artist, a'r gweld yn fyw yn y manylion a'r cydbrofi. Wedi darllen y paragraff a'i gydfyfyrio â hi, mae dyn yn mynd dan groen Ann Thomas, yn ei 'nabod hi, yn medru cydbrofi â hi, ac yn gwybod yn reddfol sicr sut un oedd hi yn ddwy ar bymtheg oed, ar fin ei deunaw, a'i llencyndod yn cronni yn ei bronnau, pan fu farw ei mam, yr unig un o'r unrhyw anian â hi, yr unig un y gallai hi ddweud ei chalon wrthi dan blygu dros y droell fin nos. Peidiodd y dawnsio ar y barth ; tawodd y canu a'r penillion ; aeth pawb i'w blu. Lle y buasai gynt bedair benyw yn y tŷ, y fam a thair o ferched a'u llawenydd, nid oedd yn awr ond Ann a'r meibion, sef ei thad a'i dau frawd.

Yr oedd yr unigedd yn llym. Ymhen blynyddoedd, Tachwedd 28, 1800, yn ei llythyr cyntaf at John Hughes dywed hi : " Gwyddech fwy o'm hanes ym mhob trueni na neb arall." Mae'r " neb arall " yn cynnwys ei holl deulu, ac ni bu John Hughes ond ychydig fisoedd yn Nolwar. Rhai misoedd wedi marw ei mam torrodd " diwygiad " allan ymysg Methodistiaid Pen-llys. Dyfnhaodd hynny ei hunigedd yn greulon. Yr oedd ei brawd hynaf eisoes yn un ohonynt. Dilynwyd ef yn awr gan ei dad a'i frawd. Codwyd mur rhyngddynt hwy a hi. Nid digon ganddynt gladdu ei mam. Rhaid iddynt hefyd gladdu'r bywyd y buasai ei mam yn borth iddo, y canu ysgafn, y dawnsio a'r noson lawen ar yr aelwyd, gwyliau'r Eglwys a'r cyrchu'n deulu crwn yn llwybrau'r tadau tua'r llan. Cefnodd y meibion ar y cwbl. Nid oedd mwyach ond Ann i lynu wrth y traddodiadau a chymysgu ei diod â dagrau hiraeth. Nid cartre mo'i chartref mwy.

Felly, mi ddaliaf i, y mae ystyried ei thaith enwog i Lanfyllin, ei " thaith i Damascus." Dywed John Hughes :

> Aeth i Lanfyllin mewn bwriad i ddawnsio, pa un ai gŵyl-mabsant neu ryw gyfarfod gwag arall oedd yn bod yno ar y pryd nid ydys yn awr yn gwybod i sicrwydd, ond tebygol mai amser gŵylmabsant ydoedd yr adeg. Mwynhau difyrrwch cnawdol oedd yn ei golwg hi yn y daith hon . . .

Y mae *Cofiant* Morris Davies yn ymhelaethu'n flodeuog ar hyn yn ei ddull dihafal-ddihitio am ffeithiau : " Dacw hi, wedi cael caniatâd ei rhieni (*sic*!), yn ei glân drwsiad . . . a'r ferlen yn teithio yn heinif." Diamau mai cofio a ddywedasai Ann ei hunan wrtho a wnaeth John Hughes. Dyna'r pam y mae ei *Gofiant* byr ef yn ddogfen mor werthfawr. Y cwbl sy'n ddiogel felly yw mai mynd i Lanfyllin i ddawns ŵylmabsant yr oedd hi, hi'n unig o'i thŷ, ar ei phen ei hun, nid dan fendith ei thad na'i brodyr eithr gan eu herio hwynt. Yr oedd ei chwaer hynaf yn briod yn Llanfyllin ac eisoes wedi troi gyda'i gŵr at y Methodistiaid. Nid oes sôn am ymweld â hi,—ffaith y dylid craffu arni. Rhaid wrth ddychymyg effro i ddarllen cofiannau'r Methodistiaid cynnar yn ddeallus. Yr oedd troi'n Fethodist yn 1796 yn fwy chwyldroadol na throi'n genedlaetholwr yn 1937 ; yr oedd yn rhwyg gymdeithasol ac yn ddull newydd o fyw beunyddiol, yn sen ar holl sefydliadau'r werin Gymreig. Na, nid aeth Ann ar gyfyl ei chwaer ; " aeth i Lanfyllin mewn bwriad i ddawnsio," mynd a'i meddwl yn llawn atgofion am fynd gynt gyda'i mam a'r teulu cyfan ; mynd dan wybod a chwerwi wrth wybod beth fyddai testun gweddïau ceryddus ei thad a'i brodyr. Dilynwn adroddiad cynnil ond gofalus John Hughes :

> Wedi iddi gyrhaeddyd i Lanfyllin, cyfarfu â merch a fuasai ryw amser yn ôl yn forwyn yn ei theulu ; cymhellodd honno hi i ddyfod i wrando pregeth i gapel yr Annibynwyr, gan ddweud wrthi fod yno ŵr dieithr enwog yn pregethu. Hi a gydsyniodd â'r cais, a'r diweddar Barchedig Benjamin Jones, Pwllheli, oedd yno yn pregethu.

Y mae elfennau nodweddiadol tröedigaeth yn yr hanes. O'r funud y caeodd hi'r drws yn glep ar Ddolwar a'i gweddïwyr a mynd ei hunan, lle y buont gynt yn fintai, syrthiasai'r fath don o drueni arni fel nad oedd bosib dawnsio. A dyma gyfarfod â hen forwyn ei mam, canys rhaid mai dyna ystyr " merch a fuasai ryw amser yn ôl yn forwyn yn ei theulu." Gafael yn ei breichiau a'i chofleidio ; chwalwyd ei hunigrwydd. Gwelodd y forwyn nad oedd Ann mewn hwyliau i fynd i'r daplas. Yr oedd y gwahoddiad i gapel yr Annibynwyr yn ddifai ; yr oedd-ynt hwy ers cenedlaethau yn elfen barchus a chefnog o'r gym-deithas Gymreig, nid yr un brid â'r Methodistiaid. Aeth gyda morwyn ei mam megis yng nghwmni ei mam, yn ysgafnach dipyn ei chalon, yn ddwys ei theimladau, yn barod odiaeth i wrando a derbyn argraffiadau :

> Effeithiodd y bregeth ar Ann yn lled ddwys, nes y penderfynodd ymofyn am grefydd yn lle dilyn gwagedd.

Yn haf 1796 y bu hyn, nid 1797. Aeth adre. Ebr John Hughes:

> Ei phenderfyniad y pryd hwn oedd ymofyn am grefydd trwy y moddion o gyrchu yn fwy dyfal i eglwys y plwyf.

Hynny a wnaeth hi drwy fisoedd yr hydref a'r gaeaf 1796 a rhoi heibio'r ddawns a'r chwaraeon a'r canu a'r hen gwmnïaeth. Yr oedd hyn wrth gwrs yn tynnu sylw ac yn destun siarad. Mae'r praw yng nghwestiwn yr offeiriad ar ôl gwasanaeth y plygain 1796 : " Ann, a ydyw gwythennau gwagedd *wedi ymadael yn llwyr* o'ch dwylo ? "

Misoedd truenus. Yr oedd hi'n fwy annifyr gartref yn awr na chynt. Yr oedd hi dan argyhoeddiadau Methodistaidd mewn tŷ a theulu o Fethodistiaid ac eto'n gas ganddi bopeth Methodistaidd. Gwaeth na dim, yr oedd hi'n brwydro o blaid ei mam farw yn erbyn ei thad a'i brodyr byw. Felly, a chraf-angau angau yn ei mynwes, a'r flwyddyn yn marw, a'r golau dydd byrraf o'i blaen, yr ymdreiglodd hi at y Nadolig. Nadolig gwahanol i unrhyw Nadolig a fuasai yn Nolwar Fach er ei geni hi. Oddi wrthi hi ei hunan y cafodd John Hughes ei adroddiad am ei phrofiad yn mynd i'r plygain :

> Yr oedd yn mynd ei hunan dan wylo, trwy y tywyllwch ar hyd llwybrau anwastad a geirwon, tra yr oedd ei brodyr wedi mynd yr un pryd i gyfarfod crefyddol o'r enw i Bont Robert. Colli cwmni ei brodyr, ynghyd ag eiddigedd am eu bod wedi myned i foddion y Methodistiaid, ynghyd â thywyllwch a gerwindeb y ffordd a barodd iddi fynd dan wylo. Erbyn iddi gyrhaeddyd i'r dreflan, nid oedd neb wedi codi ; bu am ryw ysbaid yno yn yr oerfel a'r tywyllwch, yn aros am ddechrau y cyfarfod . . .

Dyna'r plygain ! Dyna'r Nadolig ! Pwll o drueni. Ac i ferch a fuasai gynt yn arwain pob carol, pob dawns. Mae'n amlwg mai prin y bu unrhyw Gymraeg rhyngddi hi a'i brodyr ers tro byd. Garw anfaddeuol oedd eu hymddygiad hwy tuag ati y bore bach hwnnw yn yr oerfel a'r duwch, ond sylwer ar y gair sy'n bradychu gwaelod ei chalon, " *eiddigedd* am eu bod wedi myned i foddion y Methodistiaid " ! Yr oedd hi eisoes yn Fethodist ac yn gwybod ei bod ac yn gwrthod bod ac yn torri ei chalon am na fedrai fod. Cyflwr o gymhlethdod nerfus a allai'n fuan ddryllio'i synhwyrau. Nid rhyfedd iddi ymlwybro dan wylo. Yn ben ar y cwbl, cyrraedd yr eglwys a chael " nad oedd neb wedi codi," a hynny am iddi fynnu codi'r un pryd â John ac Edward a chychwyn yr un adeg â hwythau a oedd ganddynt bedair milltir o siwrnai. Bu raid iddi aros yn y fynwent, yn wlyb drwyddi ac yn rhynnu ymhlith y beddau,—onid yno yr oedd ei mam ?—yn igian crio yn y tywyllwch, yn ugain oed a'i bywyd yn garreg fedd. Bu felly o leiaf awr cyn agor drws yr eglwys a dyfod y plwyfolion i fyny'r bryn. Yr oedd golwg fel angau arni. Ni fedrai reoli ei hing yn ystod y gwasanaeth a'r caroli. Sylwodd y cymdogion arni a mynd heibio iddi a hithau'n penlinio gan guddio'i hwyneb yn ei dwylo a'i hysgwyddau'n ysgwyd. Aethai'r offeiriad i dynnu ei wenwisg ; oedodd yn y festri nes bod cwmni'r llan wedi ymadael yn siriol eu twrw. Wedyn aeth yn ôl i'r eglwys at y ferch ofidus :

> Nesaodd yr offeiriad ati mewn modd serchog a siriol, ac a ymaflodd yn ei llaw gan ddywedyd, " Ann, a ydyw gwythennau gwagedd wedi ymadael yn llwyr o'ch dwylo ? ", ac yna gwahoddodd hi i'w dŷ i gael borefwyd, canys yr oedd hi a'i theulu yn dra pharchus yng ngolwg yr offeiriad . . .

Ni wn i am ddim hanes na darlun mor ddwys, mor fyw, mor dyner, mor drist, yn holl lenyddiaeth y cofiant Cymraeg. Ac yna daw terfyn swta gatastroffig i'r stori :

> Ond ei ymddiddanion â hi yn ei dŷ oeddynt nid yn unig yn anghrefyddol, ond yn *rhy anweddaidd i'w hadrodd.*

Does dim sens yn y peth. Be' ddwedodd ef ? Cofier mai'r Methodist, John Hughes, sy'n llefaru yma yn idiom ei sect a'i oes. Ef, nid Ann, piau'r dyfarniad *rhy anweddaidd i'w adrodd.* Cofier at hynny fod Ann erbyn cyrraedd tŷ'r offeiriad wedi cyrraedd pen ei thennyn. Prin ei bod hi yn ei hiawn bwyll. Yr oedd ei nerfau hi'n gignoeth. Ers chwe mis bu'n cynnal yn ei meddwl frwydr rhwng ei mam farw a'i thad a'i brodyr byw. Yr oedd eiddigedd yn ei chorddi hi, eiddigedd o ryddid a bywyd newydd ei theulu. Yr oedd arni angen enbyd, enbyd am achos, am esgus, i dorri ag eglwys ei mam a mynd yn rhydd at gynhesrwydd y byw. Gŵr caredig a hoffus oedd yr offeiriad, yn llawn tynerwch ac ewyllys da, ond heb ddawn i amgyffred cymhlethdod dyrys y ferch lartsh dan ei baich o boen. Perswadiodd ef hi i gymryd mymryn o frecwast a'r peth tebycaf yn y byd yw iddo ddweud wedyn gyda'i sirioldeb arferol a phlaendra'r ddeunawfed ganrif : " Rŵan, Ann bach, sychwch eich dagrau, ewch adre i newid eich dillad. Mae hi'n ddydd Nadolig ! Dowch i'r daplas i chware y pnawn yma, a rhowch i minnau gusan bach o ffarwél." Pethau rhy anweddaidd i'w hadrodd.

I Ann yn ei chyflwr abnormal yr oedd hynny'n ddigon. Rhoes ei chalon lam. Torrodd y gadwyn a'i clymai wrth fedd ei mam yn y llan :

> Mewn canlyniad i hyn yma dymunodd ar ei thad am gael myned i Lanfyllin i ddysgu gwnïo ; ei hamcan oedd cael myned tan weinidogaeth yr Annibynwyr.

Ychwanega Morris Davies fod ei thad wedi cydsynio â'i chais a dechrau trefnu ar gyfer y newid. Hi, cofier, oedd meistres y tŷ a'r ffarm. Fe wyddom beth y mae colli'r feistres yn ei olygu ar ffarm ac mewn tŷ ffarm. Y math o chwyldro nas disgwylir ond oddi ar law marwolaeth. Er hynny fe gydsyniodd ei thad â'i chais. Dyna ddangos sut fywyd a fuasai yn Nolwar ers chwe mis.

Ond wrth gwrs y mae'r argyfwng enaid ar ben. Yr oedd drama'r plygain a brecwast yr offeiriad wedi dryllio gafael ei mam arni, ac nid oedd dianc i Lanfyllin ac ymuno gyda'r Annibynwyr ond dull cynefin o gyflawni'r trosglwyddo nwydau. Ebr John Hughes :

> Cyn i'r bwriad uchod gael ei gyflawni daeth i Bont Robert i wrando ar ryw bregethwr ac wrth wrando y bregeth honno gorchfygwyd ei rhagfarn at y Methodistiaid . . . .

Gallwn ei gweld hi'n cerdded y pedair milltir o Ddolwar i'r capel rhwng ei brodyr, cyn daled â hwythau a'i phen yn uchel, cerdded am y tro cyntaf heb feddwl unwaith am ei mam. Mae'r bywyd newydd yn ymagor.

[*Seren Gomer*, liv (1962), 69-74 (fersiwn diwygiedig)].

PENNOD XXIX

ANN GRIFFITHS : AROLWG LLENYDDOL[1]

A GAF i gychwyn gydag apêl at Fwrdd Gwasg Prifysgol Cymru ? Y mae Ann Griffiths yn un o glasuron mawr ein llenyddiaeth ni. Ni ellir trafod barddoniaeth y bedwaredd ganrif ar bymtheg heb gychwyn gydag Ann Griffiths. Nid oes gennym ni heddiw destun o'i hemynau nac o'i llythyrau sy'n safonol. Y mae'r peth yn drueni. Fe ddylid gwahodd ysgolhaig o'r radd flaenaf i baratoi cyn pen dwy flynedd destun diogel a therfynol o'r emynau a'r llythyrau, canys y mae'r llythyrau yn glasuron hefyd. Dylai'r Cofiant byr iddi a gyhoeddodd John Hughes, Pontrobert, yn 1846 fod yn rhan o'r gyfrol.

Y testun gorau sy gennym ar hyn o bryd yw cyfrol fechan amhrisiadwy O. M. Edwards yng Nghyfres y Fil, 1905, trigain mlynedd yn ôl. O na buasai rhywun o weledigaeth hafal i O. M. Edwards wedi llywyddu ar wasg Prifysgol Cymru. Y feirniadaeth destunol glasurol ar gyfrol O. M. Edwards yw dwy ysgrif y diweddar D. Morgan Lewis yn y *Llenor*, 1924. Cyhoeddwyd *Cofiant Ann Griffiths* gan Morris Davies o Fangor ganrif union yn ôl. Fe ddylid ailgyhoeddi hwnnw, canys y mae'n un o gofiannau gorau'r ganrif, yn anhepgor hyd heddiw, ac ynddo lawer o oleuni ar ei wrthrych a llawer o feirniadaeth sy'n aros yn werthfawr o hyd. Y mae llyfr Morris Davies yn ei ddull yn glasur bychan, a gellir gweld ei ddylanwad ar nofel *Gwen Tomos* gan Daniel Owen.

Nid af i fanylu heddiw ar broblemau testun Ann Griffiths, canys un o gyfarfodydd poblogaidd y Cymmrodorion yn hytrach nag un o'u cyfarfodydd academig yw hwn. Fe wyddoch oll mai un llythyr ac un pennill o'i gwaith hi sy ar gadw yn ei llawysgrif hi ei hunan. Copïau John Hughes, Pontrobert, o rai o'i llythyrau eraill sy gennym, copïau y mae'n rhaid eu trafod gyda gofal. Ef hefyd a gadwodd ei hemynau gan eu copïo oddi ar gof ei wraig, Ruth Hughes, amdanynt, yn ôl Morris Davies, ond copïo rhai oddi wrth lythyrau Ann ei hunan

[1]Anerchiad i Anrhydeddus Gymdeithas y Cymmrodorion, 5 Awst 1965, yn ystod yr Eisteddfod Genedlaethol yn y Drenewydd. *Cadeirydd* : Syr Thomas Parry-Williams, M.A., D.Litt., Ph.D., LL.D. (Llywydd y Gymdeithas).

yn ôl O. M. Edwards a Morgan Lewis. Yr wyf i'n tueddu i amau hynny ; ni ellir setlo'r broblem heb astudiaeth drwyadl.

Rhaid imi aros ychydig i ystyried y berthynas rhwng Ann Griffiths a John Hughes. Yr oedd ef flwyddyn yn hŷn na hi pan ddaeth ef, yn bump ar hugain oed, i letya yn Nolwar yn gynnar yn y flwyddyn 1800. Dywedodd ef am y cyfnod hwnnw :

> Bu ysgrifennydd y cofiant hwn yn cadw ysgol yng nghymdogaeth Dolwar Fechan ac yn lletya am amryw fisoedd yn Dolwar Fechan. . . . Yn yr ysbaid hwn bu lawer o weithiau am amryw o oriau ynghyd yn ymddiddan ag Ann am bethau ysgrythurol a phrofiadol, a hynny gyda'r fath hyfrydwch hyd oni byddai oriau yn myned heibio yn ddiarwybod . . .

Dywedodd Ann mewn llythyr ato am yr un cyfnod: ' Gwyddech fwy o'm hanes ym mhob trueni na neb arall.'

Cyhoeddodd O. M. Edwards, gyda gwaith Ann Griffiths, *Ysgriflyfrau* o waith John Hughes, praw arall o athrylith feirniadol O. M. Edwards. Yn y llyfrau hyn ceir gan John Hughes gopïau o'i waith barddonol anfarddonol ef ei hunan, cofnodion o gyfarfodydd seiat ym Mathafarn, cofnodion o gyfarfodydd Cymdeithasfa a chopïau o'i lythyrau ef ei hunan at Ruth Evans, a oedd, o 1800 ymlaen, yn forwyn yn Nolwar. Nid oes gopi o un o'i lythyrau ef at Ann Griffiths na chwaith o'i lythyrau ef at ei brodyr hi. Yr oedd ef yn arfer darllen o'i llythyrau hi ato ef yn y seiadau ym Mathafarn. Y mae'r cofnodion o'r seiadau a'r llythyrau at Ruth Evans yn amlygu cysylltiad agos ag emynau a llythyrau Ann Griffiths. Mae'n debygol weithiau mai llythyr ganddi hi a roes gychwyn i drafodaeth mewn seiat sy'n dilyn yr un perwyl. Ond ni eill ychwaith fod dim amheuaeth na bu ei lythyrau ef at Ann yn achlysur i lawer o'i barddoniaeth hi. Gellid rhoi rhes o enghreifftiau i brofi hyn. Dyma un esiampl. Mewn llythyr at Ruth Evans, dywed John Hughes : ' Fel y mae dyn yn nesu ychydig at ei eilunod y mae Duw yn nesu ychydig draw. O am iddi fynd yn waedd onest effro—Beth sydd imi a wnelwyf ag eilunod mwyach ? ac hefyd, O Arglwydd, na ad fi ! ' Heb newid ar y geiriau sy'n dyfod o lyfr Hosea yn yr Hen Destament, troes Ann hynny'n bennill :

> Beth sydd imi mwy a wnelwyf
> Ag eilunod gwael y llawr . . .
> O am aros
> Yn ei gariad ddyddiau f'oes.

Pam y gyfathrach agos iawn yma rhwng Ann Griffiths a John Hughes yn eu hienctyd a'u nwyfiant ? Fy marn bendant ac anffasiynol i yw na fu erioed y mymryn lleiaf o ymserchu naturiol yn ei gilydd rhyngddynt. Yr oedd bwlch cymdeithasol rhy fawr rhyngddynt. Y mae tystiolaeth John Morgan, yr Wyddgrug (*Cymru*, xxx, t. 29-36), yn bendant a gwerthfawr ar y pwnc hwn. Ac wedi i John Hughes ymadael o Ddolwar, mae'n eglur iddo betruso ac amau a fyddai hi'n barod hyd yn oed i dderbyn llythyr ganddo, canys ei brawddeg gyntaf hi yn ei llythyr ateb cyntaf yw hyn :

> Garedig Frawd,
> Cefais hyn o gyfleustra i anfon atoch yr ychydig leiniau hyn er mwyn dangos fy mharodrwydd i dderbyn ac ateb eich llythyr.

Cyfeillgarwch deallol, darganfod yn ei gilydd ddiddordeb angerddol yn yr un dull o ddeall crefydd, dyna sy'n egluro'r ' amryw o oriau ynghyd yn ymddiddan ag Ann am bethau ysgrythurol a phrofiadol.' Yr oeddynt yn chwerthinllyd wahanol i'w gilydd o ran golwg ac anian. Yr oedd ef yn enwog o hyll, yn drwstan-afrosgo a di-ddygiad-i-fyny. Yr oedd hithau'n olygus lân ac yn gryn dywysoges. Iddo ef nid oedd dim yn bod ond y pethau tragwyddol. Crefydd a duwioldeb oedd ei holl fywyd ef. Nid felly Ann. Fe wyddai hi am brofiadau ysbrydol ac am ' ymweliadau ' sy'n perthyn i gyflwr uchel iawn o weddi myfyrdod. Er enghraifft :

> Annwyl chwaer, byddaf yn cael fy llyncu gymaint weithiau i'r pethau hyn fel ag y byddaf yn misio yn deg â sefyll yn ffordd fy nyletswydd gyda phethau amser . . . er ei bod yma yn dda iawn trwy ddellt, a bod yr Arglwydd yn datguddio gymaint o'i ogoniant weithiau trwy ddrych mewn dameg a all fy nghynheddfau gweiniaid i ddal.

Ond y mae ei llythyrau hi'n cwyno'n barhaus am ei horiogrwydd, ' yr amrywiol bethau oedd yn fy ngalw ar eu hôl ; methu aros, parhaus ymadael ' fel y byddai raid iddi weithiau ' amau gwirionedd yr ymweliadau.' Gwaeth na hynny—iddi hi, a chanddi ymennydd mor loyw dreiddgar ac athrylith ysbrydol, yr oedd hyd yn oed y profiadau mwyaf aruchel o weddi cymundeb yn dwyn nodau gwendid a phechod :

Pan fo'r enaid mwya gwresog
  Yn tanllyd garu'n mwya byw,
Y mae'r pryd hynny yn fyr o gyrraedd
  Perffaith sanctaidd gyfraith Duw.

Nid oes awgrym o arwydd fod John Hughes yn gwybod dim am brofiadau fel hyn. Gellid dweud llawer ychwaneg am fywyd ' profiadol ' Ann.

Beth felly a gafodd Ann Griffiths gan John Hughes, Pont-robert ? Fy ateb i yw : diwinyddiaeth. Diwinyddiaeth oedd ei elfen ef, ac iddi hi fe ddaeth diwinyddiaeth yn fara a gwin. Cyn dyfod John Hughes i Ddolwar, bu hi eisoes yn y Bala, gwrandawodd ar bregethau, cafodd y cymun ar ei gliniau gan Thomas Charles, ond ni chawsai hi neb a fedrai agor meysydd diwinyddiaeth iddi. John Hughes oedd yr unig ddiwinydd y cafodd hi ' oriau yn myned heibio yn ddiarwybod ' yn gwrando arno ac yn holi a thrafod. Dyna a gafodd hi gan John Hughes, a hynny, dyfnion bethau diwinyddiaeth, a droes Ann Thomas, Dolwar, yn Ann Griffiths, un o feirdd mwyaf Cymru.

I John Hughes, megis i Ann Griffiths, Duw—nid achubiaeth dyn—yw canolbwynt crefydd. Medd John Hughes :

> Duw ydyw. Jehofah yw efe. Tawed pob cnawd. Diolch am ei fod yr hyn ydyw.
> Os meddyliwn ein bod yn caru'r Arglwydd yn yr olwg ar ei drugaredd yn unig, heb allu ei garu yn yr olwg ar ei gyfiawnder a'i sancteiddrwydd, caru ein hunain yr ydym felly, nid caru Duw.

I John Hughes, nid colledigaeth dyn na chosb pechod ar ddyn yw'r drwg pennaf o wrthod credu i'r Efengyl, eithr yn hytrach ac yn fwy o lawer y ' dianrhydedd ar Dduw ' :

> Y modd i roddi'r anrhydedd mwyaf i Dduw yw mentro ei drugaredd ef yn ôl ei drefn.

Dyna'r agoriad i ddiwinyddiaeth John Hughes ; y mae ei ddyled i'r Hen Destament yn eglur ; a dyna'r hyn a ddysgodd Ann Griffiths ganddo a'i droi'n ganolbwynt i'w barddoniaeth.

A gaf i'n awr ddilyn ychydig ar y syniadau hyn a geirfa nod-weddiadol John Hughes mewn dyfyniad neu ddau o'i llythyrau hi ? Byddai'n dda inni gofio fod llythyrau Ann Griffiths—pa mor ddieithr bynnag yw eu hidiom i ni yn ail hanner yr ugeinfed ganrif—yn cynnwys peth o ryddiaith grefyddol fwyaf aruchel y Gymraeg. Dyma enghraifft :

> Yn yr olwg o'r dianrhydedd ar Dduw o roi'r lle blaenaf i ail bethau, dyma fy meddwl yn syml. Os rhaid i natur gael ei gwasgu i afael marwolaeth oherwydd ei gwendid i ddal twn-iadau tanbaid haul profedigaethau, byddaf yn meddwl weithiau y caf edrych ar fy ysbeilio yn llawen o 'mywyd naturiol yn hytrach (os rhaid) nag i ogoniant fynd tan gwmwl wrth i natur gael ei rhwysg a'i gwrthrychau . . .

Ac eto mewn llythyr arall :

> Mi a ddymunwn o'm calon roi'r clod i gyd i Dduw'r Gair yn unig am fy nwyn a'm dal hyd yma, a bod y rhan sy'n ôl mewn parhaus gymundeb â Duw yn ei Fab, am nad allaf byth ogoneddu mwy, na chymaint, arno na thrwy gredu a derbyn ei Fab. Help o'r nef i wneud hynny, nid o ran fy mhleser fy hun yn unig, ond o barch iddo.

Bydd dwy linell o emyn yn ddigon i ddangos yr un idiom a'r un ysbryd :

> O am gael ei anrhydeddu
> Trwy dderbyn iechydwriaeth rad.

Hynny yw, er mwyn anrhydeddu Duw y mae dyn yn derbyn ei achubiad ei hunan. Anrhydeddu Duw, nid cadw dyn, yw amcan cyntaf a phennaf efengyl y cadw.

Er mwyn hyn, er mwyn rhoi'n ôl i Dduw yr anrhydedd sy'n ddyledus iddo y bu ac y mae'r ymgnawdoliad :

> Duw y duwiau wedi ymddangos
> Yng nghnawd a natur dynol ryw,

a dyna gyntaf a phrif ystyr Calfaria—aduno addoliad mewn offrwm ; adfer anrhydedd :

> Fy enaid trist wrth gofio'r frwydr
> Yn llamu o lawenydd sydd,
> Gweld y ddeddf yn anrhydeddus
> A'i throseddwr mawr yn rhydd,
> Rhoi awdur bywyd i farwolaeth
> A chladdu'r atgyfodiad mawr,
> Dwyn i mewn dragwyddol heddwch
> Rhwng nef y nef a daear lawr.

Er mwyn dangos mor hanfodol yw'r meddwl hwn i holl fywyd

Ann Griffiths, dyma ddarn o'i llythyr hi at Elizabeth Evans, sy'n sôn am ei gobaith wrth farw :

> Annwyl chwaer, gallaf ddweud mai hyn sydd yn fy llonni fwyaf o bob peth y dyddiau hyn—nid marw ynddo'i hun, ond yr elw mawr sydd i'w gael trwyddo. Cael gadael ar ôl bob tueddiad croes i ewyllys Duw, gadael ar ôl bob gallu i ddi-anrhydeddu deddf Duw.

Y sicrwydd yma o oruchel santeiddrwydd ac anfeidroldeb Duw yw'r allwedd i holl ganu Ann Griffiths :

> Yn yr adnabyddiaeth yma
> Mae uchel drem yn dod i lawr,
> Dyn yn fach, yn wael, yn ffiaidd,
> Duw'n oruchel ac yn fawr.

Parch, anrhydedd, gogoniant, rhoi'r rheini i Dduw : ' Meddyliais fod angen i fynd heibio i frodyr a grasusau, a charu y Rhoddwr uwchlaw y rhodd.' Ac wedyn o angenrheidrwydd : ' O'r cwbl, pechod y meddwl sydd yn gwasgu drymaf arnaf . . . Ni bu erioed fwy o hiraeth arnaf am fod yn bur.' Dyna ffordd y puredigaeth a ' heol myfyrdod.'

Beth yw ymateb Ann Griffiths i'r ddiwinyddiaeth yma ? I ' Drefn yr Iechydwriaeth ' ? Dowch inni graffu ar ei geirfa hi. Y gair a ddaw amlaf yn ei chanu hi, y gair sy'n amlygu ei hymateb hi yw *rhyfeddu*, gyda'r ansoddair *rhyfedd* a'r enw *rhyfeddod*. Mae'r esiamplau yn llawer. Mi ddewisaf ychydig :

> Rhyfedd, rhyfedd gan angylion,
> Rhyfeddod fawr yng ngolwg Ffydd,

ac eto :

> Rhyfeddaf fyth, fe drefnwyd pabell
> Im gael yn dawel gwrdd â Duw . . .

ac eto :

> Ffordd a'i henw yn Rhyfeddol,
> Hen ac heb heneiddio yw . . .

a'r enghraifft olaf hon sy'n floedd a allai ddyfod oddi wrth Rimbaud :

> Mewn môr o ryfeddodau
> O am gael treulio f'oes !

Fe gewch yr un gair yn fynych yn y llythyrau :

> Yr wyf yn aml wrth Orsedd Gras yn rhyfeddu, diolch a gweddïo . . .

Weithiau yn y llythyrau fe geir *synnu* yn lle rhyfeddu :

> Yr wyf yn cywilyddio'n barchus ac yn llawenhau mewn *syndod* wrth feddwl fod yr Hwn y mae'n ddarostyngiad iddo edrych ar y pethau yn y nefoedd, eto wedi'i roi ei hun yn wrthrych serch i greadur mor wael â myfi . . .
>
> Mae'n syndod im feddwl pwy oedd ar y groes . . .
>
> Y mae fy meddwl yn *boddi mewn gormod o syndod* i ddweud dim ychwaneg ar y mater . . .

Y mae un dull sy gan Ann Griffiths o fynegi'r elfen lywodraethol yma o ryfeddu a synnu yn ei haddoliad eisoes wedi cael sylw mawr gan feirniaid, sef y gwrthddywediadau. Yr enghraifft y mae pawb yn ei chofio yw :

> Rhoi awdur bywyd i farwolaeth
> A chladdu'r atgyfodiad mawr.

Y mae llawer o rai eraill ar hyd a lled yr emynau, megis :

> Efe yw'r Iawn fu rhwng y lladron . . .

a holl emyn paradocsaidd y Ffordd :

> Ffordd na chenfydd llygad barcut
> Er ei bod fel hanner dydd,

gyda therfyniad sy'n saeth at y sacrament :

> Dyma'r gwin sy'n abal llonni,
> Llonni calon Duw a dyn.

Rhyfeddu, synnu, chwarae ei bysedd ar dannau paradocsiau'r Ffydd, mae'n hawdd inni adnabod mai barddoniaeth y deall sydd yma. Nid oes dim mor rhyfedd â'r cyferbyniad rhwng Ann Griffiths a Williams Pantycelyn. Ar ei uchelfannau, canu benywaidd yn ystyr ardderchocaf y gair yw canu Williams. Canu gwrywaidd, canu'r ymennydd a'r deall yw canu merch Dolwar. Er mwyn diffinio'i chrefydd hi, a gaf i ddweud mai crefydd esthetig yw hi. Yr wyf yn defnyddio'r gair yn ofalus ; crefydd yn edrych allan mewn gwerthfawrogiad a syndod ac addoliad. Ac felly, ar ôl *rhyfeddu* a *synnu*, mae'n briodol mai *edrych* a *syllu* sy'n disgrifio'i gweddi hi :

> O am gael ffydd i edrych
> Gyda'r angylion fry
> I drefn yr iechydwriaeth . . . .

Sylwch: edrych i drefn ; y mae'n golygu treiddio uniongyrchol y deall. Edrych gyda'r angylion ? Sut y mae'r angylion yn edrych i drefn Duw ? Y mae gan Jacques Maritain, yn ei bennod ar Descartes, adran ar ganfyddiad angylion. Nid af ar ei ôl yn awr, ond y mae *edrych i* Ann Griffiths, yn hytrach nag *edrych ar*, yn cyfleu llawer o'r ystyr. Y mae rhinwedd arall yn perthyn i edrych yr angylion. Nid yw trefn yr iechydwriaeth yn ymwneud yn uniongyrchol â hwy. Trefn rhwng Duw a dyn a'r greadigaeth faterol yw hi. Gan hynny, edrych anhunanol, edrych hollol werthfawrogol, edrych sy'n rhyfeddu ac yn addoli ac yn fendithio ac yn llawenydd pur, heb ddim o'r hunan na chofio am hunan yn agos ato. Ac am y math yna o addoli Trefn y Cadw, am gael edrych arni gyda'r angylion a'i haddoli er ei mwyn ei hun, oherwydd ei glendid a'i dwyfoldeb, y mae Ann Griffiths yn dyheu. Cymerwn y gair *syllu* :

> Tragwyddol syllu ar y Person
> A gymerodd natur dyn . .

ac mewn pennill arall :

> Ni ddichon byd a'i holl deganau
> Foddloni fy serchiadau'n awr
> A enillwyd, a ehangwyd
> Yn nydd nerth fy Iesu mawr ;
> Ef, nid llai, a eill eu llenwi
> Er mor ddiamgyffred yw—
> O am syllu ar ei Berson
> Fel y mae fe'n ddyn a Duw.

Gallai'r cwpled cyntaf fod yn rhan o bennill gan Bantycelyn :

> Ni ddichon byd a'i holl deganau
> Foddloni fy serchiadau'n awr,

ond y mae'r cwpled nesaf yn gwbl arbennig i Ann Griffiths, y dealleiddio grymus, y cyfuniad o angerdd myfyrdod ac addoliad y meddwl ac wedyn y cyfeiriad ysgrythurol, ' Fel y galloch *amgyffred* gyda'r holl saint beth yw y lled a'r hyd a'r dyfnder a'r uchder,' a'r cwbl yn cloi yn yr act esthetig bur, ' O am syllu ar ei Berson.' Yr oedd gan y ferch yma ymennydd fel Platon. Ei syniad hi am sancteiddrwydd Duw—

> O am fywyd o sancteiddio
> Enw sanctaidd pur fy Nuw—

sy'n peri mai *parch*, ' minnau'n caru yn y llwch,' yw naws addoliad iddi. Gwrandewch arni mewn llythyr :

> Nid adnabum i o'r blaen gymaint o barch i, ac o gariad at y ddeddf ; nid *er* ei bod yn melltithio, ond *am* ei bod yn melltithio, ym mhob man allan o Gyfryngwr ; canys felly y mae yn dangos ei harddwch a'i pherffeithrwydd.

Hyd yn oed yng ngwaith Calfin ei hunan, arswyd yn wyneb sancteiddrwydd y ddeddf a bwysleisir. Ond i Ann Griffiths, cariad at ei harddwch. Harddwch, perffeithrwydd, gwrthrychau i'w rhyfeddu, i'w hedrych, i synnu a syllu arnynt, i'w *gweld*. Gweld ?—

Gwela' i'n sefyll rhwng y myrtwydd
Wrthrych teilwng o fy mryd,
Er mai o ran yr wy'n adnabod
Ei fod uwchlaw gwrthrychau'r byd ;
Henffych fore
Y caf ei *weled* fel y mae.

Yn y pennill byr yna y mae tri dyfyniad o'r Beibl. Y mae hynny, wrth gwrs, yn nodweddiadol o ddull Ann Griffiths o gyfansoddi. Dywedodd rhai beirniaid mai rhaffu ynghyd frawddegau o'r Ysgrythur yw'r cwbl a wna hi, ac nad oes fawr piau hi yn y gwaith. Fe ellid dwyn yn union yr un cyhuddiad yn erbyn Fyrsil. Eithriad fod tair llinell gyda'i gilydd yn ei holl waith ef heb atgo neu ddyfyniad o waith beirdd Groeg a Lladin o'i flaen ef. Y mae hynny'n wir am lawer bardd o'r radd flaenaf yn Ewrop a Sina. Yn ein cyfnod ni, dysgodd Ezra Pound y gelfyddyd hon i feirdd yr America. Beirdd myfyrdodus, beirdd y deall piau'r ddawn hon. Y mae'r atgo yn cysylltu'r meddwl presennol â dyfnder traddodiad a ffynonellau ysbrydol. I mi, y mae'r pennill hwn yn syndod parhaus. Mae'r ddwy linell gyntaf, gyda'r benthyg o lyfr Zechariah, mor ddieithr delynegol :

Gwela i'n sefyll rhwng y myrtwydd
Wrthrych teilwng o fy mryd,

ac yna yn y cwpled nesaf y tynnu'n ôl sydyn, yn ôl i'r cyflwr truenus ddynol amheus :

Er mai o ran yr wy'n adnabod
Ei fod uwchlaw gwrthrychau'r byd ;

ac wedyn, i orffen, y naid i wawr y gweld tragwyddol :

Henffych fore
Y caf ei weled fel y mae.

Dyma bennill arall i'r un perwyl, a'i fiwsig fel miwsig organ, lle y mae *rhyfeddu* a *gweld y meddwl* yn dyfod gyda'i gilydd :

Rhyfeddu a wna' i â mawr ryfeddod
Pan ddêl i ben y ddedwydd awr
Caf weld fy meddwl, sy yma'n gwibio
Ar ôl teganau gwael y llawr,
Wedi ei dragwyddol setlo
Ar wrthrych mawr ei berson Ef
A diysgog gydymffurfio
Â phur a sanctaidd ddeddfau'r nef.

Yn y cwpled olaf yna y mae purdeb enaid yn rhan o'i gweledigaeth hi o unoliaeth popeth sy'n bod, a'r meddwl dynol brau, ansad wedi ei dynnu i mewn o'r diwedd i undod dawns dragwyddol y cariad sy'n symud y sêr.

Rhyfeddu, synnu, edrych, syllu, gweld, a gaf i ddilyn y gyfres esthetig yma i gynnwys *treiddio* :

O am dreiddio i'r adnabyddiaeth,

ac y mae treiddio yn awgrymu suddo, nofio, môr. Nid oes dim sôn i Ann Griffiths erioed weld y môr. Ond môr yw ei sumbol hi am Dduwdod :

Mewn môr o ryfeddodau
O am gael treulio f'oes.

Ac y mae hiraeth am y môr, hiraeth un nad oedd gynefin ond â nentydd a dyfroedd afon, i'w glywed yn y llinellau hyn :

Cofiwch hyn mewn stad o wendid
Yn y dyfroedd at eich fferau sy,
Mai dirifedi yw'r cufyddau
A fesurir i chwi fry . . .
O ddedwydd awr tragwyddol orffwys
Oddi wrth fy llafur yn fy rhan,
Yng nghanol môr o ryfeddodau
Heb weled terfyn byth na glan . . .

Môr o ryfeddodau, dyna yw Duw a dyna yw bywyd yn Nuw iddi hi :

Nofio yn afon bur y bywyd,
Diderfyn heddwch Sanctaidd Dri.

Y mae yma awgrym o enaid dynol yn synhwyro o bell beth yw ymwybod Duwdod. Ni bu neb erioed yn fwy tawedog ynghylch ei phrofiadau ysbrydol nag Ann Griffiths. Y mae gan Morris Davies stori od iawn am gynnwrf a dychryn Thomas Charles wedi iddo fod yn Nolwar yn ymddiddan gyda hi. Ond ystyriwn gwpled fel yma, ac efallai y deallwn ni ddychryn Thomas Charles :

Ymddifyrru yn ei Berson
A'i addoli byth yn Dduw.

Dyna i chi holl estheteg y Ffydd.

Yr wyf wedi ceisio dyfod at feddwl a barddoniaeth Ann Griffiths yn y tipyn darlith yma drwy ei geirfa hi. Yn awr, y mae ganddi hi yn nhestun O. M. Edwards un emyn go hir o saith pennill, sy'n cynnwys bron y cwbl o'r eirfa yma ac yn crynhoi ei holl themâu a'i pharadocsiau hi. *Hymn* yw'r teitl sydd iddi yn llawysgrif John Hughes, ond yn fy marn i y mae hi'n un o gerddi mawreddog barddoniaeth grefyddol Ewrop, a mentraf ofyn i chi wrando arni yn ei chyfanrwydd, oblegid y mae geiriau Ann yn fwy buddiol nag unrhyw ddehongli arnynt :

Rhyfedd, rhyfedd gan angylion,
Rhyfeddod fawr yng ngolwg ffydd,
Gweld rhoddwr bod, cynhaliwr helaeth
A rheolwr pob peth sydd,
Yn y preseb mewn cadachau
Ac heb le i roi'i ben i lawr,
Ac eto disglair lu'r gogoniant
'N ei addoli'n Arglwydd mawr.

Pan bo Seinai i gyd yn mygu
A sŵn yr utgorn uwcha'i radd
Caf fynd i wledda tros y terfyn
Yng Nghrist y Gair heb gael fy lladd ;
Mae yno'n trigo bob cyflawnder,
Llond gwagle colledigaeth dyn ;
Ar yr adwy rhwng y ddwyblaid
Gwnaeth gymod trwy ei offrymu ei hun.

Efe yw'r Iawn fu rhwng y lladron,
  Efe ddioddefodd angau loes,
Efe a nerthodd freichiau ei ddienyddwyr
  I'w hoelio yno ar y groes ;
Wrth dalu dyled pentewynion
  Ac anrhydeddu deddf ei Dad,
Cyfiawnder, mae'n disgleirio'n danbaid
  Wrth faddau yn nhrefn y cymod rhad.

O f'enaid, gwêl y man gorweddodd
  Pen brenhinoedd, awdwr hedd,
Y greadigaeth ynddo'n symud,
  Yntau'n farw yn y bedd ;
Cân a bywyd colledigion,
  Rhyfeddod fwya angylion nef,
Gweld Duw mewn cnawd a'i gydaddoli
  Mae'r côr dan weiddi ' Iddo Ef.'

Diolch byth, a chanmil diolch,
  Diolch tra bo yno' i chwyth
Am fod gwrthrych i'w addoli
  A thestun cân i bara byth;
Yn fy natur, wedi ei demtio
  Fel y gwaela' o ddynol ryw,
Yn ddyn bach, yn wan, yn ddinerth,
  Yn anfeidrol wir a bywiol Dduw.

Yn lle cario corff o lygredd,
  Cyd-dreiddio â'r côr yn danllyd fry
I ddiderfyn ryfeddodau
  Iechydwriaeth Calfari,
Byw i weld yr Anweledig
  Fu farw ac sy'n awr yn fyw,
Tragwyddol anwahanol undeb
  A chymundeb â fy Nuw.

Yno caf ddyrchafu'r Enw
  A osododd Duw yn Iawn,
Heb ddychymyg, llen na gorchudd,
  A'm henaid ar ei ddelw'n llawn ;
Yng nghymdeithas y dirgelwch
  Datguddiedig yn ei glwy
Cusanu'r Mab i dragwyddoldeb
  Heb im' gefnu arno mwy.

Rhaid terfynu, heb orffen.

Cyn terfynu, a gaf i fentro awgrymu nad drwg o beth fyddai i ni yng Nghymru heddiw droi i fyfyrio gwaith Ann Griffiths.

Yn y ddadl grefyddol sy wedi bod yn y wasg a thrwy gyfrwng y radio yng Nghymru ers blwyddyn neu ragor bellach, y mae gennyf i gydymdeimlad llwyr â man cychwyn yr Athro J. R. Jones, sef nad argyfwng euogrwydd, eithr argyfwng amheuaeth a oes i fywyd ystyr o gwbl, sy'n pwyso ar gristnogion a chyn-gristnogion heddiw. Y mae llawer achos am yr anobaith hwn ; y mae dau ryfel byd a'r tebygrwydd sy'n agos at sicrwydd y daw trydydd, a hwnnw'n derfynol i wareiddiad ac efallai i'r ddynoliaeth. Y mae gwersyll-garcharau fel Belsen a Dachau yn aros gyda ni yn sumbolau o'r gwerth a roddwn ni ar ddynion.

Yn awr, ni fedrodd neb athronydd nac athro crefyddol er cychwyn hanes brofi fod y bydysawd yn rhesymol. Fe wyddom oll fod gwyddoniaeth heddiw yn rhoi swydd lywodraethol i siawns a damwain yn natblygiad bywyd. Act o ffydd, nid act o reswm, yw credu mewn rheswm. I Ann Griffiths, fel y dywedais i fwy nag unwaith yn y sgwrs yma, ail beth yn y grefydd Gristnogol yw achubiad a derbyniad dynion euog. Y peth cyntaf—nid oes ganddi hi mo'r petruster lleiaf amdano :

> Diolch fyth, a chanmil diolch,
> Diolch tra bo yno' i chwyth,
> Am fod gwrthrych i'w addoli . . .

Bardd yn diosg ei hesgidiau oddi am ei thraed yw Ann, oblegid fod y tir y saif hi arno yn Llanfihangel-yng-Ngwynfa yn ddaear sanctaidd. Lle y mae gwrthrych i'w addoli, ni all fod amau am eiliad fod tragwyddol ystyr i fywyd, mai ystyr sy'n llenwi'r bydysawd, fod—

> Y greadigaeth ynddo'n symud.

Wedyn, wedyn, o ganlyniad i hynny, y mae inni dyfu i ddeall dymuniad Ann Griffiths : 'Ni bu erioed fwy o hiraeth arnaf am fod yn bur.'

[*Transactions of the Honourable Society of Cymmrodorion*, Session 1965, 244-56].

PENNOD XXX

ANN GRIFFITHS A CHYFRINIAETH

Yn y bennod olaf o'i gyfrol fawr a phwysig, *Ac Onide*, y mae'r diweddar Athro J. R. Jones yn trafod yn helaeth y ddarlith a roddais i i'r Cymmrodorion yn y Drenewydd yn 1965. Yr wyf yn gobeithio medru sgrifennu'n llawn ar lyfr ac ar waith J. R. Jones yn nes ymlaen.[1] Ond er nad oes modd imi mwyach ddadlau gydag ef, mi gredaf fod gennyf ychydig bethau i'w dweud am ei draethawd ar Ann Griffiths, a'i feirniadaeth ar fy narlith innau, a eill rwystro camddeall gan eraill ar ôl hyn.

Prif bwynt J. R. Jones yw fy mod i'n llwyr wrthod cydnabod cyfriniaeth Ann Griffiths ac yn gosod ei holl fawredd hi ar rym ei deall ac ar ei bod hi'n ddiwinydd mawr a gwreiddiol. Dyma ei eiriau :

> Gellid dweud iddo ysgrifennu darlith y Drenewydd i'r union bwrpas hwn—o sefydlu'r thesis mai yma, yng ngwydnwch deallusol diwinyddol ei chanu y gorwedd cyfrinach ei mawredd. . . . . Cytunaf wrth gwrs ei bod yn dra thebygol i John Hughes ddysgu diwinyddiaeth iddi. . . . . Ond a oes raid credu i'r disgybl dyfu'n well a gwreiddiolach diwinydd na'i hathro ? . . . . Y mae ganddi, medd ef, ' feddwl fel Platon.'

Yn erbyn hyn deil J. R. Jones :

> fod Ann Griffiths yn gyfrinydd ac mai yn ei chyfriniaeth y mae ei gwreiddioldeb (t. 231).

A dywed ef ymhellach :

> Y peth tarawiadol yn y ddarlith hon yw nad oes fawr ddim sôn ynddi am gyfriniaeth Ann Griffiths : os cofiaf yn iawn, ni ddigwydd yr ymadrodd hwn gymaint ag unwaith yn y ddarlith. Dyry Mr. Lewis yr holl bwyslais ar ymenyddwaith deallusol yr emynyddes (t. 224).

A gaf i symud y pwynt lleia pwysig allan o'r ffordd reit sydyn. Ni chredaf ac ni ddywedais fod dim gwreiddiol yn niwinyddiaeth Ann. Da hynny ; peth i'w fawr amau yw diwinydd

[1]Ceir ysgrif Mr. Lewis ar *Ac Onide* yn *Ysgrifau Beirniadol*, vi, sydd ar ymddangos —Gol. *Y Traethodydd.*

gwreiddiol. Nid oedd hi chwaith yn ddiwinydd mawr. Yr oedd hynny'n amhosibl iddi. Dysgu ychydig egwyddorion sylfaenol gan John Hughes a wnaeth hi. Ei mawredd hi, neu ran o'i mawredd hi, yw iddi dreiddio i ddyfnder ystyr yr hyn a ddysgodd hi a'i droi'n faeth i'w gweddi a'i phrofiad a'i chanu.

Yn awr at y pwynt pwysig a'r cyhuddiad fy mod i'n llwyr ddiystyru cyfriniaeth Ann Griffiths. Rhaid imi gyfaddef fy mod wedi fy siomi mai J. R. Jones o bawb sy'n dal hyn yn fy erbyn. Yr oedd ganddo feddwl mor finiog. Mae'n wir, bid sicr, na cheir mo'r gair o gwbl yn fy narlith. 'Rydw i'n gobeithio, ond heb wybod o gwbl, fod hynny'n wir hefyd am fy llyfr ar Bantycelyn. Mae'r rheswm yn syml. Ni wn i am unrhyw eiriau Cymraeg sy'n perthyn i gylch crefydd y bu cymaint o buteinio arnynt, cymaint o'u camarfer, cymaint o'u troi'n rhan o eirfa ramantaidd farddonllyd ffals, â'r geiriau *cyfrinydd*, *cyfriniaeth*, *cyfriniol*. Bûm i fy hunan yn euog o'r camwedd mewn ysgrif gynnar iawn yn *Y Llenor*. Y canlyniad yw fod y geiriau hyn bellach wedi colli bron bob ystyr bendant ac wedi mynd i olygu rhyw brofiad mescalin *hippie* sy'n digwydd i ambell grachfardd ac yn rhoi iddo sicrwydd mai ef yw'r mesïa. Dyna'r pam y rhois i ddiofryd i'r geiriau. Bydd yn iawn eu hailgodi pan roddir yn ôl iddynt eu hen ystyr dechnegol a phwysig mewn diwinyddiaeth.

Yr oedd J. R. Jones yn athronydd proffesiynol. Y mae ei ddiffiniad ef gan hynny o'r hyn yw cyfriniaeth yn nes lawer iawn at y traddodiad athronyddol a diwinyddol nag a geir yn gyffredin gan ei ragflaenwyr Cymraeg. Dyma frawddeg o'i ddiffiniad :

> Mi ddywedwn i mai'r dyhead am dreiddio i ' undod *bod* '—i undod nid â bodau, sef â'r hyn a elwir yn gyffredin yn unigolion, onibai bod y rheiny'n gyfryngau'r undod dyfnach, ond i undod â Dyfnder neu Drosgynolder Bod, neu, fel y dywedai'r cyfrinydd crefyddol, i undod â Duw (t. 227).

Yn awr fe all y diffiniad hwn wneud y tro wrth drafod rhai o gyfrinwyr mawr crefyddau'r Dwyrain. Ond wrth sôn am Ann Griffiths fe ddywed yr Athro :

> Beth sy'n cyfrif am gryfder y dyhead hwn am undod yn Ann Griffiths ? Y mae'n rhaid ei fod yn tarddu, i gychwyn, o ryw gynneddf yn ei natur hi ei hun . . . Ac yr wyf fi am fentro'r

> dyfaliad mai ei chariad, a'i dyhead am gariad, oedd yr ysgogydd cryfaf yn ei henaid . . . . Rhaid inni beidio ag anghofio mai merch oedd hi (t. 228).

Popeth yn dda o'i ddarllen yn feirniadol ofalus. Ond y mae'n beryglus o agored i'w dderbyn yn ddatganiad rhamantaidd mai un a chanddo ryw gynneddf arbennig sy'n ei neilltuo oddi wrth eraill yw'r cyfrinydd.

Nid dyna'r ddysg Gristnogol. Ac yng ngwledydd Ewrop, y tu mewn i Gristnogaeth yn unig y mae traddodiad cyfriniol. Yn ôl haneswyr y traddodiad, enw yw cyfriniaeth ar ddatblygiad graddedig mewn bywyd o weddi. Gweddi yw cychwyn cyfriniaeth. Gweddi yw pob cam ymlaen mewn cyfriniaeth. Nid oes cyfrinydd ond gweddïwr. Ac felly, yn ôl dysgeidiaeth yr athrawon Cristnogol, y mae'r profiad cyfriniol yn brofiad y mae'n rhaid i bob enaid cadwedig rywfodd, rywbryd ,ei wybod.

Gweddïwr oedd Ann Griffiths. Bywyd o weddi oedd ei bywyd hi. Darlith ar ei chyfriniaeth hi oedd fy narlith i yn y Drenewydd. Yr oedd hi'n ddarlith fer. Y mae pennod J. R. Jones bron deirgwaith ei hyd hi. Felly ni wnes i fawr fwy na galw sylw at eirfa arbennig a nodweddiadol yr emynyddes. Ond i'r neb sy'n gynefin â gwaith yr awduron Cristnogol ysbrydol, y rhai sy wedi tystio am ffordd y puro a ffordd y goleuo a ffordd yr uno, fe fydd geirfa a delweddau Ann Griffiths yn ei gosod hi'n bendant yn eu plith. Yr oeddwn i dan yr argraff fod hynny'n eglur ac yn ddealledig. Mi ddywedais fod ganddi ' ymennydd fel Platon.' Efallai petawn i wedi rhoi *meddwl* yn lle *ymennydd* y buasai'r pwynt yn eglurach. Canys Platon ac ar ei ôl ef y Neo-Blatoniaid a roes i sylfaenwyr y *contemplatio* Cristnogol, sef Awstin a Hippon a Dionusios yr Areopagydd o'r bedwaredd ganrif, batrwm i'w disgyblaeth mewn gweddi. Mi ddyfynnaf un frawddeg o'r cyfieithiad Saesneg o Ddionusios, *The Celestial Hierarchies* (Llundain, 1935), t. 14 :

> When we speak of desire in connection with Intellectual Beings, we must understand by this a divine love of the Immaterial, above reason and mind, and an enduring and unshakable super-essential longing for pure and passionless contemplation, and true, sempiternal, intelligible participation in the most sublime and purest Light, and in the eternal and most perfect Beauty.

Gosoder gyda hyn y dyfyniad yma o'm darlith i ar Ann Griffiths :

> Fe wyddai hi am brofiadau ysbrydol ac am ' ymweliadau ' sy'n perthyn i gyflwr uchel iawn o weddi myfyrdod. Er enghraifft :
>
> > ' Annwyl chwaer, byddaf yn cael fy llyncu gymaint weithiau i'r pethau hyn fel ag y byddaf yn misio yn deg â sefyll yn ffordd fy nyletswydd gyda phethau amser . . . er ei bod yma yn dda iawn trwy ddellt, a bod yr Arglwydd yn datguddio gymaint o'i ogoniant weithiau trwy ddrych mewn dameg (ag) a all fy nghynheddfau gweinion i ddal.'
>
> Nid oes awgrym fod John Hughes yn gwybod dim am brofiadau fel hyn. Gellid dweud llawer ychwaneg am fywyd ' profiadol ' Ann.

Os iawn y cofiaf, fe geisiodd Gruffydd Robert gymreigio *contemplatio* yn *gynhemliad* gyda'r berfenw *cynhemlu*. Yn anffodus, ni lwyddodd y gair i fyw. Fy nghais innau i gyfleu'r unrhyw ystyr yw ' gweddi myfyrdod.'

Dychwelaf at J. R. Jones :

> Yn Ann Griffiths, nid yn unig yr oedd yr elfen erotig yn gryf ; fe'i meddiannwyd hi hefyd gan y math ar eros nas bodlonir gan unrhyw wrthrych llai na'r Trosgynnol neu'r Dwyfol ei hun. Hyn a'i gwnaeth hi'n gyfrinydd ar waethaf ei diffyg hyfforddiant yn y gyfriniaeth draddodiadol . . . . ac *ang*hyfriniaeth ei diwinyddiaeth Galfinaidd . . . . (t. 230).

Ni fedraf i dderbyn hyn o gwbl. Cytunaf fod yr elfen erotig ynddi'n gref ; hynny yw, yr oedd hi'n ferch normal. ' Fe'i meddiannwyd hi hefyd gan y math o eros nas bodlonir gan unrhyw wrthrych llai na'r Dwyfol.' Ystyr hynny yw iddi brofi tröedigaeth grefyddol a roes gyfeiriad i'w bywyd hi ; cytunaf. Ond nid hynny a'i gwnaeth hi'n ' gyfrinydd.' Bywyd o weddi, dyfalbarhad mewn gweddi myfyrdod,—mae'r dystiolaeth yn helaeth yn ei llythyrau a'i hemynau—a'i tynnodd hi i mewn i'r cymundod hwnnw. ' Er gwaethaf ei diffyg hyfforddiant yn y gyfriniaeth draddodiadol,' ebr J. R. Jones. Nid oes mo'r fath beth â'r cyfryw hyfforddiant. Y mae digonedd o hyfforddiant *am* gyfriniaeth ; fe'i ceir mewn degau o lyfrau a phregethau. Ac fe ellir—fe'm sicrheir gan rai a gredaf—*ddysgu* gweddïo. Ond nid oes dechneg sy'n agor y nefoedd. Ni ellir dysgu'r cyffyrddiad hwnnw na'r tywyllwch na'r presenoldeb. Rhodd ydyw, medd y diwinyddion. Mi ddywedais innau yn fy narlith: 'Ni bu neb yn fwy tawedog ynghylch ei phrofiadau ysbrydol nag Ann Griffiths.' Fe wyddai Pawl a Phascal hefyd am brofiadau nas dywedir.

Fe erys un pwynt arall y dymunwn ei drafod yn fyr. Dywed J. R. Jones (t. 238) :

> Deil S.L. mai dysgu ffordd arbennig o ddeall arwyddocâd yr Iawn a wnaeth John Hughes wrth ddysgu diwinyddiaeth i Ann. . . . 'Anrhydeddu Duw, nid cadw dyn, yw amcan cyntaf a phennaf efengyl y cadw.' Mi ddywedwn i mai dyna haeriad canolog darlith Mr. Lewis . . . . . .

Ni thybiaf i fod y frawddeg gyntaf uchod yn gywir. 'Anrhydeddu Duw, nid cadw dyn, yw amcan cyntaf a phennaf *efengyl* y cadw.' Nid ffordd arbennig o ddeall arwyddocâd yr Iawn yw hynny. Ni soniais i o gwbl am athrawiaeth yr Iawn yn y ddarlith. Yn hytrach, ffordd ydyw o ddeall galwad a hawl yr efengyl ar ddynion. Nid cynnig efengyl swcwr i ddyn y mae, ond galw ar ddynion i gydnabod hawl Duw arnynt yn gyntaf a phennaf yn eu bywyd, a'r modd i wneud hynny, yr unig fodd i'w addoli a'i anrhydeddu Ef, yw derbyn ei iachawdwriaeth. Dyna bwyslais Ann Griffiths.

Yr wyf i'n gweld yr annwyl J.R. trwy gydol ei draethawd yn rhyw fraidd gamddeall a chamddehongli fy narlith i. Ai oblegid ei fod ef yn gorfod gwrthod holl safbwynt Ann Griffiths? Fe ddywed eto :

> Y fan lle'r anghytunaf fi â dehongliad Mr. Lewis yw fy mod am ddal mai, o'r *ddau*, y dotio ar y Person, ar Wrthrych y trachwant sanctaidd, yw'r peth *dyfnaf*—fel petai'r ysgogydd gwreiddiolaf—yn ei chanu. Ac o'r safbwynt yma, ar waethaf ei holl glodfori arni, y mae'r Drefn ei hun yn medru mynd yn eilbeth (t. 242).

Pa faint o anghytuno yn union sydd yma ? Sicr iawn mai Duw yw unig wrthrych a chanolbwynt holl addoliad a holl gariad Ann Griffiths. Ond—os ydwyf i'n deall dim o'i llythyrau a'i hemynau—ar y groes y gwelodd hi Dduw :

> Mae'n syndod im feddwl pwy oedd ar y groes—yr Hwn sydd a'i lygaid fel fflam dân yn treiddio trwy'r nefoedd a daear ar yr

> un moment yn methu canfod ei greaduriaid, gwaith ei ddwylaw. Y mae fy meddwl yn boddi gormod i ddweud dim yn chwaneg ar y mater.

Ni fedrai hi rannu na gwahanu rhwng Crist a'i groes. Ei gariad Ef oedd y groes. Cusan Duw oedd y Drefn. Ni ellir sôn am *eilbeth.*

[*Y Traethodydd*, cxxvi (1971), 99-103].

PENNOD XXXI

ROBERT AP GWILYM DDU

DYMA hi'n ganrif er pan fu ef farw ac y mae ei fri heddiw gyn uched â phan oedd ef fyw. Dywed Dr. Stephen Williams amdano :

> Gadawodd Robert Williams lonydd i'r Eisteddfod, ac ni ledodd ei glod yn ystod ei oes ymhell tu allan i gylch cymharol fychan ei gyfeillion a'i gydnabod.

Sonia Dr. Williams hefyd am " fethiant beirniaid y ganrif ddiwethaf i ganfod ei werth." Ymddengys hyn i mi'n annheg braidd. Ei glod a'i fri cyson, yn ystod ei oes a thrwy gydol y ganrif ar ôl ei farw, sy'n fy nharo i. " Haeddiannol boblogaidd" oedd dedfryd *Enwogion Cymru* neu *Eminent Welshmen* yn 1852, yr un flwyddyn ag y cyhoeddwyd erthygl enwog Caledfryn arno yn *Y Traethodydd*. Cafwyd ailargraffiad o *Gardd Eifion* yn 1877 a dywed yr erthygl arno yn *Y Gwyddoniadur* (ail arg. 1896) :

> Ni chafodd na thlws na chadair eisteddfodol erioed. Ond nid edrychai ei genedl arno yn ddim llai na bardd oherwydd hynny.

" Dim llai na bardd " ; dedfryd hapus. Ni wnaeth sŵn mawr nac yn ei oes na chwedyn. Ni chafodd fel rhai o'i gyfoedion gyfnodau o'i dradyrchafu nac ychwaith gyfnodau o adwaith chwyrn yn erbyn ei fri. Yn hytrach, ei gydnabod yn gyson iawn, yn ei fyw, ar ôl ei farw, " yn ddim llai na bardd," a bardd ffodus yn ei holl hanes. Mae gennyf syniad fod ei gyfoedion yn edrych arno megis yr ydym ninnau oll drwy gydol deugain mlynedd yn edrych ar Mr. Williams Parry : yr oedd yn glasur i'w gyfoed ac yn glasur yr ymgasglai chwedloniaeth o'i gwmpas. Nid bardd yr ymgasglai ffrae o'i gwmpas, na dadl, ar ôl 1819.

'Wn i ddim pwy a sgrifennodd yr ysgrif gampus arno yn *Y Gwyddoniadur*. Y mae nifer o erthyglau'r *Gwyddoniadur* ar feirdd y ganrif ddiwethaf yn parhau'n wir werthfawr. Dywed y cofiannydd :

> Yr oedd Robert ap Gwilym Ddu yn hoff iawn o glywed rhywun yn adrodd ei waith—yr hyn oedd yn arddangos fod

> ynddo lawer o'r plentyn. Y tro cyntaf y cawsom ni'r hyfrydwch o fod yn ei gymdeithas gofynnodd a oeddym yn cofio rhywbeth o'i waith ; dywedasom ninnau ein bod, ac adroddasom dri neu bedwar o'i englynion. " Tad annwyl, y maent yn dlysion ! Dywedwch hwy eto ! " A dywedasom hwy drosodd drachefn, ac yr oedd yr olwg arno wrth wrando fel un yn cael boddhad gwynfydol . . .

Ni fedraf gofio'n awr ym mhle y darllenais i fod llawer trempyn yn Arfon yn dysgu pennill neu englyn gan y bardd ar ei gof cyn galw yn y Betws a chael croeso i ryfeddu. Mae'n dda gennyf mai gweld ei waith ei hun yn dlws—" Tad annwyl, y maent yn dlysion "—a wnâi ef, nid dweud, " Dyna i chi grebwyll " neu " dyna i chi syniad ysblennydd." Pertrwydd ei ymadrodd a miwsig ei linellau a'i plesiodd ef, mewn pill neu englyn neu driban, megis :

> Mae tuedd y blodeuyn,
> Er dyfod awr ei derfyn,
> I daenu peraroglau drud
> O gesail fud y dyffryn.

Carodd fiwsig drwy'i oes a bu colli'r ferch annwyl a ganai'r piano iddo yn ergyd na ddaeth ef drosti. Yr oedd ef yn un hoffus, plentynnus, dwys.

Dyry cofiannydd *Y Gwyddoniadur* restr o'r beirdd a ddôi i'w dŷ :

> Byddai wrth ei fodd yng nghyfeillach beirdd o'r iawn ryw ; ac oddeutu'r Nadolig, bob blwyddyn, byddai'n mynnu cael cyfarfod ohonynt yn y Betws. Llawer gwaith y bu Dafydd Ddu Eryri, Dewi Wyn, Gutyn Peris, Gwilym Cawrdaf, Gwilym Padarn, Owain Williams (Waun Fawr), Siôn Dwyfor, Ellis Owen (Cefn y Meysydd), ac Eben Fardd, Nicander, Ioan Madog, Siôn Wyn o Eifion, a'i gyfaill hoff Gwilym Caledfryn, yn mwynhau ei gyfeillach wrth ei fwrdd llawn danteithion . . .

Gwerthfawr ac awgrymus yw'r disgrifiad o'r cyfarfod " bob blwyddyn, o ddeutu'r Nadolig " a'r rhestr o'r beirdd. Pa fardd Cymraeg heddiw sy'n byw fel yma ymhlith beirdd, ac yn cael trafod cerddi a miwsig wrth fwrdd llawn o ddanteithion ? Yr oedd bywyd Robert ap Gwilym Ddu yn nes i fywyd yr unfed ganrif ar bymtheg nag i fywyd yr ugeinfed ganrif.

A fynnwch chwi brawf o hynny ? Gan fod *Gardd Eifion* bellach yn llyfr prin mi ddyfynnaf yn gyflawn ohono gerdd o " Anerchiad y Dr. E. P. Anwyl, Bryn Adda, gerllaw Dolgellau, Hydref 31, 1825 " :

Y Doctor Price Anwyl, 'rwy'n disgwyl y daw
Hyd atoch yn fusgrell fy llinell o'm llaw,
I wneud y Penillion pur fodlon wyf i
Os parant ddywenydd gwych hylwydd i chwi.

Chwi roesoch gynghorion i gleifion ein gwlad
A pharod gyffuriau, lwys olau lesâd,
A'ch ffordd yn dra medrus, i'r rheidus eu rhoi,
A deifl bob afiechyd a phenyd i ffoi.

I ddoctor synhwyrgall mewn deall a dysg,
Sy'n atal clefydon fel moddion i'n mysg,
Nid ydyw cân benrhydd un arwydd i ni
Ond megis coeg ddirmyg ei chynnig i chwi.

Os medraf wrth ganu enynnu fy nawn
A'ch cael i Eifionydd fawr lonydd fro lawn,
Cewch bob rhyw groesawiad, hoff rodiad, yn ffri,
A bîr o'n haberoedd a'n llynnoedd yn lli.

Gadewch y Ddolgellau a'i maglau, ŵr mwyn,
A deuwch wrth reol fesurol fy swyn,
Cymerwch eich rhyddid rhag gwendid i'm gwaith,
Na fyddwch anfoddus, ŵr dawnus, i'r daith.

Cewch weld o Garn Fadryn i'r Moelwyn, dir maith,
Yr Eifl a'r Eryri yn wisgi'r un waith,
A gweled y llongau dan chwarae'n dra chwyrn
Yn mynd tan eu mentyll, mal cestyll eu cyrn.

Cawn olrhain hen achau ein tadau'n gytun,
Cawn ddarllen cywyddau ben borau bob un,
Os rhodiwch ein trefydd a'n broydd mewn bri,
Gweld pont y Borthaethwy a Chonwy gewch chwi.

Cawn ddifyr ymgomio a rhodio'n ben rhydd
A sôn am farddoniaeth, dda doraeth, bob dydd,
A chlywed yr adar mor gerddgar yn gwau,
Ar finion afonydd rhwng dolydd, ein dau.

Cewch gerdded o gwmpas mewn urddas yn iach,
Cewch hela sgyfarnog dra bywiog dro bach,
Cewch ganlyn yr enwair heb anair yn bod
Os ceir at y tymor uwch Dwyfor eich dod.

Os caiff fy anerchiad wrandawiad ar dir
Cewch amryw gymdeithion enwogion yn wir,
A pheth sy ryfeddach nid hwyrach, at hyn
Cewch glywed pêr araith da waith Dewi Wyn.

Craffer ar y bywyd a ddarlunnir yn y gerdd hon. Ond safwn funud i ystyried. Ganesid y bardd yn 1766. Yr oedd yn ddyn ifanc pan ffrwydrodd y Chwyldro yn Ffrainc. Wedyn bu'r rhyfeloedd yn erbyn Napoleon, yr holl gynyrfiadau drwy Ewrop, y rhyfel yn Rwsia, Cynhadledd Fienna, Waterloo. Ni buasai'r cyfnod canlynol ychwaith yn ddigynnwrf. Fe gofiwn am flynyddoedd y cyni, helbulon Iwerddon, y mesur i ddiwygio'r senedd ym Mhrydain, chwyldro 1830 yn Ffrainc. Yn ei gywydd annerch i'w " Fawrhydi y Brenin Siôr IV ar ei daith i ymweled â Chymru a'r Iwerddon," yn unig o'i holl waith, y ceir cymaint ag awgrym gan y bardd ei fod yn gwybod dim am ferw cymdeithasol a pholiticaidd ei oes. Darlun o ddiwylliant ac o gymdeithas y gallasai Huw Morris neu Siôn Tudur fod yn hapus gartrefol gyda hwynt a geir yn y gerdd i wahodd y Doctor Price Anwyl i Eifionydd yn 1834 ; y gân benrhydd eto braidd yn llai na'r cwrteisi cynganeddol a fyddai'n urddasol, olrhain achau a darllen cywyddau, sôn am farddoniaeth, edrych ar olygfeydd y wlad, hela, pysgota, cael cwmni beirdd a gwrando ar waith Dewi Wyn. Byddai'r bardd yn dysgu côr i ganu a diau iddo'u dysgu i ganu rhai o'i garolau ef ei hunan, " Tad annwyl, y maent yn dlysion." A gwir hynny, er enghraifft :

Cawn hoyw wres cynhaeaf, mae'r haf yn dymor hyfryd,
Caiff gwael ganghennau gweinion, oedd feirwon, eu hadferyd ;
Y meillion irion euraid a'r cannaid flodau cynnar
A daenant berarogledd i duedd eithaf daear ;
Mor wiwlwys mae'r awelon dros santaidd fynydd Sîon
Yn maethu'n llon blanhigion haf ;
A'r gwlith yn dyner ddagrau, pur lesol i'r pêr-lysiau,
A ddenfyn yr wybrennau'n braf ;
Mae'r wir naturiaeth newydd a'i gwedd ar hyfryd gynnydd,

Cydgesglir ffrwythydd ceinwydd coeth
Mal rhif y sêr o amledd neu dywod, yn y diwedd,
O dir y bedd uwch daear boeth.

Mae'r deunydd fel y mesur yn draddodiadol, yn rhan o dreftadaeth y gymdeithas, ond Robert piau'r glendid caboledig a'r naws o goethder llenyddol. Ni soniaf am ei arddull yn y gynghanedd. Y mae Dr. Stephen Williams (*Robert ap Gwilym Ddu, Detholion o'i Weithiau*) wedi trafod hynny'n rhagorol. Ond fe ddug y bardd du yr hyn a ddysgasai oddi wrth gasgliad Rhys Jones, *Gorchestion Beirdd Cymru*, ac oddi wrth Oronwy Owen a'r *Diddanwch Teuluaidd* i goethi a chyfoethogi holl draddodiad ei fro.

Dyna'r pam y gallodd ef gefnu mor rhwydd ar yr eisteddfodau. Rhan fawr o bwysigrwydd Robert ap Gwilym Ddu yw mai ef yw'r bardd gwlad mawr olaf. Hynny yw, ef yw cynrychiolydd mawr olaf y traddodiad llenyddol yn ystyr fanwl y term. Ef yw'r olaf a fodlonodd ar fod yn fardd i gymdeithas leol, draddodiadol ; yr olaf o'r penceirddiaid yn null Huw Morris.

Yr eisteddfod a laddodd y traddodiad hwn a gosod uchelgais newydd i'r bardd, sef bod yn fardd " cenedlaethol," nid yn fardd cymdeithas leol. Testunau epig neu destunau haniaethol, testunau nad oeddynt yn codi o fywyd cymdeithas ardal, oedd testunau'r eisteddfodau gan amlaf. Cymdeithasau o Lundain a benodai'r testunau weithiau. Cyn hir, barddoniaeth ar destunau o'r math hwnnw, testunau cyffredinol, yn unig a gyfrifid yn farddoniaeth y " prifeirdd." Felly y daeth y Dadeni Dysg yn hwyr, rhwng Goronwy Owen ac Eben Fardd, i ddisodli barddoniaeth gymdeithasol yr Oesoedd Canol yng Nghymru.

Ond yn Eifionydd yr oedd yr hen fywyd eto'n parhau. Gallai Robert ganu i ŵr Bryncir yn null beirdd y Gorchestion, y mae'r awdl yn haeddu ei lle mewn unrhyw ddetholiad cytbwys a nodweddiadol o'i waith :

Ba lys teg mal dy blas tau ?
Gogonedd heirdd geginau.
Bryncir a enwir unwaith,
Mwy yw'n Syr yma na saith . . .
A'i wraig araf ragorawl,
Ein Nest em wiw, nis tau mawl ;

Dyna Efa dyn Eifion,
Elen yw, un law â Non . . .
Canfyddir ar frastir fron
Dai Ifor rhwng dwy afon,
Dolydd islaw ei dyle,
Afonydd ar lonydd le,
Amaethdir ei randir yw,
Eden Eifionydd ydyw.

Dyna i chwi beth yw'r " traddodiad llenyddol " ; a'r dyddiad yw 1821. Ond fe all Robert ganu cywydd hefyd i'w gyd-fardd, Dafydd Ddu, a cherdd i saer melinau, ac awdl farwnad i J. R. Jones, a marwnadau i feirdd a fu wrth ei fwrdd y Nadolig. Nid oedd arno angen am yr eisteddfod ; prifardd o'r hen ddull oedd ef, y bardd gwlad mawr olaf, bardd yr oedd ei gymdeithas a'i fro yn ddeunydd iddo a hwythau yn ei werthfawrogi ef fel rhan o'u cyfoeth. Ni bu ganddo bryder na gofal bydol ; ni bu rhaid iddo grwydro am fywoliaeth. Pa sawl gwaith y bu ef y tu allan i ffiniau Arfon a Meirionnydd ? Y mae ôl ei dafodiaith ar ei odlau megis y mae ôl hen draddodiad ar ei giniawau Nadolig i'r beirdd. Peth hapus a phwysig oedd ei fod ef yn ddigon cefnog i gynnal yr hen ddull o fod yn fardd.

Ie, bardd gwlad, ond bardd gwlad creadigol. Cymerodd glasuraeth haniaethol Goronwy Owen a'i himpio ar y carol a'r emyn a'r gerdd annerch. Calfiniaeth gymedrol a geir yn ei emynau. Ychydig o ddychmygu sydd ynddynt hwy nac yn ei gerddi na'i gynganeddion ; ychydig o ddyfalu ; a phan geir dyfaliad, cymhariaeth draddodiadol neu ystrydebol a fydd. Anaml y ceir ganddo na ffigur nac ansoddair dieithr. Dawn y bardd gwlad hwn yw dweud ffeithiau'n briodol nes bod y dweud ymataliol yn ein synnu ni â'i iawnder. Y mae'r ansoddeiriau sathredig yn ennill rhin myfyrdodus felly, megis yng nghwpled terfynol y pennill hwn :

Fe safodd dan ein beiau i gyd
Wrth ddioddef ergyd angau
Er iddo'n brudd ar waedlyd bren
Ogwyddo'i ben dan boenau.

Meiosis, sef dweud llai na'r meddwl, yw ei droad ymadrodd nodweddiadol ef. Ni bydd hynny chwaith fyth yn eithafol ;

math o ymffrwyno dwys ydyw. Fe'i ceir drwy'r cwbl o'r englyn hwn sy'n rhan o'i awdl farwnad i'w ferch ifanc :

> Ochenaid uwch ei hannedd—a roesom,
> Mae'n resyn ei gorwedd ;
> Lloer ifanc mewn lle rhyfedd,
> Gwely di-barch—gwaelod bedd.

Mae'n debyg mai afiechyd hir ei ferch dan y darfodedigaeth fu'r digwyddiad pwysicaf ym mywyd Robert ap Gwilym Ddu. Iddi hi, ond odid, y cyfansoddodd ef yr englyn :

> Pan fych mewn poen afiechyd—a phoethion
> Effeithiau dy glefyd,
> Cofia Grist yn dy dristyd,
> A chwerw boen Iachawr y byd.

Mae gan Dr. Stephen Williams yn ei ragair i'w *Ddetholion* baragraff da ar yr englyn hwn. Hoffwn chwanegu hyn : craffu cariadus a chyd-deimlo byw a roes i'r bardd yr ansoddair rhyfedd " poethion " yn y gair cyrch ; enghraifft arall o'r dweud ffeithiol, profiadus sy'n rhoi grym dieithr i gynifer o'i linellau. Bardd sy'n ymguddio yw Robert ap Gwilym Ddu, yn ymguddio yn ei ddeunydd fel bardd gwlad, yn ymguddio yn ei eirfa dawel a'i droadau ymadrodd a'i ffigurau traddodiadol. Dyna'r pam y mae ef yn fardd i feirdd. Ond i feirdd heddiw y mae ystyried ei fywyd ef yn ogystal â'i waith yn debyg o fod yn gymorth gwir.

[*Baner ac Amserau Cymru*, 5 Gorffennaf 1950].

PENNOD XXXII

YR EISTEDDFOD A BEIRNIADAETH LENYDDOL

[Areithiais ar y testun uchod yng nghyfarfod Graddedigion Prifysgol Cymru, Awst 7, 1924, ym Mhontypŵl. Dyma sylwedd yr araith, ond bod rhannau yn helaethach yn yr ysgrif, a rhannau efallai yn fyrrach.]

DECHREUWN drwy ddiffinio :

Cyfarfod cystadlu a beirniadu ar farddoniaeth oedd yr Eisteddfod, a sefydlwyd ac a ddatblygwyd ym mhymtheng mlynedd olaf y ddeunawfed ganrif, a barhaodd yn sefydliad hyd heddiw, ond gan dyfu a newid a chymryd iddo'i hun amcanion newydd, gwahanol i'w amcanion cyntaf.

Fe gynnwys " beirniadaeth lenyddol " farn neu biniwn ar weithiau llenyddol, ac fe gynnwys hefyd gorff damcaniaethau dynion ynghylch natur a diben llenyddiaeth, a chysylltiad gwahanol fathau o lenyddiaeth â'i gilydd. Y mae mynegiant o brofiad dyn pan ddarlleno weithiau llên a phan fyfyrio drostynt yn feirniadaeth hefyd.

Amcan hyn o araith yw profi bod i'r Eisteddfod unwaith le pwysig yn hanes beirniadaeth lenyddol, a dangos nad oes iddi bellach ddim yr un pwysigrwydd. Ni cheir yma ddim ymosod ar yr Eisteddfod, nac ar ei hyrwyddwyr na'i beirniaid; eithr yn syml egluro darn o hanes llenyddiaeth Gymraeg ddiweddar. A braslun o'r hanes yn unig a geir yma; teilynga'r hanes ymchwil lawn a manwl ; byddai'n destun cymwys i efrydydd graddedig yn un o golegau Cymru.

Rhoes Mr. G. J. Williams yn y LLENOR (Haf, 1922) hanes cychwyn yr Eisteddfod, a'r ffeithiau ynglŷn â hynny. Ond nid eglurwyd eto achos y sefydlu na'r rheswm dros ei ffyniant. Fe wyddys i'r Eisteddfod dyfu ac ymledu'n gyflym. Nis gwnelsai pe na buasai ond tegan a ddyfeisiwyd gan fympwy ychydig ddynion. Y mae'n naturiol edrych am wreiddiau bywiog i bren a braffodd, a'r gwir yw mai cynnyrch hanner canrif o egni anghyffredin oedd yr Eisteddfod, a ffrwyth mudiad llenyddol pwysicaf y ddeunawfed ganrif.

Fe wyddys bellach am nodweddion y mudiad hwnnw, mudiad clasurol y ddeunawfed ganrif, ac am ei gysylltiad agos â llenyddiaeth gyfoes y Saeson. Y mae'n hysbys mai trwy fabwysiadu dulliau beirniadaeth a damcaniaethau llenyddol yr oes glasurol yn Lloegr y rhoes Lewis Morris a Goronwy Owen gychwyn i draddodiad newydd yn hanes llên Cymru, a dwyn llenyddiaeth Gymraeg eto am dro i mewn i lif mudiadau llenyddol Ewrop. Nid oes raid imi fanylu ar nodweddion yr ysgol hon o feirdd a llenorion, namyn galw i gof y rhai pwysig. A gweddus yw sylwi ar ran sylfaenol Goronwy Owen yn yr hanes hwn. Nid bob amser y mae'r farn gyffredin am lenorion yn gyfiawn, ond hyd yn oed ym mryd rhai na ddarllenasant ddim o waith Goronwy Owen, y mae ei enwogrwydd yn ddiysgog. A theg yw hynny, oblegid ef yn anad neb yw ffynhonnell prif ffrwd barddoniaeth Gymraeg o'r ddeunawfed ganrif hyd at ganol y ganrif ddiwethaf, ac o'i waith ef yn arbennig, o'i amcanion a'i uchelgais, y tarddodd yr Eisteddfod.

A hynny am nad bardd yn unig,—yn wir, nid bardd yn gyntaf, er mai bardd yn fwy na dim—oedd Goronwy Owen. Yn gyntaf oll yr oedd yn ddamcanydd. Cymerth iddo'i hun egwyddorion beirniadaeth a oedd yn gyffredin drwy Ewrop yn ei oes, a myfyriodd sut i'w himpio ar hynny o'r traddodiad llenyddol Cymreig a oedd eto'n fyw. Fe benderfynodd ba fath ar farddoniaeth y mynnai ef ei sgrifennu, fe ddyfeisiodd arddull, neu (yn nherm ei oes ef) " reolau " cyfaddas i'r farddoniaeth honno, ac yna cyfansoddodd gywyddau ac awdlau yn enghreifftiau o'r dull, fel y profent gywirdeb ei ddamcaniaethau a bod yn flaenffrwyth y campwaith—yr epig neu'r " gerdd arwrol "—y bwriadai ef rywdro ei sgrifennu. Y profion neu'r enghreifftiau hynny oedd *Cywydd y Farn* a gweithiau eraill Goronwy Owen. Ceir ei ddamcaniaethau yn ei lythyrau ac yn llythyrau ei gyfaill, Lewis Morris.

Yn y ddeunawfed ganrif cytunid yn gyffredin â damcaniaethau llenyddol Goronwy Owen. Bodlonid ar yr arddull a ddewisodd. Hynny yw, yr oedd un arddull, un math ar farddoniaeth, un dosbarth ar destunau, yn uchelgais llawer o feirdd mewn aml wlad. Cafwyd yn y dyddiau hynny gytundeb anghyffredin mewn chwaeth a dyhead. A thrwy ddadansoddi arddull y caneuon a dderbynnid gan bawb,—sef y clasuron— fe gredid y gellid gosod rheolau cedyrn ar farddoniaeth ; hynny yw, troi nodweddion y caneuon clodfawr yn batrwm i'w ddilyn; ac o astudio a dilyn y rheolau hynny y gellid wedyn gyfansoddi cerddi yr unai'r beirniaid oll i'w canmol. Ac fe barai'r unfrydedd chwaeth, a ffynnai drwy Ewrop yn y cyfnod, gredu y gellid mesur a chymharu yn ôl eu ffyddlondeb i'r rheolau. Mewn gair, yr oedd cystadlu'n bosibl mewn barddoniaeth, canys un safon a wledychai, un arddull oedd yn uchelgais y degau beirdd, a nodweddion yr arddull hwnnw oedd y rheolau neu'r safonau y gellid trwyddynt fesur teilyngdod. Y mae'n hanfodol deall hyn a sut y tyfodd y syniad am gystadlu oblegid felly fe welir bod datblygiad yr Eisteddfod Gymreig yn ddiben naturiol i feirniadaeth yr oesau clasurol. (Tybed nad yw'n rhan o natur y Cymro i wthio syniadau i'w heithafion rhesymegol ?) A dyna sy'n egluro pam yr oedd beirniadaeth y canrifoedd clasurol, yn Ffrainc, yn Lloegr, yng Nghymru, mor ddogmatig, yn barnu ac yn cynghori beirdd. Nid critig, ond barnwr, oedd y beirniad llenyddol. " Le plaisir de la critique nous ôte celui d'être vivement touchês de três-belles choses," meddai La Bruyêre : " Y mae'r mwynhad a geir mewn beirniadu yn rhwystro inni ymroi yn frwdfrydig i fwynhau gweithiau cain." Dyna ysbryd beirniadaeth yr oesau clasurol.

Dug Lewis Morris a Goronwy Owen y feirniadaeth hon i Gymru. At hynny, rhoes Goronwy Owen i lenyddiaeth Gymraeg :

1. Uchelgais am epig neu gerdd arwrol, y " math uchaf " o farddoniaeth yn ôl beirniadaeth ei gyfnod.
2. Damcaniaeth a esboniwyd yn llawn yn ei lythyrau ynghylch iaith ac arddull y gerdd honno.
3. Enghreifftiau yn ei weithiau o'r iaith a'r arddull a fynnai.
4. Pwys nodedig ar waith John Milton yn batrwm, fel y barnai ef, o'r farddoniaeth uchaf.
5. Tybiodd weld yng ngwaith y Gogynfeirdd enghreifftiau o'r arddull hwnnw mewn Cymraeg.
6. Cofier hefyd iddo amau cymhwyster cynghanedd mewn cerdd arwrol, ymwrthod â'r cywydd yn offeryn y gerdd, ac atgyfodi'r awdl, nid fel yr oedd yr awdl gynt, ond awdl—*mewn cynghanedd neu beidio*, ac nid

cywydd, a fyddai'n offeryn y gerdd arwrol, oblegid tybiodd fod i'r awdl draddodiad epig, sef traddodiad y Gogynfeirdd.[1]

Fe ddangosodd Mr. G. J. Williams mai cymdeithas Gwyneddigion Llundain a ddechreuodd yr Eisteddfod ddiweddar. Hwynt-hwy oedd olynwyr y Morysiaid, a cheidwaid y traddodiad clasurol mewn beirniadaeth a barddoniaeth. Etifeddasant syniadau beirniadol Goronwy Owen a'i ddelfrydau barddonol ef. Ni ellir amau, wedi y darllener llythyrau a chylchgronau'r cyfnod, nad cyflawni'r awydd am " gerdd arwrol " oedd eu hamcan pan gyhoeddasant wobrau am " awdl." Y mae'n amlwg hefyd, o phwysir syniadau'r oes am " reolau " beirniadaeth a swydd beirniad, mai cystadleuaeth oedd yr offeryn cymwys yn eu golwg er mwyn cynhyrchu cerdd o'r fath. Tyfodd yr Eisteddfod yn union allan o uchelgais a damcaniaethau'r oes. A sylwer am funud ar ei chysylltiad agos hi â Goronwy Owen. Ni ellir gorbrisio pwysigrwydd Dafydd Ddu Eryri yn hanes yr Eisteddfod gynnar, na'i ran yn nhwf meddwl llenyddol y ganrif ddiweddaf. Ef oedd athro enwog beirdd Gwynedd yn ei oes; gelwid ef yn dad ganddynt. Cyfathrachodd lawer â Gwyneddigion Llundain; enillodd eu gwobrau; bu'n feirniad ar eu cystadleuon. Ac efô a gyhoeddodd lythyrau Goronwy Owen yn y *Greal*, ac yn 1817 a gyhoeddodd ail argraffiad o'r *Diddanwch Teuluaidd*, sef barddoniaeth Goronwy Owen a'i gyfoeswyr. Efô felly a fu fwyaf cyfrifol am ledaenu gwybod am waith a delfrydau Goronwy Owen, ac fe brawf y darn a ganlyn o'i lythyrau mor gyfan gwbl yn nhraddodiad Goronwy Owen a thraddodiad y ddeunawfed ganrif yn Lloegr oedd ei syniadau beirniadol yntau :

> Dywedwch wrth y Bardd Seisnig o Bwllheli am fesur ei linellau yn ddeg sill bob un fel y galler galw'r mesur yn *Heroic Verse*. Darllened waith Mr. Pope ac eraill. Caiff addysg ddigonol yng ramadeg y Dr. Johnson ac amryw eraill. Digon difyr a fyddai iddo ddarllen esboniad Mr. Addison ar Milton's *Paradise Lost* yn y *Spectator*, a darllen hefyd Johnson's *Lives of the Poets*. (*Adgof Uwch Anghof*, td. 47).

[1]Dyma, fel y caf ddangos, ddechrau awdl a phryddest yr Eisteddfod. Ac felly, —ac y mae hyn yn bwysig,—y mae'r bryddest yn llawn mor hen â'r awdl. Canys ni ellir o gwbl olrhain yr awdl ddiweddar ymhellach yn ôl na Goronwy Owen.

Dengys y paragraff hwn fod Dafydd Ddu yn unfryd â Goronwy Owen am natur cerdd dafod Saesneg (vide *Welsh Augustans*, td. 120), a'i fod hefyd yn pwyso ar yr unrhyw awdurdodau ag y pwysai Oronwy arnynt. Gwyddys am effaith damcaniaethau enwog Addison ar *Gywydd y Farn*, ac am ddylanwad Pope ar Oronwy. Astudiodd Lewis Morris draethodau cynnar y Dr. Johnson, ac yr oedd y *Lives of the Poets* yn epitome o feirniadaeth y cyfnod clasurol yn Lloegr. Ac wele, yng ngwaith prif fardd yr Eisteddfod fore, arwyddion sicr yr un traddodiad. Ac un enghraifft yn unig yw hon. Y mae'r profion yn ddegau.

Tair camp yr Eisteddfod, gan hynny, ym mlynyddoedd ei hirdwf iach, oedd :

1. Codi ysgol o farddoniaeth y gellir ei galw yn ysgol Oronwy Owen.
2. Rhoi praw ar ddamcaniaethau Goronwy Owen ynglŷn â " cherdd arwrol " Gymraeg, a chynhyrchu'r gerdd honno, a sicrhau iddi le pwysig yn llenyddiaeth y cyfnod.
3. Sefydlu dulliau beirniadaeth Saesneg y ddeunawfed ganrif yng Nghymru, sef beirniadaeth y rheolau a'r safonau, y feirniadaeth a gychwynnwyd gan y Morysiaid.

Nid oes ofod i fanylu ar y rhain, ond gellir nodiad ar bob un.

1. Ceir ar dudalennau 201-252 o *Gywyddau Cymru* (Casgliad Mr. Arthur Hughes) esiamplau o'r canu ar fesur cywydd o Oronwy Owen hyd at Eben Fardd. O'u darllen hawdd yw canfod bod yma waith " ysgol," sef un delfryd llenyddol yn llywodraethu arddull y beirdd oll, ac yn peri bod tebygrwydd yn eu canu, a dull traddodiadol. Y mae'r ffasiwn o rannu hanes llenyddiaeth yn ôl y canrifoedd yn bur ddireswm. Cyhoeddwyd *Gardd Eifion* yn 1841, ond i'r ddeunawfed ganrif ac i Oronwy Owen y perthyn Robert ap Gwilym Ddu yn agos iawn. Cwyd syniad arall i'm meddwl a mi'n sgrifennu. Sut mae esbonio ymddygiad Iolo Morganwg yn ei oes ? Wel, y mae'n bur debyg gennyf pe cyhoeddasai Iolo dan ei enw ei hun y cywyddau a briodolodd ef i Ddafydd ap Gwilym, y dirmygid ef yn fawr, gan mor ddieithr i ddelfryd ei oes oedd eu dull a'u

tymer. Yr unig fodd y caffai ef ei wrando oedd dan enw Dafydd ap Gwilym.

2. Yr epig neu'r " gerdd arwrol " oedd delfryd arbenicaf yr Eisteddfod. Cyflawnodd ei dyhead yn llwyraf yn *Ninistr Jerusalem* Eben Fardd. Dyna'r gân a goronodd o'r diwedd yr ymdrechion a gychwynnodd yng *Nghywydd y Farn.* Ac fe gafodd yr ymdrechion hynny effeithiau y tu allan i'r Eisteddfod hefyd. Yn anaml y dyddiau hyn yr enwir y Dr. William Owen Pughe oddieithr er mwyn ei gablu. Y mae cablu'n burion peth ac yn iechyd i'r ysbryd, ond nid drwg ychwaith yw deall amcanion y sawl a geblir; ac fe erys Pughe o leiaf yn esiampl ddiddorol o fywiogrwydd dylanwad Goronwy Owen. Cyfieithodd gân fawr Milton i'w Gymraeg dihafal ei hun er mwyn sefydlu yng Nghymru yr epig a ysbrydolasai lythyrau Goronwy Owen ac a roesai fod (yn anuniongyrchol) i'r Eisteddfod. A gwaith bardd o ysgol Oronwy Owen, yn hytrach na gwaith ieithydd, oedd ei eirlyfr bondigrybwyll. Canys geirlyfr i feirdd yr epig y bwriadwyd ef, yn cynnwys yr eirfa hen a dieithr honno a fynasai Addison a Goronwy Owen yn hanfod yr arddull arwrol. Enghraifft arall : gwelir yn y ddadl a ffynnodd o gwmpas y Bardd Cloff atsain o amheuaeth Goronwy Owen ynglŷn â chynghanedd mewn awdl. Cofier mai ymwrthod â'r gynghanedd a wnaeth Goronwy Owen yn y diwedd mewn damcaniaeth, ac ni setlwyd y gweryl honno yn yr Eisteddfod oni sefydlwyd y ddau fath ar " gerdd arwrol," sef yr awdl gynganeddol a gadwai at *esiampl* Goronwy, a'r bryddest ddigynghanedd a ddilynai ei *ddamcaniaeth.* At hynny, yr wyf yn tueddu i gredu bod atsain o'r un broblem yn egluro rhywfaint o'r drefn newydd ar fesurau barddoniaeth a gyhoeddodd Iolo Morganwg dan y teitl " Dosbarth Morgannwg." Cwynai Goronwy Owen fod mesurau'r pedwar ar hugain yn rhy fyr i'r epig. Onid cywiro'r diffyg hwnnw oedd amcan gorchanau Iolo ? Ni allaf ond nodi'r pethau hyn. Dangosant gyda'i gilydd mor fyw ac mor eang oedd effaith bywyd a gwaith Goronwy Owen.

3. Sefydlu dulliau beirniadaeth Saesneg y ddeunawfed ganrif yng Nghymru. Prin y mae'n rhaid helaethu ar hyn. Hyd at sefydliad y *Traethodydd*, fe deyrnasodd y feirniadaeth hon yn ddiwrthwyneb, a pharhaodd o leiaf tra fu byw Caled-

fryn yn hoyw ac yn soniarus. A ffrwyth yr Eisteddfod oedd y llyfr cyntaf o feirniadaeth lenyddol bur a gyhoeddwyd yn Gymraeg, sef *Drych Barddonol* Caledfryn. Gwelir ynddo gysylltiad agos yr Eisteddfod o hyd â beirniadaeth y Morysiaid. Cedwir ganddo y dosbarthu ar farddoniaeth yn ôl y "mathau"; pwysir o hyd ar "reolau," a gair mynych drwy'r llyfr yw "dylai"; beirdd didactig Saesneg y ddeunawfed ganrif yw hoff batrymau'r awdur, Pope, Johnson, Akenside, ond ceidw ei barch hefyd i'r gerdd hanes neu'r gerdd arwrol. Eto, yn ei bwyslais ar synnwyr cyffredin a rheswm mewn barddoniaeth, yn hytrach nag ar arddull, dengys Caledfryn effaith syniadau Dr. Johnson, ac am y tro fe'i gwelir yn gwrthwynebu'r dirywiad a fuasai ar ddelfrydau Goronwy Owen dan ddwylo Pughe a Dewi Wyn. Johnson ac nid Addison yw arwr Caledfryn: yn wir, nid annhebyg y ddau ddyn, ac yr oedd Caledfryn, megis Johnson, yn feirniad rhagorol yn ei ddull a'i gylch. Ceir gorau ei feirniadaeth yn ei ysgrif yn y *Traethodydd* ar Robert ap Gwilym Ddu, ac yn y paragraff ar Williams Pantycelyn yn y *Drych Barddonol.*

Hyd yma ceisiais ddisgrifio amcanion beirniadol a gwaith yr Eisteddfod gynnar a dangos ei phwysigrwydd a'i tharddiad. O'i chychwyn hyd at sefydliad y *Traethodydd* hyhi oedd y dylanwad cryfaf ar dwf llenyddiaeth Gymraeg, ac yn araf hyd yn oed wedyn y peidiodd ei heffaith. Gwelsom mai achos ei sefydlu a'i llwyddo oedd ei bod hi'n etifedd ac yn achlesydd damcaniaeth lenyddol a chynllun o feirniadaeth lenyddol a ffynnai unwaith drwy Ewrop achlân. Ond perthynai iddi hefyd ym mlynyddoedd ei nerth un nodwedd arall a phwysig: yr oedd hi yn ysgol. Defnyddiais yr enw hwnnw eisoes pan soniais am gymeriad traddodiadol ei barddoniaeth. Ond yr oedd yr Eisteddfod yn "ysgol" mewn ystyr fanylach. Dengys llythyrau eisteddfodwyr chwarter cyntaf y ganrif ddiweddaf mor agos oedd eu cysylltiad bawb â'i gilydd. Ac yr oedd y cyfarfod — yr "Eistedd" — i ddarllen awdlau a gwrando barnu arnynt yn sicrhau'r traddodiad a etifeddwyd, yn disgyblu'r beirdd ifainc yn y traddodiad hwnnw, yn eu trwytho yn egwyddorion y feirniadaeth a ddysgid iddynt, ac felly'n eu rhwymo ynghyd mewn ffyddlondeb i ddelfryd ac i arddull nas amheuai neb. Fe ddywedwyd mai cytundeb barn am natur barddoniaeth a roes fod i'r Eisteddfod ar y cyntaf. Wel, ysgol yw'r offeryn gorau i gadw undeb barn, oblegid bod addysg ysgol yn bendant, yn awdurdodol, ac yn ffurfiol. A dyna oedd addysg yr Eisteddfod. Gwir bod yn hanes yr Eisteddfod gynnar enghreifftiau o ddiffyg cydfarnu pa awdl a fuasai orau mewn cystadleuaeth. Ond nid oedd dim anghytuno am y math ar awdl a ddylai'r gorau fod. Hynny yw, nid oedd anghytuno am y delfryd, a'r delfryd oedd sylfaen yr Eisteddfod.

A phan beidiodd y delfryd hwnnw â llwyr-lywodraethu amcanion barddoniaeth, fe ddechreuodd yr Eisteddfod newid ei natur a cholli ei phwysigrwydd yn hanes llenyddiaeth. Nid dyma'r cyfle priodol i olrhain datblygiad diweddarach yr Eisteddfod na dirywiad ei dylanwad. Gellir nodi tri phrif achos y dirywiad, sef (1) llygriad yn niwylliant Cymraeg hanner olaf y ganrif ddiweddaf, a effeithiodd ar yr Eisteddfod a phob mudiad arall ; (2) peidio o'r Eisteddfod â bod yn ysgol yn yr ystyr fanwl ; (3) codi damcaniaeth wahanol am natur llenyddiaeth.

Arhoswn funud gyda'r ail rheswm a'r trydydd, sydd yn wir yn un. Fe newidiodd poblogrwydd yr Eisteddfod ei natur. Dechreuodd hynny pan unwyd yr Orsedd â'r Eisteddfod, a mynd o'r peth yn sioe, ac felly bod yn rhaid wrth gyngherddau poblogaidd i ddiwallu'r dyrfa. Aeth y cyfarfod allan o ddwylo'r beirdd a'r beirniaid. At hynny yr oedd y damcaniaethau beirniadol, a roesai fod i'r Eisteddfod, bellach wedi hir ddiflannu o lenyddiaeth Ewrob ac o Loegr, a pheidiasai hyd yn oed yng Nghymru â chynhyrchu dim newydd. Yr oedd yn hen bryd cael meddwl newydd. Ac yna yn 1893 ac yn 1894 cyhoeddodd Emrys ap Iwan ei ysgrifau ar arddull mewn llenyddiaeth (dan y teitl *Cymraeg y Pregethwr*) ac ar *Y Clasuron Cymreig*, a chychwynnodd cyfnod newydd yn hanes ein beirniadaeth, a syniad am natur llenyddiaeth a gloddiai dan sail holl feirniadaeth yr Eisteddfod. I'r feirniadaeth newydd hon nid peth amhersonol, y gellid ei ddysgu a'i fesur drwy reolau a safonau, oedd llenyddiaeth, eithr yn hytrach mynegiant o bersonoliaeth. Gan hynny, yr oedd cystadlu mewn llenyddiaeth yn amhosibl, oblegid ni ellid cymharu a graddio personoliaeth â'i gilydd. Ni ddywedodd Emrys ap Iwan ei hun ddim am effaith ei feirniadaeth, ond ceir yn ei ysgrifau ddadansoddiad o arddull awduron sydd bob tro yn ddatguddiad o bersonoliaeth, ac felly yn groes i feirniadaeth amhersonol a dogmatig, a'r feirniadaeth bersonol hon sy'n effeithiol yng Nghymru heddiw. Bid sicr, nid yw pawb yn derbyn ei damcaniaeth pan eglurer iddo, ond y mae ei heffaith serch hynny yn amlwg hyd yn oed ar yr Eisteddfod. Canys fe beidiodd beirniadaeth yr Eisteddfod â bod yn awdurdod,—yn wir, fe aeth hi'n aml iawn bellach yn ymddiheurad—peidiodd â bod yn unfryd am natur a diben llenyddiaeth, a cheir gwahaniaeth eithaf rhwng safbwynt aml feirniad a'i gilydd. Y mae'n eglur felly nad Eisteddfod yw'r offeryn cymwys i'r feirniadaeth hon, a dyna'r pam y mae'r wasg bellach yn bwysicach na hi yn hanes ein llên. Yn wir, y mae'r ysgariad rhwng llenyddiaeth a'r Eisteddfod yn tyfu'n gyflym, ac ym mhabell yr Eisteddfod miwsig yw'r feistres weithian. Pery'r Eisteddfod yn gyfle barddoniaeth bob blwyddyn, ond nid yw mwyach yn ysgol, nid hyhi yw achos barddoniaeth. Gwnaeth yn ei dydd wasanaeth i'n llên, ac y mae ei lle yn hanes beirniadaeth Gymraeg yn ddiogel ac yn anrhydeddus. Bydded iddi anrhydedd gyffelyb yn ei gyrfa newydd ym myd cerddoriaeth.

[*Y Llenor*, iv (1925), 30-39].

PENNOD XXXIII

Y COFIANT CYMRAEG[1]

HYD yn hyn ychydig o sylw a roes beirniaid llenyddol a haneswyr llenyddiaeth Gymraeg i'r Cofiant. Y prif reswm am hynny, fe ddichon, yw mai'n ddiweddar, ac wedi gweld llwyddiant Lytton Strachey ac André Maurois, y cydnabuwyd y cofiant yn ffurf lenyddol yn Lloegr ac yn Ffrainc. Ein tuedd ninnau yw barnu ein llenyddiaeth ni, a'i dosbarthu yn fathau a ffurfiau, yn ôl esiampl gwledydd eraill. Ni ellir hynny heb wneud cam â hanes ac â thraddodiadau llenyddol Cymru. Cyfnod y Cofiant Cymraeg yw'r bedwaredd ganrif ar bymtheg. Ef oedd y ffurf bwysicaf ar ryddiaith greadigol Gymraeg yn y ganrif honno, a hyd at chwarter olaf y ganrif ef oedd yr unig ffurf o bwys ar ryddiaith greadigol. Canys od oedd y bregeth hithau yn ffurf ar ryddiaith, nid oedd yn ffurf greadigol. Ni cheisid chwaith ei gwneud felly.

Cynnyrch addfedrwydd y diwygiad crefyddol a flaguriasai yn y ddeunawfed ganrif oedd y cofiant. Yn ei wanwyn rhoes y diwygiad yr emyn i lenyddiaeth Gymraeg. Yn ei orffennaf a'i hydref rhoes inni'r cofiant yn ffrwyth. Y mae'r cofiant yn gymaint drych i'r gymdeithas Gymraeg yn y bedwaredd ganrif ar bymtheg ag ydyw'r emyn yn y ddeunawfed ganrif neu'r cywydd yn y bymthegfed ganrif. Y mae'n fwy cynhenid i'r gymdeithas Gymraeg na'r awdl eisteddfodol. Yn y cofiannau y ceir gwir ddelw delfrydau'r gymdeithas. Ni thâl eu diystyru.

Braslun o hanes datblygiad y cofiant a geir yn y papur hwn. Ni fedraf roi ei hanes. Ni ddarllenais hanner y cofiannau a argraffwyd yn hanner cyntaf y ganrif. Ni wn i a ddarllenais y goreuon. Mae'r maes yn newydd. Nid oes eto gae arno. Cais at godi hynny a geir yma. Odid na ddaw llafurwyr iddo cyn bo hir.

Y mae'n sicr nad oes dolen gyswllt rhwng cofiant y bedwaredd ganrif ar bymtheg a bucheddau Cymraeg yr Oesoedd Canol. Saint—gydag un eithriad—oedd testunau'r bucheddau.

[1] Darlith a draddodwyd yn Neuadd College of Preceptors, Bloomsbury Square, W.C.1, Rhagfyr 3, 1935.
Cadeirydd : Y Parchedig H. Elvet Lewis, M.A., D.D.

Diwygwyr, gweinidogion, a phregethwyr yw testunau'r cofiannau. Un peth sy'n gyffredin i'r ddau : nid *hanes* oedd amcan pennaf y naill na'r llall. Gogoneddiad y marw oedd prif amcan buchedd. Yng ngeiriau un o'r cofianwyr : " Llesâd y byw yw prif amcan cofiant." Felly hefyd, fe gofiwn, y credasai Stephen Hughes, a ddywedodd yn 1681 am Ficer Llanddyfri :

> Trueni mawr ydyw na buasai Dull ei Fywyd Bendigedig ef wedi ei osod allan mewn print, gan rai Gwŷr duwiol dysgedig, . . . fel y mae Bywydau llaweroedd o weinidogion grasol, mewn amryw leoedd, wedi eu gosod allan *er siampl i eraill.*

Methais daro ar gofiant Cymraeg gwreiddiol cyn y bedwaredd ganrif ar bymtheg. Ond yn y ddeunawfed ganrif y mae gwreiddiau'r cofiant. Y maent hefyd yn gymhleth. Effeithiodd nifer o ddulliau a mathau llenyddol ar dwf ac ar gynllun y cofiant. Am hynny y mae'r cofiant Cymraeg yn fath arbennig o gyfansoddiad ac ar ei ben ei hun ymhlith cofiannau'r gwledydd.

Ceir mewn Cymraeg yn ail hanner y ddeunawfed ganrif o leiaf ddau gyfieithiad o gofiannau Saesneg. Un yw cyfieithiad D. Risiart o *Hanes Bywyd a Marwolaeth y Parchedig Mr. Fafasor Powel*, Caerfyrddin, 1772. Yr ail yw *Hanes Fer o Fywyd Howell Harris, Yscwier*, Trefecca, 1792. Gwelid bod y naill a'r llall yn gofiannau gwŷr a fu'n hynod yn hanes Cymru. Y cyntaf o'r ddau sy'n bwysig. Cyfieithydd a Chymreigiwr gwych oedd D. Risiart. Y mae camp ar ei waith. Ond edrychwn hefyd ar gynnwys a threfn y llyfr, canys bu'n batrwm i gofianwyr Cymraeg gwreiddiol y ganrif wedyn. Gellir rhannu'r cynnwys fel hyn :

(1) Hunangofiant Fafasor Powel.

(2) Cyffes Ffydd F. P. ac ymadroddion a darnau o'i bregethau " a gasglwyd allan o'i bapurau ef."

(3) Bywgraffiad a gweddill hanes ei fywyd, megis atodiad i'r hunangofiant, a hanes llawn o'i farwolaeth.

(4) Cyfieithiad (gan W. Risiart) o " rai hymnau a gafwyd ymysg ei bapurau."

Bu dylanwad y cofiant hwn yn fawr ar y cofiannau Cymraeg gwreiddiol cynnar. Bu'n batrwm iddynt a ddilynwyd am gyfnod heb ond ychydig gyfnewid arno. Geiriad y teitl sydd i hwn, sef *Hanes Bywyd a Marwolaeth*, a ddilynir gan y mwyafrif o'r cofianwyr Cymraeg hyd at 1860.

Nid *Hanes Bywyd a Marwolaeth y Parchedig Mr. Fafasor Powel* a fu'r cyntaf i arfer y cyfryw deitl. Yr oedd eisoes yn draddodiadol. Cyhoeddwyd yn 1731 gyfieithiad Cymraeg o lyfr enwog Bunyan :

> Bywyd a Marwolaeth yr Annuwiol dan enw Mr. Drygddyn, wedi ei Annerch i'r Byd mewn ymddiddan cyfeillgar Rhwng Mr. Doethineb a Mr. Ystyriol. Gan Ioan Bunyan, Awdwr Taith y Pererin. Wedi ei Gyfieithu i'r Gymraeg gan T. Lewis o'r Pedwerydd Argraffiad yn Saesoneg. At yr hyn y chwanegwyd Bywyd a Marwolaeth Ioan Bunyan. Yn dangos am ei Enedigaeth, ei Ddugiad i fyny, a'i Fuchedd ddrygionus yn ei Ieuengctyd, y moddion tan ba rai y cafodd ei Droedigaeth, ei waith, ei ddioddefiadau, ei Demtasiwnau, a holl Helynt ei Fywyd hyd ei ymadawiad o'r byd hwn.[2]

Un arall o lyfrau Bunyan a effeithiodd yn fawr ar y cofiannau Cymraeg oedd y cyfieithiad o *Grace Abounding* :

> Helaethrwydd o Ras i'r Gwaelaf o Bechaduriaid. Mewn hanes gywir a ffyddlon o Fywyd a Marwolaeth John Bunyan. . . . . Wedi Gyfiaethu o'r Nawfed Argraffiad Saesneg, gan John Einnon. 1737.[3]

Y mae'n hwyr glas i rywun astudio'n drwyadl y cyfieithiadau Cymraeg o lyfrau Bunyan a'i ddylanwad ef mewn llenyddiaeth Gymraeg. Cawn sôn eto am un o'r hunan-gofiannau Cymraeg a symbylwyd gan *Helaethrwydd o Ras*, ond dyna ddigon i ddangos mai ei lyfrau ef a fu'n un o'r cymhellion i wneud y cofiant yn hanes bywyd a marwolaeth, ac i roddi i farwolaeth y gwrthrych a phrofiadau ei wely angau ran helaeth ym mhob cofiant.

Yn sicr, *Bywyd a Marwolaeth Mr. Drygddyn* a symbylodd Williams Pantycelyn i sgrifennu *Hanes Bywyd a Marwolaeth Tri Wyr o Sodom a'r Aipht*. Sgrifennodd yntau, megis Bunyan, " mewn dull o ymddiddan," ac yn ei gofiannau dychmygol yntau caiff marwolaeth ei gymeriadau ran fawr o'r hanes byr.

[2] Dywed *Llyfryddiaeth y Cymry* mai hwn yw'r pedwerydd argraffiad. Ni chefais gyfle i chwilio'r llyfryddiaeth.

[3] Ni welais yr argraffiad hwn, ond gweithiais ar argraffiad 1767, Caerlleon, " tros Pedr Morus o Lanrwst."

Ond nid efelychu Bunyan yn gaeth a wna Pantycelyn, ac y mae dwy elfen yn y gwaith hwn a fu'n bwysig yn lluniad cofiannau'r ganrif ddilynol. Chwanegwyd at *Hanes Bywyd a Marwolaeth Tri Wyr o Sodom a'r Aipht* " marwnad i bob un o'r tri," ac felly fe gysylltwyd y traddodiad marwnadol Cymraeg â'r cofiant. Y mae hyn o bwys yn hanes ffurfiad y cofiant Cymraeg, canys daeth y farwnad yn ddiweddglo anhepgor iddo. Hanes bywyd a marwolaeth yn ôl arfer Piwritaniaeth Seisnig a fennodd fwyaf ar gynllun rhyddiaith y cofiant, ond daeth y farwnad allan o'r traddodiad llenyddol Cymraeg, ac nid hanes a geid yn y farwnad, fel y lluniwyd hi yn y ddeunawfed ganrif, eithr portread.

Gwelir effaith hynny ar y *Tri Wyr o Sodom a'r Aipht*. Nid *hanes* y Tri Wŷr a geir gan Bantycelyn. Ni ddychmyga ddim na llunio digwyddiadau arbennig. Teipiau cyffredinol yw'r tri, Avaritius, Prodigalus, a Fidelius. Gwyddom ei fod yn hyddysg mewn llenyddiaeth Saesneg. Wrth ddarllen y tri darlun cyffredinol hyn ac wrth graffu ar y dull cryno, cynhwysfawr y disgrifir eu nodweddion, ni allwn na chofiom fod portreadu teipiau, neu ddarnodi cynneddf drwy ddisgrifio person y llywodraethir ei holl actau ganddi, yn ffasiwn lenyddol boblogaidd yn Lloegr a Ffrainc yn yr ail ganrif ar bymtheg a blynyddoedd cynnar y ddeunawfed ganrif. Cyfieithiad o Theophrastus a symbylodd hyn yn Ffrainc ac yn Lloegr. Un clasur a roes y ffasiwn i lenyddiaeth, sef *Cymeriadau* La Bruyère, ond cafodd yntau gymheiriaid yn Lloegr yn Overbury a Joseph Hall a John Earle. Tueddaf yn gryf i gredu bod effaith y rhain ar y *Tri Wyr o Sodom* gan Bantycelyn. Cymerwn ddarn o bortread Overbury o'r *Covetous Man* :

> His morning prayer is to overlook his bags . . . Then to his studies, which are how to cozen this tenant, beggar that widow, or to undo some orphan . . . His chimney must not be acquainted with fire for fear of mischance . . . Once a year he feasts, the relics of which meal shall serve him the next quarter. In his talk he rails against eating of breakfasts, drinking betwixt meals, and swears he is impoverished with paying of tithes.

Tebyg yw hanner cyntaf portread Pantycelyn o Awyddus :

> Gwir yw nad oedd ei fwrdd ond tlawd ac unig ; unrhyw ymborth trwy gydol faith y flwyddyn, a hwnnw yn hen, yn

> galed, ac yn wyddyn; nid oedd na grym nac ysbryd yn ei ddiodydd, na neb dieithriaid o ŵyl i ŵyl nac o leuad i leuad yn profi o'i win nac o'i fara . . . Nid oedd na chrydd na theiliwr yn cael ond y rhan leiaf o'i drysorau ; a ffoi yr oedd ef rhag siop y marsiandwr fel rhag ffau y llewod . . . Disgwyl yr oedd efe gwymp y tlodion fel llew yn disgwyl am ei ysglyfaeth, a'i lygaid a dremient ar y tlawd i'w gael ef i'w rwyd.

Fe welir mor debyg yw'r arddull. Y mae'r dull cryno a'r brawddegau cytbwys yn rhan o'r traddodiad Theophrastaidd. Y mae'r testun hwn hefyd yn dyfod oddi wrth Theophrastus ei hun, a daliwyd yr un nodweddion ganddo yntau. I'r traddodiad Theophrastaidd, felly, y perthyn gwaith Pantycelyn. Eithr mewn cofiannau byrion a dychmygol y dododd ef ei gymeriadau. Cawn ddangos ymhellach ymlaen mai'r portread hwn o gymeriad, mewn termau cyffredinol ac ar ddull teip yn hytrach nag unigolyn, a ddaeth yn bennaf amcan y cofiant Cymraeg yn ei addfedrwydd. Theophrastaidd yw naws y cofiant Cymraeg fel ffurf lenyddol. Pantycelyn yn gyntaf oll, drwy ei *Dri Wyr o Sodom*, a fynnodd hynny.

Ond tueddai'r bregeth angladdol hithau i'r un cyfeiriad. Credaf mai o'r Saesneg y daeth hon hefyd ar y cyntaf i Gymraeg. Cyfieithiwyd nifer o bregethau angladdol Saesneg yn ystod y ddeunawfed ganrif. Nis astudiais hwynt fel y dylid ar gyfer hyn o bapur, na chwilio eu tras, ond yn naturiol iawn daeth yn arfer i Gymry hefyd bregethu a chyhoeddi pregethau angladdol. Effeithiodd hynny yn drwm ar draddodiad y cofiant. Portread o gymeriad y gwrthrych " fel esiampl i eraill " oedd amcan y bregeth angladdol. Rhaid oedd gan hynny i'r darlun Theophrastaidd ymdrefnu yn bennau pregeth. Gellir achub y blaen ar ran o'r hanes drwy godi brawddeg o *Gofiant o Fywyd a Marwolaeth y diweddar Mr. Robert Jones*, gan John Elias (1834), cofiant sy'n enghraifft deg o symbyliad y bregeth angladdol :

> Wedi olrhain hanes ein hen dad parchus hyd ddiwedd ei oes ceisiwn yn awr ddodi ger bron y darllenydd *ddarluniad o'i nodweddiad cyffredinol fel dyn, fel cristion, ac fel gweinidog yr efengyl.*

Chwarddwyd yn aml am ben y cynllun hwn yn y cofiant Cymraeg, ond nid anfuddiol yw deall sut y tyfodd, ac efallai y cawn ddangos hefyd ei fod mewn cofiant neu ddau wedi ei brofi ei hun yn offeryn cymwys i'r traddodiad Theophrastaidd mewn cymdeithas anghydffurfiol Gymreig.

Dylid enwi dau fudiad arall yn y ddeunawfed ganrif a effeithiodd ar y cofiant. Ceir llu o gofiannau byrion yn *Hanes y Bedyddwyr*, gan Joshua Thomas, 1778, un o glasuron y ganrif. Daeth y cofiant byr, o faint ysgrif mewn cylchgrawn crefyddol, yn un o'r prif ffurfiau ar y cofiannau Cymraeg cynnar, ac er bod esiampl cylchgronau Saesneg, megis yr *Evangelical Magazine*, yn symbyliad i hynny, ni ellir ychwaith ddiystyru rhan Joshua Thomas yn y datblygiad hwn.

Rhoes y seiat brofiad a llyfrau cofnodion y *societies* preifat bwys a bri ar hunan-gofiant fel tystiolaeth grefyddol ar batrwm *Helaethrwydd o Ras* John Bunyan. Un o hunan-gofiannau cyntaf y bedwaredd ganrif ar bymtheg yw *Rhad Ras neu Lyfr Profiad*, gan Ioan Thomas, Abertawe, 1810. Dengys ei deitl a'i ddeunydd fod arno ddylanwad llyfr Bunyan. Ceir gan Ioan Thomas, megis gan Bunyan, hanes llencyndod morbid, afiach, dychrynfeydd cydwybod a chysuron sydyn goddrychol, hanes ei fynd yn was at Griffith Jones, Llanddowror, mynd i'r ysgol at Hywel Harris, yn athro wedyn yn ysgolion Griffith Jones, pregethu gyda'r Methodistiaid, troi at yr Annibynwyr a chael ysgol yn Abergafenni a mynd yn weinidog sentar, teithio a phregethu a'i erlid lawer. Ceir ganddo Gymraeg sy'n gyfoethog o hen eiriau a phriod-ddulliau gwlad. Y mae ei ddarllen yn ein hatgoffa ni nid yn unig am lyfr Bunyan, eithr hefyd am ffyniant y llenyddiaeth *picaresco* yn Ewrop yn y ddeunawfed ganrif, nofelau a hanesion Smollett yn Saesneg, gyda'u helyntion a'u bywyd crwydr.

Nes fyth at draddodiad llên y *picaro* yw *Buchedd T. Edwards*, neu Hunangofiant Twm o'r Nant, a gyhoeddodd Owain Myfyr yn *Y Greal*, 1805. Ac i'r unrhyw draddodiad y perthyn hunangofiant " y sgamp diddorol " Robin Ddu o Eryri. Ysywaeth, ni ellir ymdrin â'r rhain yn hanes y cofiant fel cynnyrch bywyd cymdeithasol y bedwaredd ganrif ar bymtheg. Hanes mewnol, hanes profiadau crefyddol, yw " hanes " yn nhraddodiad y cofiant. Crefydd y cyfnod rhamantaidd ar ein gwareiddiad a luniodd ysbryd y cofiant, ac nid oes i Dwm o'r Nant gyfran yn yr ysgogiad hwnnw. Ni ellir dangos hynny'n well na thrwy ddyfynnu ail baragraff hunangofiant y Parch. H. Bevan,

Llangyfelach, a gyhoeddwyd yn 1840:

> Yr ydwyf yn cofio fod rhyw wasgfa ar fy meddwl am fy nghyflwr, ar droeon, yn ieuanc iawn, agos fel y dywedir oddi ar fronnau fy mam ; yr ydwyf yn cofio fy mod yn wylo ac yn llefain rhwng fy nhad a fy mam y nos yn y gwely, a hwythau yn gofyn imi beth oedd yr achos a minnau yn dweud mai ofn marw oedd arnaf . . . Pan ddaethum tua phump oed danfonwyd fi i'r ysgol i Langyfelach. Yr wyf yn cofio fy mod yn ymddiddan pan nad oeddwn ond ieuanc iawn ag un o'm cyd-ysgolheigion agos o'r un oedran â minnau ; ein bod yn eistedd ar lan ffynnon yn agos i'r pentref, a fy mod yn dywedyd wrtho fod yn rhaid fod Duw yn rhyfedd iawn yn ei Hollbresenoldeb . . . Ni byddaf yn myned heibio i'r ffynnon nemor o weithiau hyd y dydd hwn nad ydwyf yn cofio ac yn meddwl am ein hymddiddanion yn y fan honno.

Dyna dôn ac ysbryd yr hunan-gofiannau uniongred. Fe welir bod gwal ddiadlam rhyngddynt a *Buchedd T. Edwards*.

Ond mwy cyffredin yw bod yr hunan-gofiant a'i hanes mewnol yn rhan o'r cofiant, yn rhan helaeth a sylfaenol ohono, yn ôl patrwm *Hanes Bywyd a Marwolaeth y Parchedig Mr. Fafasor Powel*. Cynllun y llyfr hwnnw, gyda marwnad yn lle hymnau yn ddiweddglo, yw'r fformwla a ddilynir yn *Cofiant neu Hanes Bywyd a Marwolaeth y Parch. Thomas Charles*, gan Thomas Jones, Dinbych, 1816, ac eto yn *Cofiant neu Hanes Bywyd a Marwolaeth y Parch. Thomas Jones*, gan John Humphreys a John Roberts, 1820. Sgrifennodd Thomas Charles ei hunan-gofiant yn Saesneg, cyfieithiwyd hwnnw gan Thomas Jones; dau gant a hanner o dudalennau sydd i'r llyfr, hunan-gofiant Charles yw'r cant a hanner cyntaf, ceir wedyn nifer o'i lythyrau ac atodiad byr ar eu hôl yn rhoi ychydig ffeithiau a dyddiadau a disgrifiad o'i farw. "Mewnol" yn unig yw'r ffeithiau yn yr hunan-gofiant, ac y mae gennym lythyr gan Charles at Thomas Jones yn dangos y math o ffeithiau a farnai ef yn briodol i gofiant :

> Pa bryd ac yn mha le y'ch ganwyd ? O ba alwad a sefyllfa yr oedd eich rhieni ? Pa fath oedd eich dygiad i fyny o'ch mebyd? Pa bryd, a thrwy ba foddion yr ymwelodd yr Arglwydd â chwi ag argyhoeddiadau am eich cyflwr fel pechadur colledig ? Pa gynnaliaeth a weinyddwyd i chwi, a thrwy ba foddion, dan yr argyhoeddiadau hyny ? Pa bryd, a thrwy ba foddion, y datguddiodd Duw ei Fab ynoch ? Pa droion neillduol o gyfyng-

derau a gwaredigaethau a gyfarfuant â chwi ar eich taith drwy yr anialwch hyd yn hyn ? Pa gymhelliadau a'ch tueddodd tuag at waith gweinidogaeth y Gair ? etc., etc.[4]

Gwelir bod y gofyniadau hyn yn rhagdybio proses neu drefn o brofiadau sy'n ddigon tebyg i drefn profiadau *Theomemphus* Pantycelyn. Diddorol hefyd yw cael bod cynifer o'r cofiannau a'r hunan-gofiannau yn rhodio'n union y ffordd a ragdybir. Fe ddigwydd bod hunan-gofiant Thomas Jones ei hun, a edrydd hanes ei afiechydon a'i boenau corff a'i driniaethau dan lawfeddygon, yn ddiddorol mewn ffordd wahanol. Ond nid un nodweddiadol hollol o'i gymdeithas oedd Thomas Jones, ac yr oedd yn ei feddwl elfennau annibynnol.

Cofiant cynnar arall nad yw yn ôl y patrwm yw *Cofiant neu Hanes Bywyd a Marwolaeth y Parchedig Peter Williams*, gan Owen Williams o'r Waenfawr, Caernarfon, 1817. Y mae trefn hwn hefyd yn draddodiadol, yr hunan-gofiant i ddechrau, gweddill ei hanes, llythyrau ganddo a dyfyniadau o'i waith, hanes manwl o'i farw, yna marwnadau ac awdl yn glo. Ond amddiffyniad yw'r cwbl o'r rhan ganol o'r llyfr, a rhoddir yn gyflawn bamffled Peter Williams, *Dirgelwch Duwioldeb*, 1792, yn rhan o'r ddadl. Cymraeg da y llyfr hwnnw yw gwobr pennaf darllenydd y cofiant.

Dosbarth arall ar y cofiannau cynnar—y cofiannau cyn 1830, dyweder—yw'r cofiant byr nad yw'n fwy na thraethawd mewn misolyn. Ceir nifer ohonynt yn ail gyfrol y *Drysorfa* (1813) dan olygiad Thomas Charles, yn *Seren Gomer* hefyd, ac mewn cylchgronau eraill, a pharhasant ar hyd y ganrif. Er eu byrred, rhoddid arnynt yn gyffredin yr un teitl ag a roddid i'r cofiannau cyflawn, megis *Buchedd a Marwolaeth y Parchedig Griffith Jones*. Cyhoeddwyd llu ohonynt yn llyfrynnau annibynnol mewn cloriau papur. Achos economaidd oedd i hynny, tyst o'r rhagymadrodd i *Hanes Bywyd y Parch. John Griffiths o Landwr*, etc., gan Daniel Davies, 1826 :

> Meddyliais unwaith i ysgrifennu ei fywgraffiad a'i ddanfon i'r Drysorfa Efengylaidd ac i Seren Gomer, ond bernais pe cawn fodd i gyhoeddi llyfryn bychan y byddai o ryw fantais i'r weddw a'i phlant.

[4] Gweler y llythyr yng *Nghofiant y Parch. Thomas Jones o Ddinbych*, gan Jonathan Jones, tud. 218.

Dywedir yn debyg gan eraill. Nid oes unrhyw newid o bwys ar y byr-gofiannau hyn hyd at 1860. Byddai'n dasg ddiddorol a gwir werthfawr i rywun fwrw drwyddynt a dethol hanner dwsin o'r goreuon yn llyfr. Y mae ynddynt, mi gredaf i, lawer o ryddiaith orau'r bedwaredd ganrif ar bymtheg. Maent yn gryno, yn fynych yn ddirodres a diorchest a syml. Ceir yma ac acw ynddynt hanes lleol y mae angen am ei gadw, megis er enghraifft yn *Cofiant y Parch. D. Stephenson, Brynmawr*, gan W. Jenkins ac E. Evans, a gyhoeddwyd yn y Brynmawr yn 1851 ac y sy'n draethiad difyr a'i Gymraeg yn goeth, a'i ddarlun o fywyd anghydffurfiol yng nghychwyn y cyfnod diwydiannol yn ddogfen bwysig i haneswyr cymdeithasol. Un arall o'r byr-gofiannau y trewais arno'n ffodus yw *Cofiant o Fywyd a Marwolaeth Dafydd Cadwaladr*, a gyhoeddwyd yn y Bala yn 1836 heb enw awdur. Y mae hwn yn gampwaith bychan o ddeuddeg ar hugain tudalen, a gellir ei gymharu â byr-gofiant Isaac Walton yn Saesneg i George Herbert. Rhydd inni (braidd yn anfwriadol a than lun o gondemniad) ddarlun o wareiddiad Cristnogol a chyfanheddrwydd diwylliedig ym mhlwyf Llangwm yn Swydd Ddinbych cyn y diwygiad Methodistaidd :

> Yr ydoedd yn arferiad yn y dyddiau hynny gan bobl y gymdogaeth gyrchu i dai eu gilydd i wau hosanau y nos wrth y tân, gan ddifyrru y naill y llall trwy ganu cerddi masw ac adrodd ystorïau digrif ; felly i gyflawni ei ran yn y gwmnïaeth, byddai Dafydd yn adrodd iddynt ddarn o'r Bardd Cwsg neu o Daith y Pererin . . . . Felly lle bynnag yr elai Dafydd, ni chanai neb gerdd ac ni adroddai neb ystori, gan mor ddifyr oedd ganddynt wrando arno ef ; ac mor hoff ydoedd ei feistres hefyd o'i waith fel y gadawai iddo fyned i bob man yr anfonid amdano.

Disgrifiad o gymeriad mwyn yw'r cofiant bychan hwn, ac y mae arno olion traddodiad llenyddol a diwylliant bro. Y mae'n ddolen gyswllt rhwng bywyd a llên Huw Jones o Langwm a Rowland Huw o'r Bala, a'r bywyd newydd yr oedd Thomas Charles yn ganolbwynt iddo.

Mi dybiaf mai tua 1840 y sadiodd twf y cofiant. O 1840 hyd at 1870 yw cyfnod ei addfedrwydd. Sefydlwyd ei ffurf, ei gynllun, a'i nodweddion, a cheir y cofiant Cymraeg sy'n fath arbennig o lenyddiaeth greadigol, yn gyd-drefniad o'r holl fenthygiadau, ond yn beth newydd, annibynnol, a thrwyadl Gymreig.

Dyma'r cynllun cyffredin : diflannodd yr hunan-gofiant agoriadol ac yn ei le ceir hanes byr o fywyd cyhoeddus y gwrthrych gan fanylu ar ei dröedigaeth (yn ôl traddodiad yr hunan-gofiant) a fuasai'n gychwyn ei yrfa, ac ar ei ddyddiau olaf a'i angau. Yna daw'r ail ran, a hon mwyach yw craidd y cofiant a'r rhan yr ymboenir â hi, sef y portread o'r gwrthrych fel dyn, fel Cristion, ac fel gweinidog efengyl. Felly fe gyfunwyd y bregeth angladdol a'r portread Theophrastaidd a'u troi'n hanfod ac yn galon y cofiant. Yn fynych yn y drydedd ran fe geir darnau o bregethau a dywediadau'r gwrthrych a chloir y cyfan â marwnad neu gyfres o farwnadau. Gwna'r cwbl lyfr o gant neu chwech ugain tudalen yn y cofiannau pwysig, ac yn aml hefyd ceir rhai sy'n llai eu maint na hynny.

Ceir enghreifftiau lawer o'r math hwn o gofiant. Un o'r dosbarth yw cofiant Gwilym Hiraethog i Williams o'r Wern. Ond un o'r goreuon, enghraifft sy'n haeddu ei chydnabod yn glasur yn y dosbarth, yw *Cofiant Moses Parry* gan John Foulkes.[5] Yn hytrach na cheisio bwrw trem ar nifer sy'n debyg eu ffurf, ystyriwn hwn fel cynrychiolydd o orau'r traddodiad.

Y mae gan John Foulkes briod wendidau'r cofianwyr Cymraeg. Ni cheir ganddo nac ymchwil hanesydd na dogfeniad. Y mae'n ffyddlon i'r traddodiad hefyd yn ei ddiffyg diddordeb cymdeithasol. Ganwyd Moses Parry yn Ninbych yn 1784 :

> Ymddengys na ollyngwyd Moses Parry i lygredigaethau ffiaidd a chyhoeddus yn holl dymor ei ieuenctid. Arferai, mae'n wir, gymdeithasu â Thomas Edwards (Twm o'r Nant) a Robert Davies, Nantglyn ; ac aml y dywedodd R. Davies am dano : "Nid oedd gwell datganwr nag ef yng Ngogledd Cymru."

Gwelodd ddechrau Methodistiaeth yn Nyffryn Clwyd a gwelodd yr holl newid cymdeithasol a'i dug ef allan o gyfeillach Twm o'r Nant i fod yn gydymaith i Henry Rees ar daith bregethu drwy Unol Daleithiau'r Amerig. Yr oedd ei fywyd yn gyfle arbennig i ddisgrifio twf a threfn Methodistiaeth yn Nyffryn Clwyd, yng Ngogledd Cymru ac yn nhrefi rhyfedd

[5] *Cofiant y Diweddar Barch. Moses Parry.* Gyda Rhagdraethawd gan y Parch. Henry Rees. Dan Olygiad y Parch. J. Foulkes, Liverpool. Dinbych : Cyhoeddwyd gan Thomas Gee. MDCCCLVI.

Gogledd yr Amerig. Ni ddaeth hynny i ddychymyg John Foulkes. Ni pherthynai hynny i draddodiad y cofiant. Ni cheir ganddo hyd yn oed gyfeiriad at y llyfr a gyhoeddodd Henry Rees a Moses Parry yn rhoi hanes eu taith ac adroddiad ar helyntion yr ymfudwyr Methodistaidd yn yr Unol Daleithiau.[6] Hynny o hanes Moses Parry a geir yn ei gofiant, fe'i crynhowyd i'r ddwy bennod gyntaf.

Calon y cofiant hwn yw'r drydedd bennod a'r bedwaredd a'r chweched. Ynddynt hwy rhoddir inni'r portread o Foses Parry fel dyn, fel Cristion, ac fel pregethwr a gŵr cyhoeddus. Ni threwais hyd yn hyn ar ddim gwell yn llenyddiaeth y cofiannau. Ceir gan John Foulkes ddull cryno, digwmpas o frawddegu sy'n hynod debyg i arddull y traddodiad Theophrastaidd. Rhoddaf un paragraff yn enghraifft o'i Gymraeg:

> Yn y flwyddyn 1825 neilltuwyd Moses Parry a Richard Jones, Bala, i holl waith y weinidogaeth. Yr oedd ynddo fel dyn, gynneddfau a gweddeidd-dra i'r gwaith hwn : ni byddai yn glogyrnaidd gyda dim, nac yn afluniaidd ac aflêr, ond bob amser yn ddestlus ; a gallwn ddywedyd iddo gael rhyw eneiniad yn y neillduad at yr holl waith a gymhwysai ei ysbryd iddo, ac a'i gwnelai yn weddaidd a chymeradwy. Ni ddangosodd, am a ddeallem, ei fod yn gwybod dim arno ei hunan ar ôl hynny—Moses Parry y cawsom ef wedi hynny. Clywsom ef yn addef fod pwys yr ymddiried yn ddigon i gadw dyn rhag rhyw ymlenwi, a myned yn ben ysgafn ar y codiad hwnnw (os codiad hefyd); a'i fod yn teimlo ei hunan dan fwy o rwymau a mwy o ofal am yr eglwysi a'r achos drwyddo. Gwelsom ef wrth y bwrdd heb lewyrch neilltuol, a gwelsom ef hefyd dan yr eneiniad ac yn cydfwynhau pethau yr efengyl.

Dyna enghraifft deg o ddull John Foulkes. Mewn brawddegau cynnil ac mewn paragraffau pwyllog, diormodiaith fel y rhain, y darluniodd ef bob agwedd ar gymeriad ei wrthrych. Cydbwysedd a barn, geirfa sy'n ymgadw yn agos at bethau, cystrawen lân a seml, dyna nodweddion ei arddull. Ac y mae ei bortread, ei ddarlun Theophrastaidd o gymeriad Moses Parry, y peth manylaf, llawnaf, mwyaf trefnus ei ddadansodd-

[6] *Y Genhadaeth I'r America.* Golygiad Byr ar Agwedd Crefydd y'mhlith y Methodistiaid Calfinaidd yn Unol Daleithiau yr America. Ynghyd a Hanes Taith Henry Rees a Moses Parry. Caerlleon, argraffwyd gan T. Thomas, Eastgate Row, 1841.

iad, o'r holl gofiannau a ddarllenais. Ceidw ei ddarlun hefyd yn ddigon cyffredinol, yn ddigon haniaethol i ennill iddo le gyda'r blaenaf o'r *moralistes* ymneilltuol Cymraeg ; y mae ambell baragraff annibynnol, megis yr ymdriniaeth â natur " cyfaill " ar dudalennau 59-61, yn draethawd nid annheilwng o lenor Lladin. Sgrifennodd Eben Fardd, Caledfryn, a Gwilym Hiraethog englynion marwnadol ar ddiwedd y cofiant, ac y mae'r rhagymadrodd iddo o law Henry Rees.

Dyna'r cofiant nodweddiadol yn y cyfnod 1840-70. Fe ddigwydd bod dwy frawddeg yng *Nghofiant Richard Jones y Wern*, gan John Jones, Caerlleon (1834), sy'n crynhoi'n hapus brif fwriadau'r cofianwyr :

> Y mae cyffelybrwydd neilltuol rhwng ysgrifennu cofiant gŵr a thynnu ei ddarlun . . .
>
> Pe gallesid gwneud cyfiawnder â hanes ei ddyddiau boreuol, ymddangosai (fel Cofiant Cyrus y Persiad gan Xenophon) yn hytrach yn gynllun i ddynion ieuainc ffurfio eu bucheddau wrtho nag yn hanes bywyd neb yn neilltuol . . .

Ond rhaid sôn yn awr am rai o'r cofiannau nad ydynt yn gwbl yn ôl y patrwm.

Un felly yw *Hanes Bywyd a Gweinidogaeth y Parchedig Daniel Rowlands*, gan John Owen, Thrussington, 1840. Y mae hwn yn llyfr enwog, ac fe haedda fod felly. Ceir ynddo bortread (yn ôl dull y traddodiad) o gymeriad Rowlands, dadansoddiad o'i ragoriaethau fel pregethwr, a gwneir hynny yn drwyadl a da ; ond arbenigrwydd John Owen yw bod ganddo reddf hanesydd ac ysgolhaig. Gwelai ef le Daniel Rowlands yn olyniaeth pregethwyr a diwygwyr enwog Protestaniaeth yng Nghymru. Dyfynna hefyd o'r haneswyr, o Joshua Thomas a Thomas Charles, a cheir trefn a dogfeniad yn ei waith a ffrwyth llawer o ymchwil. Ymgadwodd o fewn terfynau maint y cofiant cyffredin, ond ceir ffresni ac ysbryd gwahanol yn ei lyfr. Offeiriad yn Eglwys Loegr oedd John Owen, a dwg haelfrydedd ansectol a diwylliedig i'w werthfawrogiad o sylfaenydd Methodistiaeth.

Y mae'r dogfeniad yn *Cofiant Christmas Evans*, gan W. Morgan, Caergybi, 1839, yntau'n llawnach nag yn y cofiannau cyffredin. Copïa, er enghraifft, gofrestr briodas Christmas Evans, a dyfynna lawer o'i ddyddlyfr, yn dystiolaeth am ei brofiadau bore oes. Unwaith fe roes y cofiant hwn ias neu sioc imi, canys fe ddengys effaith ansefydlogrwydd prisiau amaethyddol yn 1814 ar sefyllfa ariannol eglwysi ac ar ddyledion capelau. Eto, yng nghofiant y *Parch. Ebenezer Richard*, gan ei feibion E. W. ac H. Richard, 1839, fe geir peth ymdriniaeth ag amgylchiadau ordeiniad 1811 ymhlith y Methodistiaid, a defnyddir dyddlyfr a llythyrau Ebenezer Richard yn helaeth i adrodd hanes ei yrfa ac i amlygu ei gymeriad. Ffurf draddodiadol y cofiant sydd ar *Gofiant y Parch. Lewis Rees*, gan John Davies, Mynyddbach, 1852 (ailweithio ar gofiant cynnar gan John Roberts, Llanbrynmair, 1812), ond yma hefyd y mae'r elfen hanesyddol yn hynotach nag arfer, a rhoir rhywfaint o gefndir cymdeithasol i yrfa Lewis Rees. Llyfr sydd ar ei ben ei hun ymysg y cofiannau yw *Cofiant Ann Griffiths*, gan Morris Davies, Bangor, 1865. Y mae'r bennod ar " Deulu Dolwar Fechan," a'r gwerthfawrogiad o ddiwylliant a hynawsedd gwâr yr ardal cyn dyfod Methodistiaeth yno, yn debyg i'r disgrifiad sydd yng nghofiant Dafydd Cadwaladr. Mor debyg hefyd yw'r darlun o Ann Griffiths yn ei llencyndod, gyda'i blaenoriaeth ym mhob mwyndeb cymdeithasol a'i dawnsio medrus, i'r darlun o Gwen Tomos yn nofel Daniel Owen fel na ellir lai nag amau ddarfod i'r nofelydd ddwyn rhywfaint oddi ar y cofiannydd. Cofiant bardd yw *Cofiant Ann Griffiths*; effeithiodd hynny ar ei ffurf a'i ysbryd, a dengys Morris Davies allu beirniadol yn ei bwyslais ar y diwylliant cymdeithasol a'r addysg a'r llyfrau, yn ogystal ag ar y math o fywyd Methodistaidd, a luniodd brofiadau ac emynau Ann Griffiths.

Un yn ymylu ar fod yn llenor mawr oedd Edward Matthews, Ewenni. Diffyg ymddisgyblu ac anghynildeb a'i anghymedroldeb ymadrodd sy'n troi ei holl weithiau yn siom. Ond y mae i'w brif lyfrau, *Hanes Bywyd Siencyn Penhydd*, *George Heycock a'i Amserau*, *Bywgraffiad y Parch. Thos. Richard, Abergwaen*, eu lle pwysig yn hanes y cofiannau. Llyfr yn ôl y patrwm yw ei gofiant i Thomas Richard, a hwn yw ei ymdrech fawr i sgrifennu gwaith helaeth ar wrthrych nodweddiadol o draddodiad y cofiant. Defnyddia ddyddlyfr a llythyrau Thomas Richard i ddilyn ei brofiad o gyfnod i gyfnod ar ei yrfa, a dengys ei ddetholiad o ddywediadau ac epigramau Richard fod ganddo reddf llenor a threiddgarwch hynod. Portread yw hanfod y llyfr; buasai'n gampwaith pe buasai'n llai o'r hanner union nag ydyw. Ond darlun wedi ei dynnu ar ddiffeithwch o gynfas ydyw, a chollir ef mewn blinder.

Darluniau o gymeriadau od, cymeriadau sy'n atgyfodi traddodiad y *picaro*, yw ei *Siencyn Penrhydd* a *George Heycock*. Y cyntaf yw'r gorau o'r ddau (argraffiad cyntaf 1851, ond gwell o lawer yw argraffiad Abertawe, 1860). " Disgrifio y cymeriad fel yr ydoedd oedd yr amcan," a darlunir hen gynghorwr gerwin, di-foes, diddiwylliant, hanner gwyllt, ond un dewr a ffraeth a chanddo athrylith duwioldeb; ac y mae rhai o'r straeon amdano, megis honno am y modd y tawelodd ef ffrae yng Nghaerffili (tud. 58-9, arg. 1860) yn ein hatgoffa am santeiddrwydd y Curé d'Ars. Ar ei orau y mae Edward Matthews yn feistr ar eirfa gyfoethog, ar briod-ddull flasus dafodieithol, ac ar frawddegau bywiog a grymus. Ni ellir ei ddiystyru ; dan ei ddwylo ef y mae'r cofiant yn ymestyn at y nofel. Dywed stori a dengys olygfa ddigrif gyda hwyl a ffraethineb diguro.

Er bod y cofiannau hyn yn enghreifftiau o'r amrywio a fu ar gynllun safonol y cofiant megis yr amlygwyd ef gan John Foulkes, eto ni cheir un newid llwyr na chwyldroadol yn hanes y cofiant hyd at 1874. Ond y flwyddyn honno fe gyhoeddwyd *Cofiant John Jones, Talsarn*, gan Owen Thomas. Saif hwn ar ei ben ei hun yn fath hollol newydd o gofiant mewn Cymraeg. Ni pherthyn Owen Thomas i draddodiad y cofianwyr o'i flaen. Yr oedd yn ysgolhaig a'i efrydiau yn bennaf mewn hanesiaeth eglwysig yn gyffredinol, mewn llenyddiaeth Saesneg fodern, gan gynnwys yr haneswyr a'r nofelwyr,[7] ac yn hanes datblygiad Protestaniaeth yng Nghymru. Hoffai'r cofianwyr mawr Saesneg, yn arbennig Boswell a Lockhart ; argraffiad Birbeck Hill o'r *Life of Samuel Johnson* oedd ffefryn ei lyfrgell. Y triawd hyn o efrydiau, sef hanes eglwysig, datblygiad diwinyddiaeth a phregethu yng Nghymru, a'r cofianwyr a'r haneswyr Saesneg, a ddaeth ynghyd i lunio *Cofiant John Jones, Talsarn*.

Y mae ei faint a'i feithder yn ei neilltuo oddi wrth y traddodiad Cymraeg. Felly hefyd arafwch ei arddull. Cyflym a byr yw *Cofiant Moses Parry*, ac yn hynny y mae'n gwbl Gymreig. Eu ffyddlondeb yn hyn o beth i draddodiad llenyddiaeth Gymraeg ar hyd y canrifoedd yw un arbenigrwydd ar y cof-

[7] Barnai fod Charlotte Bronte yn bwysicach na George Eliot, a bod *Wuthering Heights* Emily Bronte yn bwysicach na dim o waith ei chwiorydd.

iannau. Tyr *Cofiant John Jones* yn groes i'r holl draddodiad ; nid yw nac yn fyr nac yn gyflym. Mewn gwirionedd, y mae'n feithach na rhaid. Un o'i wendidau eglur yw bod llawer o ail-adrodd afreidiol ac undonog yng nghroniclau teithiau pregethu John Jones, ac yn hanes ei odfeuon. Hamddenol hefyd yw'r arddull—brawddegau anghryno, paragraffaidd, a chystrawen a rhithm ac arnynt olion Saesneg oes Victoria.

Ond nid bai arno yw ei faint. Y mae'n llyfr mawr oblegid ei gynllunio'n fawr, a'i gynllunio'n llwyr wahanol i draddodiad y cofiannau Cymraeg cyffredin. Eu dull hwy yw cau ar gymeriad megis gwain am gledd, ei neilltuo a'i ddadansoddi fel peth ar ei ben ei hun, heb gysylltiad hanfodol â dim o'i gwmpas, a brysio oddi wrth drem gyflym ar ei yrfa i ymroi i'w bortreadu fel teip statig a diberthynas a digyfnewid. Y mae syniad Owen Thomas am wrthrych cofiant yn gwbl wahanol. Gwêl ef yrfa John Jones megis afon fawreddog sy'n cychwyn yn ffrwd fechan o Ddolyddelen ; y mae'n symud i lawr o'r mynydd-oedd i'r gwastadedd ; mae'r wlad o'i chwmpas yn ymledu, a'r gorwelion yn mynd yn ehangach o hyd ; teithia hithau'n araf a rhwysgfawr i froydd dieithr ; casgl ati afonydd eraill ac ymleda ei glannau'n gyson ; disgrifir y cwbl, cwrs yr afon, yr aberoedd, y gwledydd y teithia hi drwyddynt, a hyd yn oed y gorwelion pell a'r môr yntau. Bod cymdeithasol yw gwrthrych cofiant gan Owen Thomas. Disgrifia gyntaf deulu a hynaf-iaid John Jones, yna fywyd crefyddol ei blwyf ; dilyna ef wedyn yn ei gysylltiadau newydd yn Llangernyw ac yn Nhrefriw, yna'n dechrau pregethu, a'i dderbyn i'r cyfarfod misol, yna i'r gymdeithasfa, ymlaen wedyn i'w deithiau a'i le yn natblygiad pregethu yng Ngogledd a Deau Cymru. Wrth ei ddarllen, fe gawn fod dau beth yn ein taro : y mae'r gym-deithas y try John Jones ynddi yn ymledu o hyd a'r gorwelion yn ehangu fwy-fwy, ac y mae hynny oll yn rhan o fywyd y cofiant ; ac, yn ail, y mae yntau'n newid, yn tyfu, fel nad darlun o gymeriad statig sydd yma megis yn y cofiannau gynt, ond dyn sy'n byw gydag eraill ac wrth iddo fyw yn ymad-newyddu. Ac oblegid bod y ddwy elfen yma yn gyfrodedd â'i gilydd drwy'r gwaith, daw rhannau disglair ac ysblennydd y llyfr yn briodol i'w lle. Er enghraifft, y mae'r disgrifiad yn y seithfed bennod o Gyfarfod Misol Arfon pan dderbyniwyd John Jones iddo yn ennill i Owen Thomas hawl i'r enw o fod yn

Saint-Simon llenyddiaeth Gymraeg. Ac er mor enwog yw'r ddwy bennod fawr ar ddadleuon diwinyddol Cymru, rhaid eu darllen yn eu tro, a gweld fel y cyfodant yn naturiol wrth fod yr awdur yn olrhain datblygiad meddwl a phregethu John Jones yn ei addfedrwydd, er mwyn gwerthfawrogi cynllun a phensaernïaeth odidog y llyfr. Y mae'r gwaith yn gofiant i gymdeithas gyfan yn gystal ag i'r unigolyn a gafodd ei faeth a'i gyfle ym mywyd y gymdeithas.

Tua'r terfyn daw *Cofiant John Jones* yn nes at draddodiad y cofiannau. Dygir y marwnadwyr i mewn i hanes ei angladd, ac os yw'r ddwy bennod olaf ar bregethwyr Cymru yn rhy hir, eto y mae arnynt ddyled i John Owen, Thrussington, ac efallai i bennod olaf Gwilym Hiraethog yng Nghofiant Williams o'r Wern. Yn wir, John Owen, Thrussington, yw'r tebycaf o lawer i Owen Thomas o'r holl gofianwyr a fu o'i flaen. Dywedais na pherthyn *Cofiant John Jones* yn ffurfiol i draddodiad y cofiant Cymraeg. Er hynny, hwn yn ddiau yw coron llenyddiaeth y cofiant yng Nghymru. Hwn yw drych y gymdeithas a greodd y cofiannau. Ac wedi cyhoeddi hwn, daw cyfnod arbennig y cofiant Cymraeg i ben. O 1874 ymlaen daw ffurfiau eraill ar ryddiaith greadigol i fynegi ysbryd a delfrydau'r gymdeithas Gymreig. Yn 1876 dechreuodd Daniel Owen ar ei yrfa fel nofelydd, ac allan o draddodiad y cofiant Cymraeg y daeth inni yn ei dro *Hunangofiant Rhys Lewis, Gweinidog Bethel.*[8]

[*Transactions of the Honourable Society of Cymmrodorion*, Sessions 1933-34-35, 157-73].

[8] Dymunaf gydnabod y cymorth mawr a gefais wrth gasglu'r cofiannau gan Mr. Ffransis Payne o lyfrgell Coleg Abertawe.

PENNOD XXXIV

THEMA *STORM* ISLWYN

Y MAE'R beirniaid diweddar oll yn gytûn nad oes dim undod thema neu gynnwys yn *Y Storm.* Dywedodd W. J. Gruffydd yn ei Ddarlith Goffa 1942 :

> Mae un peth yn sicr, nid eistedd i lawr i ysgrifennu pryddest ar *Y Storm* fel testun a wnaeth Islwyn ; yn hytrach casgliad yw'r *Storm* o wahanol ddarnau myfyriol, yn null *Night Thoughts* Young, ar amryw destunau.

' Mae un peth yn sicr ' ! Wel, wel. Ond tebyg yw barn Dr. Thomas Parry yn *Hanes Llenyddiaeth Gymraeg* :

> Tryblith cymysglyd yw'r gerdd . . .

A dywaid Mr. Gwenallt Jones yn *Bywyd a Gwaith Islwyn* :

> Os oedd hi'n anodd rhoddi crynodeb o gynnwys yr arwrgerdd gyntaf, y mae hi'n anos fyth roddi crynodeb o gynnwys yr ail arwrgerdd, am ei bod hi mor ddiganolbwynt a digyfansoddiad . . . cybolfa (tt. 61, 81) . . . .

Ac eto yn ei Ddarlith Goffa ar *Y Storm* (1953) :

> Os oes iddi fframwaith, ac y mae hynny yn amheus . . . . . cyfres o fyfyrdodau moesol ydyw ar brofiad, a'r profiad oedd colli Ann Bowen.

Er fy mod i'n gwrthod hyn ac yn dal i'r gwrthwyneb fod i'r bryddest neu'r arwrgerdd fframwaith sicr a phendant mi garwn gydnabod ar y cychwyn fod Darlith Goffa Mr. Jones yn astudiaeth werthfawr i bawb sy'n ymroi i ddeall gwaith Islwyn. Erys llawer i'w ddweud am arddull *Y Storm* ac am ei rhan fawr hi yn natblygiad neu weddnewidiad y canu clasurol-arwrol a ddeilliodd o *Gywydd y Farn* Goronwy Owen.[1] Yn yr ysgrif bresennol fy mwriad yw ystyried yn unig thema'r gerdd a chynnig dehongliad i ddangos ei hundod a'i chyfanrwydd.

[1]Hynny oedd pwnc y rhan gyntaf, a draddodwyd, o'r Ddarlith Goffa a draddodais i yng Nghaerdydd yn 1949. Yr ysgrif bresennol yw sylwedd yr ail ran. Rhoddais y cynnwys fwy nag unwaith i ddosbarthiadau clod yr Adran Gymraeg yng Nghaerdydd. Ond yn awr y sgrifennaf ef.

Yr wyf yn meddwl amdani ei bod hi ddwywaith ormod o hyd, fod ynddi amryw ac amryw ddarnau meithion beichus anghynnil, ond y gellid cyhoeddi detholiad a'i dangosai hi, er enbyted ei beiau, yn un o gampweithiau cyfoethog y bedwaredd ganrif ar bymtheg yn Ewrop.

Gair byr ynghylch y testun. Diffiniodd Mr. Gwenallt Jones yn ei Ddarlith Goffa (t. 37) yr arwrgerdd :

> Y mae'r gerdd hon yr un fath, ar wahân i fân newidiadau, â'r gerdd ' Y Storm ' yn *Gwaith Barddonol Islwyn*, o'r dd alen gyntaf tan yr ail linell ar d. 134, gan adael allan Rhan III a Rhan VI.

A dywaid Mr. B. G. Owens wrthyf mewn nodyn : ' y mae Islwyn ei hun yn y ddwy lawysgrif wedi gadael rhywfaint o le gwag i ddynodi'r gwahanol doriadau yn y gerdd ond Syr Owen M. Edwards sy'n gyfrifol am rifo a phenawdu'r adrannau.' Rhaid chwanegu fod yn y gerdd yn y *Gwaith* rai gwallau sy'n dinistrio'r ystyr, megis *ail fawrhau* (t. 113) lle y ceir *ail farwâu* yn y llawysgrif, *oll yn oll* (t. 27) yn lle *oll yn ôl* y llawysgrif, a'r golygydd a sgrifennodd *Ann* (t. 38) lle nid oes gan Islwyn ond hirnod—. Ond testyn y *Gwaith* a ddyfynnaf yn awr, gan na fedraf fynd i'r Llyfrgell yn Aberystwyth i godi o'r gwreiddiol.

Mae'n bryd dweud gair da am Ddyfed. Ganddo ef y ceir tystiolaeth Islwyn ei hunan (*Oriau gydag Islwyn*, t. 51) am y *Storm* :

> Math o arwrgerdd ydyw a'r enaid yn arwr. Hynny fwriadodd Islwyn iddi fod yn ôl ei dystiolaeth ei hun, er yn wahanol o ran cynllun i bob arwrgerdd arall . . . . .

Daliaf ymhellach fod Dyfed wedi canfod thema'r *Storm* yn gliriach na neb ar ei ôl ef, ac o'r herwydd y mae'n deg dyfynnu ar unwaith y frawddeg hon sy ganddo (t. 52) :

> Y mae holl feddyliau'r gân yn tarddu o dair ffynhonnell— *Atgof*, *Adfyd* a *Gobaith* ; ac felly dilynir enaid drwy bob cyflwr yn ei hanes ; cyn yr ystorm, yn ei chanol, a thu draw iddi.

Craffwn ar hyn. Canys y fframwaith hwn,—cyn yr ystorm, yn ei chanol, a thu draw iddi,—yw fframwaith clasurol yr awdl arwrol Gymraeg, *Dinistr Jerusalem*, *Drylliad y Rothsay Castle*, etc. Digwyddiadau trychinebus mewn hanes oedd deunydd y rhain. Trosglwyddodd Islwyn y trychineb i fywyd yr enaid, enaid dyn, y ddynoliaeth Gristnogol, a'i enaid ef ei hunan, y bardd. Ac yn hytrach nag adrodd hanes a disgrifio gwrthrychol, fe gawn ganddo fyfyrdod ar y profiad ac ymson telynegol. Dyna'r gwahaniaeth cynllun y soniodd Islwyn ei hunan amdano.

Cerdd Gristnogol uniongred yw hi o'i chychwyn i'w diwedd, heb un mymryn o'r hyn a ystyrir yn dechnegol yn gyfriniaeth. Dywaid Mr. Gwenallt Jones fod ' marwolaeth Ann Bowen wedi siglo ffydd Islwyn ' (*Op. Cit.* t. 33). Ni wn i pa garn sy ganddo i hyn. Bu Ann Bowen farw Hydref 24, 1853, a chyn terfyn y flwyddyn honno (*Pregethau*, t. vii) fe'i cynigiodd yntau ei hunan i eglwys Bethel yn bregethwr. A thystia ei chwaer (t. x) : ' Y mae rhai dynion wedi derbyn ffydd naturiol gryfach nag eraill, ac yr oedd efe yn un o'r rhai hynny.' Ffydd a'r gobaith Cristnogol sy amlycaf drwy gydol y *Storm*. Gan hynny nid cerdd o bruddglwyf mohoni eithr cerdd o fuddugoliaeth, buddugoliaeth ar adfyd ac angau,—y mae hi'n arwrgerdd yn yr ystyr yna hefyd. Enaid y Cristion yw'r arwr, enaid y bardd ei hunan. Gellid profi hyn drwy ugeiniau o ddyfyniadau. Gobeithiaf nad oes mo'r angen. Ddwywaith ar d. 56 y *Gwaith* fe dystia mai *ffawd*, nid *anffawd*, oedd marwolaeth Ann Bowen a honni :

> O mae yn werth pryniedig aur y byd
> A chydraiadriad ei fawreddau oll,
> Ystorom o orseddau ac o fawl.

Y mae hyn, wrth gwrs, yn gyson â'r teimladau dwysaf o golled a chariad angerddol hiraethus. Ond arwrgerdd o Ffydd a gobaith yw'r *Storm*.

Arwrgerdd enaid y dyn Cristnogol a'r bardd. Gan hynny y mae dwy stori, dwy stori sy'n ddwy wedd ar yr unrhyw brofiad, sef stori gyffredinol y dyn Cristnogol a stori bersonol y bardd Islwyn. Y stori gyffredinol yw stori bore Eden, colli Eden, adennill Eden, *Paradise Lost*, *Paradise Regained*. Mae'n burion cofio fod Islwyn yn ei bregeth bwysig *Gwybodaeth yn y Nef* (*Pregethau*, t. 259) yn enwi Milton gyda Moses a'r Apostol Paul. Y stori bersonol yw caru Ann Bowen, ei cholli hi, ei chael hi eilwaith, drwy berffeithrwydd Atgof a thrwy Ffydd, yn Nuw.

Gyda'r ddwy stori y mae thema arall sy'n ymgordeddu â hwynt, sef mai'r siom, y golled, y trychineb sy'n cau dyn o'i Eden, y *Storm* hon yw ffynhonnell pob barddoniaeth, a bod barddoniaeth hithau'n ddull o feddiannu atgof a gobaith :

A phob barddoniaeth, onid adgof yw
O rywbeth mwy a fu, neu ragweledìad
O rywbeth mwy i ddyfod ?

Dyna'n fras brif themâu'r *Storm* ; y maent yn dair ac yn undod. Ac yn awr—er fy ngwaethaf—rhaid imi cyn dadansoddi ymhellach droi at fater sy'n perthyn i arddull ond sy'n help, mi dybiaf, i ddilyn troeon trafodaeth Islwyn ar thema ei arwrgerdd.

Yr oedd Islwyn yn gerddor medrus a gwybodus. Dywaid Dyfed iddo ' astudio cerddoriaeth yn ieuanc a bu'n fuddugol rai troion fel arweinydd côr.' Dyma dystiolaeth allweddol. Gellid sgrifennu'n helaeth ar fiwsig ei delynegion a miwsig ei linellau a'i baragraffau diodl. Yn wir, mae mawr angen am hynny gan fod beirniaid ifainc, a rhai y rhoir ymddiried ynddynt, yn glust-fyddar i newydd-deb ei fiwsig ac yn dannod iddo ddiffyg crefft delynegol. Ond y pwynt gennyf i'n awr yw mai yn null cyfansoddwr cerddoriaeth yr oedd ei feddwl ef yn gweithio a'i ddawn greadigol. Clywsom lawer gan ei hen edmygwyr am ei hoffter ef o'r ardd a distawrwydd natur. Gwrandawer ar gyffes o'i bregethau (t. 258) :

> Nid oes un olygfa fwy boddhaus a chynhyrfiol braidd na sefyll mewn gorsaf fawr yn un o'n prif ddinasoedd, a gweled *train* ar ôl *train*, cerbydresi llawnion a gogoneddus yn dylifo i mewn ac allan. Fe fydd y meddwl dynol, ar ôl cyrhaedd y nefoedd fel rhyw orsaf oleu, a *canopy* o anfarwoldeb gloew yn dô iddi, a *trains of thought*, *train* ar ôl *train* yn dyfod i mewn byth bythoedd !

Nid oes un olygfa fwy boddhaus a chynhyrfiol ! Ie, Islwyn ! Mae'r addefiad yn un nad oes dim a ddywedwyd amdano yn ei egluro—ond y ffaith ei fod yn gerddor. Dawn gerddorol a ddengys yr addefiad, cynhyrfiad cerddorol. Ac onid yw'r dyfyniad yn ddisgrifiad awgrymog o symudiadau a rhuthmau cyfansoddi penodau'r *Storm*, trên ar ôl trên, cerbydresi llawnion a gogoneddus yn dylifo i mewn, thema'n ymwau, ail thema'n codi, datblygiad, amrywiad, cyferbyniad, dychwelyd at y thema gyntaf, dychwelyd at yr ail, newid cywair, coda, cloi. Onid dyna fethod ei feddwl, method sy'n gynefin inni mewn symffon neu gonsierto ? 'Rwy'n barod iawn i gydnabod fod y peth yn mynd yn rhemp, a hynny dro ar ôl tro.

Onid yw hynny'n wir weithiau am Wagner ? Eithr fel yna y mae deall cyfansoddiad y *Storm* a chael ynddi batrwm ac nid tryblith. Bydd yn briodol imi geisio dangos hynny cyn hir drwy ddadansoddiad go fanwl. Ond cofier yn awr nad distawrwydd natur a bwysleisir yn y *Storm*, ond sŵn, sŵn y gwyntoedd, sŵn y tonnau, rhaeadrau, neu ynteu,—O, mor swynol :—

> Sŵn eich pell-ddisgyniad, donnau pêr,
> A'ch atsain wan . . . . . (*Gwaith*, t. 122).

Prin enbyd yw disgrifiad cywir na manwl o ddim a welir â llygaid yn y *Storm*. Nid llygad i weled anian oedd gan Islwyn; ond clust. Gan hynny fe hoffai'r nos.

Yn awr am ddadansoddiad manylach. Yn gyntaf, braslun o gynnwys yr holl gerdd. Derbyniaf raniadau'r *Gwaith* ; cofier mai naw rhan sydd, nid un ar ddeg, a bod y gerdd yn gorffen ar d. 134. Rhaid imi ragdybio fod gan y darllenydd gopi o'r *Gwaith* o'i flaen rhag i'm dyfynnu fynd yn afresymol. Rhagymadrodd i'r holl arwrgerdd yw Rhan I. Yr oedd dwy ran i ragymadroddion yr arwrgerddi clasurol, sef crynodeb o fater y gerdd ac yna ddeisyfiad neu weddi am nawdd yr Awen neu'r Duwiau neu Ysbryd Duw ar y traethu. Dyna hefyd a geir yn Rhan I *Y Storm*. Helaethiad neu aralleiriad ar baragraff agoriadol awdl Caledfryn ar *Ddrylliad yr Agerlong Rothsay Castle* yw'r ddau dudalen cyntaf o'r *Storm* :

> Wyllt wênwr hallt ei waneg
> Llawn o dwyll yw ei wên deg ;
> Llyfn iawn ydyw, heddyw, heb
> Arw don ar hyd ei wyneb ;
> Y don flin, erwin, orwyllt,
> Effro'i naws, gyffroai'n wyllt,
> Nes ydoedd yn arswydaw
> Pob bron, llenwi pawb â braw,
> Sy heddyw, mewn naws addien,
> Yn lle cyffro'n gwisgo gwên ;—
> Och ! ffalsder, digter y don,
> A'i dinystr ar feib dynion.
>
> O'r waedd oedd ddoe, a'r weddi,—o ganol
> Y gwynwawr groch weilgi ;
> Wyn fôr, rhoes i niferi
> Wely llaith, yn mol y lli' !

Byddai cymharu'r ddau agoriad, cynildeb Caledfryn, helaethrwydd Islwyn, yn wers ddiddorol elfennol yn y gwahaniaeth rhwng y traddodiad cerdd dafod o'r xviii ganrif a'r gweddnewid rhamantaidd, y gwahaniaeth mewn rhuthmau, hyd brawddegau, cystrawen, geirfa, ffiguraeth,—gwrtheiriad a phersonoliad y naill :

gwyllt wênwr,

cymhariaeth a throsiad annelwig a goddrychol gynhyrfus y llall :

oni *wywo'r* lan
Fel ymyl breuddwyd . . .

Nid oes gan Galedfryn ddeisyfiad am nawdd Awen neu ysbryd ar ei gerdd. Agoriad *Paradise Lost* a fu'n batrwm i ddilynwyr Goronwy Owen, a myfyrdraeth ar y confensiwn clasurol yw ail hanner Rhan I Islwyn. Os edrychwn ar ddechreuad cân Milton :

Sing Heav'nly Muse, that on the secret top
Of Oreb, or of Sinai . . . . .
or if Sion Hill
Delight thee more, and Siloa's Brook · . . . .

fe welwn fan cychwyn ei gwestiynau ef :

Paham yr atolygem o *un* nef,
Un bryn tragwyddoledig, rym y gerdd ?
. . . Bodlonaf ar dy ysbrydoliaeth di
Y bêr-awelog fro, a'th flodau têr
. . . . A thithau fryn . . . .

Ar fyr, y mae pennod gyntaf *Y Storm* yn dilyn ffasiwn a threfn agoriadau'r canu arwrol clasurol, ond gan droi'r cyfan yn fyfyrdod a theimlad personol,—arwydd o'r trawsnewid sydd i fod ar yr arwrgerdd glasurol yn y bryddest sy'n dilyn[2].

[2]Dangosodd y diweddar T. Gwynn Jones y berthynas rhwng y rhan hon o agoriad y *Storm* a *Chywydd i Dywysog Cymru Goronwy Owen* :

Ai rhaid awen gymengoeg
O drum Parnassus, gwlad Roeg ? . . . . .
Mwyneiddiach yw'n mynyddoedd . . . .

Gweler *Llenyddiaeth Gymraeg y Bedwaredd Ganrif ar Bymtheg,* t. 25. Da hefyd yw darllen y cyfarchiad i'r Awen ar gychwyn pryddest *Atgyfodiad* Eben Fardd, 1850. Yno y ceir y rhagflas cyntaf o'r math o ' arucheledd ' a geir yn fynych gan Islwyn :

Cynnyrchaist fyrdd myrddiwn o Adgyfodiadau . . .
Pan lyncid gan fywyd ryw barthol farwoldeb,
Pan drawsffurfid defnydd i dêr ysbrydoldeb.

Onid dyna acenion Islwyn ei hunan? Mae'n dda deall fod *Y Storm* yn codi o'r sefyllfa Gymreig ar y pryd.

Down bellach at gorff yr arwrgerdd, wyth o benodau yn y *Gwaith*, gan adael allan benodau III a VI. Gellir eu dosbarthu'n ddwy ran, a'r gerdd delynegol ar d. 65, *Pan rodio i ganol y nos*, yn fath o drobwynt, *peripeteia*, rhyngddynt. Ceisiaf yn awr dalfyrru, rhoi esgyrn neu fframwaith y cyfansoddiad yn unig,—helaethu, efallai, wedyn. Yn yr ail bennod (tt. 9-32) disgrifir yr Eden a roddwyd i Ddyn (tt. 9-16) a'r Eden a roddwyd i Islwyn (tt. 30-31), a'r sydyn gaff gwag :

> Daeth uchelfannau, sail, a chwbl i lawr—

megis yn nheyrnas Prospero. Nis ceir hwynt mwyach namyn drwy Ffydd ac Atgof. Mwyach nid oes ond y golled, y tlodi anaele. Dyn sy'n derbyn hynny, yn bodloni i fyw yn ôl gydag Atgof ac ymlaen gyda Ffydd, nid yn yr heddiw gwag, yw'r bardd Cristnogol :

> Ddwyfoldeb enaid, O Farddoniaeth, hon !
> Hon sydd fel hyn yn eneidioli'r byd
> A'i feirwon bethau. Rhoer im' weld y don,
> Farddoniaeth, dan dy ysbrydoliaeth ddrud,
> Weld onid blaen y penrhyn, beth yw hyd
> A lled a dyfnder amser ! yn y fan
> Rhydd ei holl feirw i fyny,—a thi, O fwynaf—.

Ac oherwydd hynny croeso calon i'r *Storm* (tt. 39-64) :

> Gyrrwch wyntoedd
> Ar eich hyntoedd, etc.

Dwy bennod bwysig sydd yma, cerdd o fuddugoliaeth arwrol a chofleidio adfyd a siom ac angau, cerdd a gyrraidd ei huchafbwynt yn y delyneg ddramatig sy'n disgrifio marwolaeth Ann Bowen—

> A ffyrnig hedd.

Bellach y mae'r bardd a'r enaid Cristnogol yn barod i gymundeb newydd, a daw'r *peripeteia*, trobwynt yr arwrgerdd, y delyneg sy'n cynnig iddo'r unig gymdeithas a fedro'i addasu ar gyfer y tragwyddoldeb di-siom, di-storm, sy'n ei aros :

> Pryd hyn fe gyfarchai y bryniau,
> A'r lloer, a'r planedau, a'r sêr,
> Fel tystion tragwyddol eu rhiniau,
> Fel meibion anwylaf ei Nêr . . . . .

a galwant hwythau :

> Mae'th gader yn barod a'th fawredd heb ri
> Gyda ni, Gyda ni,
> EIN BRAWD. (t. 66).

Gan hynny, Natur yn ei mawredd a'i hunigrwydd arswydus yn paratoi'r bardd a'r enaid Cristnogol ar gyfer cymundeb â Duw yw mater yr ail ran o'r arwrgerdd (tt. 66-134), ac yn Nuw, y cwbl a ' gollwyd ' dros dro, canys o safbwynt Duw ni chollwyd mohonynt ddim. Felly cawn ddwy bennod faith sy'n gosod (1) yr haul a'r sêr yn sumbolau o Dduw ac yn arweinwyr at Dduw (tt. 66-99), ac wedyn (2) y môr (tt. 100-122) a'r un datganiad ar gychwyn y ddwy bennod :

> Nid yw y greadigaeth aruthr hon
> Ond Teml yr anfeidrol . . . . (t. 66)
> Y Greadigaeth dêr
> Yw teml yr Iôr . . . (t. 100)

Eithr nid dysgodron Ffydd yn unig mohonynt. Rhoddant hefyd Farddoniaeth i gysuro'r enaid (t. 119) gan berffeithio'r atgof am Ann a'i baradwys goll (tt. 117-122) ac yna gwahodd-ant yntau i ymbaratoi i'r siwrnai ysblennydd olaf a dry Atgof a Ffydd yn weld :

> Rho dy enaid allan mwy
> I drallodau siom a'i glwy,
> I'r awelon oer eu rhyw,
> Holl sor daear, holl sêr Duw . . . . .
> Felly ninnau ! Henffych awr
> Y cawn esgyn traeth y wawr,
> Traeth y nefoedd, esgyn fry
> Nes bo'n dduwdod tanbaid, tanbaid ar bob tu.

Dyna fframwaith yr arwrgerdd; mae hi'n gyfan ac yn gyflawn. Teg iawn yr honnodd Islwyn mai arwrgerdd enaid yw hi. Heblaw hynny, dyma gais pwysicaf y bedwaredd ganrif ar bymtheg yng Nghymru i roi *raison d'être* i farddoniaeth. Atgof a Ffydd piau barddoniaeth, a ' maith ystorom bywyd ' yw ei chychwyn.

Diau y gellid gorffen yr ysgrif yn y fan hon, gan mai amlygu thema a fframwaith *Y Storm* oedd fy nod. Ond 'hwyrach y bydd yn help i efrydwyr Islwyn gael dadansoddiad manylach o ran o'r gerdd yn esiampl. Byddai egluro pob rhan o'r bron yn gofyn cwrs blwyddyn o ddarlithiau a'r testun gerbron y dosbarth. Fe ddylai, wrth gwrs, fod y cyfryw destun ; y mae Islwyn mor bwysig i efrydwyr llenyddiaeth Gymraeg ag ydyw Wordsworth i efrydwyr Saesneg. Mi geisiaf gan hynny egluro trefn a rhediad rhan o'r *Storm* yn fanylach a gofynnaf i'r darllenydd ddal yn ei gof y disgrifiad a roddais uchod o fethod cyfansoddi'r arwrgerdd.

Fe roddwyd dosbarth eisoes ar y bennod gyntaf, sef y Rhagymadrodd. Cymerwn gan hynny Ran II y *Gwaith*, tt. 9-32. Mae hi'n bennod seml a chyfoethog, pennod gyntaf yr arwrgerdd ar ôl y Rhagymadrodd. Cofier na fwriadaf drafod arddull na benthyciadau, eithr fy nghyfyngu fy hun i ddangos rhediad y meddwl a rhaniad y paragraffau,—tasg drwyadl ryddieithol.

Mae'r paragraff cynta'n dweud am greu'r byd a'r bydoedd a rhoi cychwyn i hanes. Deffry Dyn (ni ddefnyddia Islwyn yr enw Adda o gwbl) yng ngardd Eden :

> Pan rodiai'r wawr rhwng arianlwyni Eden,
> A'i throed yn gwynnu yn y gwlith, a'r blodau
> Yn agor i'w chroesawu, ac yn gwrido
> Ar ôl cusanu'i throed . . . (t. 10)

Gwêl yntau'r haul—addewid o thema ail ran yr arwrgerdd—

> Sy'n cynrychioli ger yr oesoedd oll
> Y creol air . . .

a chaiff gymundeb y sêr liw nos :

> A byth ni lifai ar ei freuddwyd ef
> Oer wawl y beddfaen unig ar y bryn,
> Y llechwedd lom a didrain . . . . (t. 11)

Dyna'r motif wedi ei gyffwrdd, motif a fydd yn rhedeg drwy'r gerdd oll, ac yn dychwelyd i gau'r bennod hon (t. 32)—

> Ei bechan ddidrain annedd . . . .

Negyddol yw'r cyfeiriad yn awr; disgrifir mawredd dyn cyn y Cwymp, ei fawredd deallol, ei gymundeb â Duwdod ac â'r angylion a'r bydoedd. Yma yn Eden, ac nid byth wedyn, y bu dyn fyw yn gyfan gwbl yn y presennol—

Nid oedd adgof oer,
Fel sydyn wynt o'r ôl, yn chwythu i maes
Oleuon y presennol oriau . . . . (t. 13)

Rhodiai ' fel cysgod ei Greawdwr dros y byd '—

Fe welai ddeddfau Natur yn ddi-len,
O ddwyfol ddydd ei ddealltwriaeth fawr,
Fel gweoedd yn yr haul . . . . (t. 15)

Y mae miwsig mesur diodl Islwyn a'i ysbryd yn rhyfeddol wahanol i ddim a geir gan Milton, ond ailrodio llwybrau Milton y mae ef drwy gydol y darn agoriadol hwn (tt. 9-15).

Yn awr (t. 15) daw thema arall i ymddolennu â'r gyntaf :

Pe credem eto, ffoai'r bryniau, fel
Pe deuai Duw i Farn ar gwmwl Ffydd.

Gall Ffydd ail-greu'r dealltwriaeth a fuasai gan Ddyn yn Eden :

Anffyddiaeth, dychryn, ofn, y bryniau uwch
Sy'n hongian dros yr enaid ac yn dal
Tragwyddol auaf ar eu bannau erch,
A'r daran sydd yn ysgwyd tragwyddoldeb,—
Ddiflannant oll ar godiad llusern ffydd,
Nes gwelo'r enaid ffordd bodolaeth oll
Yn olau hyd yn Nuw, a'r beddfaen oer
Yn nringion anfarwoldeb yn ei le,
Un o fuddugol sefyllfaoedd bod
O'r hon mae'r nef yn gyrhaeddadwy mwy
Fel eurog gangen yn llaw Duw. (tt. 15-16)

Mae'r cyfeiriad hwn at yr *Aeneid VI*, 136-7 yn awgrymog odiaeth. Ffydd sy'n agor yr ail Eden ac yn agor y bedd, a dyna un o brif themâu'r arwrgerdd. Moliant Ffydd yw'r ail gymal yma o'r bennod (tt. 15-20), ond y mae'n ymgysylltu'n agos â'r cymal cyntaf ac yn dychwelyd ato (t. 20) ar ei derfyn :

O ddedwydd adeg, pan y rhodiai dyn
A'i Grewr law yn llaw, drwy Eden wiw,
Fel plentyn gyda'i dad . . .

Eithr dychwelyd ato i'w ddatblygu ar unwaith ar gywair newydd —

Felltigaid awr
A daflodd ar y rhwym a'u hunent hwy
Fflam pechod . . . .

A thrwy bechod, angau a bedd, ' maith ystorom bywyd,' a'r bardd yn gofyn pa ystyr sydd i bechod, ac nid oes ateb, ni all fod ateb, ond y mae cyferbyniad :

> Trefnodd Duw
> Y ffeithiau mawr gyferbyn. Dug ei Hun
> O'r dyfnder fel y gyferbyniol ffaith —

megis petai Duw hefyd yn meddwl mewn cerddoriaeth, a throir cywair lleddf yr adran ar bechod yn huawdledd areithyddol yr adran ar Dduw yn achub (tt. 23-25).

Sefyll; saib; ailgodi'r thema gyntaf eto:

> Ac eto hyfryd meddwl am y wedd
> Fuasai ar fodolaeth, galw yn ôl
> Y pethau a gollasid, peri i sêr
> Y borau hwnnw daro'r gân o newydd
> O oriel bellaf adgof. Oni ddaw
> I freuddwyd adgof lanw o fwynhad
> Na swniai erioed ar y soddedig draeth ?
> Pêr brudd-der cofio yw dedwyddyd dyn.

Dyma adran Atgof (tt. 25-29); mae'r cwbl oddi yma hyd at derfyn y bennod yn farddoniaeth fawr. Nid ychwaith ar gywirdeb na ffyddlondeb Atgof y mae'r pwyslais, eithr ar rym creadigol yr enaid sy'n troi Atgof yn berffeithrwydd *newydd*, yn farddoniaeth. Yr oedd yr Eden gynt yn hawddgar, ond yn—

> Rhos-erddi adgof dwyfol yw,

a datblygu'r thema:

> O uchder adgof
> Gafaela yn nigwyddion geirwon bod,
> A chyfyd arnynt greadigaeth fawr
> O oruchelion bethau ; mae y nerth,
> Y ddwyfol gynneddf yn yr enaid sydd
> Yn hiraeth am yr anherfynol pur
> A'r perffaith a'r tragwyddol, oddiar
> Y tryblith o adgofion yn deddfhau
> Yn ddiarwybod iddo'i hunan braidd,
> A'r cyfan, tra meddylio am a fu,
> Yn codi fel y mynnai iddo fod. (t. 26)

Y trwbl ynglŷn â dyfynnu yw 'mod i'n dyheu am ddyfynnu'r cwbl. Rhaid ymatal a dyfynnu'n unig i ddangos rhediad y meddwl, ' trên ar ôl trên.' Ymestyn yr adran ar Atgof hyd at y toriad ar d. 29, a phob brawddeg a pharagraff yn llwythog o fiwsig a deall a phrofiad. Tyn yr adran i'w therfyn a dychwelir unwaith eto at thema Eden y ddynoliaeth:

> Yr oedd pob pren yn flodau hyd y ddaear,

wedyn, wrth gwrs, adran gyfatebol ar Eden Islwyn ei hunan :

> O hyfryd yw
> Adgofio'r hyn a fu, na ddaw drachefn. (t. 30)

A hynny'n arwain at y disgrifiad terfynol o fedd Ann yn y fynwent ar y Crug Glas a chloi'n atseiniol gyfan gyda'r nodau cychwyn :

> Eto hyfryd yw
> Adgofio'r hyn a fu, na ddaw drachefn,
> Na ddichon eto ddyfod.

Ni wn i am unrhyw gyfansoddiad barddonol mewn unrhyw iaith sydd fel y bennod hon o'r *Storm* ar ddelw consierto gan un o feistri miwsig. Cyfansoddiad, yn wir, yw'r enw priodol ar y plethiad celfydd o themâu unedig.

Mae gennyf nodiadau fel yr uchod ar y cwbl o'r gerdd. Ni feiddiaf lethu'r darllenydd â hwynt. Nid wyf yn honni fod yr arwrgerdd oll yr un mor gywrain â'r ddwy bennod neu'r tair pennod gyntaf. Mae'r fframwaith a roddwyd eisoes yn dangos fod trefn a chyfansoddiad yn rheoli'r cwbl ac yn arwain yn ddeallus at y delyneg fawr derfynol. Ond y mae rhannau lawer o'r ddwy bennod ar Adfyd a rhannau meithion o'r ddwy bennod ar swyddogaeth Natur sy'n bregethu hwyliog huawdl, nid yn farddoniaeth. Nid yn farddoniaeth, meddaf, eithr nid ' cybolfa ' na dim tebyg i ' dryblith.' Mae gafael Islwyn ar ei gynllun yn ddiogel, er gadael ohono'r paragraff terfynol megis ar gwestiwn anorffen. Y gwir yw mai gyda'r delyneg y dylasai'r gerdd gloi :

> Dywed ar y glannau draw
> Fod y llanw, olaf lanw'r byd gerllaw. (t. 133)

Ond fe erys un mater arall sy'n perthyn yn briodol i thesis yr ysgrif hon, sef y berthynas rhwng y rhannau personol, hunangofiannol,—y canu am gariad Islwyn ac Ann Bowen,—a chyfansoddiad yr arwrgerdd.

Braidd na'm temtir i haeru mai Ann piau holl farddoniaeth *Y Storm*, mai pan ddêl hi i mewn i'r gerdd y daw hefyd farddoniaeth. Ond nid gwir hynny, er ei bod hi'n wir fod pob atgof am Ann yn dwyn yn ei sgîl farddoniaeth. Mae Islwyn yn gynnil bob amser yn ei sôn amdani. Nid yw ei henw hi'n digwydd yn y gerdd er iddo unwaith roi hirnod sy'n gofyn ei henw yn odl (t. 38). Ond y mae Ann yn y delyneg fawr Goetheaidd,[3] *Gyrrwch wyntoedd* (tt. 39-41) ; llithra hi i mewn i'r gerdd weithiau mor dawel â rhith, megis ar derfyn y paragraff ar d. 46, neu eto pan fo'r bardd yn annerch y môr, t. 114 :

> Pan droi ymaith gydag athrist drai
> Oddiwrth dy holl aberoedd megis *hi*
> Un borau oddiwrth ei holl obeithion.

Ceir pethau fel yna'n fynych. Bodlonaf ar un enghraifft arall, ar ganol darn hir o draethu am y modd y mae amser oll yn un presennol i Dduw :

> Y mae pwynt
> Lle nad oes seren yn machludo fyth,
> Yn esgyn nac yn disgyn, nac un byd
> Yn croesi llinell y gwelediad mwy,
> Y cyfryw yw bodolaeth oll i Dduw.
> Bu gwrthrych hawddgar unwaith ar y byd,
> Fe aeth yr enaid tyner ar ei ôl,
> Gallasai groesi olaf gylch y byd
> Wrth ganlyn y gogoniant swynol hwn,
> Heb synio fod y byd a'i bethau ar ben,
> Fe gollodd—collodd y gwelediad byth,
> Diflannodd ymaith, ac ni chenfydd mwy
> Ond tawel gysgod y cyffroad — bedd.

Ceir pethau tebyg ym mhob pennod, nid ar dro siawns o gwbl eithr yn thema nas collir. Fy nhasg i yw profi fod fframwaith neu gynllun pendant yn rheoli holl gyfansoddiad *Y Storm*, a'r praw terfynol yw'r rhannau allweddol sy'n dweud stori ei gariad a'i golled. Dywedais ar y dechrau mai'r wedd bersonol ar y thema gyffredinol, chwedl Dyfed, ' cyn yr ystorm, yn ei chanol, a thu draw iddi,' yw'r hanes am garu Ann, ei cholli hi, a'i chael hi, drwy farddoniaeth Atgof a Ffydd, yn Nuw. Yn awr sylwer, a gallaf grynhoi'n fyr a therfynu :

[3]Dangosais yn fy Narlith Goffa sut y daeth Islwyn, drwy *Festus* Bailey, dan ddylanwad arddull a syniadau *Faust*.

I. Ceir tair prif adran yn dweud yr hanes hwn. Ceir y gyntaf ar derfyn y bennod sy'n disgrifio'r Eden fore a'r golled, tt. 30-32.

II. Ceir yr ail ar derfyn y ddwy bennod ar Adfyd ac yn union cyn y *peripeteia* ; gwely angau Ann a ddisgrifir mewn telyneg ddramatig angerddol, telyneg y carwn ei dehongli'n fanwl, ond nid dyma'r adeg (tt. 62-64).

III. Ceir y drydedd yn y darn y mae'r bardd ynddo'n ailennill ei Eden goll ar ôl cyflawni goruchwyliaeth puro Natur a'r Môr (tt. 117-122, a 132-133). Cyflawniad y gerdd.

Y mae eglur drefnusrwydd a gofalus bensaernïaeth y peth,—y ffaith fod pob adran yn dyfod yn ei phriod le, yn goron i ddatblygiad rhagordeiniedig,—y mae'r cwbl yn profi fod *Y Storm* yn gyfansoddiad celfydd fwriadus, yn arwrgerdd gyflawn a chyfan.

[*Llên Cymru*, iv (1956-7), 185-95].

PENNOD XXXV

EMRYS AP IWAN YN 1881

BYDDAI'N rhyfedd i'r *Faner* beidio â sylwi ar ganmlwyddiant geni Emrys ap Iwan, gan mai dyna'r enw mwyaf a fu o gwbl yn ymddangos yn rheolaidd yn y papur hwn. Fe'i ganwyd, medd ei gofiant, ym mhlas Bryn Aber—plasty ar ochr y ffordd o Abergele i Lanfair Talhaearn—ar y pedwerydd ar hugain o fis Mawrth, 1851. Mae gennyf innau gyfle a modd heddiw i chwanegu mymryn bach at hanes un o benodau cyffrous ei fywyd ef, sef yr hyn a elwir gan ei gofiannydd yn " helynt yr ordeinio " yn 1881.

Yr oedd Emrys ap Iwan yn ddeg ar hugain oed yn 1881 pan gyflwynwyd ei enw gan ei Gyfarfod Misol i'w ordeinio yng Nghymdeithasfa'r Gogledd o'r Methodistiaid Calfinaidd yn Llanidloes. Er 1878 buasai ef yng ngholofnau'r *Faner* yn ymosod ar orawydd nifer o arweinwyr y Methodistiaid i sefydlu " achosion Seisnig " mewn ardaloedd na ellid mo'u cynnal ynddynt ond trwy fradychu'r diwylliant Cymraeg a'i glwyfo a chefnu arno. Chwerwasai'r ddadl yn boeth ar ôl anerchiad Lewis Edwards, fis Mehefin 1880, yng Nghymdeithasfa Dolgellau. Troes Emrys fin ei watwareg ar ei hen athro ; cafodd ynddo wrthrych i'w ddychan, ac yn y frwydr hon y deallodd ef ei genadwri a'i orchwyl fel newyddiadurwr yng Nghymru ac y gosododd ef sylfeini cenedlaetholdeb Cymreig yr ugeinfed ganrif. Gan mor anghofus ac mor ddibris o werth traddodiad ydym ni'r Cymry, mae'n wiw dweud unwaith eto mai hanes y frwydr hon, fel yr adroddwyd hi gan Thomas Gwynn Jones yn y *Cofiant* a ymddangosodd yn 1912, a fu'n ysbrydiaeth i'r efrydwyr a sgrifennai i'r *Wawr* yn Aberystwyth yn ystod rhyfel 1914-18, Griffith John Williams, Ambrose Bebb, D. J. Williams, ac eraill, ac i'r efrydwyr a gasglasai gyda Lewis Valentine ym Mangor yn union ar ôl y rhyfel. Yn wir, oblegid bod Plaid Cymru mor union ddyledus i ysbrydiaeth Emrys ap Iwan, bu rhai yn ystod y blynyddoedd diwethaf yn ceisio dilorni Emrys ei hunan. Nid af ar ôl hynny'n awr. Fy mhwynt i yw bod ymgyrch Emrys ap Iwan rhwng Cymdeithasfa Dolgellau yn 1880 a Chymdeithasfa Llanidloes yn 1881 yn darpar yn gynhyrfus ar gyfer ei gyflwyno i'w ordeinio a'i holi gan arweinwyr y Cyfundeb. Ac yr oedd Lewis Edwards yntau yno.

Os gosodais i'r sefyllfa'n glir, hawdd i'r darllenydd weld fod Cymdeithasfa Llanidloes yn 1881 yn gyfarfod tyngedfennol, yn un o'r oriau mwyaf angerddol yng ngyrfa Emrys ap Iwan ac yn awr bwysig yn hanes cenedlaetholdeb Cymreig a hanes Cymru. Canys fe ddeellir mai'n unig fel cymdeithas grefyddol y gallai Cymru yn 1880 wynebu problem a drama ei bodolaeth fel uned. Dyna'r pam y mae Cymdeithasfa Llanidloes yn ddyddiad pwysig yn hanes politicaidd Cymru yn y bedwaredd ganrif ar bymtheg. Petasai penderfyniad Cymdeithasfa Llanidloes yn wahanol—ped enillasai Emrys—fe fuasai colegau diwinyddol Cymru ac o leiaf un o golegau Prifysgol Cymru heddiw yn sefydliadau Cymraeg a buasai Cymraeg yn gyfrwng addysg, ond odid, yn rhai o ysgolion gramadeg Cymru. Buasai hanes " Cymru Fydd " hefyd yn wahanol.

Ni wneuthum i unrhyw waith ymchwil yn yr hanes. Awgrymaf y gallai hynny fod yn fuddiol. Nid oes unrhyw gyfeiriad at y frwydr yn llythyrau Lewis Edwards at Owen Thomas 1880-1881. O ddarllen y *Cofiant* gan T. Gwynn Jones ceir yr argraff mai enghraifft o erledigaeth a fu—mwyafrif, a oedd yn agos at fod yn unfryd, yn baetio ac yn y diwedd yn gwrthod yn drahaus yr unigolyn a safai'n gyndyn a dewr dros ei egwyddorion. Nid oes drama mewn sefyllfa o'r fath, ac yr oedd drama yn Llanidloes, drama nid cwbl annhebyg i ddrama Antigone. Darllenodd Lewis Edwards baragraff cyntaf y " Golygiad Byr " ar y drefn a sefydlasid i neilltuo pregethwyr i weini'r ordinhadau :

> Ym mhob Cymdeithasiad cyffredin, rhaid i'r aelodau ohoni ymwrthod â'u golygiadau neilltuol eu hunain, i'r diben iddynt oll gyfarfod mewn rhyw ganolbwynt cyffredin, lle y gallont ymuno â'i gilydd a chydweithredu, fel Cymdeithas, yn heddychol ac yn ddirwystr. Y sawl na welo yn gymwys i wneud hyn, nid yw yn addas i fod yn aelod o unrhyw gymdeithas. Nis gofynnir iddo yn gwbl newid ei feddwl, ond yn unig ei roddi o'r neilltu o ran arferiad, fel aelod o Gymdeithas; neu, ynteu, amddifadu ei hun o freintiau Cymdeithas.

O'r gorau, pwysodd Lewis Edwards, y mae'r Gymdeithasfa wedi penderfynu ar bolisi ynglŷn â sefydlu Achosion Seisnig:

" Ni ddisgwylir i chwi newid eich meddwl, ond ei roi heibio o ran arferiad."

Yna, ateb Emrys ap Iwan : " Nid wyf i'n cyfrif ffyddlondeb neu anffyddlondeb i iaith yn bwnc dadleuadwy. Ni allwn i bleidio dim a thuedd ynddo i Seisnigo'r Cymry heb fynd yn erbyn fy argyhoeddiadau politicaidd."

Dyna'r ddrama : safai Lewis Edwards a'r Gymdeithasfa dros egwyddor a oedd yn hanfodol ac yn anhepgor i'r Corff a oedd dan eu gofal. Safai Emrys ap Iwan dros egwyddor y credai ef fod ganddi hawl flaenorol a hawl fwy arno—" argyhoeddiad politicaidd "—ac y mae'r ansoddair hwnnw yn 1881, mewn Cymdeithasfa Fethodistaidd, yn chwyldroadol.

Dyry hyn angerdd newydd i'r holl drafodaeth, yr holi gan Owen Thomas, ymyriad sydyn a hwyr Lewis Edwards ei hun. Darllener y bennod yn y *Cofiant* yn ymchwilgar ac fe ganfyddir awydd yr arweinwyr am fod yn gyfiawn a theg a di-drais ac am amddiffyn, doed a ddelo, urddas ac awdurdod y Corff. Yr oeddynt yn wladweinwyr crefyddol. Ond rhaid chwanegu hyn: yr oeddynt wedi derbyn eu haddysg yn Edinburgh, wedi byw yn Llundain a Lerpwl, wedi dygymod â thuedd gyffredinol y Cymry a gawsai addysg i gydnabod blaenoriaeth yr iaith a'r diwylliant Saesneg. Iddynt hwy, nid oedd i'r Gymraeg ddyfodol ond fel iaith capel ac aelwyd. Yn Saesneg y mae eu holl lythyrau, at ei gilydd, at eu teuluoedd. Nid oedd modd iddynt ganfod dim namyn ystyfnigrwydd od, eithafol, yn agwedd Emrys ap Iwan. Canys, nid i Edinburgh, eithr i Lausanne yr aethai Emrys am addysg. Nid aethai neb arall gydag ef. Yr oedd ef gymaint ar wahân yn Llanidloes â Masaryk yn ei senedd gyntaf yn Fienna.

Er hynny—a dyma sy'n ddramatig yn y stori—mae'n amheus a wrthodasid ef yn y pen draw oblegid ei safiad ar bolisi'r " achosion Seisnig." Ceir awgrymiadau yn y cronigl fod y Gymdeithasfa'n rhyw amheus betruso. A allai ef, er eu gwaethaf hwynt, fod ar yr iawn ? Wedi'r cwbl, mater o drefniadaeth, nid mater o iawn gred, a oedd rhyngddynt ac ef.

Ac yna, cododd mater o iawn gred a throi'r ddedfryd yn derfynol ac yn unfryd yn ei erbyn. Dyna'r drychineb.

Ceir yr hanes ar dudalen 108-112 a 114-116 o'r *Cofiant*. Ceisiaf ei grynhoi gan ddyfynnu o'r hyn a ddywedodd Emrys : Mewn cyfarfod eglwysig yn Abergele (sef seiat) dywedodd aelod mai'r cyfarfod gweddïo oedd y cyfarfod crefyddol pwysicaf. Atebodd Emrys iddo glywed hynny'n aml ac na wyddai pa sail oedd i'r dywediad ; barnai ef fod yr Ysgol Sabothol a'r cyfarfod darllen yn bwysicach na'r cyfarfod gweddi. Codwyd y mater i'r Cyfarfod Misol. Ysgrifennodd Emrys yr hyn a ddywedasai yn Abergele a'i ddarllen i'r Cyfarfod Misol. Tybiodd Emrys ar gam i rai o aelodau'r Cyfarfod Misol ddwyn y mater i Gymdeithasfa Abergele yn Ebrill 1881. Oblegid hynny dug Emrys yntau gŵyn yn eu herbyn hwynt ac amddiffyniad newydd o'i safbwynt i'r Cyfarfod Misol dilynol, sef Cyfarfod Gyffylliog.

Yn awr, yn ôl y *Cofiant* (t. 110-111) bu anghytuno yng Nghymdeithasfa Llanidloes ynghylch a ddigwyddodd yng Nghyfarfod Misol Gyffylliog. Dywedodd un, Thomas Jones— " daeth Mr. R. A. Jones (sef Emrys) i Gyfarfod Misol Gyffylliog, ac oni bai am ddylanwad y llywydd, fe fuasai'r Cyfarfod Misol wedi rhoi ' vote ' o gymeradwyaeth iddo." Cyfododd y llywydd ar ei draed i wadu hynny a cheir ei adroddiad ef o drafodaeth Cyffylliog ar dudalen 111 o'r *Cofiant.*

Ymhlith papurau fy nhad mi gefais bapuryn o lawysgrifen, ni wn i pwy oedd yr ysgrifennwr, ond fe'i cyhoeddaf ef yn gyflawn yn awr, gan gywiro sbelio dau air neu dri yn ôl safon orgraff heddiw. Ei deitl yw " Crynodeb o'r ymdrafod a gymerodd le yng Nghyfarfod Misol Cyffylliog yn achos Mr. R. A. Jones," a dyma'r gweddill a sgrifennwyd gan law drefnus :

> Daeth Mr. R. A. Jones â'r achos ymlaen ei hun yn y wedd o gwyno yn erbyn y cynrychiolwyr yng Nghymdeithasfa Abergele oherwydd iddynt wneuthur sylwadau anffafriol gyda golwg ar ei farn am weddi gyhoeddus, a hynny yn ei absenoldeb. Mewn ffordd o hunan-amddiffyniad darllenodd bapur yn cynnwys atgoffâd rhydd o'r hyn a ddywedasai yn y Society am weddi gyhoeddus. Eglurodd ddarfod iddo wneuthur y sylwadau hynny heb ragbaratoad a chyfaddefai y gallai ei fod wedi geirio ei syniadau yn rhy ddiofal ac y buasai o dan amgylchiadau eraill yn gadael allan rai o'r pethau. Wedi darllen y papur darfu i Mr. Gee ofyn pa beth oedd yn gyfeiliornus yn y golygiadau a chynigiai ar fod Mr. J. Ogwen Jones i'w holi yn y pethau yr oeddynt yn ei ystyried oedd yn gyfeiliornus. Gwrthododd Mr. Ogwen Jones ond cymerodd gyfle i ddweud ei farn gyda golwg ar y syniadau, sef ei fod yn credu pe darllenasid y

papur i unrhyw gymdeithas neu lys Methodistaidd, y buasent ar unwaith yn cynhyrchu anghymeradwyaeth hollol, ac am hynny y buasai yn ei gynghori fel cyfaill i wrthod cymryd ei ordeinio hyd nes y delai o ran ei farn yn fwy sefydlog a hefyd i feddu mwy o gydymdeimlad â'r Cyfundeb yn ei weithrediadau. Mewn atebiad i hyn cyfododd Mr. Gee a dywedodd y cynghorai Mr. Jones ar bob cyfrif i fynd ymlaen gan fod Eglwysi y Sir wedi ei ddewis, ac nad oedd dim yn ei olygiadau yn milwrio yn erbyn effeithiolrwydd gweddi ; y caffai y Gymdeithasfa gyfleustra i'w holi ac i farnu yn ôl yr atebion a roddai iddi. Cyfaddefai fod amryw bethau yn y papur a ddarllenwyd nas gallai gydsynio â hwynt, ond yr oedd yn amlwg iddo ef ei fod yn gwbl uniongred ar y mater o weddïo ynddo ei hun. Mewn atebiad i sylwadau a wnaed gan Mr. Ogwen Jones ar ei waith yn gwrthwynebu gweithrediadau y Cyfundeb dywedai ei fod yn benderfynol i ysgrifennu yn erbyn pob math o Seisnigaeth ac mai yn erbyn hynny yr oedd wedi ysgrifennu. Amddiffynnwyd Mr. Jones yn gryf gan Mr. Robert Parry, Dinbych, yr hwn a ddywedai fod yn y papur rai pethau nas gallai gydsynio â hwynt ond sylwai fod y pregethwyr yn cyfeiliorni yn fynych o'r pulpudau ac nad oeddynt yn cael eu galw i gyfrif. Yn ddilynol i hyn aeth yn ddadl gyda golwg ar pa beth oedd orau i'w wneuthur yn wyneb yr amgylchiadau. Rhoddwyd dau gynigiad ger bron, un yn cynnwys ein bod yn cwbl anghymeradwyo y syniadau ond yn barod i gadarnhau y dewisiad os byddai i Mr. Jones gydnabod ei fod wedi colli ei le, etc. ; a'r llall (gan Mr. Gee) ein bod yn cadarnhau y dewisiad, ond yn gwneuthur hynny heb gymeradwyo pob peth oedd yn y papur a ddarllenwyd. Bu cryn lawer o siarad ar y cynigion hyn ond gwelwyd fod teimlad y cyfarfod yn gwbl anaeddfed i basio dim yn yr achos, ac yn wyneb fod syniadau a theimladau y Cyfarfod mor amrywiol gadawyd yr achos i orwedd fel yr oedd cyn i Mr. R. A. Jones ei ddwyn gerbron, sef yn nwylo y Gymdeithasfa i wneuthur fel y mynnai ag ef.

Dyna'r ddogfen sy'n llenwi bwlch ym mhennod VII o *Gofiant Emrys ap Iwan.* Ymddengys i mi fod yn rhaid tynnu gwersi a sylwi ar bwynt neu ddau.

1. Mae'n eglur bellach mai Emrys ap Iwan ei hunan a oedd yn gyfrifol am godi o'r mater hwn o gwbl ar ôl Cymdeithasfa Abergele yn Ebrill 1881. Nid oedd angen am ei godi ac ni chodasai yng Nghymdeithasfa'r ordeinio yn Llanidloes oni bai am ei gwynion ef yng Nghyfarfod Misol Gyffylliog.

Bu'n bensaer ei gwymp ei hun yn yr argyfwng hwnnw, a dyna ran o'r chwerwder.

2. Ar y pwnc o eudeb neu gywirdeb syniadau Emrys ar y mater, ni all fod gronyn o amheuaeth : yr oedd ei farn yn gyfeiliornus yn ôl unrhyw ddysg Gristnogol, a dangosodd yntau ystyfnigrwydd, nodweddiadol o'i gyfnod cynnar, yn ei chynnal. Nid oedd Emrys ap Iwan yn ddiwinydd cryf na dwfn. Nid eu diwinyddiaeth sy'n rhoi mawredd i'r *Homiliau.*

Efallai, os caf hamdden, y dychwelaf at yr *Homiliau* rywdro eto.

[*Baner ac Amserau Cymru*, 11 Ebrill 1951].

PENNOD XXXVI

HOMILÏAU EMRYS AP IWAN

NID pregethwr y troes ei bregethau yn llenyddiaeth mo Emrys ap Iwan, eithr llenor wrth natur y bu raid iddo droi'n bregethwr gan na fedrai fyw ar lenydda:

> Yr oeddwn i, pan yn laslanc, yn meddwl y gallaswn wasanaethu fy nghenhedlaeth trwy sgrifennu epistolau yn well na llawer o ddynion anysbrydoledig ; ond gan nad oedd ar Gymru ddim eisiau epistolwr, fe gymhellwyd arnaf i fyned yn bregethwr (*Homilïau* I, 234).

Fe ellid yn rhwydd ddethol blodeuglwm o baragraffau allan o'i *Homilïau* ef a ddangosai'r llenor a'r artist ganddo, y gŵr yr oedd teithio a blasu golygfeydd tramor a dinasoedd hanesiol yn fwyd a diod iddo. Rhoddaf ychydig enghreifftiau ac i arbed gofod mi ddefnyddiaf H.I ac H.II i arwyddo'r ddwy gyfrol o'r *Homilïau* a P. am y gyfrol ddiddyddiad *Pregethau Emrys ap Iwan.* Gwrandawn arno'n sôn am wareiddiad y Dwyrain Canol:

> Bûm i fy hun, wrth deithio yn y Dwyrain, a gweled ambell dylwyth o Arabiaid yn pabellu yn ddiofal ar lannerch las, a'u praidd yn pori o'u hamgylch, yn cael fy nhemtio i ymofyn pwy oedd yn byw y bywyd hyfrytaf, ai hwynt-hwy ai nyni—pobl gwlad y meddwi a'r chwarae gerwin, gwlad y brys gwyllt a'r garw sŵn, gwlad y gweithfaoedd a'r mygau, gwlad y trenau, y ceir ymod a'r bisiglau. Buaswn yn ateb yn ddibetrus fod yr Arabiaid yn ddedwyddach o lawer, oddi mewn ac oddi allan, na'r masnachwyr goludog ac annuwiol yr ydys yn cenfigennu wrth eu llwyddiant ym Mhrydain, yn yr America, ac yn Neheubarth Affrica (H. II, 12).

Dylid darllen y bregeth honno a'r bregeth ar ei hôl hi ; ynddynt hwy y ceir y feirniadaeth bwysicaf yn Gymraeg ar ddelfrydau Lloegr a llawer o Gymry yng nghyfnod Kipling a rhyfel Deau'r Affrig:

> Braidd y gallem ddychmygu am un proffwyd na sylfaenydd crefydd yn codi mewn gwledydd fel Lloegr a'r Taleithiau Unedig, neu mewn dinas newydd fel Johannesburg . . . Y mae sŵn cras y bywyd cyffredin a elwir yn fywyd gwareiddiedig yn boddi seiniau isel, tyner y byd ysbrydol (H. II, 25).

Yr oedd ganddo ymdeimlad artist â glendid y ddaear:

> Oni buasai fod y Beibl yn dywedyd fod y ddaear yn felltigedig o achos dyn, mi ddywedaswn i mai daear fendigedig ydyw yr hen ddaear eto (H. II, 273).

Dro arall fe'i ceir yn myfyrio megis Leopardi:

> Melys yn ddiau yw'r goleuni a hyfryd yw i'r llygaid weled yr haul ; ac yn niffyg goleuni'r haul, hyfryd yw goleuni nwy neu oleuni llusern neu oleuni cannwyll . . . .
>
> Yr un lloer sydd yn llewyrchu y flwyddyn hon ar Ddyffryn Clwyd ag oedd yn llewyrchu filoedd o flynyddoedd yn ôl ar ddyffryn Sinar; ac os nad yw hi yn glaerwen i gyd drosti, eto nid oes neb yn sôn am adeg pan nad oedd ynddi rywbeth tebyg i ddyn â baich o ddrain. A llefaru yn rhydd, y mae'r wybren heddiw yr un fath ag ydoedd yn amser yr hanesydd cyntaf a sgrifennodd ar faen. Y mae'r lloer a'r sêr yn dragwyddol o'u cymharu â dyn (H.I, 224-5).

A diddorol yw'r gymysgedd o ramantiaeth a dyneiddiaeth a geir yn y darn hwn :

> Er fod yn hoff gennyf fi weled y byd eto ni bu arnaf erioed fawr o awydd am fyned i'r America. Y mae yn well gennyf y Dwyrain na'r Gorllewin, yr hen fyd na'r byd newydd, am fod iddo ef hen, hen hanes. Fe ddywed rhai mai hen gastell Heidelberg yw'r murddyn o gastell harddaf yn yr hen fyd ; ac fe ddigwyddodd i mi ar ryw wylnos neu'i gilydd weled y castell hwnnw wedi ei ddar-oleuo. Yr oeddwn i yn meddwl yng nghorff y dydd y buasai ei ffenestri drylliedig a'i dyrau tyllog yn ymddangos yn hagr yn llewyrch mil o oleuadau ; ond yn lle hynny yr oedd ei hacrwch yn troi yn harddwch. Yr oedd yn fwy diddorol edrych ar ei fannau drylliedig nag ar ei fannau cyfain, oblegid yr oedd pob agen a bwlch oedd ynddo yn bwrw oddi rhwng eu gwefusau oerion ryw hen chwedl am yr ymosod a fu arno o dan Turenne a Tilly a maes-lywyddion eraill, a fu wŷr enwog gynt (H. II, 214).

"Ni, y blaid Efengylaidd o Brotestaniaid" ebr Emrys (H.I, 159) amdano'i hun a'i gyfundeb, ac fe arddelai ef y traddodiad efengylaidd hwnnw drwy ei oes. Rhan bwysig o'i orchwyl ef fel pregethwr fu beirniadu gwendidau'r traddodiad efengylaidd ac ymroi i gyflenwi diffygion a chywiro gwendidau'r traddodiad. Emrys yw'r beirniad cyntaf a gafodd y dosbarth, efengylaidd, beirniad a fyfyriodd nid ychydig yng nghlasuron pregethu Ewrop Gristnogol oll ac a geisiodd ddwyn y cyfanrwydd a welsai yno i lenwi'r bylchau yn y pregethu Cymreig efengylaidd :

> Bai mawr y dosbarth efengylaidd, neu'r Puritaniaid, yw gwneud dechrau crefydd yn ddiwedd crefydd. Y mae yn fwy ganddynt hwy gael eu hargyhoeddi na'u hyfforddi a'u perffeithio. Ymdroi y maent gydag edifeirwch a ffydd yn lle myned rhagddynt at berffeithrwydd, sef at gariad, yr hwn yw rhwymyn perffeithrwydd ; ac nid yw'r cyfryw gariad yn ddim amgen na syniadau a chydymdeimlad mwy eang. Mynnent weled diwygiad bob saith mlynedd, a chael eu hachub bob dydd ; am fod yn hyfryd ganddynt gael rhywbeth i'w cyffroi ; ond sychlyd o beth yn eu golwg fyddai crefydd a'u dysgai i ddywedyd y gwir bob un wrth ei gymydog ac i ddarparu pethau onest yng ngolwg pob dyn (H.I, 239).

Ceir yr un feirniadaeth ganddo yn y bregeth gynharaf y ceir dyddiad wrthi, 1889, ar " Gymru Gelwyddog ":

> Y mae yn sicr ein bod ni, y pregethwyr, yn gyfrifol hyd ryw fesur am anfoesoldeb Cymru. Yr ŷm, er ys can mlynedd a mwy, wedi ymgyfyngu yn ormodol i'r hyn yr ydys yn ei alw yn bregethu efengylaidd, yn lle pregethu'r gair—holl gyngor Duw, yn ddyletswyddau, yn rhybuddion, yn fygythion, ac yn athrawiaethau ; a'r canlyniad ydyw fod y pechodau mawr y dywedai'r proffwydi a'r apostolion a'r Iesu yn eu herbyn cyn gryfed yn awr yng Nghymru ag y buont erioed (H.I, 301).

Ac eto yn 1897 :

> Yr wyf yn gwneud y sylwadau hyn am fod y rhan fwyaf o grefyddwyr Cymru yn dueddol i synio am drefn gras yn hytrach fel trefn i faddau nag fel trefn i berffeithio ; ac y mae'r syniad cyfeiliornus hwn yn peri'n bod yn un o'r cenhedloedd mwyaf crefyddol, ac ar yr un pryd yn un o'r cenhedloedd mwyaf anfoesol a mwyaf Phariseaidd yn y byd ; ac er hynny fe glywir ambell weddïwr, na bu erioed ym mhell o olwg mwg simnai ei dŷ ei hun, yn diolch i Dduw am nad ŷm ni fel dynion eraill (H.I, 168).

Y mae'r dyfyniadau hyn a llu o baragraffau tebyg iddynt yn feirniadaeth gymdeithasol a hanesiol yn ogystal ag yn bregethu pwrpasol. Rhoddant inni olwg ar safonau crefyddol Cymru oddi ar y Diwygiad Methodistaidd, a hynny gan feirniad a'u pwysai ar glorian o'r tu allan, un a fu'n hir yn Ffrainc a'r Almaen a'r Swistir, a chanddo synnwyr traddodiad a hanes a gwybodaeth o'r clasuron Cristnogol.

Dwg hyn ni'n bur agos at fedru diffinio cyfraniad eithriadol Emrys ap Iwan i'r traddodiad efengylaidd. Cofier mai Ffrengig a fuasai ei addysg ef, ffurfiad ei feddwl ef, bennaf. Ni wn i sut mae cyfleu yn Gymraeg ystyr y gair Ffrangeg, " moraliste ". Hwyrach mai'r gair " homilïwr," wedi'r cwbl, yw'r cyfieithiad gorau, a diau nad heb bwyso'r peth y dewisodd Emrys yr enw " homilïau " i'w bregethau. Beirniadaeth ar ymddygiad dyn a chymdeithas a dadansoddiad beirniadol o naws ac o gymhellion y natur ddynol, y mae hynny'n rhan o swydd y " moraliste " clasurol yn Ffrainc. Y mae hynny hefyd yn rhan fawr o homilïau Emrys ap Iwan i'r gymdeithas eglwysig Gymreig ; ceir fod y dadansoddi a'r beirniadu yn dangos naws y gymdeithas a luniesid gan y Diwygiad Methodistaidd. Dyma baragraff sy'n nodweddiadol o bregethu sychlyd ddychanol y beirniad:

> Y mae llawer yn meddwl, os byddant yn caru, na raid iddynt ddim ufuddhau ; neu o'r hyn lleiaf, os byddant yn cadw'r ddau orchymyn mawr, na raid iddynt ddim gofalu am gadw pob gorchymyn neilltuol a gynhwysir yn y ddau hynny. Felly y mae yn rhyngu bodd iddynt feddwl. Y mae'n well ganddynt garu yn benrhydd nag wrth reol ; ufuddhau yn amhenodol nag yn fanwl. Y maent yn barod iawn i garu Duw, os ydyw caru yr un peth â theimlo yn gariadus. Yn wir, nid oes mo'u parotach i garu yn rhad, sef i garu heb dalu. Y maent hefyd yn foddlon i garu eu cymydog fel hwy eu hunain, os gellwch chwi brofi fod y cymydog hwnnw cystal dyn â hwynt ; ac y maent yn foddlon i garu cryn lawer agos cystal â hwy eu hunain, os caniateir iddynt ddewis eu pobl. Yr un ffunud, y maent yn barod iawn i ufuddhau, pan y byddo ufuddhau yn cyd-fyned â'u tueddiadau hwy eu hunain ; ond pa bryd bynnag y byddo ufuddhau yn anodd neu'n anfanteisiol iddynt, y maent yn peidio ag ufuddhau, ac yn ymorffwys, yn efengylaidd iawn, ar drefn gras ; a rhag ofn i Dduw anghofio maddau iddynt, y maent yn gofalu ar faddau iddynt eu hunain. Fe fyddai'n ffiaidd ganddynt ofyn maddeuant gan offeiriad na phab, am eu bod yn tybied y disgwylid iddynt gyfrannu swllt o leiaf tuag at gynhaliaeth y maddeuwr, ac y byddai raid iddynt edifarhau

a gwneuthur penyd heblaw hynny ; ond y maent yn maddau iddynt eu hunain yn ddibetrus, am eu bod yn maddau yn rhad, heb arian, heb gyffes, heb edifeirwch, heb benyd, ac heb iawn (H. II, 280).

Y mae darnau fel hyn, mi dybiaf, yn debycach i ddull meistri Ffrangeg yr ail ganrif ar bymtheg nag i bregethu normal Cymru anghydffurfiol. Caniateir imi ddyfynnu darn go helaeth o'r bregeth ar " Gymru Gelwyddog " i ddangos y dychanwr yn y pulpud ar ei eithaf. Mae'r paragraff, mi gredaf, yn gampwaith mawr; rhaid imi ollwng rhannau godidog gan ei feithed:

Y mae pob un yn ddigon parod i addef ei fod yn bechadur yn ystyr niwlog ac amhenodol y gair ; ond ni chlywais i neb erioed yn addef ei fod yn bechadur o gelwyddwr, yn bechadur o chwiwleidr, yn bechadur o gybydd, yn bechadur o gecryn, neu yn bechadur o goegyn. Cyffesa'r dyn ei ddrygioni cyffredinol, ond gwad ei ddrygioni neilltuol ; a phaham ? Am fod cyffesu drygioni cyffredinol yn beth hawdd, a bod cyffesu drygioni neilltuol yn beth anodd. Er mwyn profi hynny, goddefer imi dy holi fel y byddid yn holi yn yr eglwys cyn iddi fyned i ymfodloni ar holi ac ateb amhenodol a dibwrpas.—A ydwyt yn bechadur ? " O ydwyf, yn bechadur : yr hwn sydd heb ei fai sydd heb ei eni, medd y ddihareb ; ac y mae yn sgrifenedig yn y Beibl ei hun . . ." Ateb rhugl a chywir iawn, ond pa beth, atolwg, sy'n peri iti feddwl dy fod di yn bechadur? " Dim neilltuol, heblaw fod Duw yn tystiolaethu yn ei air fod pawb yn bechaduriaid, a'm bod innau yn credu fod tystiolaeth Duw yn wir." Yn awr, er mwyn siarad yn benodol, ac felly yn bwrpasol, y mae'r gair ar led mai trwy ddywedyd celwydd yn fwyaf arbennig yr wyt ti yn dangos dy fod yn bechadur . . . A wyt ti gan hynny yn cyffesu dy fod yn bechadur o gelwyddwr ? A ydyw yn ddrwg gennyt am hynny ? Ac a ydwyt yn penderfynu bwrw celwydd oddi wrthyt fel dilledyn ffiaidd ? "Myfi yn gelwyddwr! Pwy a ddywedodd wrthych y byddaf i yn dywedyd celwydd ? Yr ych yn fy sarhau i wrth ofyn y fath gwestiynau ; a phe bai rhyw gapel arall yn weddol agos, i hwnnw yr awn yfory nesaf " . . . . (H.I, 308).

Onid yw dychan Brutus yn ymddangos yn blentynnaidd druenus wrth finiogrwydd a chywirdeb dadansoddiad pethau fel hyn ? Dug Emrys feirniadaeth a dadansoddiad i gywiro hwyl a moeth y pregethu efengylaidd teimladol.

II

Dywedais fod Emrys ap Iwan wedi ymroi'n ystyriol i gywiro unochredd y pregethu efengylaidd. Dangosais yn yr ysgrif gyntaf ei feirniadaeth ef ar y " traddodiad efengylaidd " a'i fod wedi dwyn dadansoddiad a dychan i'r pulpud yn lle " hwyl " diwygiadol a phregethu pynciol. Mi geisiaf yn awr ddilyn yr unrhyw egwyddor yn ei gyfraniad i'r hyn y gellir ei alw yn ddiwinyddiaeth y pulpud. Er nad oedd Emrys yn ddiwinydd mawr, er bod weithiau bethau mympwyol ac anniogel yn ei esboniaeth a'i athrawiaeth, bu ei gyfraniad i gorff meddwl y pulpud efengylaidd yn wir bwysfawr. A chofier, gyda llaw, fod beirniadaeth lenyddol ar y bedwaredd ganrif ar bymtheg Gymraeg yn annichon heb astudiaeth o sylfeini meddwl y ganrif, nas ceir ond yn ei phregethau. Ceir yr allwedd i gyfraniad Emrys mewn dwy frawddeg a ddyfynnwyd eisoes :

> Bai mawr y dosbarth efengylaidd yw gwneud dechrau crefydd yn ddiwedd crefydd. Y mae yn fwy ganddynt hwy gael eu hargyhoeddi na'u hyfforddi a'u perffeithio.

O'r herwydd rhoes yntau ei bwyslais ar grefydd yn ufudd-dod ac yn ddisgyblaeth, a hynny er mwyn cywiro'r syniad am grefydd yn deimlad. Yr un modd rhoes ef bwys ar ffydd yn egni ac yn ddisgyblaeth yn hytrach na ffydd yn ymddiried ac yn ymryddhad; derbyn rheol allanol, nid ysmudiad teimladol. Dyna, mi gredaf, egwyddorion mwyaf cyson holl bregethu Emrys ap Iwan. Mae'n gyfnewid pwyslais digon pendant i haeddu ei egluro'n weddol helaeth. Dewisaf ddyfyniadau i'r amcan hwnnw.

Dechreuer gyda pharagraff sy'n nodweddiadol o'i naws sychlyd, iach-ddychanol:

> Y mae gras Duw yn ein dysgu ni i fod yn *gyfiawn* hefyd tuag at eraill. Paham yn gyfiawn yn hytrach nag yn drugarog neu'n gymwynasgar ? Am fod gwneuthur cyfiawnder yn waith mwy anodd, mwy sychlyd, a mwy di-ddiolch na gwneuthur caredigrwydd, ac am hynny yn bwysicach. Gweithredu yn ôl ein hewyllys ein hunain yr ydym wrth wneuthur caredigrwydd, ond gweithredu yn ôl ewyllys un arall yr ydym wrth wneuthur cyfiawnder. Dilyn ein tueddiadau'n hunain yr ydym wrth fod yn garedig, ond ufuddhau i ddeddf yr ydym wrth fod yn gyfiawn ; ac y mae deddf yn gyffredin yn gofyn mwy nag yr

> ydym ni yn *tueddu* i'w roi. Oblegid hyn y mae cyfiawnder yn brinnach hyd yn oed na chariad (H.II, 315).

Mi dybiaf fod y syniadau hyn yn agos at fod yn chwyldroadol ym mhregethu eu cyfnod. Torrant drwy ystrydebau a siboleth-au, a dygant safonau gwahanol yn eu sgîl. Hawdd symud yn awr at ddatganiadau cyffredinol o'r unrhyw egwyddor:

> Nid dangosiad o grefydd ydyw ufudd-dod,—ufudd-dod ydyw crefydd. Os oes rhywrai ohonoch heb gredu hynny, yna yr ydych yn tybied fod Duw yn gwbl fel chwi eich hunain, ac yr ydych yn ymddwyn tuag ato fel un cydradd, ac nid fel eich Arglwydd ; canys os yw efe Feistr, pa le y mae ei ofn ? Yr ydych yn cymryd arnoch ei garu, ond a ellwch chwi garu Duw nad ydych yn ei ofni ? A hyd yn oed pe gallech, mi a ddywed-wn wedyn na thycia cariad annibynnol ddim heb ufudd-dod (H.II, 283).

Fe welir mai'r amcan cyson yw cywiro'r syniad mai cyflwr teimladol, hyrddiau o gariad neu o weddi neu o ddiolch neu sêl, yw crefydd. Prin fod unrhyw syniad yn dyfod yn amlach i bregethau Emrys:

> Nid gweithred a diweddiad iddi, nid teimlad dros amser pa mor angerddol bynnag, nid rhyw argraff a wneir ar y meddwl yn awr a phryd arall yw ffydd, eithr gwaith, meddylfryd sefydlog, arferiad cyson a pharhaus . . . Y mae'n dda gennyf mai ufudd-dod yw ffydd, oherwydd y mae'n haws i mi fy marnu fy hunan wrth reolau sefydlog sydd tu allan i mi fy hun nag wrth deimladau cyfnewidiol sydd o'm mewn i (P. 94, 96).

Sylwer ar y diffiniad o ffydd—" gwaith, meddylfryd sefydlog, arferiad cyson a pharhaus." Braidd na ellid tybio fod Emrys yn sgrifennu'n union er mwyn cywiro *Pregethau* Islwyn a ym-ddangosodd yn gyfrol yn 1896. " Y teimlad hwn o gariad," ebr Islwyn, " yw enaid crefydd," ac eto " mae y credadun yn teimlo fod Duw yn dad iddo," " yn teimlo yng nghymdeithas Crist fel mewn gardd." Pregethau Islwyn yw'r datganiad llawn o'r traddodiad efengylaidd yr ymroes Emrys ap Iwan bennaf i'w gywiro. Unwaith y sylwais i ar Emrys yn dyfynnu o farddoniaeth Islwyn, ac nid yw'r dyfyniad yn gywir.

Dychanu iachusol, meddyginiaethol a geir gan Emrys yn ateb i'r pregethu moethus a theimladol. Ni thybiaf y blinaf y darllenydd â dyfyniadau, gan fod rhyddiaith Emrys mor gain a miniog. Dygaf y rhan hon i derfyn gyda pharagraff maith ond golau sy'n cyfuno dychanu â dysgeidiaeth gref:

> I ba beth yn arbennig yr ymddangosodd gras Duw ? I ddwyn iachawdwriaeth i ddynion ac i'w dysgu neu eu disgyblu; neu'n hytrach i ddwyn iachawdwriaeth iddynt gan eu disgyblu —trwy eu disgyblu . . . . A ydyw'r gras addysgol hwn wrth eich bodd ? Os nad ydyw, y mae'n deg i mi hysbysu i chwi fod gan rai o'r diwinyddion ras mwynach ar werth, sef gras i'ch iachau heb eich disgyblu tan un. Y mae'n wir na thâl hwn ddim erbyn tragwyddoldeb, ond y mae o'n ras hyfryd iawn tra y pery efe. Y mae gras y diwinyddion yn fwy grasol na gras Duw yng ngolwg crefyddwyr aniannol, oblegid y mae gras y diwinyddion yn cosi dyn, tra y mae gras Duw yn ei ffrewyllu. Os clywch chwi rywrai yn dywedyd fod iachawdwriaeth o ras heb ddywedyd hefyd ei bod hi *trwy* ddisgyblaeth; os dywed rhywrai wrthych mai trefn i waredu pobl rhag uffern ac nid i'w gwared oddi wrth eu pechodau ydyw trefn gras; os sonia rhywrai wrthych fwy am gyfiawnhad trwy ffydd nag am gyfiawnhad trwy weithredoedd, am ddedwyddwch y nef nag am ei glendid, ymogelwch rhag y cyfryw rai, canys y mae'n well ganddynt eich gwneud yn hyfryd dros amser na'ch gwneud yn hyfryd dros byth. Da chwi, wrandawyr, os ydyw'n well gennych athrawiaeth iachus nag athrawiaeth foethus, credwch hyn ; sef mai nid trefn i faddau ydyw trefn gras, ond trefn i atal dynion rhag pechu—rhag rhoi gwaith i neb faddau iddynt ; mai nid trefn i gadw ydyw trefn yr efengyl, ond trefn i sant-eiddio, i berffeithio. Y mae hi'n maddau, ac y mae hi'n cadw, ond nid dyna'i hamcan hi. Pa beth y mae gras Duw yn ei wneud yn y byd sydd yr awr-hon ? Cymhwyso dynion i fyd gwell, trwy ddwyn iachawdwriaeth i ddyn, a hynny trwy eu dwyn nhw o dan ddisgyblaeth (H. II, 308).

Diwinyddiaeth foesol yr Eglwys Gatholig sydd y tu cefn i hyn oll, wrth gwrs. Dysgodd Emrys hi gan bregethwyr mawr Ffrainc o'r ail ganrif ar bymtheg, a chan Pascal ac Awstin; ymroes i ddwyn y ffrwd efengylaidd Gymreig a darddasai o ddiwygiad y ddeunawfed ganrif i ymaberu â'r llif mawr catholig. Dealler, ni bu sialens yr Eglwys Gatholig erioed yn fater cydwybod iddo ef. Mae hynny'n eglur i mi, er gwaethaf " Breuddwyd Pabydd." Ond fe wyddai—a diolch am hynny— fod cyfoeth yr holl ganrifoedd a'r holl ieithoedd catholig yn hawlfraint gan bob Cristion, ac fe ymroddodd yntau i droi'r llif catholig drwy bulpudau capeli Dyffryn Clwyd a thrwy ryddiaith Gymraeg. Nid siawns ei ddyfod o'r unrhyw dalaith â Thudur Aled. Ymglustfeiniwch: fe ddeliwch yr un acen.

Rhaid imi roi eto enghraifft neu ddwy o'r cyfoeth catholig hwn sydd yn ei bregethu. Petai raid imi ddewis un bregeth i ddynodi ei gynneddf, yr un a ddewiswn i fyddai pregeth " Y Cochl " o'r gyfrol gyntaf o'r *Homiliau.* (Y mae ynddi, gyda llaw, gam-brint yn y llinell olaf ar dudalen 342; gadawyd allan y geiriau, " mewn corff iach nag " ar gychwyn y llinell). Dyma air am yr Arglwydd Iesu y clywir ynddo lais y traddodiad:

> Y dyn Crist Iesu oedd y dyn iachaf a droediodd y ddaear ; ni bu efe erioed yn glaf—yn wir, nid oedd ganddo ef ddim amser i fod yn glaf ; am hynny, efe yw'r unig ddyn a brofodd farwolaeth yn ei holl erchylldod. Ni buasai efe yn Oen difeius, pe na buasai yn iach a dianaf, o ran ei gorff a'i enaid.

A chan fod cymaint o sôn yn *Y Faner* ers tro am Fam ein Harglwydd, gwrandawer ar a draethodd Emrys yn 1890. Dyfynnaf o ddwy bregeth, ' Crefydd yn Dreftadaeth ' yn y gyfrol gyntaf, a ' Paham na Chredwch ' yn yr ail:

> Nid yw yn ormod dywedyd na buasai'r dyn Crist Iesu ei hun ddim yn gyfryw un ag ydoedd, oni buasai fod iddo fam heb ei bath ; canys os mynnwn fod yn ddiwinyddion diragfarn, rhaid inni gredu ei fod ef yn santaidd nid yn unig am ei eni o'r Ysbryd Glân, ond hefyd am ei eni o'r Forwyn Fair. Yr oedd yn rhaid i Dduw wrth oesoedd a chenedlaethau lawer i ddarparu mam gymwys i'r Gwaredwr ; a hynny yw un achos paham na ddaeth Crist yn y cnawd yn llawer cynt. Yr oedd yn weddus i Flaguryn yr Arglwydd ddyfod o hen foncyff da, sef o gyff Jesse, tad y llinach frenhinol a fu yn teyrnasu ar y genedl santaidd. Er mai lled isel ei sefyllfa ydoedd mam yr Iesu, eto yr oedd yn uchel ei bonedd ; mor lasgoch ei gwaed â merch brenin ac yn fwy bendigaid na holl wragedd Israel. Yr oedd awen peraidd ganiedydd Israel yn rhedeg yn ei gwythiennau a dylifodd yr awen honno i wythiennau ei mab ; ac am ei fod yn llawn o'i hawen hi, ac awen Dafydd, y gallodd e fwydo'i athroniaeth mewn barddoniaeth (H.I, 257-8).

Onid tyner a hapus yw'r cyfeiriad at y ' Magnificat ' ac awen Mair ? Ond trown at yr ail bregeth, lle y ceir Emrys yn ateb y cwestiwn sut y gallai'r neb a aned o fam ddynol beidio ag etifeddu llygredd Adda :

> I'r rhai sydd eisys yn credu gwyrth yr ymgnawdoliad, y mae yr hyn a ddywedodd Gabriel wrth Mair yn agoriad i'r dirgelwch : " Henffych well, Mair, yr hon a gefaist ras ; yr Arglwydd sydd gyda thi ; bendigaid wyt ymhlith gwragedd." Nid o wraig gyffredin y ganwyd yr Iesu, ond o'r Forwyn Fair fendigaid—dynes etholedig o'r bobl etholedig. Da y dywed Martensen, y dyfnaf o ddiwinyddion Protestannaidd yr oes hon, mai nid darparu Crist yn unig oedd gwaith yr Israel, ond darparu mam Crist hefyd ; ac mai hi ydyw'r pwynt puraf mewn hanes ac mewn natur. Ac heblaw ei bod hi wedi ei darparu trwy ystod cenedlaethau i fod yn fam gymwys i'r Gwaredwr, fe'i darparwyd hi mewn modd neilltuol, naill ai yn ei genedigaeth neu yn ddiweddarach,—" Henffych well, Mair, yr hon a gefaist ras." Y mae yn amlwg mai nid y gras cyffredin a roddir i bob gwraig dduwiol oedd hwn, eithr gras arbennig oedd yn ei gwneud hi dros amser, os nad o'i genedigaeth, yn ddihalog ; neu, o leiaf, yn ei hatal rhag trosglwyddo ei halogrwydd i'r hwn a enid ohoni.

Y mae cydymdeimlad dwys, ond pryderus, Emrys ag athrawiaeth yr ymddŵyn glân a difrycheulyd yn eglur yn y paragraff oll.

Yr wyf yn ymwybodol iawn o'r brys a'r aflerwch sydd yn y nodiadau hyn a gais gofio am ganmlwyddiant geni un a sgrifennodd ei hunan mor gywir ofalus i'r *Faner*. Hoffwn ddyfynnu eto ddau ymadrodd byr o'i *Homilïau*, dau sydd i mi yn cadw llawer o rin a naws ei glasuraeth; daw'r cyntaf o'r ail gyfrol:

> Yr ydwyf yn rhoi llawer iawn o bwys ar grediniaethau sydd ar unwaith yn hen ac yn gyffredinol, oherwydd y rheini fel rheol sy'n grediniaethau cywir.

Ac y mae sŵn tebyg i un o frawddegau Baudelaire yn yr ail :

> Efe yw Duw ein hiachawdwriaeth ; ie, efe, yn y pen draw, yw Duw gwareiddiad hefyd.

Diolch fod hynny hefyd wedi ei ddweud yn Gymraeg.

[*Baner ac Amserau Cymru*, 9 Mai 1951, 23 Mai 1951].

PENNOD XXXVII

OWEN M. EDWARDS

MEHEFIN 10, 1852 sgrifennodd Josiah Thomas (brawd Owen a John Thomas) lythyr o Lerpwl at ei gyfaill John Owen Jones (llythyr y bwriadaf ei gyhoeddi'n llawn os daw cyfle) ac ynddo dywedodd :

> . . . Then there are subjects of national importance to Wales, oh there is plenty of work even independently of going to Parliament, but that must follow in the train. I want to stir up and do my best to get a Welsh association of liberal men to carry out reforms and measures for the good of Wales : they may call the movement "*Young Wales*" if they like, the Italians have their "Young Italy" ; there is a "Young Ireland," a "Young England." I intend writing to the *Herald* and to the *Amserau* on this subject when I can define more distinctly in my own mind the objects of the association . . .

Dyna ddigon, mi dybiaf, i ddangos mai'r chwyldro Ewropeaidd yn 1848, gyda'i bwyslais ar Ryddfrydiaeth a Chenedlaetholdeb, a oedd wrth wraidd mudiad "Young Wales," enw a gyfieithiwyd yn ddiweddarach yn *Cymru Fydd.*

Araf y tyfodd syniadau'r Chwyldro yng Nghymru. Ond tyfu a wnaethant. Testun i lyfr campus fyddai olrhain eu hanes. 1886 yw'r flwyddyn fawr. Yn gynnar iawn y flwyddyn honno sefydlwyd cymdeithas *Young Wales* yn Llundain. Tua'r Pasg cyfarfu Tom Ellis â David Lloyd George. Mis Gorffennaf etholwyd Ellis yn aelod seneddol dros Feirion. Mai 6, yn herwydd yr un symbyliad a brwdfrydedd, sefydlwyd Cymdeithas Dafydd ap Gwilym yn Rhydychen.

Ni ellir didoli Cymdeithas Dafydd ap Gwilym na'r dadeni llenyddol Cymraeg oddi wrth y mudiad politicaidd. Yn ail dymor y Gymdeithas rhoes D. Lleufer Thomas bapur ar "Gymru Fydd." Medi 1887 yr oedd John Morris Jones yn sefydlu cangen o "Gymru Fydd" yn Llanfair Pwllgwyngyll. Dwy awdl John Morris Jones yw barddoniaeth boliticaidd bwysicaf y bedwaredd ganrif ar bymtheg yn y Gymraeg. Yn *Cymru Fu : Cymru Fydd* dehonglodd ef ddelfrydau cenedlaethol mudiad Cymru Fydd. Yn *Awdl Famon* fe ddehonglodd ddelfrydau radicalaidd a chwyldroadol y mudiad. Y ddwy awdl hyn, nid ei gerddi serch, yw barddoniaeth fawr John Morris Jones. Ni buasai "deffroad llenyddol" dechrau'r ugeinfed ganrif heb fudiad Cymru Fydd.

Mehefin 1889 aeth Owen M. Edwards yn un o ddau olygydd cylchgrawn y mudiad, *Cymru Fydd, Cylchgrawn y Blaid Genedlaethol Gymreig.* Ond nid gwleidydd ymarferol mo Owen Edwards ac erbyn 1891 yr oedd brwdfrydedd a hyder Cymru Fydd ar drai. Ebrill 1891 mae'r ddau olygydd yn cyhoeddi diwedd y cylchgrawn ac fe ddywed Owen M. Edwards (yr wyf yn dyfynnu o *Gofiant Thomas Edward Ellis* gan T. I. Ellis) :

> Teimlwn fod gennyf waith arall i'w wneud dros Gymru. Y mae llawer o'r camddealltwriaeth rhwng y gwahanol bleidiau yng Nghymru yn codi o'r ffaith nad oes yr un blaid yn deall hanes Cymru Fu . . Yr wyf yn credu o hyd fod rhyw deimlad rhyfeddol gryf o undeb dan yr holl ymbleidio ac ymsectu sydd yng Nghymru . . . . Synnais glywed ychydig yn ôl, fod perchennog *Cymru Fydd* yn gwerthu'r hawlfraint i gyhoeddwr anturiaethus arall. Ac y mae'r cyhoeddwr hwnnw'n barod i droi *Cymru Fydd* i'r peth yr amcanwn i wneud *Cymru.* Felly, ar ôl y mis hwn, newidir enw ac amcan y cyhoeddiad. Ei enw fydd *Cymru,* ei amcan fydd gwasanaethu efrydwyr Hanes a Llenyddiaeth Gymreig a chynorthwyo hyrwyddwyr addysg y wlad.

Felly, Awst 15fed—dewis hapus iawn—1891, fe ymddangosodd rhifyn cyntaf *Cymru,* a dyna Owen M. Edwards wedi cychwyn ar brif waith ei fywyd.

Ysgrif i bobl ifainc a ofynnwyd gennyf, i rai dan ugain oed nad yw enw Owen Edwards iddynt ond rhan o atgof mebyd eu teidiau. Gellwch weld beth a olygai O. M. Edwards i Gymry a oedd yn ugain oed tua 1914 drwy ddarllen dehongliad treiddgar ond gorbersonol W. J. Gruffydd yn y *Cofiant,* drwy ddarllen erthygl Dr. R. T. Jenkins arno yn y *Llenor* 1930, neu eto drwy ddarllen ysgrif bwysig odiaeth Puleston Jones yn *Ysgrifau Puleston.* Ond erbyn heddiw mae'n rhaid gofyn, beth sy'n aros ? A gyfrannodd ef rywbeth—heblaw ei ysbrydiaeth bersonol arbennig a diamau—o werth parhaol i fywyd Cymru neu i lenyddiaeth Cymru ? A oes iddo le pwysig yn hanes Cymru ? A oes iddo le pwysig yn llenyddiaeth y Gymraeg ? Fe gewch atebion i'r ddau gwestiwn olaf hyn yn erthygl Dr. R. T. Jenkins ac yn *Ysgrifau Puleston,* atebion sy'n parhau'n gywir, mi gredaf, heddiw, atebion sy'n dweud 'oes.' Ni cheisiaf innau'n awr ond ategu a ddywedwyd ganddynt hwy.

Cymru, sef y cylchgrawn a gychwynnodd ef Awst 15, 1891, oedd ateb Owen Edwards i fethiant mudiad politicaidd Cymru Fydd. Paham y methodd y mudiad, a mudiadau cyffelyb yng ngwledydd eraill Ewrob yn ffynnu, ie a'r amgylchiadau a'r hinsawdd ysbrydol a meddyliol yn y bedwaredd ganrif ar bymtheg mor ffafriol iddo? Rhoes Owen Edwards ei ateb ef yn bendant Ebrill 1891: yr oedd 'yn codi o'r ffaith nad oes yr un blaid yn deall hanes Cymru Fu.' Gallai'r Cymry gofleidio radicaliaeth chwyldro 1848; yr oedd hynny'n dygymod ag anianawd 'cenedl o anghydffurfwyr' Thomas Gee. Ond y mae cenedlaetholdeb politicaidd yn rhagdybio cenedl sy'n cofio, sy'n ei chofio'i hunan yn genedl, a'i chof hi'n rym cymdeithasol a pholiticaidd. Yn ail hanner y bedwaredd ganrif ar bymtheg nid oedd gan Gymru gof o'r math hwnnw. A siarad yn fras, a chan eithrio ysgolheigion Rhydychen ac ychydig eraill, nid oedd rhyddfrydwyr Cymru Fydd nac yn gwybod nac yn 'deall hanes Cymru Fu.'

Cymru oedd ar goll ym mudiad Cymru Fydd. O'r herwydd fe gychwynnodd Owen Edwards ei gylchgrawn newydd, *Cymru*. Ei amcan, amcan ei fywyd bellach, oedd rhoi Cymru'n ôl i'r Cymry, rhoi cof i'r genedl. Gwrandewch ar ei *apologia* ef ei hunan:

> 'Mae'r oll yn gysegredig',—pob bryn a phant. Mae'n gwlad yn rhywbeth byw, nid yn fedd marw, dan ein traed. Mae i bob bryn ei hanes, i bob ardal ei rhamant. Mae pob dyffryn yn newydd, pob mynydd yn gwisgo gogoniant o'i eiddo ei hun. Ac i Gymro, nis gall yr un wlad arall fod fel hyn. Teimla'r Cymro fod ymdrechion ei dadau wedi cysegru pob maes, a bod awen ei wlad wedi sancteiddio pob mynydd. *A theimlo fel hyn a'i gwna'n wir ddinesydd.*

Myfi piau'r italeiddio ar y frawddeg olaf; gwneud gwir ddinesydd o'r Cymro, cywiro gwall Cymru Fydd, meithrin dinasyddion drwy gof hanes, dyna genhadaeth Owen Edwards. A'r *Cymru* coch oedd ei lwyfan a'i gyfrwng. Ar ddail y misolyn hwnnw yr ymddangosodd yr erthyglau a gyfunwyd wedyn yn llyfrau enwog.

Am rinweddau pwysig ei waith yn golygu'r *Cymru* ac yn

meithrin sgrifenwyr y mae paragraffau deallus Puleston Jones yn derfynol. *Cymru* oedd y cylchgrawn Cymraeg mwyaf ei ddylanwad hyd at sefydlu *Beirniad* John Morris-Jones. Rhaid sôn hefyd am waith rhyfedd Owen Edwards yn golygu a chyhoeddi llyfrau. ' Ab Owen, Llanuwchllyn ' oedd y cwmni cyhoeddi mwyaf diddorol ac anturus yng Nghymru yn ei ddydd. Hyd yn oed heddiw y mae Cyfres y Fil yn rhes o lyfrau tlysion, deniadol, ac yn werthfawr, rai ohonynt yn anhepgor a safonol, i bob efrydydd ar lenyddiaeth Gymraeg. Owen Edwards a roes inni weithiau Islwyn. Ei argraffiad ef o Ann Griffiths yw'r unig argraffiad i efrydydd. A dyna ddau fardd mwyaf y bedwaredd ganrif ar bymtheg. Y mae eraill lawer wedyn megis Glasynys a Robert Jones, Rhos Lan; yn fy marn i y mae *Beirdd y Berwyn* yn gasgliad a allai fod o fudd arbennig i feirdd ifainc Cymraeg ail hanner yr ugeinfed ganrif. Mae'n od gymaint rhagorach yw'r gyfrol honno na'i chymar *Beirdd y Bala*. Trwy addysg ei dad y daeth Owen Edwards i brisio geirfa ac arddull beirdd gwlad y ddeunawfed ganrif, a bu gan hynny ddylanwad ar arddull ei ryddiaith newydd (a chwyldroadol braidd) ef ei hunan.

Ar y pwnc hwn rhaid imi ddyfynnu rhai o frawddegau Puleston Jones:

> Yr oedd ef yn fawr yn anad neb o'i gyd-lafurwyr mewn medru creu ffasiwn. Yr oedd y peth a wawdid gynt fel Cymraeg plwy', Cymraeg Rhydychen, Cymraeg Llafar Gwlad, yn bod ar hyd yr amser. Cadwesid y traddodiad amdano'n fyw yng nghanol y bedwaredd ganrif ar bymtheg—cyfnod sych, diffrwyth, ar yr iaith Gymraeg—gan Nicander a John Mills ; a chyhoeddasid anathema gan Lewis Edwards ar y Gymraeg gosod a ddygasid i mewn dan ddylanwad Pughe a Gwallter Mechain. Ond rywsut fe ddaliai pobl i sgrifennu Cymraeg gosod, Cymraeg gwahanol i'r hyn a siaradent, a daliai'r papurau newyddion i efelychu priodweddion estronol. Owen Edwards a wnaeth fwyaf i greu'r ffasiwn sydd ar Gymraeg heddyw . . Mynd yn ôl, mewn gwirionedd, at safonau clasurol yr iaith.

Paragraff craff, diddorol, ac yn wir dyna'r farn uniongred a ddelir yn gyffredin gan efrydwyr mwyach. Ond ai dyna'r gwir ? Byddai trafod y pwnc yn drylwyr yn gofyn erthygl go faith ac ymchwil i natur traddodiad y clasuron rhyddiaith Cymraeg. Mi fodlonaf ar ddweud yn awr nad wyf i'n derbyn mai dychwelyd at hynny a wnaeth Owen Edwards; eithr yn hytrach at draddodiad Cymraeg answyddogol, Cymraeg llythyrau'r ddeunawfed ganrif, llythyrau'r Morrisiaid a Goronwy Owen, a phros Twm o'r Nant a'r beirdd gwlad. Cofier fod John Morris Jones wedi golygu a chyhoeddi *Llythyrau Goronwy Owen* yn 1895, cyn sgrifennu'r Rhagymadrodd i'w argraffiad o'r *Bardd Cwsc*, ac mai *llythyrau* oedd llyfrau cyntaf Owen Edwards. Da y dywedodd Puleston Jones fod y dull hwn i'w gael drwy gydol y bedwaredd ganrif ar bymtheg, eithr nid yn y gweithiau a ystyrid yn " llenyddiaeth." Nid gan Nicander a Mills yn unig chwaith ond gan yr ysgrifenwyr ysgeifn a digri, gan Dalhaiarn a Cheiriog yn eu llythyrau i'r wasg. Ond Owen Edwards, chwedl Puleston, ' a wnaeth fwyaf i greu'r ffasiwn.' Canys arddull newyddiaduraeth fodern yw'r arddull, ac er bod Nicander a Gwilym Hiraethog a Thalhaiarn a Cheiriog yn newyddiadurwyr, Owen Edwards yw gwir gychwynnydd newyddiaduraeth fodern Gymraeg, y math hwnnw o sgrifennu cyfoes a eilw'r Ffrancwyr yn *reportage*. Ef a droes newyddiaduraeth, ac arddull y llythyrau, yn brif gyfrwng llenyddiaeth.

Newyddiaduraeth yn yr ystyr yna yw ei holl waith ef. Gellir yn deg ofyn, beth sy'n aros ohono, beth sydd a dâl ei ddarllen heddiw ? Nid dim o'i lyfrau teithio ef y tu allan i Gymru. Nid dim a ddywedodd ef erioed am baentwyr. Y mae'r bennod gyntaf o *Clych Adgof* yn enwog ; effeithiodd ar bolisi addysg yn ein hysgolion. Ni fedrais i erioed ei darllen heb glywed cam flas. Er enghraifft, ar y cychwyn ei ddisgrifiad ohono'i hunan yn blentyn :

> Bûm yn gwylio'r ehedydd yn ymgolli o'm golwg yn yr awyr ; bûm yn gwylio'r lleuad yn codi dros y bryn, ac yn gweiddi arni, mewn ofn, ar bwy 'roedd yn sbio ; bûm yn gwylio'r eira'n pluo, gan dybied mai'r gwenyn wedi cael dillad newvddion welwn . .

'Choelia'i fawr ! Nid atgof mo hyn, ond ffrwyth darllen Dafydd ap Gwilym yn Rhydychen ; ac y mae'r bennod oll yn codi amheuon tebyg. Yn wir, nid yr atgofion pell yw'r rhannau byw o *Clych Adgof*, eithr y *reportage*, megis yr ymweliad â Michael Jones yn y Bala. Y mae un eithriad, y disgrifiad gofalus o'i dad. Mae'n werth dyfynnu'r paragraff yn gyflawn, gan iddo yntau ymboeni ag ef :

> Nid oedd fy nhad yn ŵr blaenllaw gyda dim. Nid un o feibion yr argyhoeddiadau cryfion oedd ef, ac ni yswyd ei fywyd gan uchelgais y byd hwn. Pe dywedwn ei fod yn hoffach o'r seiat nag o gyfarfod cyfeillion difyr, pe dywedwn ei fod yn hoffach o weddïo ar Dduw nag o ganu mawl pob peth tlws a wnaeth,—pe dywedwn y pethau hyn, dywedwn fwy na'r gwir. Ond yr oedd yn hapus iawn yn ei fyw, ac yn ei farw. Ymhyfrydai yn nhlysni creadigaeth Duw. Rhodiai'r caeau gyda'r gwanwyn, a dygai flodeuyn cyntaf ei ryw i ni,—llygad y dydd, clust yr arth, dôr y fagl, cynffon y gath, blodau'r taranau, y goesgoch, hosan Siwsan, clychau'r gog, anemoni'r coed, blodyn cof,—a phob blodyn dyfai hyd lechweddau a gweirgloddiau ein cartref mynyddig. Gwelai ffurfiau prydferth a lliwiau gogoneddus yn y cymylau, a llawer noson haf ein plentyndod dreuliasom gydag ef i weled y rhyfeddodau hynny. Byddai wrth ei fodd o flaen tân coed ar hirnos gaeaf, gwelai'r gwreichion yn ymffurfio'n bob llun, a dangosai ryfeddodau i ni yn y rheini. A holl lu y nefoedd ar noson rewllyd,—hyfrydwch Pleiades a rhwymau Orion, Mazzaroth ac Arcturus, a'i feibion,—ymgollai mewn mwynhad pan gymerai fi ar ei fraich, yn blentyn pedair oed, i ddangos i mi amrywiaeth diderfyn yr ehangder mawr.

Mae'r rhestr o enwau blodau gwyllt yn y paragraff hwn yn nodweddiadol o'r awdwr. Owen Edwards yw'r unig lenor Cymraeg enwog sy'n adnabod blodau fel ffrindiau ac yn sôn amdanynt wrth ddisgrifio'r ffyrdd a'r caeau o gwmpas cartrefi Cymru. Hynny sy'n peri fod ei ddisgrifio ef o olygfeydd y wlad yn glir a phendant ; yr oedd ganddo lygaid i weld a manyldeb yn ei gofio. Y mae'n beintiwr da mewn pros, peth eithriadol yn ein rhyddiaith fodern.

Diau mai ar ei deithiau drwy ddeau a gogledd Cymru y mae ef ar ei orau : ' Teimla'r Cymro fod ymdrechion ei dadau wedi cysegru pob maes ' ; y mae yntau'n datguddio'r cysegru ac yn sylwi ar yr anghysegru a'r anwybod, a'i *reportage* yn cyfuno'r hanesydd a'r llenor a'r gweledydd. Nid oes dim yn fwy anhepgor i newyddiaduraeth dda mewn unrhyw iaith na gwybodaeth helaeth o hanes. Fe ddyry hynny gefndir i bob disgrifio, ond fe ddyry hefyd yr hyn y gellir ei alw'n bersbectif. Mi hoffwn adael y darllenydd yng nghwmni Owen M. Edwards. Dyfynnaf ddarn go sylweddol sy'n enghraifft o'i *reportage* ef ar ei orau clasurol, campwaith disglair iawn o newyddiaduraeth nas medrai neb arall ond ef :

Y mae Pen Bwlch y Groes yn dod â thair ysgwrs i'm meddwl. Yr oedd y gyntaf yn y bore gyda hen ŵr, yr ail yn y prynhawn gyda gŵr canol oed, a'r drydedd ar noson olau leuad, debyg iawn i hon, gyda gŵr ieuanc.

Ryw fore yn yr haf, lawer blwyddyn yn ôl, yr oeddwn yn eistedd yn blentyn ar ochr y ffordd ar ben y Bwlch. Wedi dod gyda'r codwyr mawn yr oeddwn. Cawn segura oherwydd nas gallwn eto ladd mawn, er y medrwn eu codi a'u gwneud. Gwelwn hen berson yn dringo'n araf o gyfeiriad Mawddwy. Yr oedd yn dal iawn a cherddai'n wisgi a chyflym. Pan ddaeth ataf gwelwn fod ei wallt yn wyn, ond yr oedd ei lygaid yn dduon a chwareus. Eisteddodd yn fy ymyl gan sychu ei chwys. 'Pa un ai chwi ynte fi gafodd y ffordd hwyaf i ddod yma ?' gofynnai. 'Y mae eich ffordd chwi'n serthach a fy ffordd i'n hwy,' meddwn. '"Ffordd" yw'ch gair chwi' meddai, 'ac nid "wtra"'. A rywsut llithrasom i sôn am eiriau. Dywedodd hefyd sut yr oedd gwneud ffordd hir yn ffordd fer. 'Tynnwch ysgwrs â'r bobl welwch,' meddai. 'Holwch hwy. Cewch enw rhyw dŷ neu ryw air, wna i chwi fyfyrio'n hyfryd nes y dowch at rywun arall.' Daniel Silvan Evans oedd efe.

Bûm yn eistedd bron yn yr un fan ar brynhawn. Yr oedd plismon yn eistedd wrth fy ochr. Ei waith ef oedd cadw'r heddwch ym Mawddwy, ac yr oedd wedi dod i derfyn ei randir i gyfarfod ei gyd-swyddog o Benllyn. Yr oedd wedi ymdaflu i adrodd ei hanes ei hun. Cwynai ar ei ffawd. Beiai ei fam na roddasai addysg iddo. Dywedai mai nid plismon a ddylasai fod, ond gŵr cyfoethog yn ymroddi i lenyddiaeth. Ymunodd â'r heddlu er mwyn cael dyrchafiad. Tybiai, ond codi yn uchel yn ei reng, y câi fynd i ymyl llyfrau ac y câi fwy o seibiant. Ond drylliwyd ei gynlluniau pan oedd yn rhoi'r cam cyntaf i fyny. Yr oedd yn yr Abermaw yn disgwyl am y prif-gwnstabl. Tybiodd y byddai'n well iddo gryfhau, os nid llonni, ychydig arno'i hun trwy yfed ychydig gwrw. Rhoddodd rhyw elyn whisgi yn ei gwrw, neu ryw wirod niweidiol arall. Cododd y gymysgfa afiach i'w ben, a chollodd bob rheol ar ei feddyliau ac ar ei dafod. Yn lle derbyn ei ddyrchafiad gan ei uch-swyddog, rhoddodd iddo wers lem am ei ddiffygion ei hun. Wrth draethu nid anghofiodd ddim achlod a glywsai am y prif-gwnstabl. Ni ddaeth dyrchafiad. Yn lle cael ei hun ar y ffordd i ryw ddinas fawr, lle câi dreulio ei oriau hamdden mewn llyfrgell, alltudiwyd ef i Ddinas Mawddwy. Nid oedd ganddo lygad at fawredd natur na theimlad i'r tyner mewn llenyddiaeth. Ffaith yn unig apeliai ato,—dyddiad llyfr, lliw ei gas, ehangder poblogrwydd emyn, nifer argraffiadau traethawd. O dawelwch Bwlch y Groes hiraethai am dref boblog ; ymysg y grug hiraethai am lwch llyfrgell. Na, nid mewn dinas fawr yr oedd i dreulio ei fywyd. Cofiaf fyth am y siom oedd ar ei wyneb hirgul wrth gyfeirio pedwar bys hir a bawd o ddiystyrwch at y fro hyfryd oddi tanom,—' ond *dyma'r* Ddinas ges' i.' Efe oedd Charles Ashton.

Ar noson loergan fel hon—adeg lleuad Medi, mi gredaf,—safwn gyda bachgen ieuanc tal goleubryd. Dod o Ddinas Mawddwy yr oedd yntau, ac yr oedd wedi bod yn areithio yno ar wleidyddiaeth. Wedi'r ddarlith yr oeddym wedi cyrraedd Pen y Bwlch rywbryd rhwng hanner nos ac un. Yr oedd yn olau fel dydd. Yr oedd y lleuad yn llawn, ac nid oedd cwmwl ar fron yr awyr dyner, olau, glir. Draw ymhell, uwchlaw ei gartref ef, gwelem lyn fel gem ar fronnau'r mynyddoedd, yn fflachio gan oleuni'r lleuad lawn. Tybiem mai Llyn Careini oedd. Ond prin yr adnabyddem unlle. Yr oedd pob man fel pe wedi ei droi'n ysbrydol. Yr oedd yr Aran, Craig yr Ogof, yr Arennig, a'r llu y tu hwnt iddynt, dan olau tynerach na golau yr un dychymyg. Gallasem dybio mai huno'n drwm yr oedd y mynyddoedd yn y dydd ; ond eu bod yn awr wedi deffro, a'u bod yn fyw. ' Welwch chwi, Owen,' ebe'm cydymaith, ' dacw Gymru wedi ei gweddnewid o'n blaenau. Gawn ni'n dau fyw i'w gweld wedi ei gweddnewid mewn gwirionedd ' ?

Thomas Ellis oedd hwn.

[*Triwyr Penllyn*, gol. Gwynedd Pierce
(Caerdydd, 1956), 28-37].

ATODIAD I

Dadeni, Diwygiad a Diwylliant Cymru, gan GLANMOR WILLIAMS; Gwasg Prifysgol Cymru, 1964, tt. 1-31 ; pris 3/6.

Y DADENI Dysg, y Diwygiad Protestannaidd, ac effeithiau'r ddau ar ddiwylliant Cymru, dyna fater darlith yr Athro Glanmor Williams. Tybed a ddylid cymryd cymaint o gowlaid mewn darlith sy'n gwneud llyfryn o lai na deg tudalen ar hugain ? Rhaid cyffredinoli mor enbyd, trafod popeth a drafodir mor fras a byr heb siawns i fanylu'n olau ar ddim, gadael cynifer o bethau pwysig heb sôn amdanynt,—dyna'n amlwg yr anfantais sydd i'r cyfryw destun. Er enghraifft, ar dudalen olaf y ddarlith dywedir : ' Delfryd yn perthyn i wareiddiad llysol a dinesig yn ei hanfodion oedd delfryd y Dadeni.' Dyna'r cwbl, ac ar un o nodweddion pwysicaf y cyfnod y mae'r ddarlith yn ei ystyried. Nid oedd gan yr Athro gyfle nac amser i ddangos mai cynnyrch llys pendefigaidd nodweddiadol o'r Dadeni Dysg oedd y ddau lyfr Cymraeg ysblennydd a gyhoeddwyd yn 1567, sef y *Testament Newydd* a *Gramadeg* Gruffydd Robert yr ydys yn dathlu eu pedwar canmlwyddiant eleni. Mi geisiais i ddangos eu harwyddocâd mewn erthygl yn *Ysgrifau Dydd Mercher*. Ond llys yn yr Eidal oedd llys Gruffydd Robert ac fe chwalwyd llys Abergwili drwy anghydfod, ac wedi hynny ni chafodd y Dadeni Dysg gartref na llys nawdd yng Nghymru, ac y mae peth o'r tristwch a'r siom i'w glywed yn addefiad Siôn Dafydd Rhys :

> A mwyaf parth o'r Llyfr yma a fyfyriwyd ac a feddyliwyd yn gyntaf yn Nhŷ y Pendefic M. Morgan Merêdydd o ymyl y Bugeildy ynn Nyphryn Tafida o fywn Swydd Faesyfed : ynn y lle lawer gwaith y bu fawr fy nghroeso, a'm hansawdd o fwyt a llynn gann y gwrda a'r wreicdda. Eithr diweddbarth y Llyfr hynn, a fyfyriwyd dann berthi a dail gleision mywn gronyn o Fangre i mî fyhûnan a elwir y Clûn Hir, ym mlaen Cwmm y Llwch, a than Odreuon Mynydd Bannwchdêni.

Buasai Siôn Dafydd Rhys fyw yn ddigon hir yn yr Eidal ac mewn prifysgolion yno, a chyhoeddodd lyfrau yno, iddo wybod yn dda ddigon nad fel y cyfansoddodd ef ei lyfr Lladin mawr y gweithiodd Castiglione na Pietro Bembo ; na neb arall o ddyneiddwyr enwog y Dadeni. Sŵn torcalon ac unigedd sydd 'tan Odreuon Mynydd Bannwchdêni' a rhywbeth tebyg a glywir yng nghyflwyniad *Llyfr y Resolusion* yn 1632. Sonia'r Athro Williams am 'yr agendor mawr rhwng y dyhead uchelgeisiol a'r cyflawniad eiddil' sy'n ddedfryd ar y Dadeni Dysg yng Nghymru. I'r neb sy ganddo glust y mae sŵn ebwch o grio i'w ddal yn y cyffesion o Salesbury hyd at Thomas Wiliems. Fe wybu'r gwŷr hyn am eu methiant ac am fethiant eu gwlad. Trasiedi chwerw yw Cymru.

Cytunaf yn galonnog â'r Athro pan ddywed: 'Mae cysylltiad agosach rhwng y Dadeni a'r Diwygiad nag a sylweddolir yn aml.' Mae hynny'n arbennig wir am y ddau fudiad yng Nghymru ac am y dyneiddwyr Cymraeg Salesbury a Richard Davies. Dwy wedd ar yr un llif oedd y ddau iddynt hwy ac i'w dilynwyr gan mwyaf. Cymerer yn enghraifft bwnc rhetoreg. Astudiaeth oedd hi a ddiflanasai bron yn gyfan gwbl yn y drydedd ganrif ar ddeg. Daeth yn ôl i fri gydag ailddarganfod y clasuron Lladin a Groeg a'u cymryd yn batrymau llên. Nod ar lên ddysgedig oedd y troadau a'r ffigurau ymadrodd. Ond yr oedd yr Ysgrythurau Santaidd hwythau yn eu Groeg a'u Hebraeg yn llên ddysgedig. Felly daeth rhetoreg yn offeryn anhepgor yn esboniadaeth Feiblaidd y dyneiddwyr Protestannaidd ac yn arf yn y dadleuon diwinyddol rhyngddynt hwy a deiliaid yr Hen Ffydd. Dywed Henri Perri: 'Pwy a ddichon ddeall yr sgrythur lân, hon yw ymborth yr enaid, heb wybodaeth o'r gelfyddyd hon?' A cheir ganddo'n gynnar yn ei lyfr drafodaeth ar Drosenw'r Sylfon sy'n dilyn Quintilian yn ofalus a dyma un o'i enghreifftiau:

> *Hwnn yw bhy ghhorph*, I *Cor*. II. Pan yw'n arglwydd ni a'n achubwr *Iesu Grist* yn dywedyd, Hwn yw bhy-ghhorph i; mae'n rhaid i ni dhealh mai araith drosenwawl yw. Canys y mae ebh yn rhoi'r *corph* hwn yw'r sylbhon, yn yr araith sacrabhennawl, i dhealh mai'r bara sy arwydh, ac arwystl o'i wir gorph bendigaid . . . Am hynny gan na chydwedha a mannau erailh o'r scruthur lan droi'r bara yn wir gorph Crist, Trosenw'r Sylbhon dros yr arwydh yw.

Trwy'r *Egluryn* oll y mae'r esboniadaeth Feiblaidd yn blaenori'r dyfyniadau o waith y prydyddion Cymraeg. Dangosir felly fod Dysg yn anhepgor i iawn ddeall yr Ysgrythur a bod prydyddiaeth y Gymraeg hithau fel yr Ysgrythur yn llên ddysgedig.

Ceir gan Edmwnd Prys yn union yr un pwyslais ar Ddysg y grefydd newydd ac ar Ddysg yr hen—ond yn unig yr hen—gerdd dafod Gymraeg.

Mae gan yr Athro adran go helaeth ar broblemau argraffu llyfrau yn Gymraeg ac fe ofyn pwy a ddarllenai'r llyfrau printiedig, ac yna chwilio am ateb yn llythyrau cyflwyniad rhai megis Henri Perri a Siôn Dafydd Rhys a Thomas Wiliems sy'n cyfarch 'Arglwyddi, pendevigion, y Bonheddigion urddasol yr Scolheigion ethrylythus, ar hygar gyphredin yn holl Gymru Benbaladr.' Ymarferiadau yn arddull cwrteisi dyneiddwyr y llysoedd yw'r cyfarchiadau hyn. Tystiant fod Cymraeg moes ac uchel ymddiddan pendefigaidd yn bosibl. Ond ofer yw eu breuddwydio. Nid oes ynddynt lygedyn o oleuni ar gyflwr economaidd argraffu Cymraeg nac ar bwy a brynai lyfr printiedig. Dengys yr Athro mor anodd a dibroffid oedd cyhoeddi llyfr Cymraeg ac mor anodd ei werthu. Mewn paragraff byr y mae'n dwyn ar gof mai llafar fu'r traddodiad llenyddol Cymraeg yn yr oesoedd cynt a bod hynny ynghyd ag eiddigedd y prydyddion, yn ôl tystiolaeth rhai o'r dyneiddwyr, wedi llesteirio lledaeniad argraffu. Buasai cyfeiriad at ddarlith gyfoethog y diweddar G. J. Williams, *Traddodiad Llenyddol Dyffryn Clwyd a'r Cyffiniau*, yn llenwi bwlch yn yr adran hon o'r ymdriniaeth, ac y mae'n od nad yw'r Athro'n sôn dim am y casglu llawysgrifau a'u copïo a oedd yn rhan mor fawr o weithgarwch y Dadeni Dysg yng Nghymru ac yn cyfateb i raddau helaeth i'r sêl argraffu yn Lloegr ac mewn gwledydd eraill gwell eu byd. Er enghraifft, dyna'r hanes yn *Traddodiad Llenyddol Morgannwg* am Ieuan ab Wiliam ap Dafydd ab Einws o Bowys :

> Wedi copïo llawer o'r hen destunau crefyddol, dywaid fod y pethau hyn i'w cael yn Lloegr wedi eu 'preintio,' ond yng Nghymru rhaid i wŷr tebyg iddo ef eu lledaenu mewn llawysgrifau 'i ddangos siampyl i'r bobyl i wellav i bychedde ynhwythe'. Y mae'n sgrifennu'r llyfr, meddai, 'ir mwyn duw ar saint ir neb a chwynycho darllen' (t. 154).

Heb bwyso'r gweithgarwch helaeth hwn nid oes fawr o werth mewn dweud megis yma (t. 26) : 'Yn bendant ni lwyddwyd i gyhoeddi fawr ddim o'r farddoniaeth mewn llyfrau printiedig.'

Mae gan yr Athro adran ar yr ymfalchïo heriog yn yr iaith Gymraeg a oedd yn gyffredin i'r holl ddyneiddwyr. Bid sicr, nid arbennig i Gymru mo hynny. Fe'i ceid gan lenorion ieithoedd eraill Ewrop, pa le bynnag y treiddiodd y Dadeni. Ond bu iddo nodweddion arbennig yng Nghymru. Soniais amdanynt mewn ysgrif yn *Efrydiau Catholig* (1947) ar y Ddamcaniaeth Eglwysig Brotestannaidd. Cyfeiria'r Athro at awdur y *Drych Cristianogawl*. Wele ddarn o'i draethu ef :

> Ond hynn sy siccur ddigon mae un o'r Brenhinoedd cyntaf a fu Gristiawn, oedd Frenhin yr hen Gymbry. Canys pawb sy'n addef ddanfon o Les fab Coel gennad i Rufain at Bab Rhufain i ddeisyf arno ddanfon gwŷr o ddysc atto i bregethu phydd Grist ir Brenhin.

A dyry ef wedyn dri ' Goruchafiaeth ' arall a fu i'r Cymry gynt. Nid rhyfedd fod Theophilus Evans yn y ddeunawfed ganrif yn adrodd campau tebyg. Ond rhyfedd iawn cael Morgan Llwyd yn honni yn *Llyfr y Tri Aderyn*, bron iawn yn iaith awdur y *Drych Cristianogawl* :

> Llawer o ddoethineb a fu gynt ymmysg y Brutaniaid . . . Dyma'r ynys a dderbyniodd yr efengil gyntaf yn amser lles fab Coel. Ymma (medd rhai) y ganwyd Helen a'i mab Constantin. Cymru medd eraill a ganfu America gyntaf. Bryttaniaid a safasant hyd angau dros y ffydd gywir . . . . (*Gweithiau*, i, 185).
>
> Nid oes chwaith fawr lyfrau cymreig ynghymru er pan losgwyd papurau y Bruttaniaid gynt (*Ibid.*, 261).

Camgymeriad o'r mwyaf yw tybio nad oedd gan y Piwritaniaid eu rhan yn uchelgais ac ym muthos y Dadeni Dysg.

Rhy ychydig o ofod a oedd gan yr Athro i drafod dirywiad cyfundrefn y beirdd wrth grefft, a thwf y canu rhydd newydd. Yr oedd y newid yn anorfod. Traddodiad moliant oedd y traddodiad llenyddol o'r cychwyn a chafwyd yn athroniaeth Gristnogol yr Oesoedd Canol garn i'r traddodiad hwnnw. Canu ydoedd a ragdybiai drefn ddelfrydol i gymdeithas ddynol ar y ddaear. Canu hefyd a ddibynnai ar gymdeithas Gymreig weddol sefydlog. Yr oedd ethos ac ysbryd y Dadeni Dysg yn wahanol. Nid hierarchiaeth nefol nac eglwysig na chwaith ffiwdal a roddai na drych na delfryd i'r gymdeithas yn Ewrop yn yr unfed ganrif ar bymtheg, ond marsiandïaeth fentrus ac ansefydlog y dosbarth canol newydd dan dywysogion newydd dilestair a dihawl. Croes iawn i dymer a meddwl *avant-garde* yr oes oedd hierarchiaeth Dante a'r Prydlyfr yng Ngramadeg

Peniarth 20. Erbyn hyn prin fod i gerdd foliant *raison d'être* oddieithr cwrteisi arfer a moes hen-ffasiwn. Y mae gan G. J. Williams ddyfyniad Saesneg o waith John Stradling sy'n dangos y newid yn darawiadol :

> This bard resorting a brode to gentlemens howses in the loytringe time betweene Christmas and Candlemas to sing songes and receave rewardes, comminge to Bewper hee presented the good ould squier with a cowydh, odle or englyn (I know not whither) containinge partelie the praises of the gentleman, and partelie the pettygrees and matches of his auncesters. The gentleman havinge perused the rhyme, prepared in his hand a noble for a reward and called the poet who came with a good will ; of whome he demaunded whether he had reserved to himself any copie of that rhyme ; no by my fayth (sayd the rhymer) . . . Then replyed the gentleman, hould, here ys thy fee, and by my honestie I swere yf there bee no copie of this extante, none shall there ever bee, and therewith put it sure enough into the fier . . . .
>
> (*Traddodiad Llen. Morg.*, t. 83.)

Meurig Dafydd oedd y prydydd; y mae hanes ei sarhad yn crynhoi mewn pictiwr y dirmyg y syrthiasai cerdd foliant iddo. Rhaid ei fod wedi troi adre dan wylo. Yr oedd mil o flynyddoedd o draddodiad llenyddol wedi mynd ' into the fier.'

O Ruffudd Hiraethog ymlaen drwy oes Siôn Tudur ac Edmwnd Prys a hyd at Ellis Wynne, dychan gymdeithasol yw mater holl ganu caeth pwysicaf y cyfnod a llawer o'r canu rhydd. Dychan yn unig sydd o ddifri ac yn argyhoeddi. Ceir wrth gwrs ambell eithriad ond y mae esiampl y Lladinwyr o Horas hyd at Martial yn gefn i'r canu beirniadol newydd. Ni all moliant mwyach fod yn ddim ond *pastiche*.

Dychanu Seisnigrwydd a Dic-Siôn-Dafyddiaeth yr anturiaethwyr a'r *nouveaux riches* o Gymry a geir yn rhyddiaith y dyneiddwyr. Dengys hanesydd di-Gymraeg, David Mathew, *The Celtic Peoples and Renaissance Europe*, y Seisnigeiddio a fu ar holl fywyd yr ysweiniaid, yr hen uchelwyr gynt. Mae dylanwad cynhyrfus y ddwy brifysgol yn Lloegr a moes a difyrrwch ' Llundain lle mae'r holl lendid ' a llys Llwydlo, ' Llys Cyngor Cyphinyddion Cymru,' yn drwm ar blasau Sir Ddinbych ac ar Sain Dunwyd a Margam ym Morgannwg. Tyfodd cysylltiad agos rhwng plasau mawrion Gogledd Cymru ac uchel swyddogion o deithwyr rhwng llys Llundain a chastell Dulyn. Y cylchoedd gweinyddol a llywodraethol mewn cymdeithas sy braidd bob amser yn penderfynu ansawdd diwylliant a diddanwch y gymdeithas. Cerddodd y seisnigeiddio ar y tirfeddianwyr a'r ustusiaid Cymreig rhagddo gyda chyflymder anhygoel o 1536 ymlaen. Ar wahân i'r Esgob Richard Davies, lleiafrif bychan amholiticaidd a diddylanwad oedd y dyneiddwyr Cymraeg. Y mae eu cwynion am ddifrawder y mwyafrif mawr o'u cyd-foneddigion ynghylch cyflwr y Gymraeg yn arwydd eu bod yn gwybod am eu haneffeithiolrwydd yn union fel ninnau heddiw yng Nghymdeithas yr Iaith Gymraeg. Dywed yr Athro Glanmor Williams :

> Breuddwyd yn unig, felly, oedd y dyhead am lenyddiaeth Gymraeg newydd . . . . . Breuddwyd nad oedd modd ei gyflawni. Nid oherwydd dichell gwladwriaeth Lloegr na brad boneddigion ; nid oherwydd ystyfnigrwydd beirdd na difrawder gwerin. Ond am reswm mwy amhersonol a mwy anochel : am fod y ddelfryd lenyddol wedi datblygu'n gynt na'r gymdeithas Gymreig.

Rhy hawdd fyddai dychanu esgusion fel yna. Mi dybiaf i fod sôn ffanatigaidd am ' frad boneddigion ' yn onestach, er mai anymwybodol oedd y brad. Y mae dylanwad gwladwriaeth a gwleidyddiaeth ar lên a cherdd a chelfyddyd ac adloniant ffasiynol yn enfawr. Nid y Ddeddf Uno ar ei phen ei hun sydd i'w hystyried ond yr holl dueddiad gweinyddol a threfniadol a llywodraethol yr oedd y ddeddf yn rhan ohono, gyda'r siryfion a'r ustusion a'r cyfreithwyr a'r gwasanaeth sifil newydd yn dringo mor hoyw, chwedl yr Americanwyr, ar y *bandwagon*. Ac nid dan weinyddiaeth yr Esgob Lee y dechreuodd y tueddiadau hyn. Rhaid chwilio am eu cychwyn ym methiant Owain Glyn Dŵr ac yn yr ymraniadau Cymreig yn Rhyfeloedd y Rhos. Da iawn y deil yr Athro Glanmor Williams fod ' angen dybryd am gydweithrediad yn hanes diwylliant Cymru rhwng ysgolheigion sy'n gweithio ar ei llên, ei hanes a'i chymdeithas hi '.

Nid yw'r Athro'n sôn am un o'r agweddau ar ddiwylliant cyfnod y Dadeni sy'n arbennig ddiddorol, sef cerddoriaeth. Ceisiaf fras-agor trafodaeth ar y pwnc gan gredu nad amherthnasol mono i efrydiau Cymraeg. Un o gyfnodau disglair cerddoriaeth yn Ewrop yw ail hanner yr unfed ganrif ar bymtheg. Yn Lloegr ni bu na chynt na chwedyn hanner canrif tebyg i ugain mlynedd olaf y ganrif honno a chwarter cyntaf y ganrif ddilynol. Dywed Gustave Reese : ' Yr un gronfa o nerth athrylith a dawn grefftol ag a roes fod i Sidney, Shakespeare, Bacon, Donne ac Inigo Jones a roes fod hefyd i Morley, Weelkes, Dowland ac Orlando Gibbons' (*Music in the Renaissance*, t. 815). Nid ym mhlasau a llysoedd pendefigion Lloegr yn unig y bu'r adfywiad cerddorol hwn. Lledodd yn eang i ddosbarth canol y trefi ac ymhlith meistri crefft a masnachwyr a'r galwedigaethau breiniol. Dyfynna B. Pattison, *Music and Poetry of the English Renaissance* (t. 6) o lyfr a gyhoeddodd y cerddor mawr Morley yn 1597 sy'n adrodd y modd yr aeth gŵr i swper i dŷ cyfaill iddo:

> Supper being ended, and Musicke bookes, according to the custom being brought to the table : the mistresse of the house presented mee with a part, earnestly requesting mee to sing. But when, after many excuses, I protested unfainedly that I could not : everie one began to wonder. Yea, some whispered to others, demanding how I was brought up.

How I was brought up ! Yn 1586 cyhoeddodd John Case, Cymrawd o Goleg Sant Ioan yn Rhydychen, ei lyfr enwog a dylanwadol, *The Praise of Musicke*. Dadleuodd fod miwsig yn rhan anhepgor o addysg gan Blaton ac Aristotles, yn rhan o draddodiad Dysg. Cyfieithiwyd rhannau o'i lyfr ac o'i lyfr Lladin ar yr un pwnc i'r Gymraeg, a rhoes Mr. Gwenallt Jones ddyfyniadau gwerthfawr ohono yn *Rhyddiaith Gymraeg, Y Gyfrol Gyntaf*. ' Clod Cerdd Dafod a'i Dechreuad ' yw'r teitl, ond *lapsus calami* y copïwr yw hynny; cerdd dant a ddylai fod. Dyma ran o'r clod:

> Kanys beth sydd vwy anghyfion, beth sy gamach na barnu y gyfrwyddyd honno yn aflan ac yn gau, yr honn a elwir yn gadwadwriaeth i gyfiownder, yn wiliadwr i arafwch, yn llywodraethferch i vuchedd, fflam a magwriaeth krefydd. I mae yn kynhorthwyio ac yn kadw kyfiawnder, medd Plato, kans o vessurau a lleisiau kerddaidd i perffeithir glan drefn dinassoedd . . . . . .

Deil Bruce Pattison fod miwsig, sef medru ei ddarllen a chanu â llais ac ag offer a rhan-ganu, yn fater gwersi mewn nifer sylweddol o'r ysgolion gramadeg a sefydlwyd yn yr unfed ganrif ar bymtheg. Y mae M. C. Boyd, *Elizabethan Music and Musical Criticism* (1962), yn fwy gwyliadwrus ac yn dangos fod dwy farn ym mysg athrawon ysgolion gramadeg. Dyry Miss Mary Clement inni fraslun o ddatblygiad yr ysgolion gramadeg yng Nghymru :

> Clasurol oedd nodwedd addysg yr holl ysgolion gramadeg. Fe ddeuai llawer o'r ysgolfeistri iddynt yn syth o Rydychen neu Gaergrawnt, ac fe'u dilynwyd hwy yno yn aml gan eu disgyblion o wahanol rannau o Gymru. Gwelwn wrth droi tudalennau'r *Alumni Oxoniensis* a'r *Alumni Cantabrigenses* am y blynyddoedd hyn fod llawer o enwau Cymraeg ynddynt (*Ysgrifau ar Addysg*, iv, 21).

Ymddengys yn rhesymol dal fod a wnelo lledaeniad yr ysgolion gramadeg hyn lawer â machludiad yr hen gerdd dafod a'r hen gerdd dant Gymreig. Ni wn a oes hanes o gwbl am addysg gerddorol yn yr ysgolion gramadeg Cymreig, ond yr oeddynt oll mewn cysylltiad ag eglwysi o bwys a maint, a chanu salmau a chanu côr yn rhan o'r gwasanaeth. A chan mor agos eu cysylltiad â Rhydychen a Chaergrawnt anodd peidio â thybio fod y gerddoriaeth newydd, a ymledai mor frwd yn Lloegr a'r gororau ac yn Llwydlo a Henffordd a Chaerwrangon, wedi ymestyn hefyd i'r plasau pwysig yng Nghymru ac i drefi marchnad a'u hysgolion gramadeg, gan lunio ffasiwn newydd mewn diddanwch a cherdd. Y mae Mr. Brinley Rees, *Dulliau'r Canu Rhydd 1500-1660*, yn dyfynnu darn o gerdd:

> A chwedi darfod i'r dydd basio
> A thân a channwyll i oleuo,
> Cael telyn rawn a'i chweirio
> A phawb ar hwyl penillio ;
> Nid oedd rhaid fynd i'r ysgol
> Cyn cael dyri a charol,
> O law i law yr âi'r delyn
> I gael ysgower ac englyn . . . . .

Diddorol a buddiol cymharu'r darlun hwn â'r darlun a ddyry Morley inni, yn y darn a ddyfynnwyd uchod, o'r hwyl ar ôl swper yn y tŷ yn Llundain. Yno, llyfrau miwsig i bedair neu bum rhan—hynny yw, canu madrigal; yma, telyn o law i law a phob un—yn ei dro ?—yn penillio. A sylwer ar y cwpled:

> Nid oedd rhaid fynd i'r ysgol
> Cyn cael dyri a charol.

O tua 1560 ymlaen madrigal oedd y ffurf ar ganu yr oedd mynd arni yn Lloegr. ' The enormous vogue of the Italian madrigal ' yw teitl adran gyfoethog Gustave Reese ac y mae'r cwbl a ddywed ef yno yn werthfawr. Ni chaf ofod ond i enwi rhai o'i brif bwyntiau, megis nad oedd i eiriau'r canuau yn Lloegr y gwerth llenyddol a oedd i'r farddoniaeth Eidaleg; fod crefft gerddorol y madrigal Seisnig yn llai cywrain ac yn fwy poblogaidd ; ac eto pan ddechreuwyd cyhoeddi llyfrau ohonynt yn 1588 ac wedyn, yr arfer oedd rhoi'r penillion Eidaleg gyntaf a'r trosiad neu gyfaddasiad Saesneg yn ail. Ond dengys ef hefyd, a chytunir yn gyffredinol, ddarfod i grefft y cyfansoddwyr madrigal Seisnig gyrraedd o 1588 ymlaen uchafbwynt cerddorol sy'n eu gosod hwy'n gyfartal â goreuon yr Eidal ac a erys yn un o bennaf ysblanderau oes aur diwylliant Lloegr hyd heddiw.

Nid oes dim tebyg i gywreinrwydd rhan-ganu'r madrigal Seisnig nac Eidalaidd yng Nghymru. Nid oes, hyd y gwn i, sôn am fadrigal. Erys dyri a charol a phennill telyn,—ni ddylid bwrw'r hen enw heibio yn rhy fyrbwyll—yn ffurfiau ar y rhan fwyaf o delynegion Cymraeg gorau'r cyfnod. Ebr Mr. Brinley Rees (Op. cit., 17) : ' Yn ail hanner yr unfed ganrif ar bymtheg y daethpwyd i ddefnyddio *carol* yn llac am unrhyw gân ' ; am y garol Saesneg y mae'n dweud, ond gwir y gair hefyd am yr enw yn Gymraeg. Ond tybed na ellir canfod olion dylanwad y madrigalau Eidalaidd-Saesneg ar rai o bethau cywreiniaf a phertaf y carolau a'r penillion Cymraeg ? Dangosodd Mr. Rees (t. 36) y gallai fod pennill o waith y cerddor proffesiynol John Heywood yn symbyliad i bennill Cymraeg, ac eto fod baled Saesneg (t. 74 n) ar gael ar thema ac ar fesur *Diofal yw bywyd y bugail da'i awen*. Ond y mae'r gathl hon yn gerdd ddysgedig a nodweddiadol o'r Dadeni. Mae ei hachau'n mynd yn ôl at Theocritus, a cheir y testun a'r mesur hefyd, neu o leiaf fôn y mesur, mewn cân Eidaleg o'r bymthegfed ganrif :

> Che bella vita ha al mondo un villanello
> Che'l giorno con due buoi per un campo ara ;
> Se gli è d'inverno si ricopre quello
> D'un sacco ch'è la veste sua più cara, etc.

O hynny hyd at y *Pastor Fido* bu'r thema yn fater madrigalau a cheir amryw yn Saesneg megis *How merrily we live that shepherds be*, yng nghasgliad clasurol Fellowes. Ac y mae'r byrdwn yn awgrymu dylanwad y madrigal. Dywed Obertello, *Madrigali Italiani in Inghilterra* (t. 62), fod yn rhoddi yn Lloegr yr un enw cyffredin madrigal ar y ffurfiau cymysg o bendefigaidd gyw-rain a Napolitanaidd werinol a elwid yn *villanelle* a *canzonette* a *madrigali* yn yr Eidal.

Cyhoeddodd Thomas Morley yn 1594 y testunau Eidaleg a Saesneg a ganlyn ; fe welir mai cyfaddasiad, nid trosiad, yw'r Saesneg :

Nel vis'ha un vago Aprile
La Ninfa mia gentile ;
Et have ne begl'occhi un Luglio ardente,
Settembr'ha in seno, e'n cor Genaio algente.

April is in my Mistris face,
And July in hir eyes hath place,
With in hir bosome is September,
But in hir hart a could December.

Tra gwahanol yw naws y pennill telyn enwog Cymraeg, ond tybed na chafodd y bardd awgrym yng ngwaith Morley ?

Blodau'r flwyddyn yw f'anwylyd,
Ebrill, Mai, Mehefin hefyd . . . . .

Ystyrier yn fyr ddwy gân a roes W. J. Gruffydd gyda'i gilydd yn y *Flodeugerdd*, sef *Ow Ow, Tlysau* (27) a *Boreddydd* (28). Cerdd ddysgedig a chyfrwys-ddadleuol gan brydydd o Bowys yw'r gyntaf. Mae hi, medd ef, ' ar dôn newydd,' sef cwpledau deuair fyrion wedi eu huno'n benillion gyda byrdwn sy'n gyrch-gymeriad, a'r byrdwn yn datblygu'n eironig a choeg hyd at y terfyn. Yn wir, yn yr unfed ganrif ar bymtheg y daw'r cywydd deuair fyrion i'w ogoniant yn fesur telyn. Nid cerdd werinol mo hon o gwbl, eithr cynnyrch diwylliant cerddorol a gwybodaeth o gonfensiwn ac ysbryd y *villanelle* Eidalaidd. Gwenddydd yw enw'r ferch.

Y mae Gwenddydd yn hen enw ar chwaer Myrddin, ond nid enw Cymraeg ar ferch yw Boreddydd, a mwyseirio ar yr enw yw rhan fawr o hoffter *Gwrandewch ganmol brig y don*. Bardd sy'n gwybod ac yn defnyddio holl ystrydebau tlysion yr hen ganu serch Cymraeg sydd yma, *Gorlliw ewyn ymlaen lli*, a chynganeddwr rhwydd pan fynno, *Rhan o ddyn mewn rhinwedd Dduw*. Ond rhaid mai cyfieithiad o enw a ddefnyddir yn fynych ar ferched mewn madrigalau Eidalaidd a chyfieithiadau Saesneg yw Boreddydd, sef Aurora. Yr oedd mwyseirio ar Aurora yn arfer a cheir enghraifft mewn madrigal dwyieithog a gyhoeddodd Morley i bedwar llais yn 1597. Rhoddaf y trosiad Saesneg yn unig :

When loe by breake of morning,
My love hir selfe adorning,
Doth walke the woods so dainty,
Gathring sweet violets and cowslips plenty,
The birds enamoured, Sing and praise my *Flora*,
Lo here a new *Aurora*.

A chymharer pennill o'r gân Gymraeg :

Ceiliog bronfraith, cogau'r rhos,
Y nos pan fônt yn obrudd,
Duw, mor llafar yw eu cân
Pan welan' lân Foreddydd.

Cadwodd y carolwr Cymraeg ei fesur. Ni chroesodd celfyddyd gerddorol gywrain y madrigal dros riniog y gymdeithas Gymraeg. Benthyciwyd themâu a pheth o iaith a dulliau'r canu dysgedig llysol Eidalaidd-Seisnig i liwio carol a baled a phennill telyn a'u tynnu i mewn i awyrgylch a moes y Dadeni Dysg. Y mae'r ychydig gerddi hyn ymysg pethau ceinaf y cyfnod 1580-1630. Ni chawsant y dotio arnynt a haeddant. Y mae arnynt ffresni'r gwlith ar lygad Ebrill. Mawr yw ein dyled i Syr T. H. Parry-Williams a roes i'n hoes ni y testunau diogel.

[*Llên Cymru*, ix (1966-7), 113-18].

Atodiad II

Gweithiau William Williams Pantycelyn, Cyfrol I. Golwg ar Deyrnas Crist, Bywyd a Marwolaeth Theomemphus. Golygwyd gan Gomer Morgan Roberts. Cyhoeddwyd ar ran Bwrdd Gwybodau Celtaidd Prifysgol Cymru ; Caerdydd, Gwasg Prifysgol Cymru, 1964 ; 30/-.

O'r diwedd ! Mae'n ddychryn meddwl mai dyma'r cais cyntaf y ganrif hon i gyhoeddi prif weithiau Pantycelyn. Y mae arnom ddyled drom i'r Parchedig Gomer Roberts am ei gyfrolau gwerthfawr ar fywyd a gwaith Williams. Y mae ynddynt ddefnyddiau anhepgor i bob efrydydd. Dymunaf ddweud hynny a chofnodi hynny gyda diolch ac edmygedd. Ond un peth yw ymchwil i hanes ; fe brofodd Mr. Roberts ei fod yn weithiwr campus yn y maes hwnnw. Peth arall yw golygu testun. Williams Pantycelyn yw un o'r beirdd mwyaf a phwysicaf rhwng Tudur Aled a T. Gwynn Jones. Dylid golygu a chyhoeddi testun ei weithiau gyda'r unrhyw fanylrwydd, yr unrhyw barch a gofal a chywirdeb a thrylwyredd â thestun Dafydd ap Gwilym. Y mae ef yn un o glasuron rhyfeddaf barddoniaeth Gymraeg. Mae'n ofidus gennyf orfod dweud fod yr argraffiad newydd hwn o ddwy gerdd hirfawr Williams yn syrthio'n resynus fyr o'r hyn a ddisgwylid oddi wrth Wasg Prifysgol Cymru.

Dechreuaf gyda'r pethau lleiaf eu pwys, y camgymeriadau argraffu. Y mae amryw ohonynt nad rhaid imi sôn amdanynt; gall y darllenydd eu canfod a'u cywiro wrth ddarllen. Y mae eraill a eill fod yn anhawster iddo. Dyma rai ohonynt ; ni honnaf fod y rhestr yn gyflawn, ond efallai y bydd eu cael yn help i efrydwyr y gyfrol :

tud.	*Rhif y pennill*	*yn lle . . .*	*darllener . . .*
8	1	ddifesur	difesur
16	1	Ond	Os
24	1	Ei ddioddefiadau	Ei dioddefiadau
26	1	marciodd	marcodd
34	4	ymderfyngu	ymderfysgu
36	4	eu bru	ei bru (*eu* sydd yn arg. 2)
52	5	ysgol	ysgog
67	4	ar	a'r

73	2	Ac afon	Ag afon
106	3	â'u	a'u
107	4	miliwn i	miliwn o
113	1	Trwy	Tr' wy
144	2	a	â
145	8	wnaent	'wnaent (= ni wnaent)
146	2	at	ar
152	2	I diodde	I ddiodde
159	8	feiau'r	feiau'n
181	2	am er	amser
210	3	dros	drodd
268	4	taled	galed
310	3	hen le	heb le
354	1	ei ddrws	ei drws
375	7	rhoid	rhois
377	6	arfaethau	arfaethu
380	5	dyst	dysg

Ar d. 67, pennill 2, ceir: *Pe bai bod oes yn newid.* Dyna sydd yn yr ail argraffiad, ond yn y cyntaf a'r trydydd arg. ceir : *Pe bai bob oes*, a hynny sy'n iawn. Ar d. 157, pennill I, ceir :

> A diodde' dyn ddioddefodd, fe Duw a dyn ynghyd,

ond unwaith eto yr arg. cyntaf a'r trydydd sy'n iawn :

> A ddiodde' dyn ddioddefodd, fe Duw a dyn ynghyd ?

Brysiaf i ychwanegu nad oes gennyf i hawl i daflu carreg at neb sy'n cywiro proflenni. Ni chyhoeddais i yn fy myw un llyfr sy'n lân felly. Hwyluso darllen yw amcan y rhestr uchod.

Trown at y pethau pwysig. Ceir yn rhagymadrodd Mr. Roberts yr egwyddorion a dderbyniodd ef wrth lunio'r testun. Dywed :

> Y mae'n amlwg fod Pantycelyn wrth odli nos-croes, tân-blaen, clod-erioed, etc. . . . . yn rhyw ddisgwyl y byddai'r darllenydd yn eu seinio yn ôl arfer tafodiaith, ac felly argraffwyd blâ'n, erio'd, pô'n, ô'n, pan fyddai'r odl yn galw am hynny.

Yn awr y peth cyntaf y dylid ei ddal yn bendant yw mai fel y cyhoeddodd y bardd ei waith ei hun y dylid hyd y bo modd ei gyhoeddi ar ei ôl. Y mae moderneiddio'r orgraff yn hollol iawn, y mae cywiro cambrintiadau sicr yn angenrheidiol. Ond y mae cywiro odlau'r bardd, argraffu *Ô'n* lle y ceir yn y gwreiddiol *Croeshoeliedig Oen*, ac felly ar bob tudalen drwy gydol y gyfrol, gan beri loes i'r llygad gan hylled y ffurfiau, ffurfiau weithiau nas ceir gan Williams o gwbl, a chuddio'r ffaith fod Williams yn defnyddio'r dafodiaith a'r iaith lenyddol blith drafflith gyda'i gilydd o fwriad,—y mae hynny'n torri un o reolau elfennol golygu clasuron.

Y mae Williams bid siŵr yn disgwyl i'r darllenydd adnabod odl rhwng *Oen* a *sôn*, ond y mae ef hefyd yn fynych yn odli, *oen-poen* ; manteisio ar gyfoeth posibiliadau'r cymysgu rhwng iaith lên a thafodiaith yw ei egwyddor ef. Argraffu ei odlau fel yr argraffodd ef hwynt yw'r unig ddull i ddangos hynny. Yn yr argraffiad presennol ni ellir fyth wybod sut yr anfonodd Williams ei gerdd i'r wasg. Hyd yn oed yn y trydydd argraffiad o *Golwg ar Deyrnas Crist*, Trefeca, 1799, lle y dechreuwyd yr arfer anffodus o 'gywiro' Cymraeg Williams, ni wnaed y camgymeriad anhapus hwn.

Y mae gwaeth yn canlyn, llawer gwaeth :

> Yn ôl gofynion y mydr, argreffir llawer o eiriau yn y dull a ganlyn : cyf'rwyddo, c'leted, c'wilydd, t'wyllwch, &c. . . . . Gwneir hynny gan Bantycelyn ei hun yn bur aml, eithr nid bob amser . . . . . .

'Yn ôl gofynion y mydr' ! Dyma a ddywed Mr. Roberts am y mydr :

> Fe gyfansoddwyd y ddwy gerdd ar fesur braidd yn undonog, sef 76.76 Dwbl, gydag acen ddisgynedig (iambig) ; a'r duedd wrth eu darllen, efallai, yw blino ar yr un curo rhythmig parhaus o bennill i bennill . . . . .

Ni wn i sut y gellir galw acen ddisgynedig yn iambig, ond sylwer fod Mr. Roberts yn dal fod y mesur yn undonog ac wedyn yn mynnu ystumio pob llinell i arddangos a phwysleisio undonedd. 'Gwneir hynny gan Bantycelyn ei hun yn bur aml, eithr nid bob amser,' ebr ef. Pam na wnaeth y bardd hynny bob amser ? Oblegid bod gan Bantycelyn glust cerddor, oblegid ei fod ef fil o weithiau drwy'r ddwy gerdd faith yn defnyddio mân amrywiadau rhuthmig i ddwyn miwsig i'w linellau er osgoi undonedd a dangos ei feistraeth gyfrwys ar holl bosibiliadau'r mesur. Cofier mai i'w darllen ac nid i'w canu y cyfansoddwyd y cerddi hyn. Pan sgrifennodd Williams i'r argraffiad cyntaf a'r ail :

Ei Gwpan anghysurus a roddwyd iddo'n llawn
O Finigr a Wermod a Bustl chwerw iawn,

y mae'r surni i'w glywed yn y rhuthm stacato :

O Finigr a Wermod a Bustl || chwerw iawn.

Ond y mae testun Mr. Roberts yn troi'r llinell fawr yn rhigwm adrodd ysgol babanod :

O finiger a wermod, a bustil chwerw iawn.

Y mae hyd yn oed y coma diangen yn helpu i ddinistrio'r llinell; ac felly ganwaith a rhagor gydag atalnodi'r gyfrol.

Cymerwn linell o onomatopeia eglur :

Mwy tywyllwch pan ymguddio, || mwy ofn dychryn sy . . .

y mae hanner cyntaf y llinell gyda'r pentwr sillafau diacen yn cyfleu ymbalfalu'r tywyllwch, ac yna'r tair acen drom gyda'i gilydd yn awgrymu'r dychryn. Dyma a geir gan Mr. Roberts :

Mwy t'wyllwch pan ymguddio, mwy ofn dychryn sy . . .

Ac eto pan geir gan Williams a'r tri argraffiad cyntaf :

O ddwfn anwybodaeth, O ddwfn dywyllwch du !

ceir yn yr argraffiad newydd :

O ddwfwn anwybodaeth ! O ddwfn dwyllwch du !

Y mae Williams yn hoff o amrywio ail linell drwy gychwyn gydag acen drom ddramatig y bar a gollwng heibio'r sillaf ddiacen agoriadol. Gwna hynny ugeiniau o weithiau :

Mae moroedd o ddoethineb, oes, ynot f'Arglwydd mawr,
Annoeth wyf fi || ymbiliaf am beth ohono lawr.

Yn y testun hwn dinistrir y cyferbyniad dramatig yn anhygoel:

An-noeth wyf fi, ymbiliaf am beth ohono 'lawr.

Enghraifft arall :

Gwnaeth pechod Ddistryw enbyd ac Anrhaith ar y Byd,
Anrhefn / ac anghydfod / trwy'r Nef a'r Ddaear i gyd . . .

ond yn y testun presennol :

Annhrefen ac anghydfod . . .

Ac felly o hyd ac o hyd. Pob un tro y gall y mae Mr. Roberts yn dinistrio rhuthmau byw barddoniaeth ac yn troi Williams yn rhigymwr bol clawdd. Mae'n ofid i mi orfod dweud hyn.

Cafodd Mr. Roberts gyngor gan athrawon cyfrifol yn y Brifysgol ac y mae rhan fawr o'r cyfrifoldeb yn disgyn arnynt hwy. Fe ddylesid fod wedi cyhoeddi testun Williams heb newid ond y lleiaf dim a ellid a chan gadw hyd yn oed holl briflythrennau'r ddeunawfed ganrif. Cafodd y golygydd ei gamarwain yn llwyr. Ni ellir barnu barddoniaeth Pantycelyn wrth destun y gyfrol hon.

Trof yn awr at enghreifftiau o gamddeall y testun a'i gywiro'n anffodus. O hyn ymlaen cyfyngaf fy sylwadau yn llwyr i destun *Golwg ar Deyrnas Crist*. Wele enghraifft yr arweiniwyd Mr. Roberts ar gyfeiliorn ynddi gan ei benderfyniad i droi mydryddiaeth Williams yn rhigwm undonog. Sgrifennodd Williams :

> Ac nid yw holl Ehangder, na Bydoedd mwya'r Nef
> Ond fel y Mymryn lleia o flaen ei Olwg ef.

Hynny yw, nid yw holl ehangder y nef na bydoedd mwya'r nef ond mymryn. Eithr fel yma y ceir y llinell gyntaf yn y testun newydd (t. 47) :

> Ac nid yw['r] holl ehangder, na bydoedd mwya'r nef . . . . . .

Yr oedd Williams yn meddwl mewn llinellau llawnion ; y mae ei olygydd yn gwthio arno 76.76 dwbl.

Dyma bennill sy'n anodd :

> Pe buasai'r Oen heb wybod, er marw ar y Pren,
> Un Enaid P'un a gawsai o'r holl rai tan y Nen,
> A'r Ddraig i'w cael heb rifo, pwy Galon golli Gwaed ?
> Nid felly rhoddwyd Pobl i'w cadw gan fy Nhad.

Dyna'r testun yn y tri argraffiad cyntaf, ond yn unig fod y trydydd yn rhoi coma ar ôl *nid felly* yn y llinell olaf. Yn argraffiad Cynhafal Jones cywirwyd y drydedd linell fel hyn :

> . . . . . pwy galon golla'i gwaed ?

a chan Mr. Roberts ceir (t. 27) :

> . . . . pwy galon goll[a']i gwa'd ?

Hynny yw: pa galon a gollai ei gwaed ? Fe welir ar unwaith mai nonsens yw'r cwestiwn. Y gwir yw bod y tri argraffiad cyntaf, dau ohonynt dan ofal y bardd ei hun, yn gwbl gywir. Y mae'r cwestiwn: *Pwy galon golli gwaed* ? yn nodweddiadol o arddull Williams ac yn arddangos dau ffigur ymadrodd a geir gannoedd o weithiau drwy ei waith oll. Gwell imi ddweud gyntaf beth yw ystyr y pennill. Pennill Calfinaidd yn ymwneud ag Etholedigaeth y Saint sydd yma : Pe buasai'r Oen heb wybod a gawsai ef un enaid i'w achub, pa golli gwaed ei galon a fuasai ? Nid felly y bu : fe roddwyd pobl i'w cadw gan Dduw Dad.

Yn awr at y ffigurau ymadrodd. Geilw John Morris-Jones y cyntaf yn drawsfynediad am ' fod yn rhaid mynd dros eiriau eraill i gysylltu geiriau sy'n perthyn i'w gilydd.' Y mae dehongliad geiriadur Groeg-Saesneg Liddell a Scott yn nes at ddisgrifio dull Williams : ' A transposition of words or clauses in a sentence.' Y mae'r enghreifftiau yng ngherddi Williams yn fyrdd ; mae'r modd yn perthyn i'w ddull ef o feddwl a brawddegu yn ei ddewis fesur. Cymeraf enghreifftiau ar siawns:

t. 5 Nad allai un creadur fyth arall i'w fwynhau.

t. 11 Fel hyn bwriadodd wneuthur, gelynion maith ynghyd,
Beth bynnag gostiai iddo, serch mynd yn eitha' drud.

t. 25 'All amau ei anfoniad 'd oes angel fyth na dyn.

t. 79 Yn brawf o dy ufudd-dod yn brawf ac o dy ffydd.

t. 71 Mae yno rif heb rifo o greaduriaid byw . . . . .
Rhai mawr eu grym difesur fyth na feddyliant gur
Pres gloyw fach y morwr, neu glwy y dryfer ddur.

Onid yw'r dull yn cadw'r meddwl yn effro, yn awgrymu grym, megis petai cyhyrau braich y bardd a'u hymchwydd i'w canfod ym mreichiau'r llinellau ?

Y ffigur arall yw hwnnw a eilw Morris-Jones yn Ddiffyg. Ceir gan Williams ddigon o enghreifftiau o'r frawddeg enwol. Peidiwn â chymysgu ; nid diffyg mo'r frawddeg enwol. Un o'r enghreifftiau a ddyry *Cerdd Dafod* yw cwpled Guto'r Glyn :

Llawn fu amner pob clerwr
A lledr gwag oll wedi'r gŵr.

Dyma enghreifftiau o'r modd gan Williams :

t. 56 Cyhoeddwch iddo ddyfod i wisgo natur dyn . . .
I fynd i fôr o gystudd neb arall arno erioed.

t. 161 Dwed er mai du ac aflan dy fod di imi'n rhan.

t. 75 Er oll mai gwaith ei fysedd, pob nant, pob afon gref.

t. 63 Ac fe osododd eilwaith y gweinion dywod mân
Er mai cyndeiriog ynfyd i sefyll yn ei flaen.

Dyma i chi linell ddiddorol ac ynddi drawsfynediad a diffyg ynghyd :

t. 156 Dim lle i golli hatling dyn pan aeth yn ei le.

Yng ngoleuni'r pethau hyn fe welir mai'r darlleniad gwreiddiol:

. . . . pwy Galon golli Gwaed ?

sy'n gywir yn hytrach nag a geir ar dudalen 27 yma.

Pan fo meddwl Williams ar ei gyflawn egni mi fyddaf i'n ei weld ef yn debyg yn ei ddull o drin iaith i Shakespeare yng nghyfnod olaf ei ddramâu ; y mae'r cywasgiad meddwl a'r llam meddwl a'r cymysgu ffigurau yr un mor feiddgar. Dyma enghraifft o ddefnyddio'r ffigur Diffyg mewn modd Shakespearaidd ddigon ; dyfynnaf o'r argraffiad cyntaf gan fod testun Mr. Roberts yn anffodus yma :

Pam peidiaf fyth â diolch yn isel wrth ei Draed ?
Pe eraill yn haeddiannol i mi Trugaredd rad
A'm dagrau hallt yn golchi Traed fy Iachawdwr Crist,
Y Traed mor fuan redodd i achub f'Enaid trist . . .
Os dan y llid fy hunan gwae fi fy ngeni' i'r Byd,
A ddiodde Dyn ddioddefodd, fe Duw a Dyn ynghyd ?
Cyflawnder mawr y Duwdod yn trigo ynddo ef,
Ac yn ei Nerthu hefyd yr oedd Angylion nef.

Y mae Williams droeon yn defnyddio *ynt* neu *'ynt* yn lle iddynt. Tybiodd Mr. Roberts mai'r ferf *ynt* a fwriedid. Y mae hynny'n drysu testun *Golwg ar Deyrnas Crist* yn fynych. Dyma gywiriadau :

t. 21 Ni all'sai Satan feddwl 'nghyd â'r uffernol lu
Fwy nag 'ynt hwy eu hunain fod gronyn lle i ni :

t. 48 Od oes fath fydoedd mawrion heb fesur 'ynt na rhi.

t. 108 Bob bore maith fendithion heb derfyn 'ynt na rhif.

t. 123 A thrwy ymddangosiadau amrywiol eraill 'ynt
Y gwnaeth ei hun yn amlwg i'r sanctaidd deidiau gynt.

t. 127 I'r hwn y rhowd addewid eglurach nag 'ynt hwy.

Yn y nodiadau uchod ceisiais gyfyngu fy sylwadau i bwyntiau o bwys. Ni cheisiais astudio testun *Theomemphus* yn yr argraffiad newydd hwn ; arhosais gyda *Golwg ar Deyrnas Crist*, y gerdd gyntaf yn y gyfrol. Y modd y dylesid golygu ac argraffu G.D.C., yn fy marn i, yw cymryd yr ail argraffiad yn destun, a nodi ar waelodion y dail holl amrywiadau'r argraffiad cyntaf, a dyfynnu o'r trydydd argraffiad, Trefeca 1799, lle bynnag y gallai fod o gymorth, ond gan gofio mai gyda'r argraffiad hwnnw y dechreuwyd ymyrraeth a 'diwygio' Williams. Buasai atodiad a gynhwysai'r darnau o'r argraffiad cyntaf a daflwyd allan o'r ail yn dra gwerthfawr, canys y mae ynddynt gyfresi o benillion ysblennydd. Ysywaeth ni all efrydydd sydd o ddifri bwyso ar yr argraffiad newydd hwn; rhaid iddo chwilio mewn llyfrgelloedd am y gwreiddiol lle y ceir barddoniaeth Pantycelyn. Mae'r peth yn siomiant.

Mae'n ddyletswydd arnaf ddweud ychwaneg. Mr. Gomer Roberts yw'r beirniad cyfoes cyntaf i ddangos mawredd y gerdd G.D.C. ac i astudio ffynonellau'r gwaith a'r llyfrau gwyddonol a diwinyddol y sonia Williams amdanynt yn ei nodiadau pros. Fe haedda Mr. Roberts ddiolch ac edmygedd pob efrydydd o waith Williams am hyn, oblegid ef yn sicr sy'n iawn. Y mae G.D.C. mor bwysig yn ei dull â *Theomemphus* ac yn un o glasuron y ddeunawfed ganrif. Dywedaf yn gryno dri pheth amdani.

1. Dywed Teilhard de Chardin ar gychwyn ei lyfr *Le Milieu Divin* :

> Mae'n ddiau mai'r datguddiad o faint ac undod y bydysawd o'n hamgylch a thu mewn inni yw achos y cyfoethogi a'r cynhyrfu a fu ar feddwl crefyddol yn ein hoes ni. O'n cwmpas oll y mae gwyddoniaeth ffisegol yn estyn yn ddiderfyn affwysau amser a gofod, ac yn canfod o hyd ac o hyd gysylltiadau a pherthnaseddau newydd rhwng elfennau'r bydysawd.

Yn ysbryd y dyfyniad yna y sgrifennodd Williams G.D.C. yng nghanol y ddeunawfed ganrif. Nodiadau helaeth a manwl i egluro'r gerdd yw rhyddiaith fodern wyddonol gyntaf llenyddiaeth Gymraeg a phrin fod yn ail hanner y ddeunawfed ganrif ryddiaith bwysicach. Mae'r un peth yn wir am y gerdd ei hunan. Yma am y tro cyntaf y mae barddoniaeth Gymraeg yn disgrifio'r bydysawd a ddatguddiodd gwyddoniaeth. Nid yw'r gerdd yn gyson drwyddi draw. Ceir darnau y gwelir y bardd ynddynt yn syrthio'n ôl i fydysawd cyn-gopernig. Ond y mae cyfle i astudiaeth helaeth a thrwyadl o ganu gwyddonol Williams, ei ffynonellau a'i ddull o'u trin.

2. Yn ail argraffiad G.D.C. fe gyhoeddodd Williams gerdd newydd am greu a charu a phriodi Efa, eidulion sy'n un o'i gyfansoddiadau mwyaf cabol ef. Fe'i ceir yn gyfan ar dud. 83-85 o'r argraffiad hwn. Sgrifennais am y gân hon yn *Barn* (Tachwedd 1964). Y mae hi'n gampwaith ac yn allwedd i *Theomemphus*.

3. Y mae barddoniaeth ddiwinyddol dda yr un mor brin â barddoniaeth greadigol wyddonol. Sylwer mai barddoniaeth ddiwinyddol a ddywedaf, nid canu crefyddol. Y mae rhannau helaeth o'r bumed a'r chweched bennod o G.D.C. yn ennill hawl i'w gosod wrth ymyl *Paradiso* Dante. Y mae ynddynt fawredd meddwl a mynegiant.

[*Llên Cymru*, viii (1964-5), 102-7].

MYNEGAI I AWDURON